Yilin Classics

H. C. ANDERSEN

经／典／译／林

Eventyr og Historier

安徒生童话选集

[丹麦] H. C. 安徒生 著

叶君健 译

译林出版社

图书在版编目（CIP）数据

安徒生童话选集/（丹）H.C.安徒生著；叶君健译．
—南京：译林出版社，2019.4（2024.1重印）
（经典译林）
ISBN 978-7-5447-7573-1

Ⅰ.①安…　Ⅱ.①H…　②叶…　Ⅲ.①童话－作品集－丹麦－近代　Ⅳ.①I534.88

中国版本图书馆CIP数据核字（2018）第258813号

安徒生童话选集 [丹麦] H.C.安徒生 / 著　叶君健 / 译

责任编辑　鲍迎迎　王理行
装帧设计　侯海屏
校　　对　李　娟
责任印制　颜　亮

原文出版　Svend Larsen, 1949
出版发行　译林出版社
地　　址　南京市湖南路1号A楼
邮　　箱　yilin@yilin.com
网　　址　www.yilin.com
市场热线　025-86633278
排　　版　南京展望文化发展有限公司
印　　刷　南京爱德印刷有限公司
开　　本　880毫米 × 1240毫米　1/32
印　　张　14.125
插　　页　4
版　　次　2019年4月第1版
印　　次　2024年1月第13次印刷
书　　号　ISBN 978-7-5447-7573-1
定　　价　42.00元

CONTENTS · 目录

译者前言

19世纪是西方文学艺术发展的高峰时期。大师们辈出，具有永恒价值的优秀作品不断涌现。这些大师、这些作品，至今仍在起世界性的影响，给文学艺术创作提供典范。儿童文学也不例外。它在19世纪取得了划时代的成就。这方面的一个杰出作家就是汉斯·克里斯蒂安·安徒生(1805—1875)。他的童话至今仍为全世界的儿童——也包括成年人——所喜爱。他的名字自然也是家喻户晓。我国的小学语文课本都选有他的作品。换句话说，凡是受过普通教育的中国人，无不知道这位丹麦大师的名字。

安徒生的成就在于他把童话提高到了一个新的高度，使它成为一个重要的文学品种。固然，童话从远古时代，从婴儿开始懂事的时候起就已经存在。奶奶、妈妈或阿姨们在摇篮旁给婴儿讲的故事就是童话——我们一般把它们叫做“民间故事”——但作为文学创作，也就是严肃的文学创作，那就应该说是从安徒生开始了。安徒生在开始发表童话以前，就已经是个作家。他写小说，写诗歌，写剧本和游记等等。他先是在这方面取得了社会的公认的，但他到了35岁发表第一本童话时，他就决心以毕生的精力为孩子们写作，这可能与他自己悲苦的童年有关。他出生于一个城市贫民家庭，经常与饥饿打交道，谈不上童年。他要写些“讲给孩子们听的故事”——这也是他最先出版的几本童话的书名。这个书名代表他对孩子的态度，他爱孩子——他把自己当作是他们的朋友。但他还认为,当他的故事正在被“讲给孩子听”的时候,旁边也一定会有大人在听,所以他也要给成年人“提供一点东西,让他们想想”。因此他的童话也不单是为了丰富孩子们的精神生活,也是为了启发成年人。这也就是说,他的童话具有一种“使命感”。童话这个文学品种,在他的笔下,就被提到与成人文学同等的高度,甚至有所超过。

他充分利用童话的特点,使他的作品具有一般成人文学中比较欠缺的东西,那就是丰富的幻想、天真烂漫的构思和朴素的幽默感。但这些特性并非来自他单纯的主观想象,而是植根于现实的生活。他的许多脍炙人口、为各种年龄的人所欣赏的作品就都具有这种特色,如《夜莺》《豌豆上的公主》《皇帝的新装》《牧羊女》和《扫烟囱的人》,都充满了浓郁的生活气息。尽管故事的情节不一定与现实生活对得上口径,但它们在读者心中所产生的印象是有说服力的,可信的,而且趣味横生,更加深了这种印象的真实感,起着潜移默化的作用。以《皇帝的新装》这篇童话为例,那位皇帝——包括他的那一群阁僚们——蠢得可爱,虚荣得可爱,活龙活现,使读者从他们的思想和行为中得到一种真实感。此外,这篇童话的消遣性和娱乐性也远远超过我们现在在舞台或电视屏幕上所看到的丑角明星。“皇帝”堪称典型环境中的典型人物,在给我们提供极大的笑料和快感的同时,也启发我们的思想和视野。与我们现实对照,“皇帝”这样的统治者今天也可以找到标本,在今天他仍是一个具有极为深刻现实意义的典型。

但即使在这个滑稽人物身上,安徒生也表现出对人间的爱,没有这种爱,他大概创造不出这个人物的。他希望我们人间的生活变得更合理、更成熟、更有文化。为此他才特地给我们描绘出这样一副稀世珍奇的嘴脸——

作为人间的反面教员。在他绝大多数的童话作品中他是以满腔的热情,表达他对人间的关怀,对人的尊严的重视,对人类进步的赞颂。如《海的女儿》这是个具有沉重悲剧性的爱情故事,我们为它动人的情节而感动,但却容易忽略它里面蕴藏着的安徒生对人间的爱,对人这种高等动物的热切希望。海底公主爱上了一位人间的王子——在安徒生的想象中这位王子代表了人类的一切优良特点:貌美、善良、温柔、和蔼,具有足以与"人"的称号相称的文化,她要赢得这位王子,必须获得作为"人"的特点的一件重要东西:灵魂。获得这样东西的条件是,她必须赢得王子对她的爱。为了这个目的,她作出了最大的牺牲:让巫婆把她的鱼尾变成人腿,作为酬报巫婆得割去她的舌头——她成了一个哑巴。王子虽然喜欢她,但她却无法表达她对王子的爱情,说出她的心里话。王子最后与他误认为他在海上遇难时救过他的那位女子——事实上救他的就是这位海公主——结婚。但她没有讲话的功能,也就无法说明真相,王子与那个女子结婚之夜,就是她获得"灵魂"的希望破灭的时刻,她的最后出路是恢复她的原形,回返海底,度过她作为公主可以愉快地活三百年的岁月——她虽然是个低等生物,但寿命比人长,条件是她必须在新嫁娘身边熟睡的王子的胸膛上刺一刀,让他的血溅到她的脚上,使她的腿恢复鱼尾的原形。但当她看到王子在新娘旁睡得那么幸福时,她自己毅然地投入海里,化为泡沫。

隐藏在这个悲惨故事后面的主题思想是:"人",作为一个高等动物的标志是有一个"灵魂",海公主所追求的就是进入"人"的领域,成为高等生物,因而愿意牺牲一切来获得这个"灵魂",反过来说,已经具有高等生物"人"的本身,如果没有"灵魂",那么算是什么呢?安徒生要他的读者深思的就是这个问题。当今世界没有灵魂的"人"太多了,所以这个纯幻想的故事，却具有极为现实的意义。

但有“灵魂”的人在我们中间也并不完全生活在“幸福”——我们一般理解的“幸福”这个词之中。人生路上充满了荆棘、坎坷和斗争，甚至还有牺牲。有多少伟大的人物，如科学家、艺术家、作家、政治家、革命家和爱国者，为了真理，为了正义，历尽艰险、磨难，以致献出了生命，但是在他们的心中是感到“幸福”的。这“幸福”来源于那鼓励他们前进的高尚理想。这里面有无法用语言来表达的诗情，我们过去的革命者和烈士们艰苦奋斗，临危不惧，就因为他们有这种“诗情”在支持着他们。安徒生有一组童话名为《没有画的画册》和《光荣的荆棘路》。它们集中地表现出他所歌颂的这种诗情。这实际上是安徒生童话的“灵魂”。在所有安徒生的童话中，人们可以发觉这种诗情，不时忽隐忽现地发出闪光。我把这个童话转化为方块汉字的时候，就力求保留住这种诗情，因为我觉得这些童话能够经久不衰地打动读者的心，这也是个重要的因素。

叶君健

夜　　莺[1]

你大概知道,在中国,皇帝是一个中国人。他周围的人也是中国人。这故事是许多年以前发生的,但是正因为这个缘故,在人们没有忘记它以前,值得听一听。这位皇帝的宫殿是世界上最华丽的,完全用细致的瓷砖砌成,价值非常高,不过非常脆薄,如果你想摸摸它,你必须万分当心。人们在御花园里可以看到世界上最珍奇的花儿。那些最名贵的花上都系着银铃,好使得走过的人一听到铃声就不得不注意这些花儿。是的,皇帝花园里的一切东西都布置得非常精巧。花园是那么大,连园丁都不知道它的尽头是在什么地方。如果一个人不停地向前走,他可以碰到一个茂密的树林,里面有很高的树,还有很深的湖。这树林一直伸展到蔚蓝色的、深沉的海那儿去。巨大的船只可以在树枝底下航行。树林里住着一只夜莺。它的歌唱非常美妙,连一个忙碌的穷苦渔夫,在夜间出去收网的时候,一听到这夜莺,也不得不停下来欣赏一下。

"我的天,唱得多么美啊!"他说。但是他不得不去做他的工作,所以只好把这鸟儿忘掉。不过第二天晚上,这鸟儿又唱起来了。渔夫听到它的时候,不禁又同样地说:"我的天,唱得多么美啊!"

世界各国的旅行家都到这位皇帝的首都来,欣赏这座皇城、宫殿和花园。不过当他们听到夜莺的时候,他们都说:"这是最美的东西!"

这些旅行家回到本国以后,就谈论着这件事情。于是许多学者就写了

---

① 这是安徒生虚构的故事。其中关于我国的事情都不是事实。

大量关于皇城、宫殿和花园的书籍。但是他们也没有忘记这只夜莺，而且还把它的地位放得最高。那些会写诗的人还写了许多最美丽的诗篇，歌颂这只住在深海旁边树林里的夜莺。

这些书流行到全世界。有几本居然流行到皇帝手里。他坐在他的金椅子上，读了又读：每一秒钟点一次头，因为那些关于皇城、宫殿和花园的细致的描写使他读起来感到非常舒服。“不过夜莺是这一切东西中最美的东西。”这句话清清楚楚地摆在他面前。

“这是怎么一回事儿？”皇帝说，“夜莺！我完全不知道有这只夜莺！我的帝国里有这只鸟儿吗？而且它还居然就在我的花园里面？我从来没有听到过这回事儿！这件事情我居然只能在书本上读到！”

于是他把他的侍臣召进来。这是一位高贵的人物。任何比他藐小一点的人，只要敢于跟他讲话或者问他一件什么事情，他一向只是简单地回答一声：“呸！”——这个字眼是任何意义也没有的。

“据说这儿有一只叫夜莺的奇异的鸟儿啦！”皇帝说，“人们都说它是我的伟大帝国里一件最珍贵的东西。为什么从来没有人在我面前提起过呢？”

“我从来没有听到过它的名字，”侍臣说，“从来没有人把它进贡到宫里来！”

“我命令：今晚必须把它弄来，在我面前唱唱歌，”皇帝说，“全世界都知道我有什么好东西，而我自己却不知道！”

“我从来没有听到过它的名字，”侍臣说，“我得去找找它！我得去找找它！”

不过到什么地方去找它呢？这位侍臣在台阶上走上走下，在大厅和长廊里跑来跑去，但是他所遇到的人都说没有听到过什么夜莺。这位侍臣只好跑回到皇帝那儿去，说这一定是写书的人捏造的一个神话。

“陛下请不要相信书上所写的东西。这些东西大都是无稽之谈——也就是所谓‘胡说八道’罢了。”

“不过我读过的那本书，”皇帝说，“是日本国的那位威武的皇帝送来的，因此它决不能是捏造的。我要听听夜莺唱歌！今晚必须把它弄到这儿来！我下圣旨叫它来！如果它今晚来不了，宫里所有的人，一吃完晚饭就要在肚皮上结结实实地挨几下！”

"钦佩[①]!"侍臣说。于是他又在台阶上走上走下,在大厅和长廊里跑来跑去。宫里有一半的人在跟着他乱跑,因为大家都不愿意在肚皮上挨揍。

于是他们便开始一种大规模的调查工作,调查这只奇异的夜莺——这只除了宫廷的人以外、大家全都知道的夜莺。

最后他们在厨房里碰见一个穷苦的小女孩。她说:

"哎呀,老天爷,原来你们要找夜莺!我跟它再熟悉不过,它唱得很好听。每天晚上大家准许我把桌上剩下的一点儿饭粒带回家去,送给我可怜的生病母亲——她住在海岸旁边。当我在回家的路上,走得疲倦了的时候,我就在树林里休息一会儿,那时我就听到夜莺唱歌。这时我的眼泪就流出来了,我觉得好像我的母亲在吻我似的!"

"小丫头!"侍臣说,"我将设法在厨房里为你弄一个固定的职位,同时使你得到看皇上吃饭的特权。但是你得把我们带到夜莺那儿去,因为它今晚得在皇上面前表演一下。"

这样,他们就一齐走到夜莺经常唱歌的那个树林里去。宫里一半的人都出动了。当他们正在走的时候,一头母牛开始叫起来。

"呀!"一位年轻的贵族说,"现在我们可找到它了!这么一个小的动物,它的声音可是特别洪亮!我以前在什么地方听到过这声音。"

"错了,这是牛叫!"厨房的小女用人说。"我们离那块地方还远着呢。"

现在沼泽里的青蛙叫起来了。

中国的宫廷祭司说:"现在我算是听到它了——它听起来像庙里的小小钟声。"

"错了,这是青蛙的叫声!"厨房小女用人说。"不过,我想很快我们就可以听到夜莺了。"

于是夜莺开始唱起来。

"这才是呢!"小女用人说,"听啊,听啊!它就栖在那儿。"

她指着树枝上一只小小的灰色鸟儿。

"这个可能吗?"侍臣说。"我从来就没有想到它是那么一副样儿!你们看它是多么平凡啊!这一定是因为它看到有这么多的官员在旁,吓得失

① 这是安徒生引用的一个中国字的译音,原文是 Tsing-pei。

去了光彩的缘故。"

"小小的夜莺！"厨房的小女用人高声地喊，"我们仁慈的皇上希望你到他面前去唱唱歌啦。"

"我非常高兴！"夜莺说，于是它唱出动听的歌来。

"这声音像玻璃钟响！"侍臣说，"你们看，它的小歌喉唱得多么好！说来也稀奇，我们过去从来没有听到过它。这鸟儿到宫里去一定会逗得大家喜欢！"

"还要我再在皇上面前唱一次吗？"夜莺问，因为它以为皇帝在场。

"我的绝顶好的小夜莺啊！"侍臣说，"我感到非常荣幸，命令你到宫里去参加一个晚会。你得用你美妙的歌喉去娱乐圣朝的皇上。"

"我的歌只有在绿色的树林里才唱得最好！"夜莺说。不过，当它听说皇帝希望见它的时候，它还是去了。

宫殿被装饰得焕然一新。瓷砖砌的墙和铺的地，在无数金灯的光中，闪闪地发亮。那些挂着银铃的、最美丽的花朵，现在都被搬到走廊上来了。走廊里有许多人跑来跑去，卷起一阵微风，使所有的银铃都丁当丁当地响起来，弄得人们连自己说的话都听不见。

在皇帝坐着的大殿中央，人们竖起了一根金制的栖柱，好使夜莺能在上面站着。整个宫廷的人都来了，厨房里的那个小女用人也得到许可站在门后侍候——因为她现在得到了一个真正"厨仆"的称号。大家都穿上了最好的衣服。大家都望着这只灰色的小鸟：皇帝在对它点头。

于是这夜莺唱了——唱得那么美妙，连皇帝都流出眼泪来，一直流到脸上。当夜莺唱得更美妙的时候，它的歌声就打动了皇帝的心弦。皇帝显得那么高兴，他甚至还下了一道命令，叫把他的金拖鞋挂在这只鸟儿的脖颈上。不过夜莺谢绝了，说它所得到的报酬已经够多了。

"我看到了皇上眼里的泪珠——这对于我说来是最宝贵的东西。皇上的眼泪有一种特别的力量。上帝知道，我得到的报酬已经不少了！"于是它用甜蜜幸福的声音又唱了一次。

"这种逗人爱的撒娇我简直没有看过！"在场的一些宫女们说。当人们跟她们讲话的时候，她们自己就故意把水倒到嘴里，弄出咯咯的响声来：她们以为她们也是夜莺。小厮和丫环们也发表意见，说他们也很满意——这种评语是很不简单的，因为他们是最不容易得到满足的一些人物。一句话：夜莺获得了极大的成功。

夜莺现在要在宫里住下来，要有它自己的笼子了——它现在只有白天出去两次和夜间出去一次散步的自由。每次总有十二个仆人跟着；他们牵着系在它腿上的一根丝线——而且他们老是拉得很紧。像这样的出游并不是一件轻松愉快的事情。

整个京城里的人都在谈论着这只奇异的鸟儿，当两个人要遇见的时候，一个只须说“夜”，另一个就接着说“莺”[①]。于是他们就互相叹一口气，彼此心照不宣。有十一个做小贩的孩子都起了“夜莺”这个名字，不过他们谁也唱不出一个调子来。

有一天皇帝收到了一个大包裹，上面写着“夜莺”两个字。

“这又是一本关于我们这只名鸟的书！”皇帝说。

不过这并不是一本书，而是一件装在盒子里的工艺品——一只人造的夜莺。它跟天生的夜莺一模一样，不过它全身装满了钻石、红玉和青玉。这只人造的鸟儿，只要它的发条上好，就能唱出一曲那只真夜莺所唱的歌；同时它的尾巴上上下下地动着，射出金色和银色的光来。它的脖颈上挂有一根小丝带，上面写道：“日本国皇帝的夜莺，比起中国皇帝的夜莺来，是很寒酸的。”

“它真是好看！”大家都说。送来这只人造夜莺的那人马上就获得了一个称号：“皇家首席夜莺使者”。

“现在让它们在一起唱吧；那将是多么好听的双重奏啊！”

这样，它们就得在一起唱了；不过这个办法却行不通，因为那只真正的夜莺只是按照自己的方式随意唱，而这只人造的鸟儿只能唱“华尔兹舞曲”那个老调。

“这不能怪它，”乐师说，“它唱得非常合拍，而且是属于我的这个学派。”

---

① “夜莺”在丹麦文中是 Nattergal。作者在这儿似乎故意开了一个文字玩笑，因为这个字如果拆开，头一半成为 natter（夜——复数），则下一半“莺”就成 gal，而 Gal 这个字在丹麦文中却是“发疯”的意思。

现在这只人造的鸟儿只好单独唱了。它所获得的成功,比得上那只真正的夜莺;此外,它的外表却是漂亮得多——它闪耀得如同金手镯和领扣。

它把同样的调子唱了三十三次,而且还不觉得疲倦。大家都愿意继续听下去,不过皇帝说那只活的夜莺也应该唱点儿什么东西才好——可是它到什么地方去了呢?谁也没有注意到它已经飞出了窗子,回到它的青翠的树林里面去了。

"但是这是什么意思呢?"皇帝说。

所有的朝臣们都咒骂那只夜莺,说它是一个忘恩负义的东西。

"我们总算是有了一只最好的鸟了。"他们说。

因此那只人造的鸟儿又得唱起来了。他们把那个同样的曲调又听了第三十四次。虽然如此,他们还是记不住它,因为这是一个很难的曲调。乐师把这只鸟儿大大地称赞了一番。是的,他很肯定地说,它比那只真的夜莺要好得多:不仅就它的羽毛和许多钻石来说,即使就它的内部来说,也是如此。

"因为,淑女和绅士们,特别是皇上陛下,你们各位要知道,你们永远也猜不到一只真的夜莺会唱出什么歌来;然而在这只人造夜莺的身体里,一切早就安排好了:要它唱什么曲调,它就唱什么曲调!你可以说出一个道理来,可以把它拆开,可以看出它的内部活动:它的'华尔兹舞曲'是从什么地方起,会到什么地方止,会有什么别的东西接上来。"

"这正是我们的要求。"大家都说。

于是乐师就被批准下星期天把这只雀子公开展览,让民众看一下。皇帝说,老百姓也应该听听它的歌。他们后来也就听到了,同时也是非常满意。愉快的程度正好像他们喝过了茶一样——因为喝茶是中国的习惯。他们都说:"哎!"同时举起食指,点点头。可是听到过真正的夜莺唱歌的那个渔夫说:

"它唱得倒也不坏,很像一只真鸟儿,不过它似乎总缺少了一种什么东西——虽然我不知道这究竟是什么!"

真正的夜莺从这土地和帝国被放逐出去了。

那只人造夜莺在皇帝床边的一块丝垫子上占了一个位置。它所得到的一切礼品——金子和宝石——都被陈列在它的周围。在称号方面,它已经被封为"高贵皇家夜间歌手"了。在等级上说来,它已经被提升到"左边第一”的位置，因为皇帝认为心房所在的左边是最重要的一边——即使是一个皇帝，他的心也是偏左的。乐师写了一部二十五卷关于这只人造鸟儿的书：这是一部学问渊博、篇幅很长、用那些最难懂的中国字写的一部书。因此大臣们都说，他们都读过这部书，而且还懂得它的内容，因为他们都怕被认为是蠢材而在肚皮上挨揍。

整整一年过去了。皇帝、朝臣们以及其他的中国人都记得这只人造鸟儿所唱的歌中的每一个调儿。不过正因为现在大家都学会了，大家更特别喜欢这只鸟儿——大家现在可以跟它一起唱，而他们实际上也就这么做了。街上的孩子们唱：吱—吱—吱—格碌—格碌！皇帝自己也唱起来——是的，这真是可爱得很！

不过一天晚上，当这只人造鸟儿正在唱得最好的时候，当皇帝正躺在床上静听的时候，这只鸟儿的身体里面忽然发出一阵“嗞嗞”的声音来。有一件什么东西断了。“嘘——”所有的轮子都狂转起来，于是歌声就停止了。

皇帝立即跳下床，命令把他的御医召进来。不过医生又能有什么办法呢？于是大家又去请一个钟表匠来。经过一番磋商和考察以后，他总算把这只鸟儿勉强修好了；不过他说，这只鸟儿今后必须仔细保护，因为它里面的齿轮已经用坏了，要配上新的而又能奏出音乐，是一件困难的工作。这真是一件悲哀的事情！这只鸟儿只能一年唱一次，而这还要算是用得很过火呢！不过乐师作了一个短短的演说——用的全是些难懂的字眼——他说这鸟儿是跟从前一样地好，因此当然是跟从前一样地好……

五个年头过去了。一件真正悲哀的事情终于来到了这个国家，因为这个国家的人都是很喜欢他们的皇帝的，而他现在却病了，而且据说他不能久留于人世。新的皇帝已经选好了。老百姓都跑到街上来，向侍臣探问他们的老皇帝的病情。

“呸！”他摇摇头说。

皇帝躺在他华丽的大床上，冷冰冰的，面色惨白。整个宫廷的人都以为他死了；每个都跑到新皇帝那儿去致敬。男仆人都跑出来谈论这件事，丫环们开起盛大的咖啡会①来。所有的地方，在大厅和走廊里，都铺上了布，使

① 请朋友喝咖啡谈天(Kafeeselskab)是北欧的一种社交习惯；中国没有这样的习惯。

得脚步声不至于发出响声；所以这儿现在是很静寂，非常地静寂。可是皇帝还没有死：他僵直地、惨白地躺在华丽的床上——床上悬着天鹅绒的帷幔，帷幔上缀着厚厚的金丝穗子。顶上面的窗子是开着的，月亮照在皇帝和那只人造的鸟儿的身上。

这位可怜的皇帝几乎不能够呼吸了。他的胸口上好像有一件什么东西压着：他睁开眼睛，看到死神坐在他的胸口上，并且还戴上了他的金王冠，一只手拿着皇帝的宝剑，另一只手拿着他的华贵的令旗。四周有许多奇形怪状的脑袋从天鹅绒帷幔的褶纹里偷偷地伸出来，有的很丑，有的温和可爱。这些东西都代表皇帝所做过的好事和坏事。现在死神既然坐在他的心坎上，它们就特地伸出头来看他。

"你记得这件事吗？"它们一个接着一个地低语着，"你记得那件事吗？"它们告诉他许多事情，弄得他的前额冒出了许多汗珠。

"我不知道这件事！"皇帝说。"快把音乐奏起来！快把音乐奏起来！快把大鼓敲起来！"他叫出声来，"好使得我听不到他们讲的这些事情呀！"

然而它们还是不停地在讲。死神对它们所讲的话点点头——像中国人那样点法。

"把音乐奏起来呀！把音乐奏起来呀！"皇帝叫起来。"你这只贵重的小金鸟儿，唱吧，唱吧！我曾送给你贵重的金礼品；我曾经亲自把我的金拖鞋挂在你的脖颈上——现在请唱呀，唱呀！"

可是这只鸟儿站着动也不动一下，因为没有谁来替它上好发条，而它不上好发条就唱不出歌来。不过死神继续用他空洞的大眼睛盯着这位皇帝。四周是静寂的，可怕的静寂。

这时，正在这时候，窗子那儿有一个最美丽的歌声唱起来了。这就是那只小小的、活的夜莺；它栖在外面的一根树枝上，它听到皇帝可悲的境况，它现在特地来对他唱点安慰和希望的歌。当它在唱着的时候，那些幽灵的面孔就渐渐地变得淡了；同时在皇帝孱弱的肢体里，血也开始流动得活跃起来。甚至死神自己也开始听起歌来；而且还说："唱吧，小小的夜莺，请唱下去吧！"

"不过，"夜莺说，"你愿意给我那把美丽的金剑吗？你愿意给我那面华贵的令旗吗？你愿意给我那顶皇帝的王冠吗？"

死神把这些宝贵的东西都交了出来，以换取一支歌。于是夜莺不停地唱下去。它唱着那安静的教堂墓地——那儿生长着白色的玫瑰花，那儿接骨木树发出甜蜜的香气，那儿新草染上了未亡人的眼泪。死神这时就眷恋地思念起自己的花园来；于是他就变成一股寒冷的白霜，在窗口消逝了。

"多谢你！多谢你！"皇帝说，"你这只神圣的小鸟！我现在懂得你了。我把你从我的土地和帝国赶出去，而你却用歌声把那些邪恶的面孔从我的床边驱走，也把死神从我的心中去掉。我将用什么东西来报答你呢？"

"您已经报答我了！"夜莺说，"当我第一次唱的时候，我从您的眼里得到了您的泪珠——我将永远忘记不了这件事。每一滴眼泪是一颗珠宝——它可以使得一个歌者心花开放。不过现在请您睡吧，请您保养精神，变得健康起来吧，我将再为您唱一支歌。"

于是它唱起来——于是皇帝就甜蜜地睡着了。啊，这一觉是多么温和，多么愉快啊！

当他醒来，感到神志清醒、体力恢复了的时候，太阳从窗子里射进来，照在他的身上。他的侍从一个也没有来，因为他们以为他死了。但是夜莺仍然立在他的身边，唱着歌。

"请你永远跟我住在一起吧，"皇帝说，"你喜欢怎样唱就怎样唱。我将把那只人造鸟儿撕成一千块碎片。"

"请不要这样做吧，"夜莺说，"它已经尽了它最大的努力。让它仍然留在你的身边吧。我不能在宫里筑一个窠住下来；不过，当我想到要来的时候，就请您让我来吧。我将在黄昏的时候栖在窗外的树枝上，为您唱支什么歌，叫您快乐，也叫您深思。我将歌唱那些幸福的人们和那些受难的人们。我将歌唱隐藏在您周围的善和恶。您的小小的歌鸟现在要远行了：它要飞到那个穷苦的渔夫身旁去，飞到农民的屋顶上去，飞到住得离您和您的宫廷很远的每个人身边去。比起您的王冠来，我更爱您的心；然而王冠却也有它神圣的一面。我将会再来，为您唱歌——不过我要求您答应我一件事。"

"什么事都成！"皇帝说。他亲自穿上他的朝服站着，同时把他那把沉重的金剑按在心上。

“我要求您一件事:请您不要告诉任何人,说您有一只会把什么事情都讲给您听的小鸟。只有这样,一切才会美好。”

于是夜莺就飞走了。

侍从们都进来瞧瞧他们死去了的皇帝——是的,他们都站在那儿,而皇帝却说:“早安!”

海的女儿

在海的远处,水是那么蓝,像最美丽的矢车菊花瓣,同时又是那么清,像最明亮的玻璃。然而它是很深很深的,深得任何铁锚都达不到底。要想从海底一直达到水面,必须有许多许多教堂尖塔一个接着一个地连起来才成。海底的人就住在这下面。

不过人们千万不要以为那儿只是一片铺满了白砂的海底。不是的,那儿生长着最奇异的树木和植物。它们的枝干和叶子是那么柔软,只要水轻微地流动一下,它们就摇动起来,好像是活着的东西。所有的大小鱼儿在这些枝子中间游来游去,像是天空中的飞鸟。海里最深的地方是海王宫殿所在的处所。它的墙是用珊瑚砌成的,它那些尖顶的高窗子是用最亮的琥珀做成的;不过屋顶上却铺着黑色的蚌壳,它们随着水的流动可以自动地开合。这是怪好看的,因为每一颗蚌壳里面都含有亮晶晶的珍珠。随便哪一颗珍珠都可以成为王后帽子上最主要的装饰品。

住在那底下的海王已经做了好多年的鳏夫。但是他有老母亲为他管理家务。她是一个聪明的女人,可是对于自己高贵的出身总是感到不可一世,因此她的尾巴上老是戴着一打的牡蛎——其余的显贵只能每人戴上半打。除此以外,她是值得大大称赞的,特别是因为她非常爱那些小小的海公主——她的一些孙女。她们是六个美丽的孩子,而她们之中,那个顶小的要算是最美丽的了。她的皮肤又光又嫩,像玫瑰的花瓣;她的眼睛是蔚蓝色的,像最深的湖水。不过,跟其他的公主一样,她没有腿;她身体的下部是一条鱼尾。

她们可以把整个漫长的日子花费在王宫里，在墙上长着鲜花的大厅里。那些琥珀镶的大窗子是开着的，鱼儿向着她们游来，正如我们打开窗子的时候，燕子会飞进来一样。不过鱼儿一直游向这些小小的公主，在她们的手里找东西吃，让她们来抚摸自己。

宫殿外面有一个很大的花园，里边生长着许多火红和深蓝色的树木；树上的果子亮得像黄金，花朵开得像焚烧着的火，花枝和叶子在不停地摇动。地上全是最细的砂子，但是蓝得像硫磺发出的光焰。在那儿，处处都闪着一种奇异的、蓝色的光彩。你很容易以为你是高高地在空中而不是在海底，你的头上和脚下全是一片蓝天。当海是非常沉静的时候，你可以瞥见太阳：它像一朵紫色的花，从它的花萼里射出各种颜色的光。

在花园里，每一位小公主都有自己的一小块地方，在那上面她可以随意栽种。有的把自己的花坛布置得像一条鲸鱼；有的觉得最好把自己的花坛布置得像一个小人鱼。可是最年幼的那位却把自己的花坛布置得圆圆的，像一轮太阳；同时她也只种像太阳一样红的花朵。她是一个古怪的孩子，不大爱讲话，总是静静地在想什么东西。当别的姐妹们用她们从沉船里所获得的最奇异的东西来装饰她们的花园的时候，她除了栽种像高空的太阳一样艳红的花朵以外，只愿意要一个美丽的大理石像。这尊石像代表一个美丽的男子；它是用一块洁白的石头雕出来的，跟一条遭难的船一同沉到海底。她在这石像旁边种了一株像玫瑰花那样红的垂柳。这株树长得非常茂盛。它新鲜的枝叶垂向这尊石像，一直垂到那蓝色的砂底。它的倒影带有一种紫蓝的色调。像它的枝条一样，这影子也从不静止：树根和树顶看起来好像在做着互相亲吻的游戏。

她最大的快乐是听些关于上面人类的世界的故事。她的老祖母不得不把自己所知道的关于船只和城市、人类和动物的知识全都讲给她听。特别使她感到高兴的一件事情是：地上的花儿能散发出香气来，而海底的花儿却不能；地上的森林是绿色的，而且人们看到的在树枝间游来游去的鱼儿会唱得那么清脆和好听，叫人感到愉快。老祖母所说的"鱼儿"其实就是小鸟，但是假如她不这样讲的话，小公主就听不懂她的故事了，因为她还从来没有看见过一只小鸟。

"等你满了十五岁的时候，"老祖母说，"我就准许你浮到海面上去。那时你可以坐在月光底下的石头上面，看巨大的船只在你身边驶过。你也可以看到树林和城市。”

在这快要到来的一年，这些姐妹中有一位到了十五岁；可是其余的呢——唔，她们一个比一个小一岁。因此最年幼的那位公主还要足足地等五个年头才能够从海底浮上来，来看看我们的这个世界。不过每一位答应下一位说，她要把她第一天看到和发现的东西讲给大家听，因为她们的祖母所讲的确实不太够——她们所希望了解的东西真不知有多少！

她们谁也没有像那位年幼的妹妹渴望得厉害，而她恰恰要等待得最久，同时她是那么地沉默和富于深思。不知有多少夜晚她站在开着的窗子旁边，透过深蓝色的水朝上面凝望，凝望着鱼儿摆动着尾巴和翅。她还看到月亮和星星——当然，它们射出的光比较弱，但是透过一层水，它们显得比我们人眼看到的要大得多。假如有一块类似黑云的东西在它们下面浮过去的话，她便知道这如果不是一条鲸鱼在她上面游过，便是一条装载着许多旅客的船在开行。可是这些旅客们再也想象不到，他们下面有一位美丽的小人鱼，在朝着他们船的龙骨伸出一双洁白的手。

现在那位最大的公主已经到了十五岁，可以升到水面上去了。

当她回来的时候，她有无数的事情要讲；不过她说，最美的事情是当海上风平浪静的时候，躺在月光底下一个沙滩的上面，紧贴着海岸凝望那大城市里亮得像无数星星似的灯光，静听音乐、闹声，以及马车和人的声音，观看教堂的圆塔和尖塔，倾听当当的钟声。正因为她不能到那儿去，所以她也就最渴望这些东西。

啊，那位最小的妹妹听得多么入神啊！当她晚间站在开着的窗子旁边、透过深蓝色的水朝上面凝望的时候，她就想起了那个大城市以及它里面熙熙攘攘的声音。于是她似乎能听到教堂的钟声在向她这里飘来。

第二年第二个姐姐得到许可，可以浮出水面，可以随便向什么地方游去。她跳出水面的时候，太阳刚刚落下来；她觉得这景象真是美极了。她说，这时整个天空看起来像一块黄金，而云块呢——唔，她真没有办法把它们的美形容出来！它们在她头上掠过，一忽儿红，一忽儿紫。不过，比它们飞得还要快的、像一片又白又长的面纱，是一群掠过水面的野天鹅。它们正飞向太阳，她也向太阳游去。可是太阳落了。一片玫瑰色的晚霞，在海面和云块之间也慢慢地消逝了。

又过了一年，第三个姐姐浮上去了。她是她们中最大胆的一位，因此她游向一条流进海里的大河里去了。她看到一些美丽的青山，上面种满了一行一行的葡萄。宫殿和田庄在茂密的树林中隐隐地露出来；她听到各种鸟儿唱得多么美好，太阳照得多么暖和，她有时不得不沉入水里，好使得她灼热的面孔能够得到一点清凉。在一个小河湾里她碰到一群人间的小孩子；他们光着身子，在水里游来游去。她倒很想跟他们玩一会儿，可是他们吓了一跳，逃走了。于是一个小小的黑色动物走了过来——这是一条小狗，是她从来没有看见过的小狗。它对她汪汪地叫得那么凶狠，弄得她害怕起来，赶快逃到大海里去。可是她永远忘记不了那壮丽的森林，那绿色的山，那些能够在水里游泳的可爱的小宝宝——虽然他们没有像鱼那样的尾巴。

第四个姐姐可不是那么大胆了。她停留在荒凉的大海上面。她说，最美丽的事儿就是停在海上：因为你可以从这儿向四周很远很远的地方望去，同时天空悬在上面像一个巨大的玻璃钟。她看到过船只，不过那些船只离她很远，看起来像一只只海鸥。她看到过快乐的海豚翻着筋斗，庞大的鲸鱼从鼻孔里喷出水来，好像有无数的喷泉在围绕着它们一样。

现在临到那第五个姐姐了。她的生日恰恰是在冬天，所以她能看到其他的姐姐们在第一次浮出海面时所没有看到过的东西。海染上了一片绿色；巨大的冰山在四周移动。她说每一座冰山看起来像一颗珠子，然而却比人类所建造的教堂塔楼还要大得多。它们以种种奇奇怪怪的形状出现；它们像钻石似的射出光彩。她曾经在一座最大的冰山上坐过，让海风吹着她细长的头发；所有的船只，绕过她坐着的那块地方，惊惶地远远避开。不过在黄昏的时分，天上忽然布起了一片乌云。电闪起来了，雷轰起来了。黑色的巨浪掀起整片整片的冰块，使它们在血红的雷电中闪着光。所有的船只都收下了帆，造成一种惊惶和恐怖的气氛；但是她却安静地坐在那浮动的冰山上，望着蓝色的闪电，弯弯曲曲地射进反光的海里。

在这些姐妹们之中，随便哪一位，只要是第一次升到海面上去，总是非常高兴地观看这些新鲜和美丽的东西。可是现在呢，她们已经是大女孩子了，可以随便浮近她们喜欢去的地方，因此这些东西就不再太引起她们的兴趣了。她们渴望回到家里来。一个月左右以后，她们就说：究竟还是住在海里好——家里是多么舒服啊！

在黄昏的时候，这五个姐妹常常手挽着手地浮上来，在水面上排成一行。她们能唱出好听的歌——比人类的任何声音都要动听。当风暴快要到来，她们认为有些船只快要出事的时候，她们就浮到这些船的面前，唱起非常美丽的歌来，说是海底下是多么可爱，同时告诉这些水手不要害怕沉到海底；然而这些人却听不懂她们的歌词。他们以为这是巨风的声息。他们也想不到自己会在海底看到什么美好的东西，因为如果船沉了的话，上面的人也就淹死了，他们只有作为死人才能到达海王的宫殿。

有一天晚上，当姐妹们这么手挽着手浮出海面的时候，那位最小的妹妹单独地待在后面，瞧着她们。看样子她好像是想要哭一场似的，不过人鱼是没有眼泪的，因此她更感到难受。

"啊，我多么希望我已经有十五岁了啊！"她说。"我知道我将会喜欢上面的世界，喜欢住在那个世界里的人们的。"

最后她真的到了十五岁了。

"你知道，你现在可以离开我们的手了，"她的祖母老皇太后说，"来吧，让我把你打扮得像你的几个姐姐一样吧。"

于是她在这小姑娘的头发上戴上一个百合花编的花环，不过这花的每一个花瓣是半颗珍珠。老太太又叫八个大牡蛎紧紧地附贴在公主的尾上，来显示她高贵的地位。

"这叫我真难受！"小人鱼说。

"当然喽，为了漂亮，一个人是应该吃点苦头的。"老祖母说。

哎，她倒真想能摆脱这些装饰品，把这沉重的花环扔向一边！她花园里的那些红花，她戴起来倒适合得多，但是她不敢这样做。"再会吧！"她说。于是她轻盈和明朗得像一个水泡，冒出水面了。

当她把头伸出海面的时候，太阳已经落下去了，可是所有的云块还是像玫瑰花和黄金似的发着光；同时，在这淡红的天上，太白星已经在美丽地、光亮地眨着眼睛。空气是温和的、新鲜的。海非常平静。这儿停着一艘有三根桅杆的大船。船上只挂了一张帆，因为没有一丝儿风吹动。水手们正坐在护桅索的周围和帆桁的上面。

这儿有音乐，也有歌声。当黄昏逐渐变得阴暗的时候，各色各样的灯笼就一齐亮起来了。它们看起来就好像飘在空中的世界各国的旗帜。小人鱼一直向舷窗那儿游去。每次当海浪把她托起来的时候,她可以透过像镜子一样的窗玻璃,望见里面站着许多服装华丽的男子;但他们之中最美的一位是那有一对大黑眼珠的王子:无疑地,他的年纪还不到十六岁。今天是他的生日,正因为这个缘故,今天才这样热闹。

水手们在甲板上跳着舞。当王子走出来的时候,有一百多发火箭一齐向天空射出。天空被照得如同白昼,因此小人鱼感到非常惊恐,赶快沉到水底。可是不一会儿她又把头伸出来了——这时她觉得好像满天的星星都在向她落下,她从来没有看到过这样的焰火。许多巨大的太阳在周围发出嘘嘘的响声,光耀夺目的大鱼在向蓝色的空中飞跃。这一切都映到这清明的、平静的海上。这船全身都被照得那么亮,连每根很小的绳子都可以看得出来,船上的人当然更可以看得清楚了。啊,这位年轻的王子是多么美丽啊!当音乐在这光华灿烂的夜里慢慢地消逝着的时候,他跟水手们握着手,大笑,微笑……

夜已经很晚了;但是小人鱼没有办法把她的眼睛从这艘船和这位美丽的王子身上移开。那些彩色的灯笼熄灭了,火箭不再向空中发射了,炮声也停止了。可是在海的深处起了一种嗡嗡和隆隆的声音。她坐在水上,一起一伏地漂着,所以她能看到船舱里的东西。可是船加快了速度;它的帆都先后张起来了。浪涛涌起来了,沉重的乌云浮起来了,远处掣起闪电来了。啊,可怕的大风暴快要到来了!水手们因此都收下了帆。这条巨大的船在这狂暴的海上摇摇摆摆地向前急驶。浪涛像庞大的黑山似的高涨。它想要折断桅杆。可是这船像天鹅似的,一忽儿投进洪涛里面,一忽儿又在高大的浪头上抬起头来。

小人鱼觉得这是一种很有趣的航行,可是水手们的看法却不是这样。这艘船现在发出碎裂的声音;它粗厚的板壁被冲击来的浪涛打弯了。船桅像芦苇似的在半中腰折断了。接着船开始倾斜,水向舱里冲了进来。这时小人鱼才知道他们遭遇到了危险。她也得当心漂流在水上的船梁和船的残骸。

天空马上变得漆黑,她什么也看不见。不过当闪电掣起来的时候,天空又显得非常明亮,使她可以看出船上的每一个人。现在每个人在尽量为自己寻找生路。她特别注意那位王子。当这艘船裂开、向海的深处下沉的时候,她看到了他。她马上变得非常高兴起来,因为他现在要落到她这儿来了。可是她又记起人类是不能生活在水里的,他除非成了死人,是不能进入她父亲的宫殿的。

不成,决不能让他死去!所以她在那些漂着的船梁和木板之间游过去,一点也没有想到它们可能把她砸死。她深深地沉入水里,接着又在浪涛中高高地浮出来,最后她终于到达了那王子的身边。在这狂暴的海里,他绝没有力量再浮起来。他的手臂和腿开始支持不住了。他美丽的眼睛已经闭起来了。要不是小人鱼及时赶来,他一定会淹死的。她把他的头托出水面,让浪涛载着她跟他一起随便漂流到什么地方去。

天明时分,风暴已经过去了。那条船连一块碎片也没有了。鲜红的太阳升起来了,在水上光闪闪地照着。它似乎在这位王子的脸上注入了生命。不过他的眼睛仍然是闭着的。小人鱼把他清秀的高额吻了一下,把他透湿的长发理向脑后。她觉得他的样子很像她在海底小花园里的那尊大理石像。她又重新吻了他一下,希望他能苏醒过来。

现在她看见前面展开一片陆地和一群蔚蓝色的高山,山顶上闪耀着的白雪看起来像睡着的天鹅。沿着海岸是一片美丽的绿色树林,林子前面有一个教堂或者修道院——她不知道究竟叫做什么,反正是一个建筑物罢了。

那儿的花园里长着一些柠檬和橘子树,门前立着很高的棕榈。海在这儿形成一个小湾;水是非常平静的,但是从这儿一直到那积有许多细沙的石崖附近,都是很深的。她托着这位美丽的王子向那儿游去。她把他放到沙上,非常仔细地使他的头高高地搁在温暖的太阳光里。

钟声从那幢雄伟的白色建筑物中响起来了,有许多年轻女子穿过花园走出来。小人鱼远远地向海里游去,游到冒在海面上的几座大石头的后面。她用许多海水的泡沫盖住了自己的头发和胸脯,好使得谁也看不见她小小的面孔。她在这儿凝望着,看有谁会来到这个可怜的王子身边。

不一会儿,一个年轻的女子走过来了。她似乎非常吃惊,不过时间不久。于是她找了许多人来。小人鱼看到王子渐渐地苏醒过来了,并且向周围的人发出微笑。可是他没有对她作出微笑的表情:当然,他一点也不知道救他的人就是她。她感到非常地难过。因此当他被抬进那幢高大的房子里去的时候，她悲伤地跳进海里，回到她父亲的宫殿里去。

她一直就是一个沉静和深思的孩子，现在她变得更是这样了。她的姐姐们都问她，她第一次升到海面上去究竟看到了一些什么东西；但是她什么也说不出来。

有好多晚上和早晨，她浮出水面，向她曾经放下王子的那块地方游去。她看到那花园里的果子熟了，被摘下来了；她看到高山顶上的雪融化了；但是她看不见那个王子。所以她每次回到家来，总是更感到痛苦。她的唯一的安慰是坐在她的小花园里，用双手抱着与那位王子相似的美丽的大理石像。可是她再也不照料她的花儿了。这些花儿好像是生长在旷野中的东西，铺得满地都是；它们的长梗和叶子跟树枝交叉在一起，使这地方显得非常阴暗。

最后她再也忍受不住了。不过只要她把心事告诉给一个姐姐，马上其余的人也就都知道了。但是除了她们和别的一两个人鱼以外（她们只把这秘密转告给自己几个知己的朋友），别的什么人也不知道。她们之中有一位知道那个王子是什么人。她也看到过那次在船上举行的庆祝。她知道这位王子是从什么地方来的，他的王国在什么地方。

“来吧，小妹妹！”别的公主们说。她们彼此把手搭在肩上，一长排地升到海面，一直游到一块她们认为是王子的宫殿的地方。

这宫殿是用一种发光的淡黄色石块建筑的，里面有许多宽大的大理石台阶——有一个台阶还一直伸到海里呢。华丽的、金色的圆塔从屋顶上伸向空中。在围绕着这整个建筑物的一根根圆柱中间，立着许多大理石像。它们看起来像是活人一样。透过那些高大窗子的明亮玻璃，人们可以看到一些富丽堂皇的大厅，里面悬着贵重的丝窗帘和织锦，墙上装饰着大幅的图画——就是光看看这些东西也是一桩非常愉快的事情。在最大的一个厅堂中央，有一个巨大的喷泉在喷着水。水丝一直向上面的玻璃圆屋顶射去，而太阳又透过这玻璃射下来，照到水上，照到生长在这大水池里的植物上面。

现在她知道王子住在什么地方。在这儿的水上她度过好几个黄昏和黑夜。她远远地向陆地游去，比任何别的姐姐敢去的地方还远。的确，她甚至游到那个狭小的河流里去，直到那个壮丽的大理石阳台下面——它长长的阴影倒映在水上。她在这儿坐着，瞧着那个年轻的王子，而这位王子却还以为月光中只有他一个人呢。

有好几个晚上,她看到他在音乐声中乘着那条飘着许多旗帜的华丽的船。她从绿灯心草中向上面偷望。当风吹起她银白色的长面罩的时候,如果有人看到的话,他们总以为这是一只天鹅在展开它的翅膀。

有好几个夜里,当渔夫们打着火把出海捕鱼的时候,她听到他们说了许多称赞这位王子的话语。她高兴起来,觉得当浪涛把他冲击得半死的时候,是她来救了他的生命;她记起他的头是怎样紧紧地躺在她的怀里,她是多么热情地吻着他。可是这些事儿他自己一点也不知道,他连做梦也不会想到她。

她渐渐地开始爱起人类来,渐渐地开始盼望能够生活在他们中间。她觉得他们的世界比她的天地大得多。的确,他们能够乘船在海上行驶,能够爬上高耸入云的大山,同时他们的土地,连带着森林和田野,伸展开来,使得她望都望不尽。她希望知道的东西真是不少,可是她的姐姐们都不能回答她所有的问题。因此她只有问她的老祖母。她对于"上层世界"——这是她给海上国家所起的恰当的名字——的确知道得相当清楚。

"如果人类不淹死的话,"小人鱼问,"他们会永远活下去么?他们会不会像我们住在海里的人们一样地死去呢?"

"一点也不错,"老太太说,"他们也会死的,而且他们的生命甚至比我们的还要短促呢。我们可以活到三百岁,不过当我们在这的生命结束了的时候,我们就变成了水上的泡沫。我们甚至连一座坟墓也不留给我们这儿心爱的人呢。我们没有一个不灭的灵魂。我们从来得不到一个死后的生命。我们是像那绿色的海草一样,只要一割断了,就再也绿不起来!相反,人类有一个灵魂;它永远地活着,即使身体化为尘土,它仍是活着的。它升向晴朗的天空,一直升向那些闪耀着的星星!正如我们升到水面、看到人间的世界一样,他们升向那些神秘的、华丽的、我们永远不会看见的地方。"

"为什么我们得不到一个不灭的灵魂呢?"小人鱼悲哀地问。"只要我能够变成人、可以进入天上的世界,哪怕在那儿只活一天,我都愿意放弃我在这儿所能活的几百岁的生命。"

"你决不能有这种想法,"老太太说,"比起上面的人类来,我们在这儿的生活要幸福和美好得多!"

"那么我就只有死去,变成泡沫在水上漂浮了。我将再也听不见浪涛的音乐,看不见美丽的花朵和鲜红的太阳吗? 难道我没有办法得到一个永恒的灵魂吗?"

"没有!"老太太说,"只有当一个人爱你、把你当做比他父母还要亲切的人的时候;只有当他把他全部的思想和爱情都放在你身上的时候;只有当他让牧师把他的右手放在你的手里,答应现在和将来永远对你忠诚的时候,他的灵魂才会转移到你的身上去,而你就会得到一份人类的快乐。他就会分给你一个灵魂,而同时他自己的灵魂又能保持不灭。但是这类的事情是从来不会有的! 我们在这海底所认为美丽的东西——你的那条鱼尾——他们在陆地上却认为非常难看:他们不知道什么叫做美丑。在他们那儿,一个人想要显得漂亮,必须生有两根呆笨的支柱——他们把它们叫做腿!"

小人鱼叹了一口气,悲哀地对自己的鱼尾巴望了一眼。

"我们放快乐些吧!"老太太说,"在我们能活着的这三百年中,让我们跳和舞吧。这究竟是一段相当长的时间;以后我们也可以在我们的坟墓里[①]愉快地休息了。今晚我们就在宫里来开一个舞会吧!"

那真是一个壮丽的场面,人们在陆地上是从来不会看见的。这个宽广的跳舞厅里的墙壁和天花板是用厚而透明的玻璃砌成的。成千成百个草绿色和粉红色的巨型贝壳一排一排地立在四边;它们里面燃着蓝色的火焰,照亮整个的舞厅,照透了墙壁,因而也照明了外面的海。人们可以看到无数的大小鱼群向这座水晶宫里游来,有的鳞上发着紫色的光,有的亮起来像白银和金子。一股宽大的激流穿过舞厅的中央,海里的男人和女人,唱着美丽的歌,就在这激流上跳舞。这样优美的歌声,住在陆地上的人们是唱不出来的。

在这些人中间,小人鱼唱得最好。大家为她鼓掌;她心中有好一会儿感到非常快乐,因为她知道,在陆地上和海里只有她的声音最美。不过她马上又想起上面的那个世界。她忘记不了那个美貌的王子,也忘记不了自己因为没有他那样不灭的灵魂而引起的悲愁。因此她偷偷地走出她父亲的宫

---

① 原文是 Siden kan man desfonφieligere hvile sig udi sin Grav. 上面说人鱼死后变成海上的泡沫,这儿却说人鱼死后在坟墓里休息。大概作者写到这儿忘记了前面的话。

殿;正当里面充满了歌声和快乐的时候,她却悲哀地坐在她的小花园里。忽然她听到一阵号角声从水上传来。她想:“他一定是在上面行船了;他——我爱他胜过我的爸爸和妈妈;他——我时时刻刻在想念他;我把我一生的幸福放在他的手里。我要牺牲一切来争取他和一个不灭的灵魂。当现在我的姐姐们正在父亲的宫殿里跳舞的时候,我要去拜访那位海的巫婆。我一直是非常害怕她,但是她也许能教给我一些办法和帮助我吧。”

小人鱼于是走出了花园,向一个掀起泡沫的漩涡走去——巫婆就住在它的后面。她以前从来没有走过这条路。这儿没有花,也没有海草;只有光溜溜的一片灰色沙底,向漩涡那儿伸去。水在这儿像一架喧闹的水车似的旋转着,把它所碰到的东西都转到水底去。要到达巫婆所住的地区,她必须走过这急转的漩涡。有好长一段路程需要通过一条冒着热泡的泥地:巫婆把这地方叫做她的泥煤田。在这后面有一个可怕的森林,她的屋子就在里面;所有的树和灌木林全是些珊瑚虫——一种半植物和半动物的东西。[①]它们看起来很像地里冒出来的多头蛇。它们的枝丫全是长长的、黏糊糊的手臂,它们的手指全是像蠕虫一样地柔软。它们从根到顶都是一节一节地在颤动。它们紧紧地盘住它们在海里所能抓得到的东西,一点也不放松。

小人鱼在这森林面前停下步子,非常惊慌。她的心害怕得跳起来,她几乎想转身回去。但是当她一想起那位王子和人的灵魂的时候,就又有了勇气。她把她飘动着的长头发牢牢地缠在头上,好使珊瑚虫抓不住她。她把双手紧紧地贴在胸前,于是她像水里跳着的鱼儿似的,在这些丑恶的珊瑚虫中间,向前跳走,而这些珊瑚虫只有在她后面挥舞着它们柔软的长臂和手指。她看到它们每一个都抓住了一件什么东西,无数的小手臂盘住它,像坚固的铁环一样。那些在海里淹死和沉到海底下的人们,在这些珊瑚虫的手臂里,露出白色的骸骨。它们紧紧地抱着船舵和箱子,抱着陆上动物的骸骨,还抱着一个被它们抓住和勒死了的小人鱼——这对于她说来,是一件最可怕的事情。

现在她来到了森林中一块黏糊糊的空地。这儿有又大又肥的水蛇在翻

---

① 珊瑚虫是一种动物,珊瑚是珊瑚虫的石灰质骨骼。这里说是一种半植物和半动物的东西,是作者说错了。

动着,露出淡黄色的、奇丑的肚皮。在这块地中央有一幢用死人的白骨砌成的房子。海的巫婆就正坐在这儿,用她的嘴喂一只癞蛤蟆,正如我们人用糖喂一只小金丝雀一样。她把那些奇丑的、肥胖的水蛇叫做她的小鸡,让它们在她肥大的、松软的胸口上爬来爬去。

"我知道你是来求什么的,"海的巫婆说,"你是一个傻东西!不过,我美丽的公主,我还是会让你达到你的目的,因为这件事将会给你一个悲惨的结局。你想要去掉你的鱼尾,生出两根支柱,好叫你像人类一样能够行路。你想要那个王子爱上你,使你能得到他,因而也得到一个不灭的灵魂。"这时巫婆便可憎地大笑了一通,癞蛤蟆和水蛇都滚到地上来,在周围爬来爬去。"你来得正是时候,"巫婆说,"明天太阳出来以后,我就没有办法帮助你了,只有等待一年再说。我可以煎一服药给你喝。你带着这服药,在太阳出来以前,赶快游向陆地。你就坐在海滩上,把这服药吃掉,于是你的尾巴就可以分做两半,收缩成为人类所谓的漂亮的腿了。可是这是很痛的——这就好像有一把尖刀砍进你的身体。凡是看到你的人,一定会说你是他们所见到的最美丽的孩子!你将仍旧会保持你像游泳似的步子,任何舞蹈家也不会跳得像你那样轻柔。不过你的每一个步子将会使你觉得好像是在尖刀上行走,好像你的血在向外流。如果你能忍受得了这些苦痛的话,我就可以帮助你。"

"我可以忍受。"小人鱼用颤抖的声音说。这时她想起了那个王子和她要获得一个不灭的灵魂的志愿。

"可是要记住,"巫婆说,"你一旦获得了一个人的形体,你就再也不能变成人鱼了;你就再也不能走下水来,回到你姐姐或你爸爸的宫殿里了。同时,假如你得不到那个王子的爱情,假如你不能使他为你而忘记自己的父母,全心全意地爱你,并且叫牧师来把你们的手放在一起结成夫妇,那么,你就不会得到一个不灭的灵魂了。在他跟别人结婚后的头一天早晨,你的心就会碎裂,你就会变成水上的泡沫。"

"我不怕!"小人鱼说。但她的脸变得像死一样惨白。

"但是你还得给我酬劳啦!"巫婆说,"而且我所要的也并不是一件微小的东西。在海底的人们中,你的声音要算是最美丽的了。无疑地,你想用这声音去迷住他;可是这个声音你得交给我。我必须得到你最好的东西,作为我的贵重药物的交换品！我得把我自己的血放进这药里，好使它尖锐得像一柄两面都快的刀子！”

“不过，如果你把我的声音拿去了，”小人鱼说，“那么我还有什么东西剩下呢？”

“你还有美丽的身材呀，”巫婆回答说，“你还有轻盈的步子和富于表情的眼睛呀。有了这些东西，你很容易就能迷住一个男人的心了。唔，你已经失掉勇气了吗？伸出你小小的舌头吧，我可以把它割下来作为报酬，你也可以得到这服强烈的药剂了。”

“就这样办吧。”小人鱼说。于是巫婆就把药罐准备好，来煎这服富有魔力的药了。

“清洁是一件好事。”她说，于是她用几条蛇打成一个结，用它来洗擦这罐子。然后她把自己的胸口抓破，让她的黑血滴到罐子里去。药的蒸气奇形怪状地升到空中，看起来是怪怕人的。每隔一会儿巫婆就加一点什么新的东西到药罐里去。当药煮到滚烫的时候，有一个像鳄鱼的哭声飘了出来。最后药算是煎好了。它的样子像非常清亮的水。

“拿去吧！”巫婆说。于是她就把小人鱼的舌头割掉了。小人鱼现在成了一个哑巴，既不能唱歌，也不能说话。

“当你穿过我的森林回去的时候，如果珊瑚虫捉住了你的话，”巫婆说，“你只须把这药水洒一滴到它们的身上，它们的手臂和指头就会裂成碎片，向四面纷飞了。”可是小人鱼没有这样做的必要，因为当珊瑚虫一看到这亮晶晶的药水——它在她的手里亮得像一颗闪耀的星星——的时候，它们就在她面前惶恐地缩回去了。这样，她很快地就走过了森林、沼泽和激转的漩涡。

她可以看到她父亲的宫殿了。那宽大的跳舞厅里的火把已经熄灭了，无疑地，里面的人已经入睡了。不过她不敢再去看他们，因为她现在已经是一个哑巴，而且就要永远离开他们。她的心痛苦得似乎要裂成碎片。她偷偷地走进花园，从每个姐姐的花坛上摘下一朵花，对着王宫用手指飞了一千个吻，然后她就浮出这深蓝色的海。

当她看到那王子的宫殿的时候，太阳还没有升起来。她庄严地走上那大理石台阶。月亮照得透明，非常美丽。小人鱼喝下那服强烈的药剂。她马上觉得好像有一柄两面都快的刀子劈开了她纤细的身体。她马上昏过去,倒下来好像死去一样。当太阳照到海上的时候,她才醒过来,感到一阵剧痛。这时有一位年轻貌美的王子正立在她的面前。他乌黑的眼珠正在望着她,弄得她不好意思地低下头来。这时她发现她的鱼尾已经没有了,而获得一双只有少女才有的、最美丽的小小白腿。可是她没有穿衣服,所以她用她浓密的长头发来遮住自己的身体。王子问她是谁,问她怎样到这儿来的。她用她深蓝色的眼睛温柔而又悲哀地望着他,因为她现在已经不会讲话了。他挽着她的手,把她领进宫殿里去。正如那巫婆以前跟她讲过的一样,她觉得每一步都好像是在锥子和利刃上行走。可是她情愿忍受这苦痛。她挽着王子的手臂,走起路来轻盈得像一个水泡。他和所有的人望着她这文雅轻盈的步子,感到惊奇。

现在她穿上了丝绸和细纱做的贵重衣服。她是宫里一个最美丽的人,然而她是一个哑巴,既不能唱歌,也不能讲话。漂亮的女奴隶,穿着丝绸,戴着金银饰物,走上前来,为王子和他的父母唱着歌。有一个奴隶唱得最迷人,王子不禁鼓起掌来,对她发出微笑。这时小人鱼就感到一阵悲哀。她知道,有个时候她的歌声比那种歌声要美得多!她想:

"啊!但愿他知道,为了要和他在一起,我永远牺牲了我的声音!"

现在奴隶们跟着美丽的音乐,跳起优雅的、轻飘飘的舞来。这时小人鱼就举起一双美丽的、白嫩的手,用脚尖站着,在地板上轻盈地跳着舞——从来还没有人这样舞过。她的每一个动作都衬托出她的美。她的眼珠比奴隶们的歌声更能打动人的心坎。

大家都看得入了迷,特别是那位王子——他把她叫做他的"孤儿"。她不停地舞着,虽然每次当她的脚接触到地面的时候,她就像是在锋利的刀上行走一样。王子说,她此后应该永远跟他在一起;因此她就得到了许可睡在他门外的一个天鹅绒的垫子上面。

他叫人为她做了一套男子穿的衣服,好使她可以陪他骑着马同行。他们走过香气扑鼻的树林,绿色的枝子扫过他们的肩膀,鸟儿在新鲜的叶子后面唱着歌。她和王子爬上高山。虽然她纤细的脚已经流出血来,而且也叫大家都看见了,她仍然只是大笑,继续伴随着他,一直到他们看到云块在下面移动、像一群向遥远的国家飞去的小鸟为止。

在王子的宫殿里，当夜里大家都睡了以后，她就向那宽大的台阶走去。为了使她那双发烧的脚可以感到一点清凉，她就站到寒冷的海水里。这时她不禁想起了住在海底的人们。

有一天夜里，她的姐姐们手挽着手浮过来了。她们一面在水上游泳，一面唱出凄怆的歌。这时她就向她们招手。她们认出了她；她们说她曾经多么叫她们难过。这次以后，她们每天晚上都来看她。有一晚，她遥远地看到了多年不曾浮出海面的老祖母和戴着王冠的海王。他们对她伸出手来，但他们不像她的那些姐姐，没有敢游近岸边。

王子一天比一天更爱她。他像爱一个亲热的好孩子那样爱她，但是他从来没有娶她为王后的想法。然而她必须做他的妻子，否则她就不能得到一个不灭的灵魂，而且会在他结婚的头一天早上就变成海上的泡沫。

“在所有的人当中，你最爱我吗？”当他把她抱进怀里吻她前额的时候，小人鱼的眼睛似乎在这样说。

“是的，你是我最亲爱的人！”王子说，“因为在一切人当中你有一颗最善良的心。你对我是最亲爱的，你很像我某次看到过的一个年轻女子，可是我永远也看不见她了。那时我是坐在一艘船上——这船已经沉了。巨浪把我推到一个神庙旁的岸上。有几个年轻女子在那儿作祈祷。她们最年轻的一位在岸旁发现了我，因此救了我的生命。我只看到过她两次：她是我在这世界上能够爱的唯一的人，但是你很像她，你几乎代替了她留在我的灵魂中的印象。她是属于这个神庙的，因此我的幸运特别把你送给我。让我们永远不要分离吧！”

“啊，他却不知道我救了他的生命！”小人鱼想，“我把他从海里托出来，送到神庙所在的一个树林里。我坐在泡沫后面，窥望是不是有人会来。我看到那个美丽的姑娘——他爱她胜过爱我。”这时小人鱼深深地叹了一口气——她哭不出声来。“那个姑娘是属于那个神庙的——他曾说过。她永远不会走向这个人间的世界里来——他们永远不会见面了。我是跟他在一起，每天看到他的。我要照看他，热爱他，对他献出我的生命！”

现在大家在传说王子快要结婚了，他的妻子就是邻国国王的一个女儿。他为这事特别装备好了一艘美丽的船。王子在表面上说是要到邻近王国里去观光，事实上他是为了要去看邻国君主的女儿。他将带着一大批随员同去。小人鱼摇了摇头，微笑了一下。她比任何人都能猜透王子的心事。

“我得去旅行一下！”他对她说过，“我得去看一位美丽的公主：这是我父母的命令，但是他们不能强迫我把她作为未婚妻带回家来！我不会爱她的。你很像神庙里的那个美丽的姑娘，而她却不像。如果我要选择新嫁娘的话，那么我就要先选你——我亲爱的、有一双能讲话的眼睛的哑巴孤儿。”

于是他吻了她鲜红的嘴唇，抚摸着她的长头发，把他的头贴到她的心上，弄得她的这颗心又梦想起人间的幸福和一个不灭的灵魂来。

“你不害怕海么，我的哑巴孤儿？”他问。这时他们正站在那艘华丽的船上：它正向邻近的王国开去。他和她谈论着风暴和平静的海、生活在海里的奇奇怪怪的鱼和潜水夫在海底所能看到的东西。对于这类的故事，她只是微微地一笑，因为关于海底的事儿她比谁都知道得清楚。

在月光照着的夜里，大家都睡了，只有掌舵的人立在舵旁。这时她就坐在船边上，凝望着下面清亮的海水。她似乎看到了她父亲的王宫。她的老祖母头上戴着银子做的王冠，正高高地站在王宫顶上；她透过激流朝这条船的龙骨瞭望。不一会，她的姐姐们都浮到水面上来了，她们悲哀地望着她，苦痛地扭着白净的手。她向她们招手，微笑，同时很想告诉她们，说她现在一切都很美好和幸福。不过这时船上的一个侍者忽然向她这边走来。她的姐姐们马上就沉到水里；侍者以为自己所看到的那些白色的东西，只不过是些海上的泡沫。

第二天早晨，船开进邻国壮丽的首都的港口。所有教堂的钟都响起来了，号笛从许多高楼上吹来，兵士们拿着飘扬的旗子和明晃晃的刺刀在敬礼。每天都有一个宴会。舞会和晚会在轮流地举行着，可是公主还没有出现。人们说她在一个遥远的神庙里受教育，学习王室的一切美德。最后她终于到来了。

小人鱼迫切地想要看看她的美貌。她不得不承认她的美了，她从来没有看见过比这更美的形体。她的皮肤是那么细嫩，洁白；在她黑而长的睫毛后面是一对微笑的、忠诚的、深蓝色的眼珠。

“就是你！”王子说，“当我像一具死尸躺在岸上的时候，救活我的就是你！”于是他把这位羞答答的新嫁娘紧紧地抱在自己的怀里。“啊，我太幸福了！”他又对小人鱼说，“我从来不敢希望的最好的东西，现在终于成为事实了。你会为我的幸福而高兴吧，因为你是一切人中最喜欢我的人！”

小人鱼把他的手吻了一下。她觉得她的心在碎裂。他举行婚礼后的头一天早晨就会带给她灭亡，就会使她变成海上的泡沫。

教堂的钟都响起来了，传令人骑着马在街上宣布订立婚约的喜讯。每一个祭台上，芬芳的油脂在贵重的油灯里燃烧。祭司们荡着香炉，新郎和新娘互相挽着手来接受主教的祝福。小人鱼这时穿着丝绸，戴着金饰，托着新嫁娘的披纱，可是她的耳朵听不见这欢乐的音乐，她的眼睛看不见这神圣的仪式。她想起了她要灭亡的早晨，和她在这世界上已经失去了的一切东西。

在同一天晚上，新郎和新娘来到船上。礼炮响起来了，旗帜在飘扬着。一个金色和紫色的华贵的帐篷在船中央架起来了，里面陈设着最美丽的垫子。在这儿，这对美丽的新婚夫妇将度过他们这清凉和寂静的夜晚。

风儿在鼓着船帆。船在这清亮的海上，轻柔地航行着，没有很大的波动。

当暮色渐渐垂下来的时候，彩色的灯光就亮起来了，水手们愉快地在甲板上跳起舞来。小人鱼不禁想起她第一次浮到海面上来的情景，想起她那时看到的同样华丽和欢乐的场面。她于是旋舞起来，飞翔着，正如一只被追逐的燕子在飞翔着一样。大家都在喝彩，称赞她，她从来没有跳得这么美丽。锋利的刀子似乎在砍着她的细嫩的脚，但是她并不感觉到痛，因为她的心比这还要痛。

她知道这是自己看到他的最后一晚——为了他，她离开了她的族人和家庭，她交出了美丽的声音，她每天忍受着没有止境的苦痛，然而他却一点儿也不知道。这是她能和他在一起呼吸同样的空气的最后一晚，这是她能看到深沉的海和布满了星星的天空的最后一晚。同时一个没有思想和梦境的永恒的夜在等待着她——没有灵魂、而且也得不到一个灵魂的她。一直到半夜过后，船上的一切还是欢乐和愉快的。她笑着，舞着，但是她心中怀着死的思想。王子吻着自己的美丽的新娘；新娘抚弄着他的乌亮的头发。他们手挽着手到那华丽的帐篷里去休息。

船上现在是很安静的了。只有舵手站在舵旁。小人鱼把她洁白的手臂倚在船舷上，向东方凝望，等待着晨曦的出现——她知道，头一道太阳光就会叫她灭亡，她看到她的姐姐们从波涛中涌现出来了。她们是像她自己一样地苍白。她们美丽的长头发已经不在风中飘荡了——因为头发已经被剪掉了。

“我们已经把头发交给了那个巫婆,希望她能帮助你,使你今后不至于灭亡。她给了我们一把刀子。拿去吧,你看,它是多么快!在太阳没有出来以前,你得把它插进那个王子的心里去。当他的热血流到你脚上时,你的双脚将会又连到一起,变成一条鱼尾,那么你就可以恢复人鱼的原形,你就可以回到我们这儿的水里来;这样,在你没有变成无生命的咸水泡沫以前,你仍旧可以活过你三百年的岁月。快动手!在太阳没有出来以前,不是他死,就是你死了!我们的老祖母悲恸得连白发都落光了,正如我们的头发在巫婆的剪刀下落掉一样。刺死那个王子,赶快回来吧!快动手呀!你没有看到天上的红光吗?几分钟以后,太阳就出来了,那时你就必然灭亡!”

她们发出一个奇怪的、深沉的叹息声,于是她们便沉入浪涛里去了。

小人鱼把那帐篷上紫色的帘子掀开,看到那位美丽的新娘把头枕在王子的怀里睡着了。她弯下腰,在王子清秀的眉毛上吻了一下,于是她向天空凝视——朝霞渐渐地变得更亮了。她向尖刀看了一眼,接着又把眼睛掉向这个王子;他正在梦中喃喃地念着他的新嫁娘的名字。他思想中只有她存在。刀子在小人鱼的手里发抖。但是正在这时候,她把这刀子远远地向浪花里扔去。刀子沉下的地方,浪花就发出一道红光,好像有许多血滴溅出了水面。她再一次把她迷糊的视线投向这王子,然后她就从船上跳到海里,她觉得她的身躯在融化成为泡沫。

现在太阳从海里升起来了。阳光柔和地、温暖地照在冰冷的泡沫上,因此小人鱼并没有感到灭亡。她看到光明的太阳,同时在她上面飞着无数透明的、美丽的生物。透过它们,她可以看到船上的白帆和天空的彩云。它们的声音是和谐的音乐,可是那么虚无缥缈,人类的耳朵简直没有办法听见,正如地上的眼睛不能看见它们一样。它们没有翅膀,只是凭它们轻飘的形体在空中浮动。小人鱼觉得自己也获得了它们这样的形体,渐渐地从泡沫中升起来。

“我将向谁走去呢?”她问。她的声音跟这些其他的生物一样,显得虚无缥缈,人世间的任何音乐都不能和它相比。

“到天空的女儿那儿去呀!”别的声音回答说,“人鱼是没有不灭的灵魂的，而且永远也不会有这样的灵魂，除非她获得了一个凡人的爱情。她的永恒的存在要依靠外来的力量。天空的女儿也没有永恒的灵魂，不过她们可以通过善良的行为而创造出一个灵魂。我们飞向炎热的国度里去，那儿散布着疫病的空气在伤害着人民，我们可以吹起清凉的风，可以把花香在空气中传播，我们可以散布健康和愉快的精神。三百年以后，当我们尽力做完了我们可能做的一切善行，我们就可以获得一个不灭的灵魂，就可以分享人类一切永恒的幸福了。你，可怜的小人鱼，像我们一样，曾经全心全意地为那个目标而奋斗；你忍受过痛苦；你坚持下去了；你已经超升到精灵的世界里来了。通过你的善良的工作，在三百年以后，你就可以为你自己创造出一个不灭的灵魂。”

小人鱼向上帝的太阳举起了她光亮的手臂，她第一次感到要流出眼泪。

在那条船上，人声和活动又开始了。她看到王子和他美丽的新娘在寻找她。他们悲悼地望着那翻腾的泡沫，好像他们知道她已经跳到浪涛里去了似的。在冥冥中她吻着这位新嫁娘的前额，她对王子微笑。于是她就跟其他的空气中的孩子们一样，骑上玫瑰色的云块，升入天空里去了。

“这样，三百年以后，我们就可以升入天国！”

“我们也许不需等那么久！”一个声音低语着，“我们无形无影地飞进人类的住屋里去，那里面生活着一些孩子。每一天如果我们找到一个好孩子，如果他给他父母带来快乐、值得他父母爱他的话，上帝就可以缩短我们考验的时间。当我们飞过屋子的时候，孩子是不会知道的。当我们幸福地对着他笑的时候，我们就可以在这三百年中减去一年；但当我们看到一个顽皮和恶劣的孩子、而不得不伤心地哭出来的时候，那么每一颗眼泪就使我们考验的日子多加一天。”

丑 小 鸭

乡下真是非常美丽。这正是夏天！小麦是金黄的，燕麦是绿油油的。干草在绿色的牧场上堆成垛，鹳鸟用它又长又红的腿在散着步，噜苏地讲着埃及话。[①] 这是它从妈妈那儿学到的一种语言。田野和牧场的周围有些大森林，森林里有些很深的池塘。的确，乡间是非常美丽的，太阳光正照着一幢老式的房子，它周围流着几条很深的小溪。从墙角那儿一直到水里，全盖满了牛蒡的大叶子。最大的叶子长得非常高，小孩子简直可以直着腰站在下面。像在最浓密的森林里一样，这儿也是很荒凉的。这儿有一只母鸭坐在窠里，她得把她的几个小鸭都孵出来。不过这时她已经累坏了。很少有客人来看她。别的鸭子都愿意在溪流里游来游去，而不愿意跑到牛蒡下面来和她聊天。

最后，那些鸭蛋一个接着一个地崩开了。"噼！噼！"蛋壳响起来。所有的蛋黄现在都变成了小动物。他们把小头都伸出来。

"嘎！嘎！"母鸭说。他们也就跟着嘎嘎地大声叫起来。他们在绿叶子下面向四周看。妈妈让他们尽量地东张西望，因为绿色对他们的眼睛是有好处的。

"这个世界真够大！"这些年轻的小家伙说。的确，比起他们在蛋壳里的时候，他们现在的天地真是大不相同了。

"你们以为这就是整个世界！"妈妈说，"这地方伸展到花园的另一边，

---

① 因为据丹麦的民间传说，鹳鸟是从埃及飞来的。

一直伸展到牧师的田里去，才远呢！连我自己都没有去过！我想你们都在这儿吧？”她站起来。“没有，我还没有把你们都孵出来呢！这只顶大的蛋还躺着没有动静。它还得躺多久呢？我真是有些烦了。”于是她又坐下来。

“唔，情形怎样？”一只来拜访她的老鸭子问。

“这个蛋费的时间真久！”坐着的母鸭说，“它老是不裂开。请你看看别的吧。他们真是一些最逗人爱的小鸭儿！都像他们的爸爸——这个坏东西从来没有来看过我一次！”

“让我瞧瞧这个老是不裂开的蛋吧，”这位年老的客人说，“请相信我，这是一只吐绶鸡的蛋。有一次我也同样受过骗：你知道，那些小家伙不知道给了我多少麻烦和苦恼，因为他们都不敢下水。我简直没有办法叫他们在水里试一试。我说好说歹，一点用也没有！——让我来瞧瞧这只蛋吧。哎呀！这是一只吐绶鸡的蛋！让他躺着吧，你尽管叫别的孩子去游泳好了。”

“我还是在它上面多坐一会儿吧，”鸭妈妈说，“我已经坐了这么久，就是再坐它一个星期也没有关系。”

“那么就请便吧。”老鸭子说。于是她就告辞了。

最后这只大蛋裂开了。“噼！噼！”新生的这个小家伙叫着向外面爬。他是又大又丑。鸭妈妈把他瞧了一眼。“这个小鸭子大得怕人，”她说，“别的没有一个像他；但是他一点也不像小吐绶鸡！好吧，我们马上就来试试看吧。他得到水里去，我踢也要把他踢下水去。”

第二天的天气是又晴和，又美丽。太阳照在绿牛蒡上。鸭妈妈带着她所有的孩子走到溪边来。扑通！她跳进水里去了。“呱！呱！”她叫着，于是小鸭子就一个接着一个跳下去。水淹到他们头上，但是他们马上又冒出来了，游得非常漂亮。他们的小腿很灵活地划着。他们全都在水里，连那个丑陋的灰色小家伙也跟他们在一起游。

“唔，他不是一只吐绶鸡，”她说，“你看他的腿划得多灵活，他浮得多么稳！他是我亲生的孩子！如果你把他仔细看一看，他还算长得蛮漂亮呢。嘎！嘎！跟我一块儿来吧，我把你们带到广大的世界上去，把那个养鸡场介绍给你们看看。不过，你们得紧贴着我，免得别人踩着你们。你们还得当心猫儿呢！”

这样，他们就到养鸡场里来了。场里起了一阵可怕的喧闹声，因为有两个家族正在争夺一个鳝鱼头，而结果猫儿却把它抢走了。

"你们瞧，世界就是这个样子！"鸭妈妈说。她的嘴流了一点涎水，因为她也想吃那个鳝鱼头。"现在使用你们的腿吧！"她说，"你们拿出精神来。你们如果看到那儿的一只老母鸭，你们就得把头低下来，因为她是这儿最有声望的人物。她有西班牙的血统——因为她长得非常胖。你们看，她的腿上有一块红布条。这是一件非常出色的东西，也是一个鸭子可能得到的最大光荣：它的意义很大，说明人们不愿意失去她，动物和人统统都得认识她。打起精神来吧——不要把腿缩进去。一个有很好教养的鸭子总是把腿摆开的，像爸爸和妈妈一样。好吧，低下头来，说'嘎'呀！"

他们这样做了。别的鸭子站在旁边看着，同时用相当大的声音说：

"瞧！现在又来了一批找东西吃的客人，好像我们的人数还不够多似的！呸！瞧那只小鸭的一副丑相！我们真看不惯！"于是马上有一只鸭子飞过去，在他的脖颈上啄了一下。

"请你们不要管他吧，"妈妈说，"他并不伤害谁呀！"

"对，不过他长得太大、太特别了，"啄过他的那只鸭子说，"因此他必须挨打！"

"那个母鸭的孩子都很漂亮，"腿上有一条红布的那只母鸭说，"他们都很漂亮，只有一只是例外。这真是可惜。我希望能把他再孵一次。"

"那可不能，太太，"鸭妈妈回答说，"他不好看，但是他的脾气非常好。他游起水来也不比别人差——我还可以说，游得比别人好呢。我想他会慢慢长得漂亮的，或者到适当的时候，他也可能缩小一点。他在蛋里躺得太久了，因此他的模样有点不太自然。"她说着，同时在他的脖颈上啄了一下，把他的羽毛理了一理。"此外，他还是一只公鸭呢，"她说，"所以关系也不太大。我想他的身体很结实，将来总会自己找到出路的。"

"别的小鸭倒很可爱，"老母鸭说，"你在这儿不要客气。如果你找到鳝鱼头，请把它送给我好了。"

他们现在在这儿，就像在自己家里一样。

不过从蛋壳里爬出的那只小鸭太丑了，到处挨打，被排挤，被讥笑，不仅在鸭群中是这样，连在鸡群中也是这样。

"他真是又粗又大！"大家都说。有一只雄吐绶鸡生下来脚上就有距，因此他自以为是一个皇帝。他把自己吹得像一条鼓满了风的帆船，来势汹汹地向他走来，瞪着一双大眼睛，脸上涨得通红。这只可怜的小鸭不知道站在什么地方，或者走到什么地方去好。他觉得非常悲哀，因为自己长得那么丑陋，而且成了全体鸡鸭的一个嘲笑对象。

这是头一天的情形。后来一天比一天糟。大家都要赶走这只可怜的小鸭；连他自己的兄弟姊妹也对他生起气来。他们老是说："你这个丑妖怪，希望猫儿把你抓去才好！"于是妈妈也说起来："我希望你走远些！"鸭儿们啄他，小鸡打他，喂鸡鸭的那个女用人用脚来踢他。

于是他飞过篱笆逃走了；灌木林里的小鸟一见到他，就惊慌地向空中飞去。"这是因为我太丑了！"小鸭想。于是他闭起眼睛，继续往前跑。他一口气跑到一块住着野鸭的沼泽地里。他在这儿躺了一整夜，因为他太累了，太丧气了。

天亮的时候，野鸭都飞起来了。他们瞧了瞧这位新来的朋友。

"你是谁呀？"他们问。小鸭一下转向这边，一下转向那边，尽量对大家恭恭敬敬地行礼。

"你真是丑得厉害，"野鸭们说，"不过只要你不跟我们族里任何鸭子结婚，对我们倒也没有什么大的关系。"可怜的小东西！他根本没有想到什么结婚；他只希望人家准许他躺在芦苇里，喝点沼泽的水就够了。

他在那儿躺了两个整天。后来有两只雁——严格地讲，应该说是两只公雁，因为他们是两个男的——飞来了。他们从娘的蛋壳里爬出来还没有多久，因此非常顽皮。

"听着，朋友，"他们说，"你丑得可爱，连我①都禁不住要喜欢你了。你做一只候鸟，跟我们一块儿飞走好吗？另外有一块沼泽地离这儿很近，那里有好几只活泼可爱的雁儿。她们都是小姐，都会说：'嘎！'你是那么丑，可以在她们那儿碰碰你的运气！"

"噼！啪！"天空中发出一阵响声。这两只公雁落到芦苇里，死了，把水染得鲜红。"噼！啪！"又是一阵响声。整群的雁儿都从芦苇里飞起来，于是又是一阵枪声响起来了。原来有人在大规模地打猎。猎人都埋伏在这沼

① 这儿的"我"(jeg)是单数，跟前面的"他们说"不一致，但原文如此。

泽地的周围,有几个人甚至坐在伸到芦苇上空的树枝上。蓝色的烟雾像云块似的笼罩着这些黑树,慢慢地在水面上向远方飘去。这时,猎狗都扑通扑通地在泥泞里跑过来,灯心草和芦苇向两边倒去。这对于可怜的小鸭说来真是可怕的事情！他把头掉过来,藏在翅膀里。不过,正在这时候,一只骇人的大猎狗紧紧地站在小鸭的身边。它的舌头从嘴里伸出很长,眼睛发出丑恶和可怕的光。它把鼻子顶到这小鸭的身上,露出了尖牙齿,可是——扑通！扑通！——它跑开了,没有把他抓走。

"啊,谢谢老天爷!"小鸭叹了一口气,"我丑得连猎狗也不要咬我了!"

他安静地躺下来。枪声还在芦苇里响着,枪弹一发接着一发地射出来。

天快要暗的时候,四周才静下来。可是这只可怜的小鸭还不敢站起来。他等了好几个钟头,才敢向四周望一眼,于是他急忙跑出这块沼泽地,拼命地跑,向田野上跑,向牧场上跑。这时吹起一阵狂风,他跑起来非常困难。

到天黑的时候,他来到一个简陋的农家小屋。它是那么残破,甚至不知道应该向哪一边倒才好——因此它也就没有倒。狂风在小鸭身边号叫得非常厉害,他只好面对着它坐下来。它越吹越凶。于是他看到那门上的铰链有一个已经松了,门也歪了,他可以从空隙钻进屋子里去,他便钻进去了。

屋子里有一个老太婆和她的猫儿,还有一只母鸡住在一起。她把这只猫儿叫"小儿子"。他能把背拱得很高,发出咪咪的叫声来;他的身上还能迸出火花,不过要他这样做,你就得倒摸他的毛。母鸡的腿又短又小,因此她叫"短腿鸡儿"。她生下的蛋很好,所以老太婆把她爱得像自己的亲生孩子一样。

第二天早晨,人们马上注意到了这只来历不明的小鸭。那只猫儿开始咪咪地叫,那只母鸡也咯咯地喊起来。

"这是怎么一回事儿?"老太婆说,同时朝四周看。不过她的眼睛有点花,所以她以为小鸭是一只肥鸭,走错了路,才跑到这儿来了。"这真是少有的运气!"她说,"现在我可以有鸭蛋了。我只希望他不是一只公鸭才好！我们得弄个清楚!"

这样,小鸭就在这里受了三个星期的考验,可是他什么蛋也没有生下来。那只猫儿是这家的绅士,那只母鸡是这家的太太,所以他们一开口就说:"我们和这世界!"因为他们以为他们就是半个世界,而且还是最好的那一半呢。小鸭觉得自己可以有不同的看法,但是他的这种态度,母鸡却忍受不了。

“你能够生蛋吗?”她问。

“不能!”

“那么就请你不要发表意见。”

于是雄猫说:“你能拱起背,发出咪咪的叫声和迸出火花吗?”

“不能!”

“那么,当有理智的人在讲话的时候,你就没有发表意见的必要!”

小鸭坐在一个墙角里,心情非常不好。这时他想起了新鲜空气和太阳光。他觉得有一种奇怪的渴望:他想到水里去游泳。最后他实在忍不住了,就不得不把心事对母鸡说出来。

“你在起什么念头?”母鸡问,“你没有事情可干,所以你才有这些怪想头。你只要生几个蛋,或者咪咪地叫几声,那么你这些怪想头也就会没有了。”

“不过,在水里游泳是多么痛快呀!”小鸭说,“让水淹在你的头上,往水底一钻,那是多么痛快呀!”

“是的,那一定很痛快!”母鸡说,“你简直在发疯。你去问问猫儿吧——在我所认识的一切朋友当中,他是最聪明的——你去问问他喜欢不喜欢在水里游泳,或者钻进水里去。我先不讲我自己。你去问问你的主人——那个老太婆——吧,世界上再也没有比她更聪明的人了!你以为她想去游泳,让水淹在她的头顶上吗?”

“你们不了解我。”小鸭说。

“我们不了解你?那么请问谁了解你呢?你决不会比猫儿和女主人更聪明吧——我先不提我自己。孩子,你不要自以为了不起吧!你现在得到这些照顾,你应该感谢上帝。你现在到一个温暖的屋子里来,有了一些朋友,而且还可以向他们学习很多的东西,不是吗?不过你是一个废物,跟你在一起真不痛快。你可以相信我,我对你说这些不好听的话,完全是为了帮助你呀。只有这样,你才知道谁是你的真正朋友!请你注意学习生蛋,或者咪咪地叫,或者迸出火花吧!”

“我想我还是走到广大的世界上去好。”小鸭说。

“好吧，你去吧！”母鸡说。

于是小鸭就走了。他一会儿在水上游，一会儿钻进水里去；不过，因为他的样子丑，所有的动物都瞧不起他。秋天到来了。树林里的叶子变成了黄色和棕色。风卷起它们，把它们带到空中飞舞，而空中是很冷的。云块沉重地载着冰雹和雪花，低低地悬着。乌鸦站在篱笆上，冻得只管叫：“呱！呱！”是的，你只要想想这情景，就会觉得冷了。这只可怜的小鸭的确没有一个舒服的时候。

一天晚上，当太阳正在美丽地落下去的时候，有一群漂亮的大鸟从灌木林里飞出来，小鸭从来没有看到过这样美丽的东西。他们白得发亮，颈项又长又柔软。这就是天鹅。他们发出一种奇异的叫声，展开美丽的长翅膀，从寒冷的地带飞向温暖的国度，飞向不结冰的湖上去。

他们飞得很高——那么高，丑小鸭不禁感到一种说不出的兴奋。他在水上像一个车轮似的不停地旋转着，同时，把自己的颈项高高地向他们伸着，发出一种响亮的怪叫声，连他自己也害怕起来。啊！他再也忘记不了这些美丽的鸟儿，这些幸福的鸟儿。当他看不见他们的时候，就沉入水底；但是当他再冒到水面上来的时候，却感到非常空虚。他不知道这些鸟儿的名字，也不知道他们要向什么地方飞去。不过他爱他们，好像他从来还没有爱过什么东西似的。他并不嫉妒他们。他怎能梦想有他们那样美丽呢？只要别的鸭儿准许他跟他们生活在一起，他就已经很满意了——可怜的丑东西。

冬天变得很冷，非常地冷！小鸭不得不在水上游来游去，免得水面完全冻结成冰。不过他游动的这个小范围，一晚比一晚缩小。水冻得厉害，人们可以听到冰块的碎裂声。小鸭只好用他的一双腿不停地游动，免得水完全被冰封闭。最后，他终于昏倒了，躺着动也不动，跟冰块结在一起。

大清早，有一个农民在这儿经过。他看到了这只小鸭，就走过去用木屐把冰块踏破，然后把他抱回来，送给他的女人。他这时才渐渐地恢复了知觉。

小孩子们都想要跟他玩，不过小鸭以为他们想要伤害他。他一害怕就跳到牛奶盘里去了，把牛奶溅得满屋子都是。女人惊叫起来，拍着双手。这么一来，小鸭就飞到黄油盆里去了，然后就飞进面粉桶里去了，最后才爬出来。这时他的样子才好看呢！女人尖声地叫起来，拿着火钳要打他。小孩们挤做一团，想抓住这小鸭。他们又是笑，又是叫！——幸好大门是开着的。他钻进灌木林中新下的雪里面去。他躺在那里，几乎像昏倒了一样。

要是只讲他在这严冬所受到的困苦和灾难，那么这个故事也就太悲惨了。当太阳又开始温暖地照着的时候，他正躺在沼泽地的芦苇里。百灵鸟唱起歌来了——这是一个美丽的春天。

忽然间他举起翅膀：翅膀拍起来比以前有力得多，马上就把他托起来飞走了。他不知不觉地已经飞进了一座大花园。这儿苹果树正开着花；紫丁香在散发着香气，它又长又绿的枝条垂到弯弯曲曲的溪流上。啊，这儿美丽极了，充满了春天的气息！三只美丽的白天鹅从树荫里一直游到他面前来。他们轻飘飘地浮在水上，羽毛发出飕飕的响声。小鸭认出这些美丽的动物，于是心里感到一种说不出的难过。

"我要飞向他们，飞向这些高贵的鸟儿！可是他们会把我弄死的，因为我是这样丑，居然敢接近他们。不过这没有什么关系！被他们杀死，要比被鸭子咬，被鸡群啄，被看管养鸡场的那个女用人踢和在冬天受苦好得多！"于是他飞到水里，向这些美丽的天鹅游去：这些动物看到他，马上就竖起羽毛向他游来。"请你们弄死我吧！"这只可怜的动物说。他把头低低地垂到水上，只等待着死。但是他在这清澈的水上看到了什么呢？他看到了自己的倒影。但那不再是一只粗笨的、深灰色的、又丑又令人讨厌的鸭子，而是——一只天鹅！

只要你曾经在一只天鹅蛋里待过，就算你是生在养鸭场里也没有什么关系。

对于他过去所受的不幸和苦恼，他现在感到非常高兴。他现在清楚地认识到幸福和美正在向他招手。——许多大天鹅在他周围游泳，用嘴来亲他。

花园里来了几个小孩子。他们向水上抛来许多面包片和麦粒。最小的那个孩子喊道：

"你们看那只新天鹅！"别的孩子也兴高采烈地叫起来："是的，又来了一只新的天鹅！"于是他们拍着手，跳起舞来，向他们的爸爸和妈妈跑去。他们抛了更多的面包和糕饼到水里，同时大家都说："这新来的一只最美！那么年轻，那么好看！"那些老天鹅不禁在他面前低下头来。

他感到非常难为情。他把头藏到翅膀里面去,不知道怎么办才好。他感到太幸福了,但他一点也不骄傲,因为一颗好的心是永远不会骄傲的。他想起他曾经怎样被人迫害和讥笑过,而他现在却听到大家说他是美丽的鸟中最美丽的一只鸟儿。紫丁香在他面前把枝条垂到水里去。太阳照得很温暖,很愉快。

他扇动翅膀,伸直细长的颈项,从内心里发出一个快乐的声音:

"当我还是一只丑小鸭的时候,我做梦也没有想到会有这么多的幸福!"

梦　神[1]

世界上没有谁能像奥列·路却埃那样，会讲那么多的故事——他才会讲呢！

天黑了以后，当孩子们还乖乖地坐在桌子旁边或坐在凳子上的时候，奥列·路却埃就来了。他轻轻地走上楼梯，因为他是穿着袜子走路的；他不声不响地把门推开，于是"嘘！"他在孩子的眼睛里喷了一点甜蜜的牛奶——只是一点儿，一丁点儿，但已足够使他们张不开眼睛。这样他们就看不见他了。他在他们背后偷偷地走着，轻柔地吹着他们的脖子，于是他们的脑袋便感到昏沉。啊，是的！但这并不会伤害他们，因为奥列·路却埃是非常心疼小孩子的。他只是要求他们放安静些，而这只有等他们被送上床以后才能做到：他必须等他们安静下来以后才能对他们讲故事。

当孩子们睡着了以后，奥列·路却埃就在床边坐下来。他穿的衣服是很漂亮的：他的上衣是绸子做的，不过什么颜色却很难讲，因为它一会儿发红，一会儿发绿，一会儿发蓝——完全看他怎样转动而定。他的每条胳膊下面夹着一把伞。一把伞上绘着图画；他就把这把伞在好孩子上面撑开，使他们一整夜都能梦得见美丽的故事。可是另外一把伞上面什么也没有画：他把这把伞在那些顽皮的孩子上面张开，于是这些孩子就睡得非常糊涂，当他

---

① 他是丹麦小孩子的一个好朋友。谁都认识他。在丹麦文中他叫奥列·路却埃(Ole Lukφie)，"奥列"是丹麦极普通的人名，"路却埃"是丹麦文里 Lukke 和 φie 两个字的简写，意思是"闭起眼睛"。

们在早晨醒来的时候，觉得什么梦也没有做过。

现在让我们来听听，奥列·路却埃怎样在整个星期中每天晚上来看一个名叫哈尔马的孩子，对他讲了一些什么故事。那一共有七个故事，因为每个星期有七天。

星　期　一

"听着吧，"奥列·路却埃在晚上把哈尔马送上床以后说，"现在我要装饰一番。"于是花盆里的花儿都变成了大树，长树枝在屋子的天花板下沿着墙伸展开来，使得整个屋子看起来像一个美丽的花亭。这些树枝上都开满了花，每朵花比玫瑰还要美丽，而且发出那么甜的香气，叫人简直想尝尝它。——它比果子酱还要甜。水果射出金子般的光；甜面包张开了口，露出里面的葡萄干。这一切是说不出地美。不过在此同时，在哈尔马放课本的桌子抽屉内，有一阵可怕的哭声发出来了。

"这是什么呢？"奥列·路却埃说。他走到桌子那儿去，把抽屉拉开。原来是写字的石板在痛苦地抽筋，因为一个错误的数字跑进总和里去，几乎要把它打散了。写石板用的那支粉笔在系住它的那根线上跳跳蹦蹦，像一只小狗。它很想帮助总和，但是没有办法下手——接着哈尔马的练习簿里面又发出一阵哀叫声——这听起来真叫人难过。每一页上的大楷字母一个接着一个地排成直行，每个字旁边有一个小楷字，也成为整齐的直行。这就是练字的范本。在这些字母旁边还有一些字母。它们以为它们跟前面的字母一样好看。这就是哈尔马所练的字，不过它们东倒西歪，越出了它们应该看齐的线条。

"你们要知道，你们应该这样站着，"练习范本说，"请看——像这样略为斜一点，轻松地一转！"

"啊，我们倒愿意这样做呢，"哈尔马写的字母说，"不过我们做不到呀；我们的身体不太好。"

"那么你们得吃点药才成。"奥列·路却埃说。

"哦，那可不行！"它们叫起来，马上直直地站起来，叫人看着非常舒服。

"是的，现在我们不能讲什么故事了，"奥列·路却埃说，"我现在得叫它们操练一下。一,二！一,二！"他这样操练着字母。它们站着,非常整齐,非常健康,跟任何范本一样。不过当奥列·路却埃走了,早晨哈尔马起来看看它们的时候,它们仍然是像以前那样,显得愁眉苦脸。

星 期 二

当哈尔马上了床以后,奥列·路却埃就在房里所有的家具上把那富有魔力的奶轻轻地喷了一口。于是每一件家具就开始谈论起自己来,只有那只痰盂独自个儿站着一声不响。它有点儿恼,觉得大家都很虚荣,只顾谈论着自己,想着自己,一点也不考虑到谦虚地站在墙角边、让大家在自己身上吐痰的它。

衣柜顶上挂着一张大幅图画,它嵌在镀金的框架里。这是一幅风景画。人们在里面可以看到一株很高的古树,草丛中的花朵,一个大湖和跟它连着的一条河,那条河环绕着大树林,流过许多宫殿,一直流向大洋。

奥列·路却埃在这画上喷了一口富有魔力的奶,于是画里的鸟雀便开始唱起歌来,树枝开始摇动起来,云块也在飞行——人们可以看到云的影子在这片风景上掠过。

现在奥列·路却埃把小小的哈尔马抱到框架上去,而哈尔马则把自己的脚伸进画里去——一直伸到那些长得很高的草里去。于是他就站在那儿。太阳穿过树枝照到他身上。他跑到湖旁边去,坐上一条停在那儿的小船。这条小船涂上了红白两种颜色,它的帆发出银色的光。六只头上戴着金冠、额上戴有一颗光耀的蓝星的天鹅,拖着这条船漂过这青翠的森林——这里的树儿讲出一些关于强盗和巫婆的故事,花儿讲出一些关于美丽的小山精水怪的故事,讲些蝴蝶所告诉过它们的故事。

许多美丽的、鳞片像金银一样的鱼儿,在船后面游着。有时它们跳跃一下,在水里弄出一阵"扑通"的响声。许多蓝色的、红色的、大大小小的鸟儿,排成长长的两行在船后面飞。蚊蚋在跳着舞,小金虫在说:"唧！唧！"它们都要跟着哈尔马来,而且每一位都能讲一个故事。

这才算得是一次航行呢！森林有时显得又深又黑,有时又显得像一个充满了太阳光和花朵的、极端美丽的花园,还有雄伟的、用玻璃砖和大理石砌成的宫殿。阳台上立着好几位公主。她们都是哈尔马所熟悉的一些小女孩——因为他跟她们在一起玩耍过。她们伸出手来,每只手托着一般卖糕饼的女人所能卖出的最美丽的糖猪。哈尔马在每一只糖猪旁边经过的时候,就顺手去拿,不过公主们握得那么紧,结果每人只得到一半——公主得到一小半,哈尔马得到一大半。每个宫殿旁边都有一些小小的王子在站岗。他们背着金刀,向他撒下许多葡萄干和锡兵。他们真不愧称为王子!

哈尔马张着帆航行,有时通过森林,有时通过大厅,有时直接通过一个城市的中心。他来到了他保姆所住的那个城市。当他还是一个小宝宝的时候,这位保姆常常把他抱在怀里。她一直是非常爱护他的。她对他点头,对他招手,同时念着她自己为哈尔马编的那首诗:

亲爱的哈尔马,我对你多么想念,
你小的时候,我多么喜欢吻你,
吻你的前额、小嘴和那么鲜红的脸——
我的宝贝,我是多么地想念你!
我听着你喃喃地学着最初的话语,
可是我不得不对你说一声再见。
愿上帝在世界上给你无限的幸福,
你——天上降下的一个小神仙。

所有的鸟儿也一同唱起来,花儿在梗子上也跳起舞来,许多老树也点起头来,正好像奥列·路却埃是在对它们讲故事一样。

星 期 三

嗨!外面的雨下得多么大啊!哈尔马在梦中都可以听到雨声。当奥列·路却埃把窗子推开的时候,水简直就流到窗槛上来了。外面成了一个湖,但是居然还有一条漂亮的船停在屋子旁边哩。

"小小的哈尔马,假如你跟我一块儿航行的话,"奥列·路却埃说,"你今晚就可以开到外国去,明天早晨再回到这儿来。"

于是哈尔马就穿上他星期日穿的漂亮衣服，踏上这条美丽的船。天气立刻就晴朗起来了。他们驶过好几条街道，绕过教堂。现在在他们面前展开一片汪洋大海。他们航行了很久，最后陆地就完全看不见了。他们看到了一群鹳鸟。这些鸟儿也是从它们的家里飞出来的，飞到温暖的国度里去。它们排成一行，一只接着一只地飞，而且已经飞得很远——很远！它们之中有一只已经飞得很倦了，它的翅膀几乎不能再托住它向前飞。它是这群鸟中最后的一只。不久它就远远地落在后面。最后它张着翅膀慢慢地坠下来了。虽然它仍旧拍了两下翅膀，但是一点用也没有。它的脚触到了帆索，于是它就从帆上滑下来。砰！它落到甲板上来了。

船上的侍役把它捉住，放进鸡屋里的鸡、鸭和吐绶鸡群中去。这只可怜的鹳鸟在它们中间真是垂头丧气极了。

"你们看看这个家伙吧！"母鸡婆们齐声说。

于是那只雄吐绶鸡就装模作样地摆出一副架子，问鹳鸟是什么人。鸭子们后退了几步，彼此推着："叫呀！叫呀！"

鹳鸟告诉它们一些关于炎热的非洲、金字塔和在沙漠上像野马一样跑的鸵鸟的故事。不过鸭子们完全不懂得它所讲的这些东西，所以它们又彼此推了几下！

"我们有一致的意见，那就是它是一个傻瓜！"

"是的，它的确是很傻。"雄吐绶鸡说，咯咯地叫起来。

于是鹳鸟就一声不响，思念着它的非洲。

"你的那双腿瘦长得可爱，"雄吐绶鸡说，"请问你，它们值多少钱一亚伦①？"

"嘎！嘎！嘎！"所有的鸭子都讥笑起来。不过鹳鸟装做没有听见。

"你也可以一起来笑一阵子呀，"雄吐绶鸡对它说，"因为这话说得很是风趣。难道你觉得这说得太下流了不成？嗨！嗨！它并不是一个什么博学多才的人！我们还是自己来说笑一番吧。"

于是它们都咕咕地叫起来，鸭子也嘎嘎地闹起来，"呱！咕！呱！咕！"它们自己以为幽默得很，简直不成样子。

---

① 亚伦(Alen)是丹麦计量长度的单位，等于 0.627 米。

可是哈尔马走到鸡屋那儿去,把鸡屋的后门打开,向鹳鸟喊了一声。鹳鸟跳出来,朝他跳到甲板上来。现在它算是得着休息了。它似乎在向哈尔马点着头,表示谢意。于是它展开双翼,向温暖的国度飞去。不过母鸡婆都在咕咕地叫着,鸭子在嘎嘎地闹着,同时雄吐绶鸡的脸涨得通红。

"明天我将把你们拿来烧汤吃。"哈尔马说。于是他就醒了,发现仍然躺在自己的小床上。奥列·路却埃这晚为他布置的航行真是奇妙。

星 期 四

"我告诉你,"奥列·路却埃说,"你决不要害怕。我现在给你一个小耗子看。"于是他向他伸出手来,手掌上托着一个轻巧的、可爱的动物。"它来请你去参加一个婚礼。有两个小耗子今晚要结为夫妇。它们住在你妈妈的食物储藏室的地下:那应该是一个非常可爱的住所啦!"

"不过我怎样能够钻进地下的那个小耗子洞里去呢?"哈尔马问。

"我来想办法,"奥列·路却埃说,"我可以使你变小呀。"

于是他在哈尔马身上喷了一口富有魔力的奶。这孩子马上就一点一点地缩小,最后变得不过只有指头那么大了。

"现在你可以把锡兵的制服借来穿穿:我想它很合你的身材。一个人在社交的场合,穿起一身制服是再漂亮也不过的。"

"是的,一点也不错。"哈尔马说。

不一会儿他穿得像一个很潇洒的兵士。

"劳驾你坐在你妈妈的顶针上,"小耗子说,"让我可以荣幸地拉着你走。"

"我的天啦!想不到要这样麻烦小姐!"哈尔马说。这么着,他们就去参加小耗子的婚礼了。

他们先来到地下的一条长长的通道里。这条通道的高度,恰好可以让他们拉着顶针直穿过去。这整条路是用引火柴照着的。

"你闻闻!这儿的味道有多美!"耗子一边拉,一边说,"这整条路全用腊肉皮擦过一次。再也没有什么东西比这更好!"

现在他们来到了举行婚礼的大厅。所有的耗子太太们都站在右手边,她们互相私语和憨笑,好像在逗着玩儿似的。所有的耗子先生们都立在左手边,他们在用前掌摸着自己的胡子。于是,在屋子的中央,新郎和新娘出现了。他们站在一个啃空了的乳饼的圆壳上。他们在所有的客人面前互相吻得不可开交——当然喽,他们是订过婚的,马上就要举行婚礼了。

客人们川流不息地涌进来。耗子们几乎能把对方踩死。这幸福的一对站在门中央,弄得人们既不能进来,也不能出去。像那条通道一样,这屋子也是用腊肉皮擦得亮亮的,而这点腊肉皮也就是他们所吃的酒菜了。不过主人还是用盘子托出一粒豌豆作为点心。这家里的一位小耗子在它上面啃出了这对新婚夫妇的名字——也可以说是他们的第一个字母吧。这倒是一个很新奇的花样哩。

所有来参加的耗子都认为这婚礼是很漂亮的,而且招待也非常令人满意。

哈尔马又坐着顶针回到家里来;他算是参加了一个高等的社交场合,不过他得把自己缩做一团,变得渺小,同时还要穿上一件锡兵的制服。

星　期　五

"你决不会相信,有多少成年人希望跟我在一道啊!"奥列·路却埃说,"尤其是那些做过坏事的人。他们常常对我说:'小小的奥列啊,我们合不上眼睛,我们整夜躺在床上,望着自己那些恶劣的行为——这些行为像丑恶的小鬼一样,坐在我们的床沿上,在我们身上浇着沸水。请你走过来把他们赶走,好叫我们好好地睡一觉吧!'于是他们深深地叹了一口气,'我们很愿意给你酬劳。晚安吧,奥列。钱就在窗槛上。'不过,我并不是为了钱而做事的呀。"奥列·路却埃说。

"我们今晚将做些什么呢?"哈尔马问。

"对,我不知道你今晚有没有兴趣再去参加一个婚礼。这个婚礼跟昨天的不同。你妹妹的那个大玩偶——他的样子像一个大男人,名字叫做赫尔曼——将要和一个叫贝尔达的玩偶结婚。此外,今天还是这玩偶的生日,因此他们收到很多的礼品。"

"是的,我知道这事,"哈尔马说,"无论什么时候,只要这些玩偶想要有新衣服穿,我的妹妹就让他们来一个生日庆祝会,或举行一次婚礼。这类的事儿已经发生过一百次了!”

“是的,不过今夜举行的是一百零一次的婚礼呀。当这一百零一次过去以后,一切就会完了。正因为这样,所以这次婚礼将会是非常华丽。你再去看一次吧!”

哈尔马朝桌子看了一眼。那上面有一座纸做的房子,窗子里有亮光;外面站着的锡兵全在敬礼。新郎和新娘坐在地上,靠着桌子的腿,若有所思的样子,而且并不是没有道理的。奥列·路却埃,穿着祖母的黑裙子,特来主持这个婚礼。当婚礼终了以后,各种家具合唱起一支美丽的歌——歌是铅笔为他们编的。它是随着兵士击鼓的节奏而唱出的:

我们的歌像一阵风,
来到这对新婚眷属的房中;
他们站得像棍子一样挺直,
他们都是手套皮所制!
万岁,万岁!棍子和手套皮!
我们在风雨中高声地贺喜!

于是他们开始接受礼品——不过他们拒绝收受任何食物,因为他们打算以爱情为食粮而生活下去。

“我们现在到乡下去呢,还是到外国去作一趟旅行?”新郎问。

他们去请教那位经常旅行的燕子和那位生了五窠孩子的老母鸡。燕子讲了许多关于那些美丽的温带国度的事情:那儿熟了的葡萄沉甸甸地、一串一串地挂着;那儿的空气是温和的;那儿的山岳发出这里从来见不到的光彩。

“可是那儿没有像我们这儿的油菜呀!”老母鸡说,“有一年夏天我跟孩子们住在乡下。那儿有一个沙坑。我们可以随便到那儿去,在那儿抓土;我们还得到许可钻进一个长满了油菜的菜园里去。啊,那里面是多么青翠啊!我想象不出还有什么东西比那更美!”

“不过这根油菜梗跟那根油菜梗不是一个样儿,”燕子说,“而且这儿的天气老是那样坏!"

"人们可以习惯于这种天气的。"老母鸡说。

"可是这儿很冷,老是结冰。"

"那对于油菜是非常好的!"老母鸡说,"此外这儿的天气也会暖和起来的呀。四年以前,我们不是有过一连持续了五星期的夏天吗? 那时天气是那么热,你连呼吸都感到困难;而且我们还不像他们那样有有毒的动物,此外我们也没有强盗。谁不承认我们的国家最美丽,谁就是一个恶棍——那么他就不配住在此地了。"于是老母鸡哭起来,"我也旅行过啦! 我坐在一个鸡圈里走过一百五十里路:我觉得旅行没有一点儿乐趣!"

"是的,老母鸡是一个有理智的女人!"玩偶贝尔达说,"我对于上山去旅行也不感兴趣,因为你无非是爬上去,随后又爬下来罢了。不,我们还是走到门外的沙坑那儿去,在油菜中间散散步吧。"

问题就这么解决了。

星　期　六

"现在讲几个故事给我听吧!"小小的哈尔马说。这时奥列·路却埃已经把他送上了床。

"今晚我们没有时间讲故事了。"奥列回答说,同时把他那把非常美丽的雨伞在这孩子的头上撑开。"现在请你看看这几个中国人吧!"

整个的雨伞看起来好像一个中国的大碗:里面有些蓝色的树,拱起的桥,上面还有小巧的中国人在站着点头。

"明天我们得把整个世界洗刷得焕然一新,"奥列说,"因为明天是一个神圣的日子——礼拜日。我将到教堂的尖塔顶上去,告诉那些教堂的小精灵把钟擦得干干净净,好叫它们能发出美丽的声音来。我将走到田野里去,看风儿有没有把草和叶上的灰尘扫掉;此外,最巨大的一件工作是:我将要把天上的星星摘下来,把它们好好地擦一下。我要把它们兜在我的围裙里。可是我得先记下它们的号数,同时也得记下嵌住它们的那些洞口的号数,好使它们将来能回到原来的地方去;否则它们就嵌不稳,结果流星就会太多了,因为它们会一个接着一个地落下来。"

“请听着！您知道，路却埃先生。”一幅老画像说；它挂在哈尔马挨着睡的那堵墙上，“我是哈尔马的曾祖父。您对这孩子讲了许多故事，我很感谢您；不过请您不要把他的头脑弄得糊里糊涂。星星是不可以摘下来的，而且也不能擦亮！星星都是一些球体，像我们的地球一样。它们之所以美妙，就正是为了这个缘故。”

“我感谢您，老曾祖父，”奥列·路却埃说，“我感谢您！您是这一家之长。您是这一家的始祖。但是我比您还要老！我是一个年老的异教徒：罗马人和希腊人把我叫做梦神。我到过最华贵的家庭；我现在仍然常常去！我知道怎样对待伟大的人和渺小的人。现在请您讲您的事情吧！”——于是奥列·路却埃拿了他的伞走出去了。

“嗯，嗯！这种年头，一个人连发表意见都不成！”这幅老画像发起牢骚来。

于是哈尔马就醒来了。

星 期 日

“晚安！”奥列·路却埃说；哈尔马点点头，于是他便跑过去，把曾祖父的画像翻过来面对着墙，好叫他不再像昨天那样，又来插嘴。

“现在你得讲几个故事给我听；关于生活在一个豆荚里的五颗青豌豆的故事；关于一只公鸡的脚向母鸡的脚求爱的故事；关于一根装模作样的缝补针自以为是缝衣针的故事。”

“好东西享受太过也会生厌的呀！”奥列·路却埃说，“您知道，我倒很想给你一样东西看看。我把我的弟弟介绍给你吧。他也叫做奥列·路却埃；不过他拜访任何人，从来不超过一次以上。当他到来的时候，总是把他所遇见的人抱在马上，讲故事给他听。他只知道两个故事。一个是极端的美丽，世上任何人都想象不到；另一个则是非常丑恶和可怕——我没有办法形容出来。”

于是奥列·路却埃把小小的哈尔马抱到窗前，说：

“你现在可以看到我的弟弟——另一位叫做奥列·路却埃的人了。也有人把他叫做‘死神’！你要知道，他并不像人们在画册中把他画成一架骸骨那样可怕。不,那骸骨不过是他上衣上用银丝绣的一个图案而已。这上衣是一件很美丽的骑兵制服。在他后面,在马背上,飘着一件黑天鹅绒做的斗篷。请看他奔驰的样子吧!"

哈尔马看到这位奥列·路却埃怎样骑着马飞驰过去,怎样把年轻人和年老的人抱到自己的马上。有些他放在自己的前面坐着,有些放在自己的后面坐着。不过他老是先问:"你们的通知簿上是怎样写的?"他们齐声回答说:"很好。"他说:"好吧,让我亲自来看看吧。"于是每人不得不把自己的通知簿交出来看。那些簿子上写着"很好"和"非常好"等字样的人坐在他的前面,听一个美丽的故事;那些簿子上写着"勉强""尚可"等字样的人只得坐在他后面,听一个非常可怕的故事。后者发着抖,大声哭泣。他们想要跳下马来,可是这点他们做不到,因为他们立刻就紧紧地生在马背上了。

"不过'死神'是一位最可爱的奥列·路却埃啦,"哈尔马说,"我并不怕他!"

"你也不需要怕他呀,"奥列·路却埃说,"你只要时时注意,使你的通知簿上写上好的评语就得了!"

"是的,这倒颇有教育意义!"曾祖父的画像叽咕地说,"提提意见究竟还是有用的啦。"现在他算是很满意了。

你看,这就是奥列·路却埃的故事。今晚他自己还能对你多讲一点!

恋　人

一个陀螺和一个球儿跟许多别的玩具一起待在一个抽屉里。陀螺对球儿说：

"我们既然一起住在一个匣子里，我们来做一对恋人好不好？"

但球儿是用鞣皮缝的，所以她像一个时髦的小姐一样，骄傲得不可一世，对于此事根本不作回答。

第二天，这些玩具的主人（一个小孩子）来了。他把陀螺涂上了一层红黄相间的颜色，同时在他身上钉了个铜钉。所以当这个陀螺嗡嗡地转起来的时候，样子非常漂亮！

"请瞧瞧我！"他对球儿说，"你现在有什么话讲呢？我们订婚好吗？我们两人配得非常好！你能跳，我能舞。谁也不会像我们两人这样幸福的！"

"嗨，你居然有这个想头！"球儿说，"可能你还不知道我的爸爸和妈妈曾经是一双鞣皮拖鞋、我的内部有一块软木吧？"

"知道，不过我是桃花心木做的，"陀螺说，"而且还是市长亲手把我车出来的。他自己有一个车床，他做这种工作时感到极大的愉快。"

"我能相信这话吗？"球儿问。

"如果我撒谎，那么愿上帝不叫人来抽我！"陀螺回答说。

"你倒是会奉承自己，"球儿说，"不过我不能答应你的请求。我也可算是和一个燕子订了一半的婚吧：每次当我跳到空中去的时候，他就把头从窠里伸出来，同时说：'你答应吗？你答应吗？'我已经在心里说了一声'我答应'。这差不多等于是一半订婚了。不过我答应你，我将永远也不忘记你。”

“好，那也很不坏！”陀螺说。

他们此后就再也不讲话了。

第二天小孩把球儿拿出去。陀螺看到她多么像一只鸟儿，高高地向空中飞，最后人们连她的影子都看不见了。但她每次都飞回来，不过当她一接触到地面时，马上就又跳到空中去了——这是因为她急迫地想要高攀，或是因为她身体里有一块软木的缘故吧。不过，到第九次的时候，这球儿忽然不见了，再也没有回来。小孩子找了又找，但是她失踪了。

“我知道她在什么地方，”陀螺叹了一口气说，“她是在燕子的窠里，跟燕子结婚了！”

陀螺越想着这事，就越怀念着球儿。正因为他得不到这只球，他对她的爱情就越发加深。在这件事情中最令人奇怪的是，她居然选择了另外一个对象。陀螺跳着舞，哼着歌，可是心中一直怀念着球儿——在他的想象中，球儿变得越来越美丽。好几年的光阴就这么过去了。这已经成了“旧恋”。

但陀螺已经不再年轻了——不过有一天，他全身涂上了一层金；他从来没有像现在这样漂亮过。他现在是一个金陀螺，他跳着，一直跳到他唱出嗡嗡的歌声来。是的，这情景值得欣赏一下！可是忽然间，他跳得太高，于是他失踪了！

大家找了又找，甚至到地下室里去找过，但是没有办法找到他。

他到什么地方去了呢？他原来跳到垃圾箱里去了——这儿什么东西都有：白菜梗啦，垃圾啦，从屋顶上落下的沙粒啦。

“我来到的这个地方真妙！我身上的金色现在要离开我了。我简直是落到一批贱民中来了！”于是他向旁边一根被剥得精光的长白菜梗子斜望了一眼，又向一个颇像老苹果的、奇怪的圆东西瞧了一下——但这并不是苹果，而是那只老球儿！她在屋顶上的水笕里躺了许多年，完全被水浸涨了。

“谢天谢地，现在总算来了一位有身份的人，可以跟我聊聊天了！”球儿说，同时向这个金陀螺瞟了一眼。“我是真正的鞣皮制的，由姑娘亲手缝出来的，而且我身体里还有一块软木，但是谁在我身上都看不出来！我几乎要跟一个燕子结婚，不过却落到屋顶上的水笕里去了，在那儿我整整待了五个年头，弄得全身透湿！请你相信我，对于一个年轻姑娘说来，这段时间是太长了。”

不过陀螺什么也不说。他回想起他的“旧恋”。他越听越明白:这就是她。

这时一个小丫头来了。她要倒掉这箱垃圾。

“哎唷！金陀螺原来就在这儿啊!”她说。

于是金陀螺又被拿进屋子里来了,引起人的注意和尊敬。可是那个球儿呢,一点下文也没有。陀螺再也不说他的“旧恋”了,因为,当爱人在屋顶上的水笕里待了五年,弄得全身透湿的时候,“爱情”也就无形地消逝了。是的,当人们在垃圾箱里遇到她的时候,谁也认不得她了。

一个贵族和他的女儿们

当风儿在草上吹过去的时候，田野就像一湖水，起了一片涟漪。当它在麦子上扫过去的时候，田野就像一个海，起了一层浪花，这叫做风的跳舞。不过请听它讲的故事吧：它是把故事唱出来的。故事在森林的树顶上的声音，同它通过墙上通风孔和缝隙时所发出的声音是不同的。你看，风是怎样在天上把云块像一群羊似的驱走！你听，风是怎样在敞开的大门里呼啸，简直像守门人在吹着号角！它从烟囱和壁炉口吹进来的声音是多么奇妙啊！火发出爆裂声，燃烧起来，把房间较远的角落都照明了。这里是那么温暖和舒适，坐在这儿听这些声音是多么愉快啊。让风儿自己来讲吧！因为它知道许多故事和童话——比我们任何人知道的都多。现在请听吧，请听它怎样讲吧。

"呼——呼——嘘！去吧！"这就是它的歌声的叠句。

"在那条'巨带'[①]的岸边，立着一幢古老的房子；它有很厚的红墙，"风儿说，"我认识它的每一块石头；当它还是属于涅塞特的马尔斯克·斯蒂格[②]堡寨的时候，我就看见过它。它不得不被拆掉了！石头用在另一个地方，砌成新的墙，造成一幢新房子——这就是波列埠庄园：它现在还立

① 这是指丹麦瑟兰岛(Sjaelland)和富恩岛(Fyn)之间的一条海峡，有四十英里长，十英里宽。

② 马尔斯克·斯蒂格(Marsk Stig)谋杀了丹麦国王爱力克五世(Eirk V,1249？—1286)。据丹麦民间传说，他采取这种行动是因为国王诱奸了他的妻子。

在那儿。

“我认识和见过那里高贵的老爷和太太们，以及住在那里的后裔。现在我要讲一讲关于瓦尔得马尔·杜和他的女儿们的故事。

“他骄傲得不可一世，因为他有皇族的血统！他除了能猎取雄鹿和把满瓶的酒一饮而尽以外，还能做许多别的事情。他常常对自己说：‘事情自然会有办法。’

“他的太太穿着金线绣的衣服，高视阔步地在光亮的地板上走来走去。壁毯[①]是华丽的；家具是贵重的，而且还有精致的雕花。她带来许多金银器皿作为陪嫁。当地窖里已经藏满了东西的时候，里面还藏着德国啤酒。黑色的马在马厩里嘶鸣。那时这家人家很富有，波列埠的公馆有一种豪华的气象。

“那里住着孩子，有三个娇美的姑娘：意德、约翰妮和安娜·杜洛苔。我现在还记得她们的名字。

“她们是有钱的人，有身份的人，在豪华中出生，在豪华中长大。呼——嘘！去吧！”风儿唱着。接着它继续讲下去：

“我在这儿看不见别的古老家族中常有的情景：高贵的太太跟她的女仆们坐在大厅里一起摇着纺车。她吹着洪亮的笛子，同时唱着歌——不老是那些古老的丹麦歌，而是一些异国的歌。这儿的生活是活跃的，招待是殷勤的；显贵的客人从远近各处地方到来，音乐在演奏着，酒杯在碰着，我也没有办法把这些声音淹没！”风儿说，“这儿只有夸张的傲慢神气和老爷派头；但是没有上帝！”

“那正是五月一日的晚上，”风儿说，“我从西边来，我见到船只撞着尤兰西部的海岸而被毁。我匆忙地走过这生满了石楠植物和长满了绿树林的海岸，走过富恩岛。现在我在‘巨带’上扫过，呻吟着，叹息着。

“于是我在瑟兰岛的岸上，在波列埠的那座公馆的附近躺下来休息。那儿有一个青葱的栎树林，现在仍然还存在。

“附近的年轻人到栎树林下面来收捡树枝和柴草，收捡他们所能找到的最粗和最干的木柴。他们把木柴拿到村里来，聚成堆，点起火。于是男男

① 这是欧洲人室内的一种装饰品，好像地毯，但不是铺在地上，而是挂在墙上。

女女就在周围跳着舞，唱着歌。”

“我躺着一声不响，”风儿说，“不过我静静地把一根枝子——一个最漂亮的年轻人捡回来的枝子——拨了一下，于是他的那堆柴就烧起来，烧得比所有的柴堆都高。这样他就算是入选了，获得了‘街头山羊’的光荣称号，同时还可以在这些姑娘之中选择他的‘街头绵羊’。这儿的快乐和高兴，胜过波列埠那个豪富的公馆。

“那位贵族妇人，带着她的三个女儿，乘着一辆由六匹马拉着的、镀了金的车子，向这座公馆驰来。她的女儿是年轻和美丽的——是三朵迷人的花：玫瑰、百合和淡白的风信子。母亲本人则是一朵鲜嫩的郁金香。大家都停止了游戏，向她鞠躬和敬礼；但是她谁也不理，人们可以看出，这位贵妇人是一朵开在相当硬的梗子上的花。

“玫瑰、百合和淡白的风信子；是的，她们三个人我全都看见了！我想，有一天她们将会是谁的小绵羊呢？她们的‘街头山羊’将会是一位漂亮的骑士，可能是一位王子！呼——嘘！去吧！去吧！

“是的，车子载着她们走了，农人们继续跳舞。在波列埠这地方，在卡列埠，在周围所有的村子里，人们都在庆祝夏天的到来。”

“可是在夜里，当我再起身的时候，”风儿说，“那位贵族妇人躺下了，再也没有起来。她碰上这样的事情，正如许多人碰上这类的事情一样——并没有什么新奇。瓦尔得马尔·杜静静地、沉思地站了一会儿。‘最骄傲的树可以弯，但不一定就会折断。’他在心里说。女儿们哭起来；公馆里所有的人全都在揩眼泪。杜夫人去了——可是我也去了，呼——嘘！”风儿说。

“我又回来了。我常常回到富恩岛和‘巨带’的沿岸来。我坐在波列埠的岸旁，坐在那美丽的栎树林附近：苍鹭在这儿做窠，斑鸠，甚至蓝乌鸦和黑鹳鸟也都到这儿来。这还是开春不久：它们有的已经生了蛋，有的已经孵出了小雏。嗨，它们是在怎样飞，怎样叫啊！人们可以听到斧头的响声：一下，两下，三下。树林被吹掉了。瓦尔得马尔·杜想要建造一条华丽的船——一条有三层楼的战舰。国王一定会买它。因此他要砍掉这个作为水手的目标和飞鸟的隐身处的树林。苍鹭惊恐地飞走了，因为它的窠被毁掉了。苍鹭和其他的林中鸟都变得无家可归，慌乱地飞来飞去，愤怒地、惊恐地号叫，

我了解它们的心情。乌鸦和穴乌用讥笑的口吻大声地号叫：'离开窠儿吧！离开窠儿吧！离开吧！离开吧！'

"在树林里，在一群工人旁边，站着瓦尔得马尔·杜和他的女儿们。他们听到这些鸟儿的狂叫，不禁大笑起来。只有一个人——那个最年轻的安娜·杜洛苔——心中感到难过。他们正要推倒一株砍掉的树，在这株树的枝桠上有一只黑鹳鸟的窠，窠里的小鹳鸟正在伸出头来——她替它们向大家求情，她含着眼泪向大家求情。这株有窠的树算是为鹳鸟留下了。这不过只是一件很小的事情。

"有的树被砍掉了，有的树被锯掉了。接着一条有三层楼的船便建造起来了。建筑师是一个出身微贱的人，但是他有高贵的仪表。他的眼睛和前额说明他是多么聪明。瓦尔得马尔·杜喜欢听他谈话；他最大的女儿意德——她现在有十五岁了——也是这样。当他正在为父亲建造船的时候，他也在为自己建造一个空中楼阁：他和意德将作为一对夫妇住在里面。如果这楼阁是由石墙所砌成、有壁垒和城壕、有树林和花园的话，这个幻想也许可能成为事实。不过，这位建筑师虽然有一个聪明的头脑，但却是一个穷鬼。的确，一只麻雀怎么能在鹤群中跳舞呢？呼——嘘！我飞走了，他也飞走了，因为他不能住在这儿。小小的意德也只好克制她的难过的心情。因为她非克制不可。"

"那些黑马在马厩里嘶鸣；它们值得一看，而且也有人在看它们。国王亲自派海军大将来检验这条新船，来布置购买它。海军大将也大为称赞这些雄赳赳的马儿。我听到这一切，"风儿说，"我陪着这些人走进敞开的门；我在他们脚前撒下一些草叶，像一条一条的黄金。瓦尔得马尔·杜想要有金子，海军大将想要有那些黑马——因此他才那样称赞它们，不过他的意思没有被听懂，结果船也没有买成。它躺在岸边，亮得放光，周围全是木板；它是一个挪亚式的方舟，但永远不曾下过水。呼——嘘！去吧！去吧！这真可惜。"

"在冬天，田野上盖满了雪，'巨带'里结满了冰，我把冰块吹到岸上来，"风儿说，"乌鸦和大渡乌都来了，它们是一大群，一只比一只黑。它们落到岸边没有生命的、被遗弃了的、孤独的船上。它们用一种暗哑的调子，为那已经不再有的树林，为那被遗弃了的贵重的雀窠，为那些没有家的老老少少的雀子而哀鸣。这完全是因为那一大堆木头——那一条从来没有出过海的船的缘故。

“我把雪花搅得乱飞，雪花像巨浪似的围在船的四周，压在船的上面！我让它听到我的声音，使它知道，风暴有些什么话要说。我知道，我在尽我的力量教它关于航行的技术。呼——嘘！去吧！

“冬天逝去了，冬天和夏天都逝去了。它们在逝去，像我一样，像雪花的飞舞，像玫瑰花的飞舞，像树叶的下落——逝去了！逝去了！人也逝去了！

“不过那几个女儿仍然很年轻，小小的意德是一朵玫瑰花，美丽得像那位建筑师初见到她的时候一样。她常常若有所思地站在花园的玫瑰树旁，没有注意到我在她松散的头发上撒下花朵；这时我就抚着她的棕色长头发。于是她就凝视那鲜红的太阳和那在花园的树林和阴森的灌木丛之间露出来的金色的天空。

“她的妹妹约翰妮像一朵百合花，亭亭玉立，高视阔步，和她的母亲一样，只是梗子脆了一点。她喜欢走过挂有祖先的画像的大厅。在画中那些仕女们都穿着丝绸和天鹅绒的衣服；她们的发髻上都戴着缀有珍珠的小帽。她们都是一群美丽的仕女，她们的丈夫不是穿着铠甲，就是穿着用松鼠皮做里子和有皱领①的大氅。他们腰间挂着长剑，但是并没有扣在股上。约翰妮的画像哪一天会在墙上挂起来呢？她高贵的丈夫将会是个什么样的人物呢？是的，这就是她心中所想着的、她低声对自己所讲着的事情。当我吹过长廊、走进大厅，然后又折转身来的时候，我听到了她的话。

“那朵淡白的风信子安娜·杜洛苔刚刚满十四岁，是一个安静和深思的女子。她那副大而深蓝的眼睛有一种深思的表情，但她的嘴唇上仍然飘着一种稚气的微笑：我没有办法把它吹掉，也没有心思要这样做。

“我在花园里，在空巷里，在田野里遇见她。她在采摘花草；她知道，这些东西对她的父亲有用：她可以把它们蒸馏成为饮料。瓦尔得马尔·杜是

---

① 这是欧洲16世纪流行的一种领子。一般都是白色，有很整齐的褶皱，紧紧地围在脖子上。

一个骄傲自负的人，不过他也是一个有学问的人，知道很多东西。这不是一个秘密，人们都在谈论这事情。他的烟囱即使在夏天还有火冒出来。他的房门是锁着的，一连几天几夜都是这样。但是他不大喜欢谈这件事情——大自然的威力应该是在沉静中征服的。不久他就找出一件最大的秘密——制造赤金。”

“这正是为什么烟囱一天到晚在冒烟、一天到晚在喷出火焰的缘故。是的，我也在场！”风儿说，“‘停止吧！停止吧！’我对着烟囱口唱：‘它的结果将会只是一阵烟、空气、一堆炭和炭灰！你将会把你自己烧得精光！呼——呼——呼——去吧！停止吧！’但是瓦尔得马尔·杜并不放弃他的企图。

“马厩里那些漂亮的马儿——它们变成了什么呢？碗柜和箱子里的那些旧金银器皿、田野里的母牛、财产和房屋都变成了什么呢？——是的，它们可以熔化掉，可以在那金坩埚里熔化掉，但是那里面却变不出金子！”

“谷仓和储藏室，酒窖和库房，现在空了。人数减少了，但是耗子却增多了。这一块玻璃裂了，那一块玻璃碎了；我可以不需通过门就能进去了，”风儿说，“烟囱一冒烟，就说明有人在煮饭。这儿的烟囱也在冒烟；不过为了炼赤金，却把所有的饭都耗费掉了。”

“我吹进院子的门，像一个看门人吹着号角一样，不过这儿却没有什么看门人，”风儿说，“我把尖顶上的那个风信鸡吹得团团转。它嘎嘎地响着，像一个守望塔上的卫士在发出鼾声，可是这儿却没有什么卫士，这儿只有成群的耗子。‘贫穷’就躺在桌上，‘贫穷’就坐在衣橱里和橱柜里；门脱了榫头，裂缝出现了，我可以随便跑出跑进。”风儿说，“因此我什么全知道。”

“在烟雾和灰尘中，在悲愁和失眠之夜，他的胡须和两鬓都变白了。他的皮肤变得枯黄；他追求金子，他的眼睛就发出那种贪图金子的光。”

“我把烟雾和火灰向他的脸上和胡须上吹去；他没有得到金子，却得到了一堆债务。我从碎了的窗玻璃和大开的裂口吹进去。我吹进他女儿们的衣柜里去，那里面的衣服都褪了色，破旧了，因为她们老是穿着这几套衣服。这支歌不是在她们儿时的摇篮旁边唱的！豪富的日子现在变成了贫穷的生活！我是这座公馆里唯一高声唱歌的人！”风儿说，“我用雪把他们封在屋子里；人们说雪可以保持住温暖。他们没有木柴；那个供给他们木柴的树林已经被砍光了。天正下着严霜。我在裂缝和走廊里吹,我在三角墙上和屋顶上吹,为的是要运动一下。这三位出身高贵的小姐,冷得爬不起床来。父亲在皮被子下缩成一团。吃的东西也没有了,烧的东西也没有了——这就是贵族的生活!呼——嘘!去吧!但是这正是杜老爷所办不到的事情。

"'冬天过后春天就来了,'他说,'贫穷过后快乐的时光就来了,但是快乐的时光必须等待!现在房屋和田地只剩下一张典契,这正是倒霉的时候。但是金子马上就会到来的——在复活节的时候就会到来!'

"我听到他望着蜘蛛网这样讲:'你聪明的小织工,你教我坚持下去!人们弄破你的网,你会重新再织,把它完成!人们再毁掉它,你会坚决地又开始工作——又开始工作!人也应该是这样,气力决不会白费。'

"这是复活节的早晨。钟在响,太阳在天空中嬉戏。瓦尔得马尔·杜在狂热的兴奋中守了一夜;他在熔化,冷凝,提炼和混合。我听到他像一个失望的灵魂在叹气,我听到他在祈祷,我注意到他在屏住呼吸。灯里的油燃尽了,可是他不注意。我吹着炭火;火光映着他惨白的面孔,使他泛出红光。他深陷的眼睛在眼窝里望,眼睛越睁越大,好像要跳出来似的。"

"请看这个炼金术士的玻璃杯!那里面发出红光,它是赤热的,纯清的,沉重的!他用颤抖的手把它举起来,用颤抖的声音喊:'金子!金子!'他的头脑有些昏沉——我很容易就把他吹倒,"风儿说,"不过我只是扇着那灼热的炭;我陪着他走到一个房间里去,他的女儿正在那儿冻得发抖。他的上衣上全是炭灰;他的胡须里,蓬松的头发上,也是炭灰。他笔直地站着,高高地举起放在易碎的玻璃杯里的贵重的宝物。'炼出来了,胜利了!——金子!金子!'他叫着,把杯子举到空中,让它在太阳光中发出闪光。但是他的手在发抖;这位炼金术士的杯子落到地上,跌成一千块碎片。他的幸福的最后泡沫现在炸碎了!呼——嘘——嘘!去吧!我从这位炼金术士的家里走出去了。

"岁暮的时候,日子很短;雾降下来了,在红浆果和光赤的枝子上凝成水滴。我精神饱满地回来了,我横渡高空,扫过青天,折断干枝——这倒不是一件很艰难的工作,但是非做不可。在波列埠的公馆里,在瓦尔得马尔·杜的家里,现在有了另一种大扫除。他的敌人,巴斯纳斯的奥微·拉美尔拿着房子的典押契据和家具的出卖契据到来了。我在碎玻璃窗上敲,在腐朽的门上打,在裂缝里面呼啸:呼——嘘!我要使奥微·拉美尔不喜欢在这儿待下来。意德和安娜·杜洛苔哭得非常伤心;亭亭玉立的约翰妮脸上发白,她咬着拇指,一直到血流出来——但这又有什么用呢?奥微·拉美尔准许瓦尔得马尔·杜在这儿一直住到死,可是并没有人因此感谢他。我在静静地听。我看到这位无家可归的绅士仰起头来,显出一副比平时还要骄傲的神气。我向这公馆和那些老菩提树袭来,折断了一根最粗的枝子——一根还没有腐朽的枝子。这枝子躺在门口,像是一把扫帚,人们可以用它把这房子扫得精光,事实上人们也在扫了——我想这很好。

"这是艰难的日子,这是不容易保持镇定的时刻;但是他们的意志是坚强的,他们的骨头是硬的。

"除了穿的衣服以外,他们什么也没有:是的,他们还有一件东西——一个新近买的炼金的杯子。它盛满了从地上捡起来的那些碎片——这东西期待有一天会变成财宝,但是从来没有兑现。瓦尔得马尔·杜把这财宝藏在他的怀里。这位曾经一度豪富的绅士,现在手中拿着一根棍子,带着他的三个女儿走出了波列埠的公馆。我在他灼热的脸上吹了一阵寒气,我抚摸着他灰色的胡须和雪白的长头发,我尽力唱出歌来——'呼——嘘!去吧!去吧!'这就是豪华富贵的一个结局。

"意德在老人的一边走,安娜·杜洛苔在另一边走。约翰妮在门口掉转头来——为什么呢?幸运并不会掉转身来呀。她把马尔斯克·斯蒂格公馆的红墙壁望了一眼;她想起了斯蒂格的女儿们:

年长的姐姐牵着小妹妹的手,
她们一起在茫茫的世界漂流。

"难道她想起了这支古老的歌吗?现在她们姊妹三个人在一起——父亲也跟在一道!他们走着这条路——他们华丽的车子曾经走过的这条路。她们作为一群乞丐搀着父亲向前走;他们走向斯来斯特鲁的田庄,走向那年租十个马克的泥草棚里去,走向空洞的房间和没有家具的新家里去。乌鸦和穴乌在他们的头上盘旋,号叫,仿佛是在讥刺他们:'没有了窠!没有了窠!没有了!没有了!'这正像波列埠的树林被砍下时鸟儿所作的哀鸣一样。

“杜老爷和他的女儿们一听就明白了。我在他们的耳边吹,因为听到这些话并没有什么好处。

“他们住进斯来斯特鲁田庄上的泥草棚里去。我走过沼泽地和田野、光赤的灌木丛和落叶的树林,走到汪洋的水上,走到别的国家里去:呼——嘘!去吧!去吧!永远地去吧!”

瓦尔得马尔·杜怎么样了呢?他的女儿怎么样了呢?风儿说:

“是的,我最后一次看到的是安娜·杜洛苔——那朵淡白色的风信子:现在她老了,腰也弯了,因为那已经是五十年以后的事情。她活得最久;她经历了一切。

“在那长满了石楠植物的荒地上,在微堡城附近,有一幢华丽的、副主教住的新房子。它是用红砖砌成的;它有锯齿形的三角墙。浓烟从烟囱里冒出来。那位娴淑的太太和她的庄重的女儿们坐在大窗口,朝花园里悬挂在那儿的鼠李[①]和长满了石楠植物的棕色荒地凝望。她们在望什么东西呢?她们在望那儿一个快要倒的泥草棚上的鹳鸟窠。如果说有什么屋顶,那么这屋顶只是一堆青苔和石莲花——最干净的地方是鹳鸟做窠的地方,而也只有这一部分是完整的,因为鹳鸟把它保持完整。”

“那个屋子只能看,不能碰;我要对它谨慎一点才成,”风儿说,“这泥草棚是因为鹳鸟在这儿做窠才被保存下来的,虽然它是这荒地上一件吓人的东西。副主教不愿意把鹳鸟赶走,因此这个破棚子就被保存下来了,那里面的穷苦人也就能够住下去。她应该感谢这只埃及的鸟儿。她曾经在波列埠树林里为它的黑兄弟的窠求过情,可能这是它的一种报酬吧?可怜的她,在那时候,她还是一个年幼的孩子——豪富的花园里的一朵淡白的风信子。安娜·杜洛苔把这一切都记得清清楚楚。

“‘啊!啊!是的,人们可以叹息,像风在芦苇和灯心草里叹息一样,啊!啊!瓦尔得马尔·杜,在你入葬的时候,没有人为你敲响丧钟!当这位波列埠的主人被埋进土里的时候,也没有穷孩子来唱一首圣诗!啊!任何

---

① 鼠李是一种落叶灌木或小乔木,开黄绿色小花,结紫黑色核果。

东西都有一个结束,穷苦也是一样! 意德妹妹成了一个农人的妻子。这对我们的父亲说来是一个严厉的考验! 女儿的丈夫——一个穷苦的农奴! 他的主人随时可以叫他骑上木马①。他现在已经躺在地下了吧? 至于你,意德,也是一样吗? 唉! 倒霉的我,还没有一个终结! 仁慈的上帝,请让我死吧!'

"这是安娜·杜洛苔在那个寒碜的泥草棚——为鹳鸟留下的泥草棚——里所作的祈祷。"

"三姊妹中最能干的一位我亲自带走了,"风儿说,"她穿着一套合乎她的性格的衣服! 她化装成为一个穷苦的年轻人,到一条海船上去工作。她不多讲话,面孔很沉着,她愿意做自己的工作。但是爬桅杆她可不会;因此在别人还没有发现她是一个女人以前,我就把她吹下船去。我想这不是一桩坏事!"风儿说。

像瓦尔得马尔·杜幻想他发现了赤金的那样一个复活节的早晨,我在那儿堵要倒塌的墙之间,在鹳鸟的窠底下,听到唱圣诗的声音——这是安娜·杜洛苔的最后的歌。

墙上没有窗子,只有一个洞口。太阳像一堆金子似的升起来,照着这屋子。阳光才可爱哩! 她的眼睛在碎裂,她的心在碎裂! ——即使太阳这天早晨没有照着她,这事情也会发生。

"鹳鸟作为屋顶盖着她,一直到她死! 我在她的坟旁唱圣诗,她的坟在什么地方,别的人谁也不知道。

"新的时代,不同的时代! 私有的土地上修建了公路,坟墓变成了大路。不久蒸汽就会带着长列的火车到来,在那些像人名一样被遗忘了的坟上驰过去——呼——嘘! 去吧! 去吧!

"这是瓦尔得马尔·杜和他的女儿们的故事。假如你们能够的话,请把它讲得更好一点吧!"风儿说完就掉转身。

它不见了。

---

① 这是封建时代欧洲的一种刑具,样子像木马,上面装有尖物。犯了罪的人就被放在上面坐着。

演木偶戏的人

轮船上有一个年纪相当大的演木偶戏的人。他有一副愉快的面孔。如果他这个面孔的表情是代表实际情况的话,那么他就要算是人世间一个最幸福的人了。他说他正是这样的一个人,而且是我听他亲口这样说的。他是我的同胞——一个丹麦人;他同时也是一个旅行剧团的导演。他的整个班子装在一个大匣子里,因为他是一个演木偶戏的人。他说他有一种天生的愉快心情,而且这种心情还被一个工艺学校的学生"洗涤"过一次。这次实验的结果使他成为一个完全幸福的人。我起初并没有马上就听懂其中的道理,不过他把整个的经过都解释给我听。下面是全部的经过:

"事情发生在斯拉格尔斯,"他说,"我正在一个邮局的院子里演木偶戏。观众非常拥挤——除了两个老太婆以外,全是小孩子。这时有一个学生模样的人,穿着一身黑衣服,走了进来。他坐下来,在适当的时候发笑,在适当的时候鼓掌。他是一个很不平常的看客!我倒很想知道,他究竟是一个什么人。我听说他是工艺学校的一个学生。这次特别被派到乡下来教育老百姓的。

"我的演出在八点钟就结束了,因为孩子们须得早点上床去睡觉——我不能不考虑观众的习惯。在九点钟的时候,这个学生开始演讲和实验。这时我也成为他的听众之一。又听又看,这真是一桩痛苦的事情。像俗话所说的,大部分的东西在我的头上滑过而钻进牧师的脑袋里去了。不过我还是不免起了一点感想:如果我们凡人能够想出这么多东西,我们一定是打算活得很久——比我们在人世间的这点生命总归要久一点。他所实验的这些东西可算是一些小小的奇迹,都做得恰到好处,非常自然。像这样的一个工艺学校学生,在摩西和预言家的时代,一定可以成为国家的一个圣人①;但是假如在中世纪,他无疑地会被烧死②。

"我一整夜都没有睡。第二天晚上,当我做第二次演出的时候,这位学生又来了;这时我的心情变得非常好。我曾经从一个演戏的人那听到一个故事:据说当他演一个情人的角色的时候,他头脑中总是想看观众中的一个女客。他只是为她而表演;其余的人他都忘得干干净净。现在这位工艺学校的学生就是我的'她',我的唯一看客,我真是为'她'而演戏。等这场戏演完了,所有的木偶都出来谢了幕以后,这位工艺学校的学生就请我到他的房里去喝一杯酒。他谈起我的戏,我谈起他的科学。我相信我们两方面都感到非常满意。不过我还得有些保留,因为他虽然实验了许多东西,但是却说不出一个道理。比如说吧,有一片铁一溜出螺旋形的器具就有了磁性。这是什么道理呢?铁忽然获得了一种精气,但这种精气是从什么地方来的呢?我想这和现实世界里的人差不多:上帝让人在时间的螺旋器具里乱撞,于是精气附在人身上,于是我们便有了一个拿破仑,一个路德,或者类似的人物。

"'整个的世界是一系列的奇迹,'学生说,'不过我们已经非常习惯于这些东西,所以我们只是把它们叫做日常事件。'

"于是他侃侃而谈,作了许多解释,直到后来我忽然觉得好像我的头盖骨一下子被揭开了。老实说,要不是现在我已经老了,我马上就要到工艺学校去学习研究这个世界的办法,虽然我现在已经是一个最幸福的人了。

"'一个最幸福的人!'他说;他似乎对我的这句话颇感兴味。'你是幸福的吗?'

"'是,'我说,'我和我的班子无论到什么城市里去,都受到欢迎。当然,我也有一个希望。这个希望常常像一个妖精——一个噩梦——似的来

---

① 摩西和预言家都是基督教《圣经·旧约》里的人物,生活在大约纪元前1200年间。在这时代希伯来人因为迁居不定,须得经常想出许多办法来解决生活上的问题。因此有新思想的人都受到尊崇。

② 在欧洲中世纪教会统治之下,凡是有新奇思想的人都被视为异端,被当做魔鬼的使者烧死。

到我心里,把我的好心境打乱。这个希望是:我希望能成为一个真正戏班子的老板,一个真正男演员和女演员的导演。'

"'你希望你的木偶都有生命;你希望它们都变成活生生的演员,'他说,'你真的相信,你一旦成了他们的导演,你就会变得绝对幸福吗?'

"他不相信有这个可能,但是我却相信。我们把这个问题从各个方面畅谈了一通,谈来谈去总得不到一致的意见。虽然如此,我们仍然碰了杯——酒真是好极了。酒里一定有某种魔力,否则我就应该醉了。但事实不是这样;我的脑筋非常清楚。房间里好像有太阳光——而这太阳光是从这位工艺学校学生的脸上射出来的。这使我想起了古时候的一些神仙,他们永远年轻,周游世界。我把这个意思告诉他,他微笑了一下。我可以发誓,他一定是一个古代的神仙下凡,或者神仙一类的人物。他一定是这样的一个人物:我最高的希望将会得到满足,木偶们将会获得生命,我将成为真正演员的导演。

"我们为这事而干杯。他把我的木偶都装进一个木匣子,把这匣子绑在我的背上,然后让我钻进一个螺旋形的器具里去。我现在还可以听得见,我是怎样滚出来、躺在地板上的。这是千真万确的事情;全班的戏子从匣子里跳出来。我们身上全有精气附体了。所有的木偶现在都成了有名的艺术家——这是他们自己讲的;而我自己则成了导演。现在一切都齐备,可以登台表演了。整个的班子都想和我谈谈。观众也是一样。

"女舞蹈家说,如果她不用一只腿立着表演,整个的剧院就会关门;她是整个班子的女主角,同时也希望大家用这个标准来对待她。表演皇后这个角色的女演员希望在下了舞台以后大家仍然把她当做皇后看待,否则她的艺术就要生疏了。那位专门充当送信人的演员,也好像一个初次恋爱的人一样,做出一副不可一世的样子,因为他说,从艺术的完整性讲,小人物跟大人物是同样重要。男主角要求只演退场的那些场面,因为这些场面会叫观众鼓掌。女主角只愿意在红色灯光下表演,因为只有这种灯光才对她合适——她不愿意在蓝色的灯光下表演。

"他们简直像关在瓶子里的一堆苍蝇,而我却不得不跟他们一起挤在这个瓶子里,因为我是他们的导演。我的呼吸停止了,我的头脑晕了,世上再没有什么人像我这样可怜。我现在是生活在一群新的人种中间。我希望能把他们再装进匣子里，我希望我从来没有当过他们的导演。我老老实实地告诉他们说，他们不过是木偶而已。于是他们就把我打得要死。

"我躺在我自己房间里的床上。我是怎样离开那个工艺学校学生的，大概他知道；我自己是不知道的。月光照在地板上；木匣子躺在照着的地方，已经翻转来了；大大小小的木偶躺在它的附近，滚做一团。但是我再也不能耽误时间了。我马上从床上跳下来。把它们统统捞进去，有的头朝下，有的用腿子站着。我赶快把盖子盖上，在匣子上坐下来。这副样儿是值得画下来的。你能想象出这副样儿吗？我是能的。

"'现在要请你们待在里面了，'我说，'我再也不能让你们变得有血有肉了！'

"我感到全身轻松了一截，心情又好起来。我是一个最幸福的人了。这个工艺学校学生算是把我的头脑洗涤一番了。我幸福地坐着，当场就在匣子上睡去了。第二天早晨——事实上是中午，因为这天早晨我意外地睡得久——我仍然坐在匣子上，非常快乐，同时也体会到我以前的那种希望真是太傻。我去打听那个工艺学校的学生，但是他已经像希腊和罗马的神仙一样不见了。从那时起，我一直是一个最幸福的人。

"我是一个幸福的导演，我的演员也不再发牢骚了，我的观众也很满意——因为他们尽情地欣赏我的演出。我可以随便安排我的节目。我可以随便把剧本中的最好的部分选出来演，谁也不会因此对我生气。那些三十年前许多人抢着要看，而且看得流出眼泪的剧本，我现在都演出来了，虽然现在的一些大戏院都瞧不起它们。我把它们演给小孩子们看，小孩子们流起眼泪来，跟爸爸和妈妈没有什么两样。我演出《约翰妮 · 蒙特法康》和《杜威克》，不过这都是节本，因为小孩子不愿意看拖得太长的恋爱故事。他们喜欢简短和感伤的东西。

"我在丹麦各地都旅行过。我认识所有的人，所有的人也认识我。现在我要到瑞典去了。如果我在那里的运气好、能够赚很多的钱，我就做一个真正的北欧人——否则我就不做了。因为你是我的同乡，所以我才把这话告诉你。"

而我呢，作为他的同胞，自然要把这话马上传达出来——完全没有其他的意思。

老头子做事总不会错

现在我要告诉你一个故事。那是我小时候听来的。从那时起,我每次一想到它,就似乎觉得它更可爱。故事也跟许多人一样,年纪越大,就越显得可爱。这真是有趣极了!

我想你一定到乡下去过吧?你一定看到过一个老农舍。屋顶是草扎的,上面零乱地长了许多青苔和小植物。屋脊上有一个鹳鸟窠,因为我们没有鹳鸟是不成的。墙儿都有些倾斜,窗子也都很低,而且只有一扇窗子是可以开的。面包炉从墙上凸出来,像一个胖胖的小肚皮。有一株接骨木树斜斜地靠着围篱。这儿有一株结疤的柳树,树下有一个小水池,池里有一只母鸡和一群小鸭。是的,还有一只看家犬。它对什么来客都要叫几声。

乡下就只有这么一个农舍。这里面住着一对年老的夫妇——一个庄稼人和他的妻子。不管他们的财产少得多么可怜,他们总觉得放弃件把东西没有什么关系。比如他们的一匹马就可以放弃。它依靠路旁沟里的一些青草活着。老农人到城里去骑着它,他的邻居借它去用,偶尔帮忙这对老夫妇做点活,作为报酬。不过他们觉得最好还是把这匹马卖掉,或者用它交换些对他们更有用的东西。但是应该换些什么东西呢?

"老头子,你知道得最清楚呀,"老太婆说,"今天镇上是集日,你骑着它到城里去,把这匹马卖点钱出来,或者交换一点什么好东西:你做的事总不会错的。快到集上去吧。"

于是她替他裹好围巾,因为她做这件事比他能干;她把它打成一个双蝴蝶结,看起来非常漂亮。然后她用她的手掌心把他的帽子擦了几下,同时在他温暖的嘴上接了一个吻。这样,他就骑着这匹马儿走了。他要拿它去卖,或者把它换一件什么东西。是的,老头儿知道他应该怎样来办事情的。

太阳照得像火一样,天上见不到一块乌云。路上布满了灰尘,因为有许多去赶集的人不是赶着车子,便是骑着马,或者步行。太阳是火热的,路上没有一块地方可以找到荫处。

这时有一个人拖着步子,赶着一头母牛走来,这头母牛很漂亮,不比任何母牛差。

"它一定能产出最好的奶!"农人想,"把马儿换一头牛吧——这一定很合算。"

"喂,你牵着一头牛!"他说,"我们可不可以在一起聊几句?听我讲吧——我想一匹马比一头牛的价值大,不过这点我倒不在乎。一头牛对于我更有用。你愿意跟我交换吗?"

"当然我愿意的!"牵着牛的人说。于是他们就交换了。

这桩生意就做成了。农人本可以回家去的,因为他所要做的事情已经做了。不过他既然计划去赶集,所以他就决定去赶集,就是去看一下也好。因此他就牵着他的牛去了。

他很快地向前走,牛也很快地向前走。不一会儿他们赶上了一个赶羊的人。这是一只很漂亮的羊,非常健壮,毛也好。

"我倒很想有这头牲口,"农人心里想,"它可以在我们的沟旁边找到许多草吃。冬天它可以跟我们一起待在屋子里。有一只羊可能比有一头牛更实际些吧。我们交换好吗?"

赶羊人当然是很愿意的,所以这笔生意马上就成交了。于是农人就牵着他的一只羊在大路上继续往前走。

他在路上一个横栅栏旁边看到另一个人;这人臂下夹着一只大鹅。

"你夹着一个多么重的家伙!"农人说,"它的毛长得多,而且它又很肥!如果把它系上一根线,放在我们的小池子里,那倒是蛮好的呢。我的老女人可以收集些菜头果皮给它吃。她说过不知多少次:'我真希望有一只鹅!'现在她可以有一只了——它应该属于她才是。你愿不愿交换?我把我的羊换你的鹅,而且我还要感谢你。"

对方一点也不表示反对。所以他们就交换了;这个农人得到了一只鹅。

这时他已经走进了城。公路上的人越来越多,人和牲口挤做一团。他们在路上走,紧贴着沟沿走,一直走到栅栏那儿收税人的马铃薯田里去了。这人有一只母鸡,它被系在田里,为的是怕人多把它吓慌了,弄得它跑掉。这是一只短尾巴的鸡,它不停地眨着一只眼睛,看起来倒是蛮漂亮的。"咕!咕!"这鸡说。它说这话的时候,究竟心中在想什么东西,我不能告诉你。不过,这个种田人一看见,心中就想:"这是我一生所看到的最好的鸡!咳,它甚至比我们牧师的那只抱鸡母还要好。我的天,我倒很想有这只鸡哩!一只鸡总会找到一些麦粒,自己养活自己的。我想拿这只鹅来换这只鸡,一定不会吃亏。"

"我们交换好吗?"他说。

"交换!"对方说,"唔,那也不坏!"

这样,他们就交换了。栅栏旁的那个收税人得到了鹅;这个庄稼人带走了鸡。

他在到集上去的路上已经做了不少的生意了。天气很热,他也感到累,他想吃点东西,喝一杯烧酒。他现在来到了一个酒店门口,他正想要走进去,但店里一个伙计走出来了;他们恰恰在门口碰头。这伙计背着一满袋子的东西。

"你袋子里装的是什么东西?"农人问。

"烂苹果,"伙计说,"一满袋子喂猪的烂苹果。"

"这堆东西可不少!我倒希望我的老婆能见见这个世面呢。去年我们炭棚子旁的那棵老苹果树只结了一个苹果。我们把它保藏起来;它待在碗柜一直待到裂开为止。'那总算是一笔财产呀。'我的老婆说。现在她可以看到一大堆财产了!是的,我希望她能看看。"

"你打算出什么价钱呢?"伙计问。

"价钱吗?我想拿我的鸡来交换。"

所以他就拿出那只鸡来,换得了一袋子烂苹果,他走进酒店,一直到酒吧间里来。他把这袋子苹果放在炉子旁边靠着,一点也没有想到炉子里正烧着火。房间里有许多客人——贩马的,贩牲口的,还有两个英国人:他们非常有钱,他们的腰包都是鼓得满满的。他们还打起赌来呢。关于这事的下文,你且听吧。

嗞——嗞——嗞！嗞——嗞——嗞！炉子旁边发出的是什么声音呢？这是苹果开始在烤烂的声音。

“那是什么呢？”

唔，他们不久就知道了。他怎样把一匹马换得了一头牛，以及随后一连串的交换，一直到换得烂苹果为止的这整个故事，都由他亲自讲出来了。

“乖乖！你回到家里去时，保管你的老婆会结结实实地打你一顿！”那两个英国人说，“她一定会跟你吵一阵。”

“我将会得到一个吻，而不是一顿痛打，”农人说，“我的女人将会说：老头子做的事儿总是对的。”

“我们打一个赌好吗？”他们说，“我们可以用满桶的金币来打赌——一百镑对一百一十二镑！”

“一斗金币就够了，”农人回答说，“我只能拿出一斗苹果来打赌，但是我可以把我自己和我的老女人加进去——我想这加起来可以抵得上总数吧。”

“好极了！好极了！”他们说。于是赌注就这么确定了。

店老板的车子开出来了。那两个英国人坐上去，农人也坐上去，烂苹果也坐上去了。不一会儿他们来到了农人的屋子面前。

“晚安，老太太。”

“晚安，老头子。”

“我已经把东西换来了！”

“是的，你自己做的事你自己知道。”老太婆说。

于是她拥抱着他，把那袋东西和客人们都忘记掉了。

“我把那匹马换了一头母牛。”他说。

“感谢老天爷，我们有牛奶吃了，”老太婆说，“现在我们桌上可以有奶做的食物、黄油和干奶酪了！这真是一桩最好的交易！”

“是的，不过我把那头牛换了一只羊。”

“啊，那更好！”老太婆说，“你真想得周到：我们给羊吃的草有的是。现在我们可以有羊奶、羊奶酪、羊毛袜子了！是的，还可以有羊毛睡衣！一头母牛可产生不了这么多的东西！它的毛只会白白地落掉。你真是一个想得非常周到的丈夫！”

“不过我把羊又换了一只鹅!”

“亲爱的老头子,那么我们今年在马丁节[①]的时候可以真正有鹅肉吃了。你老是想种种办法来使我快乐。这真是一个美丽的想法!我们可以把这鹅系住,在马丁节以前它就可以长肥了。”

“不过我把这只鹅换了一只鸡。”丈夫说。

“一只鸡?这桩交易做得好!”太太说,“鸡会生蛋,蛋可以孵小鸡,那么我们将要有一大群小鸡,将可以养一大院子的鸡了!啊,这正是我所希望的一件事情。”

“是的,不过我已经把那只鸡换了一袋子烂苹果。”

“现在我非得给你一个吻不可,”老太婆说,“谢谢你,我的好丈夫!现在我要告诉你一件事情。你知道,今天你离开以后,我就想今晚要做一点好东西给你吃。我想最好是鸡蛋饼加点香菜。我有鸡蛋,不过我没有香菜。所以我到学校老师那儿去——我知道他们种的有香菜。不过老师的太太,那个宝贝婆娘,是一个吝啬的女人。我请求她借给我一点。‘借?’她对我说,‘我们的菜园里什么也不长,连一个烂苹果都不结。我甚至连一个苹果都没法借给你呢。’不过现在我可以借给她十个,甚至一整袋子烂苹果呢。老头子,这真叫人好笑!”

她说完这话后就在他的嘴上接了一个响亮的吻。

“我喜欢看这幅情景!”那两个英国人齐声说,“老是走下坡路,而却老是快乐。这件事本身就值钱。”

所以他们就付给这个种田人一百一十二镑金子,因为他没有挨打,而是得到了吻。

是的,如果一个太太相信自己丈夫是世上最聪明的人和承认他所做的事总是对的,她一定会得到好处。

请听着,这是一个故事!这是我在小时候听到的。现在你也听到它了,并且知道那个老头子做的事儿总是对的。

---

① 马丁节(Mortensdag)是在11月11日举行,在欧洲的许多国家里,这个日子说明冬季的开始,等于我们的“立冬”。丹麦人在这天吃鹅肉。

新世纪的女神

我们的孙子的孩子——可能比这还要更后的一代——将会认识新世纪的女神,但是我们不认识她。她究竟是在什么时候出现呢?她的外表是怎样的呢?她会歌唱什么呢?她将会触动谁的心弦呢?她将会把她的时代提升到一个什么高度呢?

在这样一个忙碌的时代里,我们为什么要问这么多的话呢?在这个时代里,诗几乎是多余的。人们知道得很清楚,我们现代的诗人所写的诗,有许多将来只会被人用炭写在监狱的墙上,被少数好奇的人阅读。

诗也得参加斗争,至少得参加党派斗争,不管它流的是血还是墨水。

许多人也许会说,这不过是一方面的说法;诗在我们的时代里并没有被忘记。

没有,现在还有人在闲空的时候感觉到有读诗的要求。只要他们的心里有这种精神苦闷,他们就会到一个书店里去,花四个毫子买些最流行的诗。有的人只喜欢读不花钱的诗;有的人只高兴在杂货店的纸包上读几行诗。这是一种便宜的读法——在我们这个忙碌的时代里,便宜的事情也不能不考虑。只要我们有什么,就有人要什么——这就说明问题!未来的诗,像未来的音乐一样,是属于堂吉诃德这一类型的问题。要讨论它,那简直跟讨论到天王星上去旅行一样,不会得到结果。

时间太短,也太宝贵,我们不能把它花在幻想这玩意儿上面。如果我们说得有理智一点,诗究竟是什么呢?感情和思想的表露不过是神经的震动而已。一切热忱、快乐、痛苦,甚至身体的活动,据许多学者的说法,都不过是神经的搏动。我们每个人都是一具弦乐器。

但是谁在弹这些弦呢？谁使它们颤震和搏动呢？精神——不可察觉的、神圣的精神——通过这些弦把它的动作和感情表露出来。别的弦乐器了解这些动作和感情；它们用和谐的调子或强烈的噪声来作出回答。人类怀着充分的自由感在向前进——过去是这样，将来也是这样。

每一个世纪，每一千年，都在诗中表现出它的伟大。它在一个时代结束的时候出生，它大步前进，它统治正在到来的新时代。

在我们这个忙碌的、嘈杂的机器时代里，她——新世纪的女神——已经出生了。我们向她致敬！让她某一天听见或在我们现在所说的炭写的字里行间读到吧。她的摇篮的震动，从探险家所到过的北极开始，一直扩展到一望无际的南极的漆黑天空。因为机器的喧闹声，火车头的尖叫声，石山的爆炸声以及我们被束缚的精神的碎裂声，我们听不见这种震动。

她是在我们这时代的大工厂里出生的。在这个工厂里，蒸气显出它的威力，"没有血肉的主人"和他的工人在日夜工作着。

她有一颗女人的心；这颗心充满了伟大的爱情、贞节的火焰和灼热的感情。她获得了理智的光辉；这种光辉中包含着三棱镜所能反射出的一切色彩；这些色彩从这个世纪到那个世纪在不停地改变——变成当时最流行的色彩。以幻想作成的宽大天鹅羽衣是她的打扮和力量。这是科学织成的；"原始的力量"使它具有飞行的特性。

在父亲的血统方面，她是人民的孩子，有健康的精神和思想，有一对严肃的眼睛和一个富有幽默感的嘴唇。她的母亲是一个出身高贵的外地人的女儿；她受过高等教育，表露出那个浮华的洛可可式①的痕迹。新世纪的女神继承了这两方面的血统和灵魂。

她的摇篮上放着许多美丽的生日礼物。大自然的谜和这些谜的答案，像糖果似的摆在她的周围。潜水钟变出许多深海中的绮丽饰品。她的身上盖着一张天体地图，作为被子；地图上绘着一个平静的大洋和无数的小岛——每一个岛是一个世界。太阳为她绘出图画；照相术供给她许多玩物。

---

① 洛可可(Rococo)式是18世纪流行于法国的一种艺术风格，以富丽豪华见称。

她的保姆对她歌颂过“斯加德”演唱家爱文德①和费尔杜西②,歌颂过行吟歌人③,歌颂过少年时代的海涅所表现出的诗才。她的保姆告诉过她许多东西——许许多多的东西。她知道老曾祖母爱达的许多骇人听闻的故事——在这些故事里,“诅咒”拍着它的血腥的翅膀。她在一刻钟以内把整个的《一千零一夜》都听完了。

新世纪的女神还是一个孩子,但是她已经跳出了摇篮。她有很多欲望,但是她不知道她究竟要什么东西。

她仍然在她巨大的育婴室里玩耍;育婴室里充满了宝贵的艺术品和洛可可式艺术品。这里是用大理石雕的希腊悲剧和罗马喜剧,各种民族的民间歌曲,像干枯的植物似的,挂在墙上。你只须在它们上面吻一下,它们就马上又变得新鲜,发出香气。她的周围是贝多芬、格路克和莫扎特的永恒的交响乐,是一些伟大的音乐家用旋律所表现出来的思想。她的书架上放着许多作家的书籍——这些作家在他们活着的时候是不朽的;现在书架上还有空间可以放许多的作品——我们在不朽的电报机中听到它们的作者的名字,但是这些名字也就随着电报而死亡。

她读了很多书,过分多的书,因为她是生在我们的这个时代。当然,她又会忘记掉同样多的书——女神是知道怎样把它们忘记掉的。

她并没有考虑到她的歌——这歌像摩西的作品一样,像比得拜④描写狐狸的狡诈和幸运的美丽寓言一样,将会世世代代传下去。她并没有考虑到她的任务和她的轰轰烈烈的未来。她还是在玩耍,而在这同时,国与国之间的斗争震动天地,笔和炮的音符混做一团——这些音符像北欧的古代文字一样,很难辨认。

她戴着一顶加里波第⑤式的帽子,但是她却读着莎士比亚的作品,而且还忽然起了这样一个想头:“等我长大了以后,他的剧本仍然可以上演。至

---

① “斯加德”(Skald)是古代冰岛的一种史诗,爱文德(Eivind)是古代北欧一个演唱这种史诗的名歌唱家。

② 费尔杜西(Firdusi,940—1020)是波斯的一个有名的叙事诗人。

③ 这是德国十二三四世纪一种歌唱抒情诗的诗人。

④ 比得拜(Bidpai)是古代印度的一个有名的寓言作家。

⑤ 加里波第(Garibaldi,1807—1882)是意大利 19 世纪的一个军人和爱国主义者。

于加尔德龙[①]，他只配躺在他的作品的墓里，当然墓上刻着歌颂他的碑文。"对于荷尔堡，嗨，女神是一个大同主义者：她把他与莫里哀、普拉图斯[②]和亚里斯多芬的作品装订在一起，不过她只喜欢读莫里哀。

使羚羊不能静下来的那股冲动劲，她完全没有；但是她的灵魂迫切地希望得到生命的乐趣，正如羚羊希望得到山中的欢乐一样。她的心中有一种安静的感觉。这种感觉很像古代希伯来人传说中的那些游牧民族在满天星斗的静夜里、在碧绿的草原上所唱出的歌声。但是她的心在歌声中会变得非常激动——比古希腊塞萨里山中的那些勇敢的战士的心还要激动。

她对于基督教的信仰怎样呢？她把哲学上的一切奥妙都学习到了。宇宙间的元素敲落了她的一个乳齿，但是她已经另长了一排新牙。她在摇篮里咬过知识之果，并且把它咬掉了，因此她变得聪明起来。这样，"不朽的光辉"，作为人类最聪明的思想，在她面前照亮起来。

诗的新世纪在什么时候出现呢？女神什么时候才会被人承认呢？她的声音什么时候才能被人听见呢？

她将在一个美丽的春天早晨骑着龙——火车头——穿过隧道，越过桥梁，轰轰地到来；或者骑着喷水的海豚横渡温柔而坚韧的大海；或者跨在蒙特果尔菲[③]的巨鸟洛克[④]身上掠过太空。她将在她落下的国土上，用她的神圣的声音，第一次欢呼人类。这国土在什么地方呢？在哥伦布发现新大陆上——自由的国土上——吗？在这个国土上土人成为逐猎的对象，非洲人成为劳动的牛马——我们从这个国土上听到《海华沙之歌》[⑤]。在地球的另一边——在南洋的金岛上吗？这是一个颠倒的国土——我们的黑夜在这里就是白天，这里的黑天鹅在含羞草丛里唱歌。在曼农的石像[⑥]所在的国土

① 加尔德龙（Pedro Calderon de Ia Barca，1600—1681）是西班牙的名剧作家。

② 普拉图斯（Titus Maccius Plautus，约前 254—前 184）是纪元前第一世纪的罗马剧作家。

③ 蒙特果尔菲（Joseph Michael Montgorfier，1740—1810）是法国的发明家。他在 1873 年试验氢气球飞行。

④ 洛克（Rok）是非洲神话中的巨鸟。它可以衔着象去喂它的幼鸟。《一千零一夜》中载有关于这种鸟的故事。

⑤ 这是美国诗人费罗（Henry Wadsworth Longfellow，1807—1882）的一部名作。

⑥ 这是一尊庞大的石像，在古埃及的德布斯附近。据说，它一接触到太阳光，就发出音乐。

上吗？这石像过去发出响声，而且现在仍然发出响声，虽然我们现在不懂得沙漠上的斯芬克斯之歌。在布满了煤矿的那个岛上[①]吗？在这个岛上莎士比亚从伊丽莎白王朝开始就成了统治者。在蒂却·布拉赫出生的那国土上吗？蒂却·布拉赫在这块土地上不能居留下去。在加利福尼亚州的童话之国里吗？这里的水杉高高地托着它的叶簇，成为世界树林之王。

女神眉尖上的那颗星会在什么时候亮起来呢？这颗星是一朵花——在它的每一片花瓣上写着这个世纪在形式、色彩和香气方面的美的表现。

"这位新女神的计划是什么呢？"我们这个时代的聪明政治家问，"她究竟想做些什么呢？"

你还不如问一问她究竟不打算做些什么吧！

她不是过去的时代的幽灵——她将不以这个形式出现。她将不从舞台上用过了的那些美丽的东西创造出新的戏剧。她也不会以抒情诗作幔帐来掩盖戏剧结构的缺点！她离开我们飞走了，正如她走下德斯比斯[②]的马车，登上大理石的舞台一样。她将不把人间的正常语言打成碎片，然后又把这些碎片组成一个八音盒，发出"杜巴多"[③]竞赛的那种音调。她将不把诗看成为贵族，把散文看成为平民——这两种东西在音调、和谐和力量方面都是平等的。她将不从冰岛传奇的木简上重新雕出古代的神像，因为这些神已经死了，我们这个时代跟他们有什么情感，也没有什么联系。她将不把法国小说中的那些情节放进她这一代的人心里。她将不以一些平淡无奇的故事来麻醉这些人的神经。她带来生命的仙丹。她以韵文和散文唱的歌是简洁、清楚和丰富的。各个民族的脉搏不过是人类进化文字中的一个字母。她用同等的爱掌握每一个字母，把这些字母组成字，把这些字编成有音节的颂歌来赞美她的这个时代。

这个时代什么时候成熟起来呢？

对于我们落在后面的人说来，还需要等待一个时候。对于已经飞向前面去的人说来，它就在眼前。

---

① 指英国，因为英国多煤矿。

② 古希腊的剧作家，据说是悲剧的创始人。

③ 这是南欧的抒情诗人；他们主要是写英雄的恋爱故事。

中国的万里长城不久就要崩颓；欧洲的火车将要伸到亚洲闭关自守的文化中去——这两种文化将要汇合起来！可能这条瀑布要发出震动天地的回响：我们这些近代的老人将要在这巨大的声音面前发抖，因为我们将会听到“拉涅洛克”①的到来——一切古代神仙的灭亡。我们忘记了，过去的时代和种族不得不消逝；各个时代和种族只留下很微小的缩影。这些缩影被包在文字的胶囊里，像一朵莲花似的浮在永恒的河流上。它们告诉我们，它们是我们的血肉，虽然它们都有不同的装束。犹太种族的缩影在《圣经》里显现出来，希腊种族的缩影在《伊里亚特》和《奥德赛》里表露出来。但是我们的缩影呢？请你在“拉涅洛克”的时候去问新世纪的女神吧。在这“拉涅洛克”的时候，新的“吉姆列”②将会在光荣和理智中出现。

蒸气所发出的力量和近代的压力都是杠杆。“无血的主人”和他的忙碌的助手——他很像我们这个时代的一个强大的统治者——不过是仆人，是装饰华丽厅堂的黑奴隶罢了。他们带来宝物，铺好桌子，准备一个盛大的节日的到来。在这一天，女神以孩子般的天真，姑娘般的热忱，主妇般的镇定和智慧，挂起一盏绮丽的诗的明灯——它就是发出神圣的火焰的人类的丰富、充实的心。

新世纪的诗的女神啊，我们向你致敬！愿我们的敬礼飞向高空，被你听到，正如蚯蚓的感谢颂歌被你听见一样——这蚯蚓在犁头下被切成数段，因为新的春天到来了，农人正在我们这些蚯蚓之间翻土。他们把我们摧毁，好使你的祝福可以落到这未来新一代的头上。

新世纪的女神啊，我们向你致敬！

---

① 拉涅洛克（Ragnurok）在北欧童话中是“世界的末日”的意思。在“末日”到来的前夕世界遍地将遭到混乱和暴风雨的袭击。“末日”过后世界将获得重生。

② 吉姆列（Gimle）是北欧神话中的“天堂”，只有正义的人可以走进去，永远地住在里面。

风暴把招牌换了

很久以前，外祖父还是一个很小的孩子：他那时穿着一条红裤子和一件红上衣，腰间缠着一条带子，帽子上插着一根羽毛——因为在他小时候，如果孩子们要想穿得挺漂亮，他们就得有这种打扮，跟现在完全不同。街上常常有人游行——这种游行我们现在看不到了，因为它们太旧，已经被废除了。虽然如此，听听外祖父讲讲有关游行的故事，还是蛮有趣的。

在那个时候，当鞋匠们转到另一个同业公会去而要迁移他们的招牌的时候，那的确是值得一看的一个场面。他们的绸旗子在空中飘荡，旗子上绘着一只大鞋子和一个双头鹰。顶小的伙计们捧着那个"欢迎杯"和公会的箱子，他们的衬衫上飘着红的和白的缎带。年长的伙计们则拿着剑，剑头上插着一个柠檬。此外还有一个完整的乐队。他们最漂亮的一件乐器是那件叫做"鸟"的东西。外祖父把它叫做"顶上有一个新月、上面挂着各种丁丁当当的东西的棍子"——全套的土耳其噪乐。这个棍子被高高地擎在空中，前后摇晃着，发出丁丁当当的响声来。当太阳照在它上面那些金、银和黄铜做的东西的时候，你的眼睛就会昏花起来。

行列的前面是一个丑角。他穿着一件用各种不同颜色的补丁缝的衣服，脸上抹得漆黑，头上戴着许多铃，像一匹拉雪橇的马。他把他的棒子捅到人群中去，弄出一片嘈杂的声音而不伤人。大家你推我挤，有的要向后退，有的要向前拥。男孩和女孩站不稳，倒到沟里去了；老太太们用手肘乱推，板起面孔，还要骂人。这个人大笑，那个人闲扯。台阶上是人，窗子上也是人，连屋顶上都是人。太阳在照着，虽然下了一点小雨——这对于农人说来是很好的。如果说大家全身打得透湿,那么乡下人倒要认为这是一件喜事呢。

外祖父多么会讲故事啊!他小的时候,曾经兴高采烈地亲眼看过这种伟大的场面。同业公会最老的会员总要到台上演讲一番。台上挂着招牌,而且演讲辞照例是韵文,好像是由诗人做的诗似的——事实上,也确是诗,因为它们是三个人的集体创作,而他们为了要把这篇文章写好,事先还喝了一大碗混合酒呢。大家对这番演讲大大地喝彩了一番。不过,那位丑角爬上台模仿这位演说专家的时候,大家的喝彩声就变得更大了。丑角把一个傻瓜的角色表演得非常精彩。他用烧酒的杯子喝蜜酒[①]。然后他就把杯子向群众中扔去,让众人把它接住。外祖父曾经有过这样一个杯子。它是由一个泥水匠抢到手然后送给他的。这样的场面真有趣。这样,新同业公会就挂起了饰满花朵和绿色花圈的新会徽。

“一个人不管到了多大年纪,总不会忘记这种场面的。”外祖父说。他的确忘记不了,虽然他在一生中见过许多大世面,而且还可以讲出来。不过最好玩的是听他讲京城里迁移招牌的故事。

外祖父小时候,同爸爸妈妈到那儿去过一次。他以前从来没有到这国家的首都去过。街上挤满了那么多人,他真以为大家正在举行迁移招牌的仪式呢,而这儿有那么多的招牌要迁移!如果把它们挂在屋里而不挂在屋外的话,恐怕要一百个房间才装得下。裁缝店门口挂着种种衣服的图样,表示能把人改装成为粗人或细人。烟草店的招牌上画着可爱的小孩在抽着雪茄烟,好像真有其事似的。有的招牌上画着牛油、咸鱼、牧师的衣领和棺材;此外还有许多只写着说明和预告的招牌。一个人可以在这些街上跑一整天,把这些图画看个够。这样他就可以知道住在这些屋子里的是什么人,因为他们都把自己的招牌挂出来了。外祖父说,能够知道一个大城市里面的居民是些什么人,这本身就有教育意义。

当外祖父来到城里的时候,招牌的情况就是这样。这是他亲口告诉我的,而且他“耳朵后面并没有一个骗子”——当他想骗我们的时候,妈妈常常说这一句话。他现在的样子看起来很值得相信。

---

① 蜜酒所含的酒精成分很少,通常是用大杯子喝的。

他到京城去的头一天晚上,起了一阵可怕的风暴。像这样的风暴,人们在报纸上过去还不曾读到过,人们在自己的经验中也从来没有碰到过。瓦片在天空中乱飞,所有的木栅栏都吹倒了,是的,有一把手车为了要救自己的命,就在街上自由行动起来。空中充满了呼啸声,摇撼声。这真是一场可怕的大风暴。运河里的水跑到岸上来了,因为它不知道应该跑到什么地方去才好。风暴在扫过城市的上空,把许多烟囱都带走了;不少古老的、雄伟的教堂尖塔必须弯下腰来,而从那时起就再也没有直起来过。

在那位年高德劭的消防队长的门口有一个哨房——这位队长总是跟着最后的那架救火机一起出勤的。风暴对于这座小哨房也不留情:它把它连根拔起,吹在街上乱滚。说来也奇怪,它稳稳地站着,立在一个卑微的木匠门口。这个木匠在上次大风时曾经救出三条命,但是这个哨房却没有考虑这件事情。

一位剃头师傅的招牌——一个大黄铜盆——也被吹走了。它直接落到司法顾问官的窗洞里。邻近所有的人都说,这几乎可算作恶作剧,因为他们像顾问官的最亲密的朋友一样,都把顾问官的夫人叫"剃刀"。她是那么锐利,她知道别人的事情比别人自己知道的多。

一块画着干鳕鱼的招牌,飞到一位在报纸上写文章的人的门口。这是风儿开的一个不高明的玩笑:它忘记了,它不应该跟一个在报纸上写文章的人开玩笑,因为他是他自己报纸的大王——他自己的意见也是这样。

一只风信鸡飞到对面的屋顶上去,在那儿停下来,像一件最糟糕的恶作剧——邻人们都这样说。

一个箍桶匠的桶死钉在"仕女服装店"的招牌底下。

一个饭馆的菜单,原来是镶在一个粗架子里,挂在门上的,现在被暴风吹到一个谁也不去的戏院门口。这真是一个可笑的节目单——"萝卜汤和包馅子的白菜"。但是这却招引人们走进戏院去。

一个皮毛商人的一张狐狸皮——这是他的一个诚实的招牌——被吹到一个年轻人的门铃绳上。这个年轻人的样子像一把收着的伞;他老是去做晨祷,不停地在追求真理。他是一个"模范人物"——他的姑妈说。

"高等教育研究所"这几个字被搬到一个弹子俱乐部的门上,而研究所的门上却挂起了"这里用奶瓶养孩子"这个招牌。这一点也不文雅,只是顽皮。不过这是风暴做出来的事儿,谁也无法控制它。

这是可怕的一夜。你想想看!在第二天早晨,几乎城里所有的招牌都换了位置。有些地方的招牌上写的字是那么存心不良,连外祖父都不好意思说出口。不过我看得出来,他在暗自发笑;很可能他还有些秘密不愿意讲出来呢。

住在这城里的那些可怜的人——特别是那些生人——老是找错了他们要访问的人。当然,要是他们按招牌去找的话,这也就无法避免。有些人以为自己是去参加市参议员们的非常庄严的会议,在那儿讨论一些重要的事情,但结果他们却来到了一个天翻地覆的男孩子的学校,来到一群在桌椅上乱跳乱蹦的孩子中间。

有些人把戏院和教堂弄得分不清。这真是可怕极了!

在我们这个时代里,这样的风暴可是从来没有。那只是在外祖父生前发生的,那时候他还是一个小孩子。这样的风暴在我们的这个时代里大概是不会发生的,不过可能在我们的孩子的时代里发生。我们只好希望和祈祷:当风暴在调换招牌的时候,他们恰好都待在家里。

天鹅的窠

在波罗的海和北海之间有一个古老的天鹅窠。它名叫丹麦。天鹅就是在它里面生出来的，过去和现在都是这样。它们的名字永远不会被人遗忘。

在远古的时候，有一群天鹅飞过阿尔卑斯山，在“五月的国度”①里的绿色平原上落下来。住在这儿非常幸福。这一群天鹅叫做“长胡子人”②。

另外一群长着发亮的羽毛和诚实的眼睛的天鹅，飞向南方，在拜占庭③落下来。它们在皇帝的座位周围住下来，同时伸开它们的白色大翅膀，保护他的盾牌。这群天鹅叫做瓦林格人④。

法国的海岸上升起一片惊恐的声音，因为嗜血狂的天鹅，拍着带有火焰的翅膀，正在从北方飞来。人们祈祷着说：“愿上帝把我们从这些野蛮的北欧人手中救出来！”

一只丹麦的天鹅⑤站在英国碧绿的草原上，站在广阔的海岸旁边。他的头上戴着代表三个王国的皇冠；他把他的王节伸向这个国家的土地上。

波美尔⑥海岸上的异教徒都在地上跪下来，因为丹麦的天鹅，带着绘有

---

① 指意大利伦巴底亚(Lombardia)省的首府米兰(Milano)。

② 原文是 Longobarder，指住在意大利伦巴底亚省的伦巴底人(Lomb-ardo)。

③ 这是东罗马帝国的首都。

④ 原文是 Vaeringer，这是一种北欧人；他们在 9 世纪时是波罗的海上有名的海盗。东罗马帝国的近卫队，就是由这些海盗组成的。

⑤ 指丹麦的克努得大帝(Knud，942—1036)。他征服了英国和挪威，做过这三个国家的皇帝。

⑥ 这是波罗的海的一个海湾。

十字的旗帜和拔出的剑,向这儿飞来了。

那是很久、很久以前的事情!你会这样说。

不过离我们的时代不远,还有两只强大的天鹅从窠里飞出来了。

一道光射过天空,射到世界的每寸国土上。这只天鹅拍着他的强大的翅膀,撒下一层黄昏的烟雾。接着星空渐渐变得更清楚,好像是快要接近地面似的。这只天鹅的名字是透却·布拉赫[①]。

"是的,那是多少年前的事!"你可能说,"但是在我们的这个时代呢?"

在我们的这个时代里,我们曾看见过许多天鹅在美丽地飞翔:有一只[②]把他的翅膀轻轻地在金竖琴的弦上拂过去。这琴声响遍了整个的北国:挪威的山似乎在古代的太阳光中增高了不少;松林和赤杨发出沙沙的回音;北国的神仙、英雄和贵妇人在深黑的林中偷偷地露出头角。

我们看到一只天鹅在一个大理石山上拍着翅膀[③],把这座山弄得崩裂了。被囚禁在这山中的美的形体,现在走到明朗的太阳光中来。世界各国的人抬起他们的头来,观看这些绝美的形体。

我们看到第三只天鹅[④]纺着思想的线。这线绕着地球从这个国家牵到那个国家,好使语言像闪电似的从这个国家传到那个国家。

我们的上帝喜欢这个位于波罗的海和北海之间的天鹅窠。

让那些强暴的鸟儿从空中飞来颠覆它吧。"永远不准有这类事情发生!"甚至羽毛还没有长全的小天鹅都会在这窠的边缘守卫——我们已经看到过这样的事情。他们可以让他们的柔嫩的胸脯被啄得流血,但他们会用他们的嘴和爪斗争下去。

许多世纪将会过去,但是天鹅将会不断地从这个窠里飞出来。世界上的人将会看见他们,听见他们。要等人们真正说"这是最后的一只天鹅,这是天鹅窠里发出的一个最后的歌声",那时间还早得很呢!

---

① 透却·布拉赫(Tycho Brahè,1546—1601)是丹麦的名天文学家。

② 指A·G·欧伦施莱厄(Adam Gottlob Oehlenschlägger,1779—1850),丹麦的名诗人。

③ 指 Bertel Thorvaldsen,1768—1844,丹麦的名雕刻家。

④ 指H·C·奥尔斯德特(Hans Christan Oersted,1777—1851),丹麦的名电子学家。

伤 心 事

我们现在所讲的这个故事实际上分做两部分:头一部分可以删掉,但是它可以告诉我们一点初步的情节——这是很有用的。

我们是住在乡下的一个邸宅里。恰巧是主人要出去一天。在这同时,有一位太太从邻近的小镇到来了。她带着一只哈巴狗;据她说,她来的目的是为了要处理她在制革厂的几份股子。她把所有的文件都带来了;我们都忠告她,叫她把这些文件放在一个封套里,在上面写出业主的地址:"作战兵站总监,爵士"等等。

她听我们讲,同时拿起笔,沉思了一会儿,然后要求我们把这意见又慢慢念一次。我们同意,于是她就写起来。她写到"作战……总监……"的时候,把笔停住了,叹了一口气说:"不过我只是一个女人!"

当她在写的时候,她把那只哈巴狗放在地上。它狺狺地叫起来。她是为了它的兴趣和健康才把它带来的,因此人们不应该把它放在地上。它外表的特点是一个朝天的鼻子和一个肥胖的背。

"它并不咬人!"太太说,"它没有牙齿。它是像家里的一个成员,忠心而脾气很坏。不过这是因为我的孙子常常开它的玩笑的缘故:他们做结婚的游戏,要它扮做新娘。可怜的小老头儿,这使它太吃不消了!"

她把她的文件交出去了,于是她便把她的哈巴狗抱在怀里。这就是故事的头一部分,可以删去。"哈巴狗死掉了!"这是故事的第二部分。

这是一个星期以后的事情:我们来到城里,在一个客栈里安住下来。

我们的窗子面对着制革厂的院子。院子用木栅栏隔做两部。一部里面挂着许多皮革——生皮和制好了的皮。这儿一切制革的必需器具都有，而且是属于这个寡妇的。哈巴狗在早晨死去了，被埋葬在这个院子里。寡妇的孙子们（也就是制革厂老板的未亡人的孙子们，因为哈巴狗从来没有结过婚）掩好了这座坟。它是一座很美的坟——躺在它里面一定是很愉快的。

坟的四周镶了一些花盆的碎片，上面还撒了一些沙子。坟顶上还插了半个啤酒瓶，瓶颈朝上——这并没有什么象征的意义。

孩子们在坟的周围跳舞。他们中间最大的一个孩子——一个很实际的、七岁的小孩子——提议开一个哈巴狗坟墓展览会，让街上所有的人都来看。门票价是一个裤子扣，因为这是每个男孩子都有的东西，而且还可以有多余的来替女孩子买门票。这个提议得到全体一致通过。

街上所有的孩子——甚至后街上的孩子——都拥到这地方来，献出他们的扣子。这天下午人们可以看到许多孩子只有一根背带吊着他们的裤子，但是他们却看到了哈巴狗的坟墓，而这也值得出那么多的代价一看。

不过在制革厂的外面，紧靠着入口的地方，站着一个衣服褴褛的女孩子。她很可爱，她的鬈发很美丽，她的眼睛又蓝又亮，使人看到感觉愉快。她一句话也不说，但是她也不哭。每次那个门一打开的时候，她就朝里面怅然地望很久。她没有一个扣子——这点她知道得清清楚楚，因此她就悲哀地待在外面，一直等到别的孩子们都参观了坟墓、离去了为止。然后她就坐下来，把她那双棕色的小手蒙住自己的眼睛，大哭一场；只有她一个人没有看过哈巴狗的坟墓。就她说来，这是一件伤心事，跟成年人常常所感到的伤心事差不多。

我们在上面看到这情景，而且是高高地在上面观看。这件伤心事，像我们自己和许多别人的伤心事一样，使得我们微笑！这就是整个的故事。任何人如果不了解它，可以到这个寡妇的制革厂去买一份股子。

没有画的画册

前　　记

说起来也真奇怪！当我感觉最温暖和最愉快的时候，我的双手和舌头就好像有了束缚，使我不能表达和说出我内心所起的思想。然而我却是一个画家呢。我的眼睛这样告诉我；看到过我的速写和画的人也都这样承认。

我是一个穷苦的孩子。我的住处是在最狭的一条巷子里，但我并不是看不到阳光，因为我住在顶高的一层楼上，可以望见所有的屋顶。在我初来到城里的几天，我感到非常郁闷和寂寞。我在这儿看不到树林和青山，我看到的只是一片灰色的烟囱。我在这儿没有一个朋友，没有一个熟识的面孔和我打招呼。

有一天晚上我悲哀地站在窗子面前；我把窗扉打开，朝外边眺望。啊，我多么高兴啊！我总算是看到了一个很熟识的面孔——一个圆圆的、和蔼的面孔，一个我在故乡所熟识的朋友：这就是月亮，亲爱的老月亮。他一点也没有改变，完全跟他从前透过沼泽地上的柳树叶子来窥望我时的神情一样。我用手向他飞吻，他直接照进我的房间里来。他答应，在他每次出来的时候，他一定探望我几分钟。他忠诚地保持了这个诺言。可惜的是，他停留的时间是那么短促。他每次来的时候，他就告诉我一些他头天晚上或当天晚上所看见的东西。

"把我所讲给你的事情画下来吧！"他第一次来访的时候说，"这样你就可以有一本很美的画册了。"

有好几天晚上我遵守了他的忠告。我可以绘出我的《新一千零一夜》，不过那也许是太沉闷了。我在这儿所作的一些画都没有经过选择，它们是依照我所听到的样子绘下来的。任何伟大的天才画家、诗人或音乐家，假如高兴的话，可以根据这些画创造出新的东西。我在这儿所作的不过是在纸上涂下的一些轮廓而已，中间当然也有些我个人的想象；这是因为月亮并没有每晚来看我——有时一两块乌云遮住了他的面孔。

第　一　夜

"昨夜，"这是月亮自己说的话，"昨夜我滑过晴朗无云的印度天空。我的面孔映在恒河的水上；我的光线尽量地透进那些浓密地交织着的梧桐树的枝叶——它们伏在下面，像乌龟的背壳。一位印度姑娘从这浓密的树林走出来了。她轻巧得像瞪羚[①]，美丽得像夏娃[②]。这位印度女儿是那么轻飘，但同时又是那么丰满。我可以透过她细嫩的皮肤看出她的思想。多刺的蔓藤撕开了她的草履；但是她仍然在大步地向前行走。在河旁饮完了水而走过来的野兽，惊恐地逃开了，因为这姑娘手中擎着一盏燃着的灯。当她伸开手为灯火挡住风的时候，我可以看到她柔嫩手指上的脉纹。她走到河旁边，把灯放在水上，让它漂走。灯光在闪动着，好像是想要熄灭的样子。可是它还是在燃着，这位姑娘一对亮晶晶的乌黑眼珠，隐隐地藏在丝一样长的睫毛后面，紧张地凝视着这盏灯。她知道得很清楚：如果这盏灯在她的视力所及的范围内不灭的话，那么她的恋人就是仍然活着的。不过，假如它灭掉了，那么他就已经是死了。灯光是在燃着，在颤动着；她的心也在燃着，在颤动着。她跪下来，念着祷文。一条花蛇睡在她旁边的草里，但是她心中只想着梵天[③]和她的未婚夫。

---

① 这是像羚羊一样小的一种动物，生长在阿拉伯的沙漠地带。它的动作轻巧，柔和；它的眼睛发亮。

② 根据古代希伯来人的神话，上帝照自己的形象用土捏出一个男人，叫做亚当，然后从这人身上取出一根肋骨造出一个女人，叫做夏娃。她是非常美丽的。古代希伯来人认为他们两人是世界上人类第一对夫妇。

③ 梵天（Brana）是印度教中最高主宰；一切神，一切力量，整个的宇宙，都是由他产生的。

"'他仍然活着!'她快乐地叫了一声。这时从高山那儿飘来一个回音:'他仍然活着!'"

第 二 夜

"这是昨天的事情,"月亮对我说,"我向下面的一个小院落望去。它的四周围着一圈房子。院子里有一只母鸡和十一只小雏。一个可爱的小姑娘在它们周围跑着,跳着。母鸡咯咯地叫起来,惊恐地展开翅膀来保护她的一窝孩子。这时小姑娘的爸爸走来了,责备了她几句。于是我就走开了,再也没有想起这件事情。可是今天晚上,刚不过几分钟以前,我又朝下边的这个院落望。四周是一片静寂。可是不一会儿那个小姑娘又跑出来了。她偷偷地走向鸡屋,把门拉开,钻进母鸡和小鸡群中去。它们大声狂叫,向四边乱飞。小姑娘在它们后面追赶。这情景我看得很清楚,因为我是朝墙上的一个小洞口向里窥望的。我对这个任性的孩子感到很生气。这时她爸爸走过来,抓着她的手臂,把她骂得比昨天还要厉害,我不禁感到很高兴。她垂下头,蓝色的眼睛里亮着大颗的泪珠。'你在这儿干什么?'爸爸问。她哭起来,'我想进去亲一下母鸡呀,'她说,'我想请求她原谅我,因为我昨天惊动了她一家。不过我不敢告诉你!'

"爸爸亲了一下这个天真孩子的前额,我呢,我亲了她的小嘴和眼睛。"

第 三 夜

"在那儿一条狭小的巷子里——它是那么狭小,我的光只能在房子的墙上照一分钟,不过在这一分钟里,我所看到的东西已经足够使我认识下面活动着的人世——我看到了一个女人。十六年前她还是一个孩子。她在乡下一位牧师的古老花园里玩耍。玫瑰花树编成的篱笆已经枯萎了,花也谢了。它们零乱地伸到小径上,把长枝子盘到苹果树上去。只有几朵玫瑰花还东零西落地在开着——但它们已经称不上是花中的皇后了。但是它们依然还有色彩,还有香味。牧师的这位小姑娘,在我看来,那时要算是一朵最美丽的玫瑰花了;她在这个零乱的篱笆下的小凳子上坐着,吻着她的玩偶——它那纸板做的脸已经玩坏了。

“十年以后我又看到了她。我看到她在一个华丽的跳舞厅内:她是一个富有商人的娇美的新嫁娘。我为她的幸福而感到愉快。在安静平和的晚上我常去探望她——啊,谁也没有想到我澄净的眼睛和敏锐的视线!唉!正像牧师住宅花园里那些玫瑰花一样,我的这朵玫瑰花也变得零乱了。每天的生活中都有悲剧发生,而我今晚却看到了最后一幕。

“在那条狭小的巷子里,她躺在床上,病得要死。恶毒、冷酷和粗暴的房东——这是她唯一的保护者,把她的被子掀开。‘起来!’他说,‘你的一副面孔足够使人害怕。起来穿好衣服!赶快去弄点钱来,不然,我就要把你赶到街上去!快些起来!’‘死神正在嚼我的心!’她说,‘啊,请让我休息一会儿吧!’可是他把她拉起来,在她的脸上扑了一点粉,插了几朵玫瑰花,于是他把她放在窗旁的一把椅子上坐下,并且在她身旁点起一根蜡烛,然后他就走开了。

“我望着她。她静静地坐着,她的双手垂在膝上。风吹着窗子,把一块玻璃吹下来跌成碎片。但是她仍然静静地坐着。窗帘像她身旁的烛光一样,在抖动着。她断气了。死神在敞开的窗子面前说教;这就是牧师住宅花园里的、我的那朵玫瑰花!”

第　四　夜

“昨夜我看到一出德国戏在上演,”月亮说,“那是在一个小城市里。一个牛栏被改装成为一个剧院;这也就是说,每一个牛圈并没有变动,只不过是打扮成为包厢罢了。所有的木栅栏都糊上了彩色的纸张。低低的天花板下吊着一个小小的铁烛台。为了要像在大剧院里一样,当提词人的铃声丁当地响了一下以后,烛台就会升上去不见了,因为它上面特别覆着一个翻转来的大浴桶。

“丁当!小铁烛台就上升一尺多高。人们也可以知道戏快要开演了。一位年轻的王子和他的夫人恰巧经过这个小城;他们也来参观这次的演出。牛栏也就因此而挤满了人。只有这烛台下面有一点空,像一个火山的喷口。谁也不坐在这儿,因为蜡油在向下面滴,滴,滴!我看到了这一切情景,因为屋里是那么燥热,墙上所有的通风口都不得不打开。男仆人和女仆人们都站在外面，偷偷地贴着这些通风口朝里面看，虽然里面坐着警察，而且还在挥着棍子恐吓他们。在乐队的近旁，人们可以看见那对年轻贵族夫妇坐在两张古老的靠椅上面。这两把椅子平时总是留给市长和他的夫人坐的。可是这两个人物今晚也只好像普通的市民一样，坐在木凳子上了。'现在人们可看出，强中更有强中手！'这是许多看戏的太太们私下所起的一点感想。这使整个的气氛变得更愉快。烛台在摇动着，墙外面的观众挨了一通骂。我——月亮——从这出戏的开头到末尾一直和这些观众在一起。"

第　五　夜

"昨天，"月亮说，"我看到了忙碌的巴黎。我的视线射进卢浮宫[①]的陈列室里。一位衣服破烂的老祖母——她是平民阶级的一员——跟着一个保管人走进一座高大而空洞的宫里去。这正是她所要看的一间陈列室，而且一定要看。她可是作了一点不小的牺牲和费了一番口舌，才能走进这里来。她一双瘦削的手交叉着，她用庄严的神色向四周看，好像她是在一个教堂里面似的。

"'这儿就是！'她说，'这儿'！她一步一步地走近王位。王座上铺着富丽的、镶着金边的天鹅绒，'就是这儿！'她说，'就是这儿！'于是她跪下来，吻了这紫色[②]的天鹅绒。我想她已经哭出来了。

"'可是这并不是原来的天鹅绒呀！'保管人说，他的嘴角上露出一个微笑。

"'就是在这儿！'老太婆说，'原物就是这个样子！'

"'是这个样子，'他回答说，'但这不是原来的东西。原来的窗子被打碎了，原来的门也被打破了，而且地板上还有血呢！你当然可以说：'我的孙子是在法兰西的王位上死去了的！'

"'死去了！'老太婆把这几个字重复了一次。

"我想他们再没有说什么别的话，他们很快就离开了这个陈列室。黄昏的微光消逝了，我的光亮照着法兰西王位上的华丽的天鹅绒，比以前加倍

---

① 卢浮宫（Louvre）是巴黎一座最大的宫殿，现在成了一个博物馆。

② 在欧洲的封建时代，紫色是代表贵族和皇室的色彩。

地明朗。

“你想这位老太婆是谁呢？我告诉你一个故事吧。

“那正是七月革命[1]的时候，胜利的最光辉的一个日子的前夕。那时每一间房子是一个堡垒，每一个窗子是一座护胸墙。群众在攻打杜叶里宫[2]。甚至还有妇女和小孩在和战斗者一起作战。他们攻进了宫的大殿和厅堂。一个半大的穷孩子，穿着褴褛的工人罩衫，也在年长的战士中间参加战斗。他身上有好几处受了很重的刺刀伤，因此他倒下了。他倒下的地方恰恰是王位所在的处所。大家就把这位流血的青年抬上了法兰西的王位，用天鹅绒裹好他的伤。他的血染到了那象征皇室的紫色上面。这才是一幅图画呢！这么光辉灿烂的大殿，这些战斗的人群！一面撕碎了的旗帜躺在地上，一面三色旗[3]在刺刀林上面飘扬，而王座上却躺着一个穷苦的孩子；他的光荣的面孔发白，他的双眼望着苍天，他的四肢在死亡中弯曲着，他的胸脯露在外面，他的褴褛的衣服被绣着银百合花的天鹅绒半掩着。

“在这孩子的摇篮旁曾经有人作过一个预言：‘他将死在法兰西的王位上！’母亲的心里曾经做过一个梦，以为他就是第二个拿破仑。

“我的光已经吻过他墓上的烈士花圈。今天晚上呢，当这位老祖母在梦中看到这幅摊在她面前的图画（你可以把它画下来）——法兰西的王位上的一个穷苦的孩子——的时候，我的光吻了她的前额。”

第　六　夜

“我到乌卜萨拉[4]去了一番，”月亮说，“我看了看下面生满了野草的大平原和荒凉的田野。当一只汽船把鱼儿吓得钻进灯心草丛里去的时候，我

---

① 指1830年法国的七月革命。

② 杜叶里宫（Tuilleries）是巴黎的一个宫殿，1789年法国大革命时期路易十六在这里住过，1792年8月巴黎人民曾冲进这里，向路易十六请愿，示威。以后拿破仑一世、路易十八、查理十世都住在这个宫里。查理十世在1820年7月革命中弃位逃亡。

③ 这是法国从大革命时起开始采用的国旗。

④ 乌卜萨拉（Uppsala）是瑞典的一个省份。首府乌卜萨拉是一个大学城，在斯德哥尔摩北边。这儿有瑞典最老的大学乌卜萨拉大学（1477年建立）。

的面孔正映在佛里斯河里。云块在我下面浮着，在所谓奥丁、多尔和佛列[①]的坟墓上撒下长块的阴影。稀疏的蔓草盖着这些土丘，名字就刻在这些草上。这儿没有使路过人可以刻上自己名字的路碑，也没有使人可以写上自己的名字的石壁。因此访问者只好在蔓草上画出自己的名字来。黄土在一些大字母和名字下面露出它的原形。它们纵横交错地布满了整个的山丘。这种不朽支持到新的蔓草长出来为止。

"山丘上站着一个人——一个诗人。他喝干了一杯蜜酿的酒——杯子上嵌着很宽的银边。他低声地念出一个什么名字。他请求风不要泄露它，可是我听到了这个名字，而且我知道它。这名字上闪耀着一个伯爵的荣冠，因此他不把它念出来。我微笑了一下。因为他的名字上闪耀着一个诗人的荣冠。爱伦诺拉·戴斯特的高贵是与达索[②]的名字分不开的。我也知道美的玫瑰花朵应该是在什么地方开的！"

月亮这么说了，于是一块乌云浮过来了。我希望没有乌云来把诗人和玫瑰花朵隔开！

第 七 夜

"沿着海岸展开一片枞树和山毛榉树林；这树林是那么清新，那么充满了香味。每年春天有成千成万的夜莺来拜访它。它旁边是一片大海——永远变幻莫测的大海。横在它们二者之间的是一条宽广的公路。川流不息的车轮在这儿飞驰过去，可是我没有去细看这些东西，因为我的视线只停留在一点上面。那儿立着一座古墓，野梅和黑莓在它上面的石缝中丛生着。这儿是大自然的诗。你知道人们怎样理解它吗？是的，我告诉你昨天黄昏和深夜的时分我在那儿所听到的事情吧。

---

① 在北欧神话中奥丁（Odin）是知识、文化和战争之神。多尔（Thor）是雷神。佛列（Frey）是丰收和富饶之神。后来人们普遍地把这些名字当做人名来使用，因而成为北欧最常用的名字，等于我们的张三李四。

② 达索（Torguato Tasso）是16世纪意大利的一个名诗人。爱伦诺拉·戴斯特（Eleanora D'este）是当时皇族的一个美丽公主，因与达索交往而得名。这也就是说，所谓"高贵"和"荣华"是暂时的，美只有与艺术结合才能不朽。

“起初有两位富有的地主乘着车子走过来。头一位说:‘多么茂盛的树木啊!’另一位回答说:‘每一株可以砍成十车柴!这个冬天一定很冷。去年每一捆柴可以卖十四块钱!’于是他们就走开了。

“‘这真是一条糟糕的路!’另外一个赶着车子走过的人说。‘这全是因为那些讨厌的树呀!’坐在他旁边的人回答说,‘空气不能畅快地流通,风只能从海那边吹来。’于是他们走过去了。

“一辆公共马车也开过来。当它来到这块最美丽的地方的时候,客人们都睡着了。车夫吹起号角,不过他心里只是想:‘我吹得很美。我的号角声在这儿很好听。我不知道车里的人觉得怎样?’于是这辆马车就过去了。

“两个年轻的小伙子骑着马飞驰过来。我觉得他们倒还有点青年的精神和气概呢!他们嘴唇上飘着一个微笑,也把那生满了青苔的山丘和这浓黑的树林看了一眼。‘我倒很想跟磨坊主的克丽斯玎在这儿散一下步呢。’于是他们飞驰过去了。

“花儿在空气中散布着强烈的香气;风儿都睡着了。青天覆在这块深郁的盆地上,大海就好像是它的一部分。一辆马车开过去了。里面坐着七个人,其中有四位已经睡着了。第五位在想着他的夏季上衣——它必须合他的身材。第六位把头掉向车夫问起对面的那堆石头里是否藏有什么了不起的东西。‘没有,’车夫回答说,‘那不过是一堆石头罢了。可是这些树倒是了不起的东西呢。’‘为什么呢?’‘为什么吗?它们是非常了不起的!您要知道,在冬天,当雪下得很深、什么东西都看不见的时候,这些树对我来说就成了地形的指标。我依据它们所指的方向走,就不至于滚到海里去。它们了不起,就是这个原故。’于是他走过去了。

“现在有一位画家走来了。他的眼睛发着亮光,他一句话也不讲。他只是吹着口哨。迎着他的口哨,有好几只夜莺在唱歌,一只比一只的调子唱得高。‘闭住你们的小嘴!’他大声说。于是他把一切色调很仔细地记录下来:蓝色、紫色和褐色!这将是一幅美丽的画!他心中体会着这景致,正如镜子反映出了一幅画一样。在这同时,他用口哨吹出一个罗西尼[①]的

① 罗西尼(G. A. Rossini)是19世纪初叶的一位意大利歌剧作曲家。他的音乐的特点是生动,富有活力,充分代表意大利的民族风格。

进行曲。

“最后来了一个穷苦的女孩子。她放下她背着的重荷，在一个古墓旁坐下来休息。她惨白的美丽面孔对着树林倾听。当她望见大海上的天空的时候，她的眼珠忽然发亮，她的双手合在一起。我想她是在念《主祷文》。她自己不懂得这种渗透她全身的感觉；但是我知道：这一刹那和这片自然景物将会在她的记忆里存留很久很久，比那位画家所记录下来的色调要美丽和真实得多。我的光线照着她，一直到晨曦吻她的前额的时候。”

第 八 夜

沉重的云块掩盖了天空，月亮完全没有露面。我待在我的小房间里，感到加倍的寂寞；我抬起头来，凝视着他平时出现的那块天空。我的思想飞得很远，飞向我这位最好的朋友那儿去。他每天晚上对我讲那么美丽的故事和给我图画看。是的，他经历过的事情可真不少！他在太古时代的洪水上航行过，他对挪亚的独木舟[①]微笑过，正如他最近来看过我、带给我一些安慰、期许我一个灿烂的新世界一样。当以色列[②]的孩子们坐在巴比伦[③]河旁哭泣的时候，他在悬着竖琴的杨柳树之间悲哀地望着他们。当罗密欧[④]走上阳台、他的深情的吻像小天使的思想似的从地上升起来的时候，这圆圆的月亮，正在明净的天空上，半隐在深郁的古柏中间。他看到被囚禁的圣赫勒拿岛上的英雄[⑤]，这时他正在一个孤独的石崖上望着茫茫的大海，他心中起了许多辽远的思想。啊！月亮有什么事不知道呢？对他说来，人类的生活

---

① 根据古代希伯来人的神话，上帝因为人心太坏，决心要用洪水来毁掉坏人。只有挪亚是一个老实人，所以上帝告诉他准备一条独木船，先迁到木船里去住。他听从了上帝的话而没有被淹死。因之人类也没有灭亡。

② 以色列人就是犹太人，公元前13世纪曾在巴勒斯坦居住。公元前2000年他们迁到迦南，之后又因灾荒迁移到埃及。

③ 巴比伦是古代“两河流域”最大的城市，公元2世纪时已化为废墟。

④ 这是莎士比亚悲剧《罗密欧与朱丽叶》中的男主角，他的家族与他的爱人朱丽叶的家族是世仇。在封建社会里他们无法结婚，因此殉情而死。

⑤ 这是指法国的将军拿破仑。他从1804年起做法国的皇帝，在欧洲掀起一系列的战役，直到俄国人把他打垮为止。1815年他被放逐到南大西洋上的圣赫勒拿岛（St. Helena）。

是一篇童话。

今晚我不能见到您了,老朋友!今晚我不能绘出关于您的来访的记忆。我迷糊地向着云儿眺望;天又露出一点光。这是月亮的一丝光线,但是它马上又消逝了。乌黑的云块又飘过来,然而这总算是一声问候,一声月亮所带给我的、友爱的"晚安"。

第 九 夜

天空又是晴朗无云。好几个晚上已经过去了,月亮还只是一道蛾眉。我又得到了一幅速写的材料。请听月亮所讲的话吧。

"我随着北极鸟和流动的鲸鱼到格陵兰①的东部海岸去。光赤的崖石,上面覆着冰块和乌云,深锁着一块盆地——在这儿,杨柳和覆盆子正盛开着花。芬芳的剪秋罗正在散发着甜蜜的香气。我的光有些昏暗,我的脸惨白,正如一朵从枝子上摘下来的睡莲在巨浪里漂流过了好几个星期一样 。北极光圈在天空中燃烧着,它的环带很宽。它射出的光辉像旋转的火柱,燎燃了整个天空,一会儿变绿,一会儿变红。这地带的居民聚在一起,举行舞会和作乐。不过这种惯常光华灿烂的景象,他们看到并不感到惊奇。'让死者的灵魂去玩他们用海象的脑袋所作的球吧!'他们依照他们的迷信作这样的想法。他们只顾唱歌和跳舞。

"在他们的舞圈中,一位没有穿皮袄的格陵兰人敲着一个手鼓,唱着一首关于捕捉海豹的故事的歌。一个歌队也和唱着:'哎伊亚,哎伊亚,啊!'他们穿着白色的皮袍,舞成一个圆圈,样子很像一个北极熊的舞会。他们使劲地眨着眼睛和摇动着脑袋。

"现在审案和判决要开始了。意见不合的格陵兰人走上前来。原告用讥讽的口吻,理直气壮地即席唱一曲关于他的敌人的罪过的歌,而且这一切是在鼓声下用跳舞的形式进行的。被告回答得同样地尖锐。听众都哄堂大

---

① 格陵兰(Greenland)是在北极圈里,为世界最大的海岛,终年为雪所盖着,现在是由丹麦代管。岛上的住民为爱斯基摩人。因为气候寒冷,无法种植粮食,所以打猎就是他们唯一取得生活资料的方法。

笑,同时作出他们的判决。

"山上飘来一阵雷轰似的声音,上面的冰河裂成了碎片;庞大、流动的冰块在崩颓的过程中化为粉末。这是美丽的格陵兰的夏夜。

"在一百步远的地方,在一个敞着的帐篷里,躺着一个病人。生命还在他的热血里流动着,但是他仍然是要死的,因为他自己觉得他要死。站在他周围的人也都相信他要死。因此他的妻子在他的身上缝一件皮寿衣,免得她后来再接触到尸体。同时她问:'你愿意埋在山上坚实的雪地里吗?我打算用你的卡耶克①和箭来装饰你的墓地。昂格勾克②将会在那上面跳舞!也许你还是愿意葬在海里吧?'

"'我愿意葬在海里。"他低声说 ,同时露出一丝凄惨的微笑点点头。

"'是的,海是一个舒适的凉亭,'他的妻子说,'那儿有成千成万的海豹在跳跃,海象就在你的脚下睡觉,那儿打猎是一种安全愉快的工作!'

"这时喧闹的孩子们撕掉支在窗孔上的那张皮,好使得死者能被抬到大海里去,那波涛汹涌的大海——这海生前给他粮食,死后给他安息。那些起伏的、日夜变幻着的冰山是他的墓碑。海豹在这冰山上打盹,寒带的鸟儿在那上面盘旋。"

第 十 夜

"我认识一位老小姐,"月亮说,"每年冬天她穿一件黄缎子皮袄。它永远是新的,它永远是她唯一的时装。她每年夏天老是戴着同样一顶草帽,同时我相信,老是穿着同样一件灰蓝色袍子。

"她只有去看一位老女朋友时才走过街道。但是最近几年来,她甚至这段路也不走了,因为这位老朋友已经死去了。我的这位老小姐孤独地在窗前忙来忙去;窗子上整个夏天都摆满了美丽的花,在冬天则有一堆在毡帽顶上培养出来的水堇。最近几个月来,她不再坐在窗子面前了。但她仍然是活着的,这一点我知道,因为我并没看到她作一次她常常和朋友提到过的

① 卡耶克(Kajak)是格陵兰岛上爱斯基摩人所用的一种皮制的小船,通常只坐一个人。

② 昂格勾克(Angekokk)是爱斯基摩人的巫师,据说能治病。

'长途旅行'。'是的,'她那时说,'当我要死的时候,我要作一次一生从来没有作过的长途旅行。我们祖宗的墓窖①离这儿有十八里路远。那儿就是我要去的地方;我要和我的家人睡在一起。'

"昨夜这座房子门口停着一辆车子。人们抬出一具棺木;这时我才知道,她已经死了。人们在棺材上裹了一些麦草席子,于是车子就开走了。这位过去一整年没有走出过大门的安静的老小姐,就睡在那里面。车子叮达叮达地走出了城,轻松得好像是去作一次愉快的旅行似的。当它一走上了大路以后,它走得更快。车夫神经质地向后面望了好几次——我猜想他有点害怕,以为她还穿着那件黄缎子皮袄坐在后面的棺材上面呢。因此他傻气地使劲抽着马儿,牢牢地拉住缰绳,弄得它们满口流着泡沫——它们是几匹年轻的劣马。一只野兔在它们面前跑过去了,于是它们也惊慌地跑起来。

"这位沉静的老小姐,年年月月在一个呆板的小圈子里一声不响地活动着。现在——死后——却在一条崎岖不平的公路上跑起来。麦草席子裹着的棺材终于跌出来了,落到公路上。马儿、车夫和车子就急驰而去,像一阵狂风一样。一只唱着歌的云雀从田里飞起来,对着这具棺材吱吱喳喳地唱了一曲晨歌。不一会儿它就落到这棺材上,用它的小嘴啄着麦草席子,好像想要把席子撕开似的。

"云雀又唱着歌飞向天空去了。同时我也隐到红色的朝云后面。"

第十一夜

"这是一个结婚的宴会!"月亮说,"大家在唱歌,大家在敬酒,一切都是富丽堂皇的。客人都告别了;这已经是半夜过后。母亲们吻了新郎和新娘。最后只有我看到这对新婚夫妇单独在一起了,虽然窗帘已经掩得相当地紧。灯光把这间温暖的新房照得透亮。

"'谢天谢地,大家现在都走了!'他说,吻着她的手和嘴唇。她一面微笑,一面流泪,同时倒到他的怀里,颤抖着,像激流上漂着的一朵荷花。他们

① 这是欧洲古建筑物中的一种地下室,顶上是圆形。所有的古教堂差不多都有这种地下室,里面全是坟墓,特别是有重要地位的人的坟墓。

说着温柔甜蜜的话。

"'甜蜜地睡着吧！'他说。这时她把窗帘拉向一边。

"'月亮照得多么美啊！'她说，'看吧，它是多么安静，多么明朗！'

"于是她把灯吹灭了；这个温暖房间里变成一片漆黑。可是我的光在亮着，亮得差不多跟他的眼睛一样。女性啊，当一个诗人在歌唱着生命之神秘的时候，请你吻一下他的竖琴吧！"

第十二夜

"我给你一张庞贝①城的图画吧，"月亮说，"我是在城外，在人们所谓的坟墓之街上。这条街上有许多美丽的纪念碑。在这块地方，欢乐的年轻人，头上戴着玫瑰花，曾经一度和拉绮司②的美丽的姊妹们在一起跳过舞。可是现在呢，这儿是一片死的沉寂。为拿波里政府服务的德国雇佣兵在站岗，打纸牌，掷骰子。从山那边来的一大群游客，由一位哨兵陪伴着，走进这个城市。他们想在我的明朗的光中，看看这座从坟墓中升起来的城市。我把熔岩石铺的宽广的街道上的车辙指给他们看；我把许多门上的姓名以及还留在那上面的门牌也指给他们看。在一个小小的庭院里他们看到一个镶着贝壳的喷泉池；可是现在没有喷泉射出来了；从那些金碧辉煌的、由古铜色的小狗看守着的房间里，也没有歌声流露出来了。

"这是一座死人的城。只有维苏威山在唱着它无休止的颂歌。人类把它的每一支曲子叫做'新的爆发'。我们去拜访维纳斯③的神庙。它是用大理石建的，白得放亮；那宽广的台阶前就是它高大的祭坛。新的垂柳在圆柱之间冒出来，天空是透明的，蔚蓝色的。漆黑的维苏威山成为这一切的背

---

① 庞贝(Pompeii)是意大利的一个古城，在那不勒斯湾附近，维苏威火山的脚下。它是古代罗马贵族集聚的一个城市，纪元79年维苏威火山爆发把这城全部毁了。在中古时期人们把这个城完全忘记了。从1861年起意大利人开始有计划地发掘，此城即陆续出土。最有价值的发现是一个能坐两万人的圆形剧场及许多神庙。

② 拉绮司(Lais)是古希腊的一个宫妓，长得很美。

③ 维纳斯(Venus)是古代意大利的文艺和春天的女神。罗马人后来把她和希腊的爱情之女神亚芙罗蒂(Aphrodite)统一起来，所以她就成了爱情之神。

景。火不停地从它顶上喷出来，像一株松树的枝干。反射着亮光的烟雾，在夜的静寂中飘浮着，像一株松树的簇顶，可是它的颜色像血一样地鲜红。

“这群游客中有一位女歌唱家，一位真正伟大的歌唱家。我在欧洲的第一等城市里看过她受到人们的崇敬。当他们来到这悲剧舞台的时候，他们都在这个圆形剧场的台阶上坐下来；正如许多世纪以前一样，这儿总算有一块小地方坐满了观众。布景仍然像从前一样，没有改变；它的侧景是两面墙，它的背景是两个拱门——通过拱门观众可以看到在远古时代就用过的那幅同样的布景——自然本身：苏伦多①和亚玛尔菲②之间的那些群山。

“这位歌唱家一时高兴，走进这幅古代的布景中去，歌唱起来。这块地方本身给了她灵感。她使我想起阿拉伯的野马，在原野上奔驰，它的鼻息如雷，它的红鬃飞舞——她的歌声是和这同样地轻快而又肯定。这使我想起在各各他山③十字架下悲哀的母亲——她的苦痛的表情是多么深刻啊。在此同时正如千余年前一样，四周起了一片鼓掌和欢呼声。

“‘幸福的，天才的歌者啊！’大家都欢呼着。

“三分钟以后，舞台空了。一切都消逝了。声音也没有了；游人也走开了，只有古迹还是立在那儿，没有改变。千百年以后，当谁也再记不起这片刻的喝彩，当这位美丽的歌者、她的声调和微笑被遗忘了的时候，当这片刻对于我也成为逝去的回忆的时候，这些古迹仍然不会改变。”

第十三夜

“我朝着一位编辑先生的窗子望进去，”月亮说，“那是在德国的一个什么地方。这儿有很精致的家具、许多书籍和一堆报纸。里面坐着好几位青年人。编辑先生自己站在书桌旁边，计划要评论两本书——都是青年作家写的。

---

① 苏伦多（Sorrento）是那不勒斯湾上的一个城，有古教堂和古迹。

② 亚玛尔菲（Amalfi）是意大利的古城，在那不勒斯西南二十四英里的地方，古迹很多。

③ 各各他山（Golgotha）是耶路撒冷城外的一个小山。据说耶稣就是在这山上被钉在十字架上死去的。

"'这一本是才送到我手中来的,'他说,'我还没有读它呢,可是它的装帧很美。你们觉得它的内容怎样呢?'

"'哦!'一位客人说——他自己是一个诗人。'他写得很好,不过太啰嗦了一点。可是,天哪,作者是一个年轻人呀,诗句当然还可以写得更好一点!思想是很健康的,只不过是平凡了一点!但是这有什么可说的呢?你不能老是遇见新的东西呀!你可以称赞他一下!不过我想他作为一个诗人,不会有什么成就的。他读了很多的书,是一位出色的东方学问专家,也有正确的判断力。为我的《家常生活感言》写过一篇很好书评的人就是他。我们应该对这位年轻人客气一点。'

"'不过他是一个不折不扣的糊涂蛋呀!'书房里的另外一位先生说,'写诗最糟糕的事莫过于平庸乏味。它是不能突破这个范围的。'

"'可怜的家伙!'第三位说,'他的姑妈却以为他了不起呢。编辑先生,为你新近翻译的一部作品弄到许多订单的人,就正是她——'

"'好心肠的女人!唔,我已经简略地把这本书介绍了一下。肯定地他是一个天才——一件值得欢迎的礼物!是诗坛里的一朵鲜花!装帧也很美等等,可是另外的那本书呢——我想作者是希望我买它的吧?我听到人们称赞过它。他是一位天才,你说对不对?'

"'是的,大家都是这么叫喊,'那位诗人说,'不过他写得有点狂。只是标点符号还说明他有点才气!'

"'假如我们斥责他一通,使他发点儿火,对于他是有好处的;不然他总会以为他了不起。'

"'可是这不近人情!'第四位大声说,'我们不要在一些小错误上做文章吧,我们应该对于它的优点感到高兴,而它的优点也很多。他的成就超过了他们同行。'

"'天老爷啦!假如他是这样一位真正的天才,他就应该能受得住尖锐的批评。私下称赞他的人够多了,我们不要把他的头脑弄昏吧!'

"'他肯定是一个天才!'编辑先生写着,'一般粗心大意之处是偶尔有之。在第二十五页上我们可以看出,他会写出不得体的诗句——那儿可以发现两个不协调的音节。我们建议他学习一下古代的诗人……'

"我走开了,"月亮说,"我向那位姑妈的窗子望进去。那位被称赞的、不狂的诗人就坐在那儿。他得到所有的客人的敬意,非常快乐。

"我去找另外那位诗人——那位狂诗人。他也在一个恩人①家里和一大堆人在一起。人们正在这里谈论那另一位诗人的作品。

"'我将也要读读你的诗!'恩人说,'不过,老实说——你们知道,我是从来不说假话的——我想从那些诗里找不出什么伟大的东西。我觉得你太狂了,太荒唐了。但是,我得承认,作为一个人你是值得尊敬的!'

"一个年轻的女仆人在墙角边坐着;她在一本书里面读到这样的字句:

"'天才的荣誉终会被埋入尘土,
只有平庸的材料获得人称赞。
这是一件古老古老的故事,
不过这故事却是每天在重演。'"

第十四夜

月亮说:"在树林的小径两旁有两座农家的房子。它们的门很矮,窗子有的很高,有的很低。在它们的周围长满了山楂和伏牛花。屋顶上长有青苔、黄花和石莲花。那个小小的花园里只种着白菜和马铃薯。可是篱笆旁边有一株接骨木树在开着花。树下坐着一个小小的女孩子。她的一双棕色眼睛凝望着两座房子之间的那株老栎树。

"这树的树干很高,但是枯萎了;它的顶已经被砍掉了。鹳鸟在那上面筑了一个窠。它立在窠里,用尖嘴发出啄啄的响声。一个小男孩子走出来了,站在一个小姑娘的旁边。他们是兄妹。

"'你在看什么?'他问。

"'我在看那鹳鸟,'她回答说,'我们的邻人告诉我,说它今晚会带给我们一个小兄弟或妹妹。我现在正在望,希望看见它怎样飞来!'

---

① "恩人"是欧洲封建时代文坛上的一个特色。那时诗人的诗卖不出钱,所以贵族和地主常常利用这个弱点,送给诗人们一点生活费,而要求诗人把诗"献给"他们,好使他们的名字"永垂不朽"。

"'鹳鸟什么也不会带来!'男孩子说,'你可以相信我的话。邻人也告诉过我同样的事情,不过她说这话的时候,她在大笑。所以我问她敢不敢向上帝赌咒!可是她不敢。所以我知道,鹳鸟的事情只不过是人们对我们小孩子编的一个故事罢了。'

"'那么小孩子是从什么地方来的呢?'小姑娘问。

"'跟上帝一道来的,'男孩子说,'上帝把小孩子夹在大衣里送来,不过谁也看不见上帝呀。所以我们也看不见他送来小孩子!'

"正在这个时候,一阵微风吹动栎树的枝叶。这两个孩子叠着手,互相呆望着;无疑地这是上帝送小孩子来了。于是他们互相捏了一下手。屋子的门开了。那位邻居出来了。

"'进来吧,'她说,'你们看鹳鸟带来了什么东西。带来了一个小兄弟!'

"这两个孩子点了点头;他们知道婴儿已经来了。"

第十五夜

"我在吕涅堡[1]荒地上滑行着,"月亮说,"有一个孤独的茅屋立在路旁,在它的近旁有好几个凋零的灌木林。一只迷失了方向的夜莺在这儿唱着歌。在寒冷的夜气中它一定会死去的。我所听到的正是它最后的歌。

"曙光露出来了。一辆大篷车走过来了,这是一家迁徙的农民。他们是要向卜列门[2]或汉堡走去——从这儿再搭船到美洲去——在那儿,幸运,他们所梦想的幸运,将会开出花朵。母亲们把最小的孩子背在背上,较大的孩子则在她们身边步行。一匹瘦马拖着这辆装着他们那点微不足道的家产的车子。

"寒冷的风在吹着,一个小姑娘紧紧地偎着她的母亲。这位母亲,一边抬头望着我的淡薄的光圈,一边想起了她在家中所受到的穷困。她想起了他们没有能力交付的重税。她在想着这整群迁徙的人们。红色的曙光似乎

① 吕涅堡(Lyneburg)是德国的一个小城市,在汉堡东南三十一英里的地方。

② 卜列门(Bremen)是德国西北部的一个城市。

带来了一个喜讯；幸运的太阳将又要为他们升起。他们听到那只垂死的夜莺的歌唱：它不是一个虚假的预言家，而是幸运的使者。

"风在呼啸，他们也听不清夜莺的歌声：'祝你们安全地在海上航行！你们卖光了所有的东西来付出这次长途航行的旅费，所以你们走进乐园的时候将会穷得无依无靠。你们将不得不卖掉你们自己、你们的女人和你们的孩子。不过你们的苦痛不会拖得很久！死神的女使者就坐在那芬芳的宽大叶子后面。她将把致命的热病吹进你们的血液，作为她欢迎你们的一吻。去吧，去吧，到那波涛汹涌的海上去吧！'远行的人高兴地听着夜莺之歌，因为它象征着幸运。

"曙光在浮云中露出来了；农人走过荒地到教堂里去。穿着黑袍子、裹着白头巾的妇女们看起来好像是从教堂里的挂图上走下来的幽灵。周围是一片死寂，一片凋零了的、棕色的石楠，一片横在白沙丘陵之间的、被野火烧光了的黑色平原。啊，祈祷吧！为那些远行的人们——那些向茫茫大海的彼岸去寻找坟墓的人们而祈祷吧！"

第十六夜

"我认识一位普启涅罗[①]，"月亮说，"观众只要一看见他便向他欢呼。他的每一个动作都非常滑稽，总是使整个剧场的观众笑痛了肚子。可是这里面没有任何做作；这是他天生的特点。当他小时和别的孩子在一起玩耍的时候，他已经就是一个普启涅罗了。大自然把他创造成为这样的一个人物：在他的背上安了一个大驼子，在他的胸前安了一个大肉瘤。可是他的内部恰恰相反，他的内心却是天赋独厚。谁也没有他那样深的感情，他那样的精神强度。

"剧场是他的理想的世界。如果他的身材能长得秀气和整齐一点，他可能在任何舞台上成为一个头等的悲剧演员：他的灵魂里充满了悲壮和伟大的情绪。然而他不得不成为一个普启涅罗。他的痛苦和忧郁只有增加他

① 普启涅罗（Pulcinello）是意大利传统戏曲职业喜剧（Commediadeu）中的一个常见的主角。他的面貌古怪：钩鼻子，驼背，性情滑稽，爱逗人发笑，同时喜欢吹牛。

古怪外貌的滑稽性，只有引起他广大观众的笑声和对于他们这位心爱的演员一阵鼓掌。

“美丽的诃龙比妮[1]对他的确是很友爱和体贴的；可是她只愿意和亚尔列金诺[2]结婚。如果‘美和丑’结为夫妇，那也实在是太滑稽了。

“在普启涅罗心情很坏的时候，只有她可以使他微笑起来；的确，她可以使他痛快地大笑一阵。起初她总是像他一样地忧郁，然后就略为变得安静一点，最后就充满了愉快的神情。

“‘我知道你心里有什么毛病，’她说，‘你是在恋爱中！’这时他就不禁要笑起来。

“‘我在恋爱中！’他大叫一声，‘那么我就未免太荒唐了。观众将会要笑痛肚子！’

“‘当然你是在恋爱中，’她继续说，并且还在话里加了一点凄楚的滑稽感，‘而且你爱的那个人正是我呢！’

“的确，当人们知道实际上没有爱情这回事儿的时候，人们是可以讲出这类的话来的。普启涅罗笑得向空中翻了一个筋斗。这时忧郁感就没有了。然而她讲的是真话。他的确爱她，拜倒地爱她，正如他爱艺术的伟大和崇高一样。

“在她举行婚礼的那天，他是一个最愉快的人物；但是在夜里他却哭起来了。如果观众看到他这副哭丧的尊容，他们一定会又鼓起掌来的。

“几天以前诃龙比妮死去了。在她入葬的这天，亚尔列金诺可以不必在舞台上出现，因为他应该是一个悲哀的鳏夫。经理不得不演出一个愉快的节目，好使观众不至于因为没有美丽的诃龙比妮和活泼的亚尔列金诺而感到太难过。因此普启涅罗演得要比平时更愉快一点才行。所以他跳着，翻着筋斗，虽然他满肚皮全是悲愁。观众鼓掌，喝彩：‘好，好极了！’

“普启涅罗谢幕了好几次。啊，他真是杰出的艺人！

“晚上，演完了戏以后，这位可爱的丑八怪独自走出城外，走到一个孤寂的墓地里去。诃龙比妮坟上的花圈已经凋残了。他在坟旁边坐下来。他

---

① 诃龙比妮（Columbine）是意大利喜剧中的一个女主角。

② 亚尔列金诺（Arlechino）是诃龙比妮的恋人。

的这副样儿真值得画家画下来。他用手支着下巴,他的双眼朝着我望。他像一个奇特的纪念碑,一个坟上的普启涅罗:古怪而又滑稽。假如观众看见了他们这位心爱的艺人的话,他们一定会喝彩:'好!普启涅罗!好,好极了!'"

第十七夜

请听月亮所讲的话吧:"我看到一位升为军官的海军学生,第一次穿上他漂亮的制服。我看到一位穿上舞会礼服的年轻姑娘。我看到一位王子的年轻爱妻,穿着节日的衣服,非常快乐。不过谁的快乐也比不上我今晚看到的一个孩子——一个四岁的小姑娘。她得到了一件蔚蓝色的衣服和一顶粉红色的帽子。她已经打扮好了,大家都叫把蜡烛拿来照照,因为我的光线,从窗子射进去,还不够亮,所以必须有更强的光线才成。

"这位小姑娘笔直地站着,像一个小玩偶。她的手小心翼翼地从衣服里伸出来,她的手指撒开着。啊,她的眼里,她整个的面孔,发出多么幸福的光辉啊!

"'明天你应该到街上去走走!'她的母亲说。这位小宝贝朝上面望了望自己的帽子,朝下面望了望自己的衣服,不禁发出一个幸福的微笑。

"'妈妈!'她说,'当那些小狗看见我穿得这样漂亮的时候,它们心里会想些什么呢?'"

第十八夜

"我曾经和你谈过庞贝城,"月亮说,"这座城的尸骸,现在又回到有生命的城市的行列中来了。我知道另外一个城:它不是一座城的尸骸,而是一座城的幽灵。凡是有大理石喷泉喷着水的地方,我就似乎听到关于这座水上浮城的故事。是的,喷泉可以讲出这个故事,海上的波浪也可以把它唱出来。茫茫的大海上常常浮着一层烟雾——这就是它的未亡人的面罩。海的新郎已经死了,他的城垣和宫殿成了他的陵墓。你知道这座城吗?它从来没有听到过车轮和马蹄声在它的街道上响过。这里只有鱼儿游来游去,只有黑色的刚朵拉[1]在绿水上像幽灵似的滑过。

“我把它的市场——它最大的一个广场——指给你看吧，”月亮继续说，“你看了一定以为你走进了一个童话的城市。草在街上宽大的石板缝间丛生着，在清晨的迷茫中成千成万的驯良鸽子绕着一座孤高的塔顶飞翔。在三方面围绕着你的是一系列的走廊。在这些走廊里，土耳其人静静地坐着抽他们的长烟管，美貌的年轻希腊人倚着圆柱看那些战利品：高大的旗杆——代表古代权威的纪念品。许多旗帜在倒悬着，像哀悼的黑纱。有一个女孩子在这儿休息。她已经放下了盛满了水的重桶，但背水的担杠仍然搁在她的肩上。她靠着那根胜利的旗杆站着。

“你在你面前所看的不是一个虚幻的宫殿，而是一个教堂，它的镀金的圆顶和周围的圆球在我的光中射出亮光。那上面雄伟的古铜马，像童话中的古铜马一样，曾经作过多次的旅行：它们旅行到这儿来，又从这儿走去，最后又回到这儿来。

“你看到墙上和窗上那些华丽的色彩吗？这好像是一位天才，为了满足小孩子的请求，把这个奇怪的神庙装饰过了一番似的。你看到圆柱上长着翅膀的雄狮吗？它上面的金仍然在发着亮光，但是它的翅膀却落下来了。雄狮已经死了，因为海王[2]已经死了。那些宽大的厅堂都空了，曾经挂着贵重艺术品的地方，现在只是一片零落的墙壁。

“过去只许贵族可以走过的走廊，现在却成了叫花子睡觉的地方。从那些深沉的水井里——也许是从那‘叹息桥’[3]旁的牢狱里——升起一片叹息。这和从前金指环从布生脱尔[4]抛向海后亚得里亚时快乐的贡杜拉奏出的一片手鼓声完全是一样。亚得里亚啊！让烟雾把你隐藏起来吧！让寡妇的面纱照着你的躯体，盖住你的新郎的陵墓——大理石砌的、虚幻的威尼斯

---

① 刚朵拉（Gondola）是在意大利水城威尼斯来往运行的一种细长平底的小船。

② 即中古时期“海上霸权”威尼斯。

③ 这是威尼斯城内连接宫殿和国家监狱的一条走廊。凡是被判了死刑的人都是走过这条走廊到行刑的地方去，所以它叫做“叹息桥”。

④ 这是代表威尼斯的一只“御船”的名字。古代威尼斯的首长，在耶稣升天节这天，就乘这只船开到海上（亚得里亚海），向海里投下一个金戒指，表示他代表威尼斯与海结婚。因为威尼斯在中世纪时是一个海上霸权，与海分不开的，故有此迷信。在十五世纪末叶，自从绕过好望角到东方的新航线发现以后，威尼斯就丧失了它海上霸权的地位。

城——吧！”

第十九夜

“我朝着下面的一个大剧场望，”月亮说，“观众挤满了整个屋子，因为有一位新演员今晚第一次出场。我的光滑到墙上的一个小窗口上，一个化妆好了的面孔紧贴着窗玻璃。这就是今晚的主角。他武士风的胡子密密地卷在他下巴的周围；但是这个人的眼里却闪着泪珠，因为他刚才曾被观众嘘下了舞台，而且嘘得很有道理。可怜的人啊！不过在艺术的王国里是不容许低能人存在的。他有深厚的感情，他热爱艺术，但是艺术却不爱他。

“舞台监督的铃声响了。关于他这个角色的舞台指示是：‘主角以英勇和豪迈的姿态出场。’所以他只好又在观众面前出现，成为他们哄笑的对象。当这场戏演完以后，我看到一个裹在外套里的人形偷偷地溜下了台。布景工人互相窃窃私语，说：这就是今晚那位扮演失败了的武士。我跟着这个可怜的人回家，回到他的房间里去。

“上吊是一种不光荣的死，而毒药并不是任何人手头就有的。我知道，这两种办法他都想到了。我看到他在镜子里瞧了瞧自己惨白的面孔；他半开着眼睛，想要看看，作为一具死尸他是不是还像个样子。一个人可能是极度地不幸，但这并不能阻止他装模作态一番。他在想着死，想着自杀。我相信他在怜惜自己，因为他哭得可怜伤心。然而，当一个人能够哭出来的时候，他就不会自杀了。

“自从这时候起，一年已经过去了。又有一出戏要上演，可是在一个小剧场里上演，而且是由一个寒酸的旅行剧团演出的。我又看到那个很熟的面孔，那个双颊打了胭脂水粉和下巴上卷着胡子的面孔。他抬头向我望了一眼，微笑了一下。可是刚刚在一分钟以前他又被嘘下了舞台——被一群可怜的观众嘘下一座可怜的舞台！

“今天晚上有一辆很寒酸的柩车开出了城门，没有一个人在后面送葬。这是一位寻了短见的人—— 我们那位搽粉打胭脂的、被人瞧不起的主角。他的朋友只有一个车夫，因为除了我的光线以外，没有什么人送葬。在教堂墓地的一角，这位自杀者的尸体被投进土里去了。不久他的坟上就会长满了荆棘，而教堂的看守人更会在它上面加一些从别的坟上扔过来的荆棘和荒草。”

第 二 十 夜

“我到罗马去过，”月亮说，“在这城的中央，在那七座山①中的一座山上②堆着一片皇宫的废墟。野生的无花果树在壁缝中生长出来了，用它们灰绿色的大叶子盖住墙壁的荒凉景象。在一堆瓦砾中间，毛驴践踏着桂花，在不开花的蓟草上嬉戏。罗马的雄鹰曾经从这儿飞向海外，发现和征服过别的国家；现在从这儿有一道门通向一个夹在两根残破大理石圆柱中间的小土房子。常春藤挂在一个歪斜的窗子上，像一个哀悼的花圈。

“屋子里住着一个老太婆和她幼小的孙女。她们现在是这皇宫的主人，把这些豪华的遗迹指给陌生人看。曾经是皇位所在的那间大殿，现在只剩得一道赤裸裸的断墙。放着皇座的那块地方，现在只有深青色的柏树所撒下的一道长影。在破碎的地板上现在堆着好几尺高的黄土。当暮钟响起的时候，那位小姑娘——皇宫的女儿——常常在这儿坐在一个小凳子上。她把旁边门上的一个锁匙孔叫做她的角楼窗。从这个窗子望去，她可以看到半个罗马，一直到圣彼得教堂③上雄伟的圆屋顶。

“这天晚上，像平时一样，周围是一片静寂。下面的这位小姑娘来到我圆满的光圈里面。她头上顶着一个盛满了水的、古代的土制汲水瓮。她打着赤脚，她的短裙子和她的衣袖都破了。我吻了一下这孩子美丽的、圆圆的肩膀、她的黑眼睛和她发亮的黑头发。

“她走上台阶。台阶很陡峭，是用残砖和破碎的大理石柱顶砌成的。斑点的蜥蜴在她的脚旁羞怯地溜过去了，可是她并不害怕它们。她已经举起手去拉门铃——皇宫门铃的把手现在是系在一根绳子上的兔子脚。她停了一会儿——她在想什么事情：也许是在想着下边教堂里那个穿金戴银的

① 在提未累（Tivere）河的东岸，古代的罗马即建在这些山上。

② 指巴拉蒂尼山（Palatine）。这山上现在全是古代的遗迹。

③ 这是罗马梵蒂冈山上一个著名的大教堂。在 1506 年开始建造，1626 年完成。圆屋顶是艺术家米开朗琪罗（1475—1564）设计的。

婴孩——耶稣——吧。那儿点着银灯,她的小朋友们就在那儿唱着她所熟悉的赞美诗,我不知道这是不是她所想的东西。不一会儿她又开始走起来,而且跌了一跤。那个土制的水瓮从她的头上落下来了,在大理石台阶上摔成碎片。她大哭起来。这位皇宫的美丽女儿居然为了一个不值钱的破水瓮而哭起来了。她打着赤脚站在那儿哭,不敢拉那根绳子——那根皇宫的铃绳!"

第二十一夜

月亮有半个来月没有出现了。现在我又看见他了,又圆又亮,徐徐地升到云层上面。请听月亮对我讲的话吧。

"我跟着一队旅行商从费赞的一个城市走出来。在沙漠的边缘,在一块盐池上,他们停下来了。盐池发着光,像一个结了冰的湖,只有一小块地方盖着一层薄薄的、流动着的沙。旅人中最年长的一个老人——他腰带上挂着一个水葫芦,头上顶着一个未经发酵过的面包——用他的手杖在沙子上画了一个方格,同时在方格里写了《可兰经》里的一句话。然后整队的旅行商就走过了这块献给神的处所。

"一位年轻的商人——我可以从他的眼睛和清秀的外貌看出他是一个东方人——若有所思地骑着一匹鼻息呼呼的白马走过去了。也许他是在思念他美丽的年轻妻子吧?那是两天前的事:一匹用毛皮和华贵的披巾所装饰着的骆驼载着她——美貌的新嫁娘——绕着城墙走了一周。这时,在骆驼的周围,鼓声和风琴奏着乐,妇女唱着歌,所有的人都放着鞭炮,而新郎放得最多,最热烈。现在——他跟着这队旅行商走过沙漠。

"一连好几夜我跟着这队旅人行走。我看到他们在井旁,在高大的棕榈树之间休息。他们用刀子向病倒的骆驼胸脯中插进去,在火上烤着它的肉吃。我的光线使灼热的沙子冷下来,同时对他们指出那些黑石头——这一望无际的沙漠中的死岛。在他们没有路的旅程中,他们没有遇见怀着敌意的异族人,没有暴风雨出现,没有夹着沙子的旋风袭击他们。

"家里那位美丽的妻子在为她的丈夫和父亲祈祷。'他们死了吗?'她向我金黄色的蛾眉问。'他们病了吗?'她向我圆满的光圈问。

“现在沙漠已经落在背后了。今晚他们坐在高大的棕榈树下。这儿有一只白鹤在他们的周围拍着长翅膀飞翔，这儿鹈鹕在含羞树的枝上朝着他们凝望。丰茂的低矮植物被大象沉重的步子践踏着。一群黑人，在内地的市场上赶完集以后，正在朝回家的路上走来。用铜钮子装饰着黑发的、穿着靛青色衣服的妇女们在赶着一群载重的公牛；赤裸的黑孩子在它们背上睡觉。另外有一个黑人牵着他刚才买来的幼狮。他们走近这队旅行商；那个年轻商人静静地坐着，一动也不动，只是想着他的美丽的妻子，在这个黑人的国度里梦想着在沙漠彼岸的、他的那朵芬芳的白花。他抬起头，但是——”

但是恰恰在这时，一块乌云浮到月亮面前来，接着又来了另一块乌云。这天晚上我再没有听到别的事情。

第二十二夜

“我看到一个小女孩子在哭，”月亮说，“她为人世间的恶毒而哭。她曾得到一件礼物——一个最美丽的玩偶。啊！这才算得是一个玩偶呢！它是那么好看，那么可爱！它似乎不是为了要受苦而造出来的。可是小姑娘的几个哥哥——那些高大的男孩子——把这玩偶拿走了，高高地把它放在花园的树上，然后他们就跑开了。

“小姑娘的手达不到玩偶，没法把它抱下来，因此她才哭起来。玩偶一定也在哭，因为它的手在绿枝间伸着，好像很不幸的样子。是的，这就是妈妈常常提到的人世间的恶毒。唉，可怜的玩偶啊！天已经快要黑了，夜马上就要到来！难道就这样让它单独地在树枝间坐一通夜吗？不，小姑娘不忍让这样的事情发生。

“‘我陪着你吧！’她说，虽然她并没有这样的勇敢。她已经在想象中清楚地看到一些小鬼怪，戴着高帽子，在灌木林里向外窥探，同时高大的幽灵在黑暗的路上跳着舞，一步一步地走近来，并且把手伸向坐在树上的玩偶。他们用手指指着玩偶，对玩偶大笑。啊，小姑娘是多么害怕啊！

“‘不过，假如一个人没有做过坏事，’她想，‘那么，什么妖魔也不能害你！我不知道我是不是做过坏事？’于是她沉思起来。‘哦，对了！’她说，

‘有一次我讥笑过一只腿上系有一条红布片的可怜的小鸭。她摇摇摆摆走得那么滑稽,我真忍不住笑了;可是对动物发笑是一桩罪过啊!’她抬起头来望望玩偶。‘你讥笑过动物没有?’她问。玩偶好像是在摇头的样子。”

第二十三夜

“我望着下面的蒂洛尔[1],”月亮说,“我使深郁的松树在石头上映下长长的影子。我凝望着圣·克利斯朵夫肩上背着婴孩耶稣[2]。这是绘在屋墙上的一幅画,是一幅从墙角伸到屋顶的巨画。还有一些关于圣·佛罗陵[3]正向一座火烧的屋子泼水和上帝在路旁的十字架上流血的画。对于现在这一代的人说来,这都成了古画了。相反地,我亲眼看到它们被绘出来,一幅一幅地被绘出来。

“在一座高山的顶上立着一个孤独的尼姑庵,简直像一个燕子窠。有两位修女在钟塔上敲钟。她们都很年轻,因此她们的视线不免要飞到山上,飞到尘世里去。一辆路过的马车正在下边经过;车夫这时捏了一下号筒。这两位可怜的修女的思想,也像她们的眼睛一样,跟着这辆车子后面跑,这时那位较年轻的修女的眼里冒出了一颗泪珠。

“号角声渐渐模糊起来,同时尼姑庵里的钟声就把这模糊的号角声冲淡得听不见了。”

第二十四夜

请听月亮讲的话吧:“那是几年以前的事,在哥本哈根发生的。我对着

---

① 蒂洛尔(Tyrol)是奥国西部的一个省份。

② 依据希伯来人的神话,圣·克利斯朵夫(St. Christopher)是渡船的保护神。这幅画是起源于下面的故事:有一个小孩子看到克利斯朵夫身材魁梧,特请他抱他过河。克利斯朵夫走到河中,越抱越觉得沉重,不禁发起牢骚来。小孩子这时就说:“不要奇怪,你抱住了我就等于抱住了全世界的罪恶。”这孩子就是耶稣。

③ 圣·佛罗陵(St. Florian)是耶稣的门徒。一般人认为他是防火的保护神。祭他的节日是每年 5 月 4 日。

窗子向一个简陋的房间望进去。爸爸和妈妈都睡着了，不过小儿子睡不着。我看到床上的花布帐子在动着，这个小家伙在偷偷地向外望。起初我以为他在看那个波尔霍尔姆造的大钟。它上了一层红红绿绿的油漆，它顶上立着一个杜鹃。它有沉重的、铅制的钟锤，包着发亮的黄铜的钟摆摇来摇去：'滴答！滴答！'不过这并不是他所要看的东西。不是的！他要看的是他妈妈的纺车。它是在钟的下面。这是这孩子在整个屋中最心爱的一件家具，可是他不敢动它，因为他怕挨打。他的妈妈在纺纱的时候，他可以在旁边坐几个钟头，望着纺锤呼呼地动和车轮急急地转，同时他幻想着许多东西。啊！他多么希望自己也能纺几下啊！

"爸爸和妈妈睡着了。他望了望他们，也望了望纺车，然后他就把一只小赤脚伸出床外来，接着又把另一只小赤脚伸出来，最后一双小白腿就现出来了。噗！他落到地板上来。他又掉转身望了一眼，看爸爸妈妈是不是还在睡觉。是的，他们还是睡着的。于是他就轻轻地，轻轻地，只是穿着破衬衫，溜到纺车旁，开始纺起纱来。棉纱吐出丝来，车轮就转动得更快。我吻了一下他金黄的头发和他碧蓝的眼睛。这真是一幅可爱的图画。

"这时妈妈忽然醒了。床上的帐子动了；她向外望，她以为她看到了一个小鬼或者一个什么小妖精。'老天爷呀！'她说，同时惊惶地把她的丈夫推醒。他睁开眼睛，用手揉了几下，望着这个忙碌的小鬼。'怎么，这是巴特尔呀！'他说。

"于是我的视线就离开了这个简陋的房间——我还有那么多的东西要看！这时候我看了一下梵蒂冈的大厅。那里面有许多大理石雕的神像。我的光照到拉奥孔①这一系列的神像；这些雕像似乎在叹气。我在那些缪斯②的唇上静静地亲了一吻，我相信她们又有了生命。可是我的光辉在拥有'巨神'的尼罗③一系列的神像上逗留得最久。那巨神倚在斯芬克斯④身

① 拉奥孔（Laokon）是希腊神话里的一个祭司。他因为触犯了神怒，被两条蛇活活地缚死。以他为中心的一系列的雕刻，是留存在梵蒂冈的最优美的古代艺术作品，这些雕刻是在1509年出土的。

② 希腊神话中艺术之女神。

③ 这是梵蒂冈的另一系列的巨大神像，以尼罗河神为中心。

④ 这是古代埃及的一个假想的动物，他的头像人，身像狮子。

上，默默无言地梦着，想着那些一去不复返的岁月。一群矮小的爱神在他的周围和一群鳄鱼玩耍。在丰饶之角[①]里坐着一位细小的爱神，他的双臂交叉着，眼睛凝视着那位巨大的、庄严的河神。他正是坐在纺车旁的那个小孩的写照——面孔一模一样。这个小小的大理石像是既可爱又生动，像具有生命，可是自从它从石头出生的时候起，岁月的轮子已经转动不止一千次了。在世界能产生出同样伟大的大理石像以前，岁月的大轮子，像这小孩在这间简陋的房里摇着的纺车那样，又不知要转动多少次。

"自此以后，许多岁月又过去了，"月亮继续说，"昨天我向下面看了看瑟兰东海岸的一个海湾。那儿有可爱的树林，有高大的堤岸，又有红砖砌的古老的邸宅；水池里漂着天鹅；在苹果园的后面隐隐地现出一个小村镇和它的教堂。许多船只，全都燃着火柱，在这静静的水上滑过。人们点着火柱，并不是为了要捕捉鳝鱼，不是的，是为了要表示庆祝！音乐奏起来了，歌声唱起来了。在这许多船中间，有一个人在一条船里站起来了。大家都向他致敬。他穿着外套，是一个高大、雄伟的人。他有碧蓝的眼睛和长长的白发。我认识他，于是我想起了梵蒂冈里尼罗那一系列的神像和所有的大理石神像；我想起了那个简陋的小房间——我相信它是位于格龙尼街上的。小小的巴特尔曾经穿着破衬衫坐在里面纺纱。是的，岁月的轮子已经转动过了，新的神像又从石头中雕刻出来了。从这些船上升起一片欢呼声：'万岁！巴特尔·多瓦尔生[②]万岁！'"

第二十五夜

"我现在给你一幅法兰克福的图画，"月亮说，"我特别凝望那儿的一幢房子。那不是歌德出生的地点，也不是那古老的市政厅——带角的牛头盖

① 这是和平与繁荣的象征，所以爱神坐在里面。据希腊神话，希腊之天神宙斯（Zeus）是一位叫做亚马尔苔亚（Amalthea）的女仙用羊奶养大的。宙斯长大了要报答她的恩，特地送她一个羊角，并且说，有了这个东西想要什么就有什么。

② 多瓦尔生（Bertel Thorwaldsen，1770—1844）是丹麦一个穷木刻匠的儿子，后来成了世界闻名的雕刻家。他的作品深受古代希腊和罗马雕刻的影响，散见于欧洲各大教堂和公共建筑物里。

骨仍然从它的格子窗里露出来,因为在皇帝举行加冕礼的时候,这儿曾经烤过牛肉,分赠给众人吃。这是一幢市民的房子,漆上一片绿色,外貌很朴素。它立在那条狭小的犹太人街的角落里。它是罗特席尔特①的房子。

"我朝敞着的门向里面望。楼梯间照得很亮:在这儿,仆人托着巨大的银烛台,里面点着蜡烛,向一位坐在轿子里被抬下楼梯的老太太深深地鞠着躬。房子的主人脱帽站着,恭恭敬敬地在这位老太太的手上亲了一吻。这位老妇人就是他的母亲。她和善地对他和仆人们点点头;于是他们便把她抬到一条黑暗的狭小巷子里去,到一幢小小的房子里去。她曾经在这儿生下一群孩子,在这儿发家。假如她遗弃了这条被人瞧不起的小巷子和这幢小小的房子,幸运可能就会遗弃他们。这是她的信念!"

月亮再没有对我说什么;他今晚的来访是太短促了。不过我想着那条被人瞧不起的、狭小巷子里的老太太。她只须一开口就可以在泰晤士河②边有一幢华丽的房子——只须一句话就有人在那不勒斯湾为她准备好一所别墅。

"假如我遗弃了这幢卑微的房子(我的儿子们是在这儿发迹的),幸运可能就会遗弃他们!"这是一个迷信。这个迷信,对于那些了解这个故事和看过这幅画的人,只须加这样两个字的说明就能理解:"母亲。"

第二十六夜

"那是昨天,在天刚要亮的时候!"这是月亮自己的话,"在这个大城市里,烟囱还没有开始冒烟——而我所望着的正是烟囱。正在这时候,有一个小小的脑袋从一个烟囱里冒出来了,接着就有半截身子,最后便有一双手臂搁在烟囱口上。'好!'这原来是那个小小扫烟囱的学徒。这是他有生第一次爬出烟囱,把头从烟囱顶上伸出来。'好!'的确,比起在又黑又窄的烟囱管里爬,现在显然是不同了!空气是新鲜得多了,他可以望见全城的风景,

---

① 罗特席尔特(Rothschild)是欧洲一个犹太籍的大财阀家族。这家族于18世纪中在德国法兰克福开始发家,以后分布到欧洲各大首都。这家族的子孙有不同的国籍,左右许多资本主义国家的政局。

② 这是穿过伦敦的一条大河。

一直望到绿色的森林。太阳刚刚升起来。它照得又圆又大，直射到他的脸上——而他的脸正发着快乐的光芒，虽然它已经被烟灰染得相当黑了。

"'整个城里的人都可以看到我了！'他说，'月亮也可以看到我了，太阳也可以看到我了！好啊！'于是他挥起他的扫帚。"

第二十七夜

"昨夜我望见一个中国的城市，"月亮说，"我的光照着许多长长的、光赤的墙壁；这城的街道就是它们形成的。当然，偶尔也有一扇门出现，但它是锁着的，因为中国人对外面的世界能有什么兴趣呢？房子的墙后面，紧闭着的窗扉掩住了窗子。只有从一所庙宇的窗子里，有一丝微光透露了出来。

"我朝里面望，我看到里面一片华丽的景象。从地下一直到天花板，有许多用鲜艳的彩色和富丽的金黄所绘出的图画——代表神仙们在这个世界上所作的事迹的一些图画。

"每一个神龛里有一个神像，可是差不多全被挂在庙龛上的花帷幔和旗帜所掩住了。每一座神像——都是用锡做的——面前有一个小小的祭台，上面放着圣水、花朵和燃着的蜡烛。但是这神庙里最高之神是神中之神——佛爷。他穿着黄缎子衣服，因为黄色是神圣的颜色。祭台下面坐着一个有生命的人——一个年轻的和尚。他似乎在祈祷，但在祈祷之中他似乎堕入到冥想中去了；这无疑地是一种罪过，所以他的脸烧起来，他的头也低得抬不起来。可怜的瑞虹啊！难道他梦着到高墙里边的那个小花园里（每个屋子前面都有这样一个花园）去种花吗？难道他觉得种花比待在庙里守着蜡烛还更有趣吗？难道他希望坐在盛大的筵席桌旁，在每换一盘菜的时候，用银色的纸擦擦嘴吗？难道他犯过那么重的罪，只要他一说出口来，天朝就要处他死刑吗？难道他的思想敢于跟化外人的轮船一起飞，一直飞到他们的家乡——辽远的英国吗？不，他的思想并没有飞得那么远，然而他的思想，一种青春的热情所产生的思想，是有罪的；在这个神庙里，在佛爷的面前，在许多神像面前，是有罪的。

"我知道他的思想飞到什么地方去了。在城的尽头，在平整的、石铺的、以瓷砖为栏杆的、陈列着开满了钟形花的花盆的平台上，坐着玲珑小眼的、嘴唇丰满的、双脚小巧的、娇美的白姑娘。她的鞋子紧得使她发痛，但她的心更使她发痛。她举起她柔嫩的、丰满的手臂——这时她的缎子衣裳就发出沙沙的响声。她面前有一个玻璃缸，里面养着四尾金鱼。她用一根彩色的漆棍子在里面搅了一下，啊，搅得那么慢，因为她在想着什么东西！可能她在想：这些鱼是多么富丽金黄，它们在玻璃缸里生活得多么安定，它们的食物是多么丰富，然而假如它们获得自由，它们将更会活得多么快乐！是的，她，美丽的白是懂得这个道理的。她的思想飞出了她的家，飞到庙里去了——但不是为那些神像而飞去的。可怜的白啊！可怜的瑞虹啊！他们两人的红尘思想交流起来，可是我的冷静的光，像小天使的剑一样，隔在他们两人的中间。”

第二十八夜

“天空是澄净的，”月亮说，“水是透明的，像我正在滑行过的晴空。我可以看到水面下的奇异的植物，它们像森林中的古树一样对我伸出蔓长的梗子。鱼儿在它们上面游来游去。高空中有一群雁在沉重地向前飞行。它们中间有一只拍着疲倦的双翼，慢慢地朝着下面低飞。它的双眼凝视着那向远方渐渐消逝着的空中旅行队伍。虽然它展开着双翼，它是在慢慢地下落，像一个肥皂泡似的，在沉静的空中下落，直到最后它接触到水面。它把头掉过来，插进双翼里去。这样，它就静静地躺下来，像平静的湖上的一朵白莲花。

“风吹起来了，吹皱了平静的水面。水泛着光，很像一泻千里的云层，直到它翻腾成为巨浪。发着光的水，像蓝色的火焰，燎着它的胸和背。曙光在云层上泛起一片红霞。这只孤雁有了一些气力，升向空中；它向那升起的太阳，向那吞没了那一群空中队伍的、蔚蓝色的海岸飞。但是它是在孤独地飞，满怀着焦急的心情，孤独地在碧蓝的巨浪上飞。”

第二十九夜

“我还要给你一幅瑞典的图画，”月亮说，“在深郁的黑森林中，在罗克生河①的忧郁的两岸的附近,立着乌列达古修道院。我的光,穿过墙上的窗格子,射进宽广的地下墓窖里去——帝王们在这儿的石棺里长眠。墙上挂着一个作为人世间的荣华的标记:皇冠。不过这皇冠是木雕的,涂了漆,镀了金。它是挂在一个钉进墙里的木栓上的。蛀虫已经吃进这块镀了金的木头里去了,蜘蛛在皇冠和石棺之间织起一层网来;作为一面哀悼的黑纱,它是脆弱的,正如人间对死者的哀悼一样。

"这些帝王们睡得多么安静啊!我还能清楚地记起他们。我还能看到他们嘴唇上得意的微笑——他们是那么有威权,有把握,可以叫人快乐,也可以叫人痛苦。

"当汽船像有魔力的蠕虫似的在山间前进的时候,常常会有个别陌生人走进这个教堂,拜访一下这个墓窖。他问着这些帝王们的姓名,但是这些姓名只剩下一种无生气的,被遗忘了的声音。他带着微笑望了望那些虫蛀了的皇冠。假如他是一个有虔诚气质的人,他的微笑会带上忧郁的气氛。

"安眠吧,你们这些死去了的人们!月亮还记得你们,月亮在夜间把它寒冷的光辉送进你们静寂的王国——那上面挂着松木做的皇冠!——"

第三十夜

"紧贴着大路旁边,"月亮说,"有一个客栈,在客栈的对面有一个很大的车棚,棚子上的草顶正在重新翻盖。我从椽子和敞着的顶楼窗朝下望着那不太舒服的空间。雄吐绶鸡在横梁上睡觉,马鞍躺在空秣桶里。棚子的中央有一辆旅行马车,车主人在甜蜜地打盹;马儿在喝着水,马车夫在伸着懒腰,虽然我确信他睡得最好,而且不止睡了一半的旅程。下人房的门是开着的,里面的床露出来了,好像是乱七八糟的样子。蜡烛在地板上燃着,已经燃到烛台的接口里去了。风寒冷地吹进棚子里来:时间与其说是接近半夜,倒不如说是接近天明。在旁边的畜栏里有一个流浪音乐师的一家人睡在地上。爸爸和妈妈在梦着酒瓶里剩下来的烈酒。那个没有血色的小女儿在梦着眼睛里的热泪。竖琴靠在他们的头边,小狗睡在他们的脚下。"

---

① 罗克生河(Roxen)是在瑞典南部的一条小河。

第三十一夜

“那是一个小小的乡下城镇，”月亮说，“这事儿是我去年看见的，不过这倒没有什么关系，因为我看得非常清楚。今晚我在报上读到关于它的报道，不过报道却不是很清楚。在小客店的房间里坐着一位玩熊把戏的人，他正在吃晚餐。熊是系在外面一堆木柴的后面——可怜的熊，他并不伤害任何人，虽然他那副样子似乎很凶猛。顶楼上有三个小孩子在我的明朗光线里玩耍；最大的那个孩子将近六岁，最小的不过两岁。卜卜！卜卜！——有人爬上楼梯来了：这会是谁呢？门被推开了——原来是那只熊，那只毛发蓬蓬的大熊！他在下面的院子里呆得已经有些腻了，所以他才独自个儿爬上楼来。这是我亲眼看见的。”月亮说。

“孩子们看到这个毛发蓬蓬的大熊，吓得不得了。他们每个人钻到一个墙角里去，可是他把他们一个一个地找出来，在他们身上嗅了一阵子，但是一点也没有伤害他们！‘这一定是一只大狗。’他们想，开始抚摸他。他躺在地板上。最小的那个孩子爬到他身上，把他长满了金黄鬈发的头钻进熊的厚毛里，玩起捉迷藏来。接着那个最大的孩子取出他的鼓来，敲得咚咚地响。这时熊儿便用他的一双后腿立起来，开始跳起舞来。这真是一个可爱的景象！现在每个孩子背着一支枪，熊也只好背起一支来，而且背得很认真。他们真算找到了一个很好的玩伴！他们开始‘开步走’起来——一二！一二……

“忽然有人把门推开了；这是孩子们的母亲。你应该看看她的那副样子，那副惊恐得说不出话来的样子，那副惨白的面孔，那个半张着的嘴，和她那对发呆的眼睛。可是顶小的那个孩子却是非常高兴地在对她点头，用他幼稚的口吻大声说：‘我们在学军队练操啦！’

“这时玩熊把戏的人也跑来了。”

第三十二夜

风在狂暴地吹，而且很冷；云块在空中奔驰。我只在偶尔之间能看到一会儿月亮。

“我从沉静的天空上望着下面奔驰着的云块!”他说,“我看到巨大的阴影在地面上互相追逐!

“最近我朝下面看了一个监狱。它面前停着一辆紧闭着的马车:有一个囚犯快要被运走了。我的光穿过格子窗射到墙上。那囚犯正在墙上画几行告别的东西。可是他写的不是字,而是一支歌谱——他在这儿最后一晚从心里发出的声音。门开了。他被牵出去,他的眼睛凝望着我圆满的光圈。

“云块在我们之间掠过,好像我不想要看到他、他也不想要看到我似的。他走进马车,门关上了,马鞭响起来,马儿奔向旁边的一个浓密的森林里去——到这儿我的光就再也没有办法跟着他进去了。不过我朝那格子窗向里面望,我的光滑到那支画在墙上的歌曲——那最后的告别词上去。语言表达不出来的话,声音可以表达出来!我的光只能照出个别的音符,大部分的东西对我说来,只有永远藏在黑暗中了。他所写的是死神的赞美诗呢,还是欢乐的曲调?他乘着这车子是要到死神那儿去呢,还是要回到他爱人的怀抱里去?月光并不是完全能读懂人类所写的东西的。

“我从澄净广阔的天空上望着下面奔驰着的云块。我看到巨大的阴影在地面上互相追逐!”

第三十三夜

“我非常喜欢小孩子!”月亮说,“顶小的孩子是特别有趣。当他们没有想到我的时候,我常常在窗帘和窗架之间向他们的小房间窥望,看到他们自己穿衣服和脱衣服是那么好玩。一个光赤的小圆肩头先从衣服里冒出来,接着手臂也冒出来了。有时我看到袜子脱下去,露出一条胖胖的小白腿来,接着是一个值得吻一下的小脚板,而我也就吻它一下了!”月亮说。

“今晚——我得告诉你!——今晚我从一扇窗子望进去。窗子上的窗帘没有放下来,因为对面没有邻居。我看到里面有一大群的小家伙——兄弟和姊妹。他们中间有一个顶小的妹妹。她只有四岁,不过,像别人一样,她也会念《主祷文》。每天晚上妈妈坐在她的床边,听她念这个祷告。然后她就得到一个吻。妈妈坐在旁边等她睡着——一般说来,只要她的小眼睛一闭，她就睡着了。

“今天晚上那两个较大的孩子有点儿闹。一个穿着白色的长睡衣，用一只脚跳来跳去。另一个站在一把堆满了别的孩子的衣服的椅子上。他说他是在表演一幅图画，别的孩子不妨猜猜看。第三和第四个孩子把玩具很仔细地放进匣子里去，因为事情应该是这样办才对。不过妈妈坐在最小的那个孩子身边，同时说，大家应该放安静一点，因为小妹妹要念《主祷文》了。

“我的眼睛直接朝灯那边望，”月亮说，“那个四岁的孩子睡在床上，盖着整洁的白被褥；她的一双小手端正地叠在一起，她的小脸露出严肃的表情。她在高声地念《主祷文》。

“‘这是怎么回事？’妈妈打断她的祷告说，‘当你念到“我们日用的饮食，天天赐给我们”①时，你总加进去一点东西——但我听不出究竟是什么。究竟是什么呢？你必须告诉我。’小姑娘一声不响，难为情地望着妈妈。‘除了说“我们每天的面包，您今天赐给我们”以外，你还加了什么进去呢？’

“‘亲爱的妈妈，请你不要生气吧。’小姑娘说，‘我只是祈求在面包上多放点黄油！’”

① 这句是引自《圣经·新约·路加福音》第十一章第三节。

卖火柴的小女孩

天气冷得可怕。正在下雪,黑暗的夜幕开始垂下来了。这是这年最后的一夜——新年的前夕。在这样的寒冷和黑暗中,有一个光头赤脚的小女孩正在街上走着。是的,她离开家的时候还穿着一双拖鞋,但那又有什么用呢?那是一双非常大的拖鞋——那么大,最近她妈妈一直在穿着。当她匆忙地越过街道的时候,两辆马车飞奔着闯过来,弄得小姑娘把鞋跑落了。有一只她怎样也寻不到,另一只又被一个男孩子捡起来,拿着逃走了。男孩子还说,等他自己将来有孩子的时候,可以把它当做一个摇篮来使用。

现在这小姑娘只好赤着一双小脚走。小脚已经冻得发红发青了。她有许多火柴包在一个旧围裙里;她手中还拿着一扎。这一整天谁也没有向她买过一根;谁也没有给她一个铜板。

可怜的小姑娘!她又饿又冻地向前走,简直是一幅愁苦的画面。雪花落到她金黄的长头发上——它卷曲地铺散在她的肩上,看上去非常美丽。不过她并没有想到自己漂亮。所有的窗子都射出光来,街上飘着一股烤鹅肉[①]的香味。的确,这是除夕。她在想这件事情。

那儿有两座房子,其中一座房子比另一座更向街心伸出一点,她便在这个墙角里坐下来,缩做一团。她把一双小脚也缩进来,不过她感到更冷。她不敢回到家里去,因为她没有卖掉一根火柴,没有赚到一个铜板。她的父亲一定会打她,而且家里也是很冷的,因为他们头上只有一个可以灌进风来的

① 烤鹅肉是丹麦圣诞节和除夕晚餐中的一个主菜。

屋顶，虽然最大的裂口已经用草和破布堵住了。

她的一双小手几乎冻僵了。唉！哪怕一根小火柴对她也是有好处的。只要她敢抽出一根来，在墙上擦着了，就可以暖暖手！最后她抽出一根来了。哧！它燃起来了，冒出火光来了！当她把手覆在上面的时候，它便变成了一朵温暖、光明的火焰，像一根小小的蜡烛。这是一道美丽的小光！小姑娘觉得真像坐在一个铁火炉旁边一样：它有光亮的黄铜圆捏手和黄铜炉身。火烧得那么欢，那么暖，那么美！唉，这是怎么一回事儿？当小姑娘刚刚伸出一双脚，打算暖一暖脚的时候，火焰就忽然熄灭了！火炉也不见了。她坐在那儿，手中只有烧过了的火柴。

她又擦了一根。它燃起来了，发出光来了。墙上有亮光照着的那块地方，现在变得透明，像一片薄纱；她可以看到房间里的东西：桌上铺着雪白的台布，上面有精致的碗盘，填满了梅子和苹果的、冒着香气的烤鹅。更美妙的事情是：这只鹅从盘子里跳出来了，背上插着刀叉，蹒跚地在地上走着，一直向这个穷苦的小姑娘面前走来。这时火柴就熄灭了；她面前只有一堵又厚又冷的墙。

她点了另一根火柴。现在她是坐在美丽的圣诞树下面。上次圣诞节时，她透过玻璃门，看到一个富有商人家里的一株圣诞树；可是现在这一株比那株还要大，还要美。它的绿枝上燃着几千支蜡烛；彩色的图画，跟橱窗里挂着的那些一样美丽，在向她眨眼。这个小姑娘把两只手伸过去。于是火柴就熄灭了。圣诞节的烛光越升越高。她看到它们现在变成了明亮的星星。这些星星有一颗落下来了，在天上划出一条长长的光线。

"现在又有一个什么人死去了①。"小姑娘说，因为她的老祖母曾经说过：天上落下一颗星，地上就有一个灵魂升到了上帝那儿去。老祖母是唯一对她好的人，但是现在已经死了。

她在墙上又擦了一根火柴。它把四周都照亮了；在这亮光中老祖母出现了。她显得那么光明，那么温柔，那么和蔼。

"祖母！"小姑娘叫起来，"啊！请把我带走吧！我知道，这火柴一灭掉，

---

① 北欧人的迷信：世界上有一个人，天上便有一颗星。一颗星的陨落象征一个人的死亡。

你就会不见了,你就会像那个温暖的火炉、那只美丽的烤鹅、那棵幸福的圣诞树一样地不见了!”

于是她急忙把整束火柴中剩下的火柴都擦亮了,因为她非常想把祖母留住。这些火柴发出强烈的光芒,照得比大白天还要明朗。祖母从来没有像现在这样显得美丽和高大。她把小姑娘抱起来,搂到怀里。她们两人在光明和快乐中飞走了,越飞越高,飞到既没有寒冷,也没有饥饿,也没有忧愁的那块地方——她们是跟上帝在一起。

不过在一个寒冷的清晨,这个小姑娘却坐在一个墙角里;她的双颊通红,嘴唇发出微笑,她已经死了——在旧年的除夕冻死了。新年的太阳升起来了,照着她小小的尸体!她坐在那儿,手中还捏着火柴——其中有一扎差不多都烧光了。

“她想把自己暖和一下。”人们说。谁也不知道:她曾经看到过多么美丽的东西,她曾经是多么光荣地跟祖母一起,走到新年的幸福中去。

城垒上的一幅画

这是秋天,我们站在城垒上,望着海上的许多船只和对面远处在晚霞中隆起的瑞典的海岸线。在我们后面,城垒陡峭地向下倾斜。这儿有许多美丽的古树,它们枯黄的叶子正在从枝子上萧萧往下落。再下面就是木栅栏围着的凄凉的房子。这些房子的内部——哨兵在这儿巡逻——是既狭窄而又阴惨。不过最阴惨的是铁栏杆后面的那个黑洞,因为在这儿坐着许多囚徒——罪行最重的犯人。

落日的一丝光线射进一个囚犯的小室里来。太阳是不分善恶,什么东西都照的!那个阴沉的、凶恶的囚犯对这丝寒冷的光线狠狠地看了一眼。一只小鸟向铁窗飞来。鸟儿向恶人歌唱,也向好人歌唱!它唱出简单的调子:“滴丽!滴丽!”不过它停下来,拍着翅膀,啄下一根羽毛,使它脖子上的羽毛都直立起来。这个戴着脚镣的坏人望着它,于是他凶恶的脸上露出一种温柔的表情。一个思想——一个他自己还不能正确地加以分析的思想——在他的心里浮起来了。这思想跟从铁窗里射进来的太阳光有关,跟外面盛开的那几棵春天的紫罗兰的香气有关。这时猎人吹起一阵轻快而柔和的号角声。那只小鸟从这囚徒的铁窗前飞走了;太阳光也消逝了;小室里又是一片漆黑;这个坏人的心里也是一片漆黑。但是太阳光曾经射进他的心里,小鸟的歌声也曾经透进去。

美丽的狩猎号角声呵,继续吹吧!黄昏是温柔的,海水是平静的,一点风也没有。

皇帝的新装

许多年以前有一位皇帝,他非常喜欢穿好看的新衣服。他为了要穿得漂亮,把所有的钱都花到衣服上去了,他一点也不关心他的军队,也不喜欢去看戏。除非是为了炫耀一下新衣服,他也不喜欢乘着马车逛公园。他每天每个钟头要换一套新衣服。人们提到皇帝时总是说:“皇上在会议室里。”但是人们一提到他时,总是说:“皇上在更衣室里。”

在他住的那个大城市里,生活很轻松,很愉快。每天有许多外国人到来。有一天来了两个骗子。他们说他们是织工。他们说,他们能织出谁也想象不到的最美丽的布。这种布的色彩和图案不仅是非常好看,而且用它缝出来的衣服还有一种奇异的作用,那就是凡是不称职的人或者愚蠢的人,都看不见这衣服。

“那正是我最喜欢的衣服!”皇帝心里想。“我穿了这样的衣服,就可以看出我的王国里哪些人不称职;我就可以辨别出哪些人是聪明人,哪些人是傻子。是的,我要叫他们马上织出这样的布来!”他付了许多现款给这两个骗子,叫他们马上开始工作。

他们摆出两架织机来,装做是在工作的样子,可是他们的织机上什么东西也没有。他们接二连三地请求皇帝发一些最好的生丝和金子给他们。他们把这些东西都装进自己的腰包,却假装在那两架空空的织机上忙碌地工作,一直忙到深夜。

“我很想知道他们织布究竟织得怎样了。”皇帝想。不过,他立刻就想起了愚蠢的人或不称职的人是看不见这布的。他心里的确感到有些不大自在。他相信他自己是用不着害怕的。虽然如此,他还是觉得先派一个人去看看比较妥当。全城的人都听说过这种布料有一种奇异的力量,所以大家都很想趁这机会来测验一下,看看他们的邻人究竟有多笨,有多傻。

"我要派诚实的老部长到织工那儿去看看,"皇帝想,"只有他能看出这布料是个什么样子,因为他这个人很有头脑,而且谁也不像他那样称职。"

因此这位善良的老部长就到那两个骗子的工作地点去。他们正在空空的织机上忙忙碌碌地工作着。

"这是怎么一回事儿?"老部长想,把眼睛睁得有碗口那么大。

"我什么东西也没有看见!"但是他不敢把这句话说出来。

那两个骗子请求他走近一点,同时问他,布的花纹是不是很美丽,色彩是不是很漂亮。他们指着那两架空空的织机。这位可怜的老大臣的眼睛越睁越大,可是他还是看不见什么东西,因为的确没有什么东西可看。

"我的老天爷!"他想,"难道我是一个愚蠢的人吗?我从来没有怀疑过我自己。我决不能让人知道这件事。难道我不称职吗?——不成;我决不能让人知道我看不见布料。"

"哎,您一点意见也没有吗?"一个正在织布的织工说。

"啊,美极了!真是美妙极了!"老大臣说。他戴着眼镜仔细地看。"多么美的花纹!多么美的色彩!是的,我将要呈报皇上说我对于这布感到非常满意。"

"嗯,我们听到您的话真高兴。"两个织工一齐说。他们把这些稀有的色彩和花纹描述了一番,还加上些名词儿。这位老大臣注意地听着,以便回到皇帝那里去时,可以照样背得出来。事实上他也就这样办了。

这两个骗子又要了很多的钱,更多的丝和金子,他们说这是为了织布的需要。他们把这些东西全装进腰包里,连一根线也没有放到织机上去。不过他们还是继续在空空的机架上工作。

过了不久,皇帝派了另一位诚实的官员去看看,布是不是很快就可以织好。他的运气并不比头一位大臣的好:他看了又看,但是那两架空空的织机上什么也没有,他什么东西也看不出来。

"您看这段布美不美?"两个骗子问。他们指着一些美丽的花纹,并且作了一些解释。事实上什么花纹也没有。

“我并不愚蠢!”这位官员想,“这大概是因为我不配担当现在这样好的官职吧? 这也真够滑稽,但是我决不能让人看出来!”因此他就把他完全没有看见的布称赞了一番,同时对他们说,他非常喜欢这些美丽的颜色和巧妙的花纹。“是的,那真是太美了。”他回去对皇帝说。

城里所有的人都在谈论这美丽的布料。

当这布还在织的时候,皇帝就很想亲自去看一次。他选了一群特别圈定的随员——其中包括已经去看过的那两位诚实的大臣。这样,他就到那两个狡猾的骗子住的地方去。这两个家伙正以全副精神织布,但是一根线的影子也看不见。

“您看这不漂亮吗?”那两位诚实的官员说,“陛下请看,多么美丽的花纹! 多么美丽的色彩!”他们指着那架空空的织机,因为他们以为别人一定会看得见布料的。

“这是怎么一回事儿呢?”皇帝心里想,“我什么也没有看见! 这真是荒唐! 难道我是一个愚蠢的人吗? 难道我不配做皇帝吗? 这真是我从来没有碰见过的一件最可怕的事情。”

“啊,它真是美极了!”皇帝说,“我表示十二分地满意!”于是他点头表示满意。他装做很仔细地看着织机的样子,因为他不愿意说出他什么也没有看见。跟他来的全体随员也仔细地看了又看,可是他们也没有看出更多的东西。不过,他们也照着皇帝的话说:“啊,真是美极了!”他们建议皇帝用这种新奇的、美丽的布料做成衣服,穿上这衣服亲自去参加快要举行的游行大典。“真美丽! 真精致! 真是好极了!”每人都随声附和着。每人都有说不出的快乐。皇帝赐给骗子每人一个爵士的头衔和一枚可以挂在钮扣洞上的勋章;并且还封他们为“御聘织师”。

第二天早晨游行大典就要举行了。在头天晚上,这两个骗子整夜不睡,点起十六支蜡烛。你可以看到他们是在赶夜工,要完成皇帝的新衣。他们装做把布料从织机上取下来。他们用两把大剪刀在空中裁了一阵子,同时又用没有穿线的针缝了一通。最后,他们齐声说:“请看! 新衣服缝好了!”

皇帝带着他的一群最高贵的骑士们亲自到来了。这两个骗子每人举起一只手,好像他们拿着一件什么东西似的。他们说:“请看吧,这是裤子,这是袍子! 这是外衣!”等等。“这衣服轻柔得像蜘蛛网一样:穿着它的人会觉得好像身上没有什么东西似的——这也正是这衣服的妙处。”

“一点也不错。”所有的骑士们都说。可是他们什么也没有看见，因为实际上什么东西也没有。

“现在请皇上脱下衣服，”两个骗子说，“我们要在这个大镜子面前为陛下换上新衣。”

皇帝把身上的衣服统统都脱光了。这两个骗子装做把他们刚才缝好的新衣服一件一件地交给他。他们在他的腰围那儿弄了一阵子，好像是系上一件什么东西似的：这就是后裾[①]。皇帝在镜子前面转了转身子，扭了扭腰肢。

“上帝，这衣服多么合身啊！式样裁得多么好看啊！”大家都说，“多么美的花纹！多么美的色彩！这真是一套贵重的衣服！”

“大家已经在外面把华盖准备好了，只等陛下一出去，就可撑起来去游行！”典礼官说。

“对，我已经穿好了，”皇帝说，“这衣服合我的身么?”于是他又在镜子前面把身子转动了一下，因为他要叫大家看出他在认真地欣赏他美丽的服装。

那些将要托着后裾的内臣们，都把手在地上东摸西摸，好像他们真的在拾起后裾似的。他们开步走，手中托着空气——他们不敢让人瞧出他们实在什么东西也没有看见。

这么着，皇帝就在那个富丽的华盖下游行起来了。站在街上和窗子里的人都说：“乖乖，皇上的新装真是漂亮！他上衣下面的后裾是多么美丽！衣服多么合身！”谁也不愿意让人知道自己看不见什么东西，因为这样就会暴露自己不称职，或是太愚蠢。皇帝所有的衣服从来没有得到这样普遍的称赞。

“可是他什么衣服也没有穿呀！”一个小孩子最后叫出声来。

“上帝哟，你听这个天真的声音！”爸爸说。于是大家把这孩子讲的话私自低声地传播开来。

---

① 后裾(Slaebet)就是拖在礼服后面的很长的一块布；它是封建时代欧洲贵族的一种装束。

“他并没有穿什么衣服！有一个小孩子说他并没有穿什么衣服呀！”

“他实在是没有穿什么衣服呀！”最后所有的老百姓都说。皇帝有点儿发抖，因为他似乎觉得老百姓所讲的话是对的。不过他自己心里却这样想：“我必须把这游行大典举行完毕。”因此他摆出一副更骄傲的神气，他的内臣们跟在他后面走，手中托着一个并不存在的后裾。

坚定的锡兵[1]

从前有二十五个锡做的兵士。他们都是兄弟,因为都是从一根旧的锡汤匙铸出来的。他们肩上扛着毛瑟枪[2],眼睛直直地向前看着。他们的制服一半是红的,一半是蓝的,但是非常美丽。他们待在一个匣子里。匣子盖一揭开,他们在这世界上所听到的第一句话是:"锡兵!"这句话是一个小孩子喊出来的;他拍着双手。今天是他的生日,这些锡兵就是他得到的一件礼物。他现在把这些锡兵摆在桌子上。

所有的兵都是一模一样,只有一个稍微有点不同:他只有一条腿,因为他是最后被铸出来的,锡不够用!但是他仍然能够用一条腿坚定地站着,跟别人用两条腿站着没有两样,而且后来最引人注意的也就是他。

他们立着的那张桌子上还摆着许多其他的玩具,不过最吸引人注意的一件东西是一个纸做的美丽的宫殿。从那些小窗子望进去,人们一直可以看到里面的大厅。大厅前面有几株小树,都是围着一面小镜子立着的——这小镜子算是代表一个湖。几只蜡做的小天鹅在湖上游来游去;它们的影子倒映在水里。这一切都是美丽的,不过最美丽的要算一位小姐:她站在敞开的宫殿门口。她也是用纸剪出来的,不过她穿着一件漂亮的布裙子。她肩上飘着一条小小的蓝色缎带,看起来仿佛像一幅头巾。缎带的中央插着一件亮晶晶的装饰品——简直有她整个的脸庞那么大。这位小姐伸着双

① 锡兵是指用镀锡铁皮做的玩具兵。

② 过去德国毛瑟(Mauser)工厂制造的各种枪都叫做毛瑟枪,一般是指该厂的步枪。

手——因为她是一个舞蹈艺术家。她有一条腿举得非常高,弄得那个锡兵简直望不见它。因此他就以为她也像自己一样,只有一条腿。

“她倒可以做我的妻子呢!”他心里想,“不过她的架子太大了。她住在一个宫殿里,而我却只有一个匣子,而且我们还是二十五个人挤在一起。这恐怕她住不惯。不过我倒不妨跟她认识认识。”

于是他就在桌子上的一个鼻烟壶后面直直地躺下来。他从这个角度可以完全看到这位漂亮的小姐——她一直是用一条腿立着的,丝毫没有失去平衡。

当黑夜到来的时候,其余的锡兵都走进匣子里去了;家里的人也都上床去睡了。玩偶们这时就活动起来:它们互相“访问”,闹起“战争”来,或是开起“舞会”来。锡兵们也在他们的匣子里面吵起来,因为他们也想出来参加,可是揭不开盖子。胡桃钳翻起筋斗来,石笔在石板上乱跳乱叫起来。这真像是魔王出世,结果把金丝鸟也弄醒了。她也开始发起议论来,而且出口就是诗。这时只有两个人没有离开原位:一个是锡兵,一个是那位小小的舞蹈家。她直直地用她的脚尖立着,双臂外伸。他也是稳定地用一条腿站着的,他的眼睛一忽儿也没有离开她。

忽然钟敲了十二下,于是“碰”! 那个鼻烟壶的盖子掀开了;可是那里面并没有鼻烟,却有一个小小的黑妖精——这鼻烟壶原来是一个伪装。

“锡兵,”妖精说,“请你把你的眼睛放老实一点!”

可是锡兵装做没有听见。

“好吧,明天你瞧吧!”妖精说。

第二天早晨,小孩们都起来了。他们把锡兵移到窗台上去。不知是那妖精在搞鬼呢,还是一阵阴风在作怪,窗子忽然开了。锡兵从三楼倒栽葱地跌到地上来。这一跤真是可怕到万分! 他的腿直竖起来,他倒立在他的钢盔中。他的刺刀插在街上的铺石缝里。

保姆和那个小孩立刻走下楼来寻找他。虽然他们几乎踩着了他的身体,可还是没有发现他。假如锡兵喊一声“我在这儿!”的话,他们就看得见他了。不过他觉得自己既然穿着军服,高声大叫,是不合礼节的。

现在天空开始下雨了。雨点越下越密,最后简直是大雨倾盆了。雨停了以后,有两个野孩子在这儿走过。

“你瞧!”有一个孩子讲,“这儿躺着一个锡兵。咱们让他去航行一番吧!”

他们用一张报纸折了一条船,把锡兵放在里面。锡兵就这么沿着水沟顺流而下。这两个孩子在岸上跟着他跑,拍着手。天啊!沟里掀起了一股多么大的浪涛啊!这是一股多么大的激流啊!下过一场大雨究竟不同。纸船一上一下地簸动着,有时它旋转得那么急,弄得锡兵的头都昏起来。可是他立得很牢,面色一点也不变;他肩上扛着毛瑟枪,眼睛向前看。

忽然这船流进一条很长很宽的下水道里去了。四周是一片漆黑,正好像他又回到他匣子里去了似的。

“我倒要看看,我究竟会流到一个什么地方去!”他想,“对了,对了,这是那个妖精搞的鬼。啊!假如那位小姐坐在这船里,就是再加倍的黑暗我也不在乎。”

这时一只住在下水道里的大耗子来了。

“你有通行证吗?”耗子问,“把你的通行证拿出来!”

可是锡兵一句话也不回答,只是把自己手里的毛瑟枪握得更紧。

船继续往前急驶;耗子在后面跟着。乖乖!请看他那副张牙舞爪的样子;他对干草和木头碎片喊着:

“抓住他!抓住他!他没有留下过路钱!他没有交出通行证看!”

可是激流越翻越大。在下水道尽头的地方,锡兵已经可以看到前面的阳光了。不过他又听到一阵喧闹的声音——这声音可以把胆子大的人都吓倒。想想看吧:在下水道尽头的地方,水流冲进一条宽大的运河里去了。这对他说来是非常危险的,正好像我们被一股巨大的瀑布冲下去一样。

现在他已流进了运河,没有办法止住了。船一直冲到外面去。可怜的锡兵只有尽可能地把他的身体直直地挺起来。谁也不能说,他曾经把眼皮动过一下。这船旋转了三四次,里面的水一直漫到了船边——它要下沉了。直立着的锡兵全身浸在水里,只有头伸出水面。船在深深地下沉,纸也慢慢地松开了。水现在已经淹到兵士的头上了……他不禁想起了那个美丽的、娇小的舞蹈家,他永远也不会再见到她了。这时他耳朵里响起了这样的话:

冲啊,冲啊,你这战士,

你的出路只有一死!

现在纸已经破了,锡兵也就沉到了水底。不过正在这时候,一条大鱼忽然把他吞到肚子里去了。

啊,那里面是多么黑暗啊!那比在下水道里还要糟,而且空间是那么狭小!不过锡兵是坚定的。就是当他直直地躺下来的时候,还是紧紧地扛着毛瑟枪。

这条鱼东奔西撞,做出许多最可怕的动作。后来它忽然变得安静起来。接着一道像闪电似的光射进它身体里来了。阳光照得很亮,有一个人在大声地喊:"锡兵!"原来这条鱼已经被捉住了,送到市场里去,被卖掉了,带进厨房里来,而且女仆用一把大刀子把它剖开了。她用两个手指把锡兵拦腰掐住,拿到客厅里来——这儿大家都要看看这位在鱼腹里作了一番旅行的、了不起的人物。不过锡兵一点也没有显出骄傲的神色。

他们把他放在桌子上——在这儿,嗨!世界上不可思议的事情也真多!锡兵发现自己又来到了从前的那个房间里!他看到从前的那些小孩,看到桌子上从前的那些玩具;还看到那座美丽的宫殿和那位可爱的、娇小的舞蹈家。她仍然用一条腿站着,她的另一条腿仍然是高高地翘在空中。她也是同样地坚定啦!这种精神使锡兵受到感动:他简直要流出锡眼泪来,但是他不能这样做。他望着她,她也望着他,但是他们没有说一句话。

正在这时候,有一个小孩子把锡兵拿起来,把他一股劲儿扔进火炉里去了。他没有说明任何理由:这当然又是鼻烟壶里的那个小妖精在捣鬼。

锡兵站在那儿,全身亮起来了,同时他感到一股可怕的热气。不过这热气是从实在的火里发出来的呢,还是从他的爱情中发出来的呢,他完全不知道。他的一切光彩现在都没有了。这是因为他在旅途中失去了呢,还是悲愁的结果,谁也说不出来。他望着那位娇小的姑娘,而她也望着他。他觉得他的身体在慢慢地熔化,但是他仍然扛着枪,坚定地立着不动。这时门忽然开了,一阵风闯进来,吹起这位小姐。她就像西尔妃德①一样,飞向火炉,飞

① 根据中世纪欧洲人的迷信,西尔妃德(Sylphide)是空气的女仙。她是一位体态轻盈,身材纤细,虚无缥缈的人儿。

到锡兵的身边去,化为火焰,立刻就不见了。这时锡兵已经化成为一个锡块。第二天,当女仆把炉灰倒出去的时候,她发现锡兵已经成了一颗小小的锡心。可是那位舞蹈家留下来的只是那颗亮晶晶的装饰品,但它现在已经烧得像一块黑炭了。

铜　猪

在佛罗伦萨城[1]里，离大公爵广场不远，有一条小小的横街；我想它是叫做波尔塔·罗萨。在这条街上的一个蔬菜市场前面，有一只艺术性非常强的铜猪。这个动物因为年代久远，已经变成了墨绿色。一股新鲜清亮的水从它嘴里喷出来。它的鼻子发着光，好像有人把它擦亮了似的。事实上也是如此：成千上万的小孩子和穷人，常常用手抓住这个动物的鼻子，把嘴凑上去喝水。当你看到一个半裸着的天真孩子紧紧地抱着这只好看的动物、把鲜红的嘴唇凑到它的鼻子上的时候，这真是一幅美丽的图画。

无论什么人，一到佛罗伦萨来就很容易找到这块地方。他只须问一声他所碰到的头一个乞丐，就可以找到这只古铜猪。

这是一个冬天很晚的黄昏时分。山上都盖满了雪；可是月亮还在照着，而且意大利的月光，跟阴惨惨的北欧冬天的日光比起来，也不见得有什么逊色。不，比那还要好，因为空气在发着光，使人感到轻快；而在北欧呢，那种寒冷、灰色、像铅一样的阴沉气氛，把我们压到地上——压到又寒又湿的、将来总有一天会埋葬我们的棺材的地上。

在公爵的花园里，在一片松树林下面——这儿有一千株玫瑰在冬天开着花——有一个衣衫褴褛的孩子，他坐了一整天。他是意大利的一个缩影：

---

① 这是意大利中部佛罗伦萨（Florents）的首府，在意大利文里叫做翡冷翠（Firenze），一般称为"花的城市"（La citta dei flori），因为城市里和周围的平原上生长着许多花。城市里还有许多古老的建筑和雕刻，是一个富有艺术气息的城市。

那么美丽，满脸微笑，但是极端穷苦。他是又饥又渴，谁也不给他一个毫子。天黑了的时候，花园的门要关了，看守人就把他赶出来。他站在亚尔诺河[①]的桥上，沉思了好久。他望着星星——它们在他和这座美丽的大理石桥之间的水上闪耀着。

他向那个铜猪走去。他半跪在地上，用双手抱着它的脖子，把小嘴凑到它亮光光的鼻子上去，喝了一大口新鲜水。附近有几片生菜叶子和一两个栗子：这就是他的晚餐。这时街上什么人也没有。只有他一个人。他骑在铜猪的背上，腰向前弯，他长满了鬈发的头搁到这动物的头上。在不知不觉之间，他就睡去了。

这是半夜。铜猪动了一下。于是他就听到它很清楚地说："你这小家伙，骑稳啦，我可要开始跑了！"它就真的背着他跑起来了。这真是一次很滑稽的旅行。他们先跑到大公爵广场上去。背着那位大公爵塑像的大铜马高声地嘶鸣了一阵。老市政府门框上的彩色市徽射出光来，像透亮的图案；米开朗琪罗的"大卫"[②]在挥着掷石器[③]。这些东西中有一种奇异的生命在搏动着！表现珀耳修斯[④]的和萨比尼人[⑤]的被蹂躏的一系列的古铜像，不仅仅都有生命，而且还发出一阵死亡的叫声，在这个美丽的、孤寂的广场上震响。

铜猪在乌菲齐宫[⑥]旁的拱道下面停下来了——从前的贵族常常到这儿过狂欢节。

"骑稳啦！"这动物说，"骑稳啦，因为我们现在要上楼了。"这小家伙一

---

① 亚尔诺河（Arno）是意大利中部的一条河，流过佛罗伦萨城。

② 米开朗琪罗（Michelangelo Buonaroti，1475—1564）是意大利文艺复兴时期的一个伟大的雕刻家、建筑家和诗人。"大卫"是他所刻的基督圣徒大卫的一个巨大的大理石像。

③ 这是古代的一种武器：它是一种两端系有绳子的皮带。石块或子弹放在里面，经过一番挥转，便借离心力而射出。

④ 这是指佛罗伦萨的艺术家切利尼（Benvenuto Cellini，1500—1571）雕塑的一尊铜像。它表现希腊神话中的勇士珀耳修斯（Perseus）砍掉女妖美杜莎（Medusa）的头。

⑤ 萨比尼人（Sabine）是住在意大利中部的一个民族。他们在公元前290年被罗马人所征服。他们的女人受到征服者的大规模的蹂躏。

⑥ 这是佛罗伦萨一个有名的绘画陈列馆，意大利文是 Palazzo degli uffizi，里面陈列着意大利各个时代的名画。

半儿高兴，一半儿吃惊，说不出一句话来。

他们走进一条很长的画廊。这地方他很熟悉，因为他曾经来过。墙上挂满了画；这儿还有许多全身像和半身像。它们被最明亮的灯光照着，好像是在白天一样。不过，当通到旁边房间的门打开的时候，那景象真是再美丽也没有了。这孩子记得这儿的华丽景象，不过在今天夜里，一切更显得非凡地壮丽。

这儿立着一个可爱的裸体妇人，她是那么美，只有大自然和最伟大的艺术家才能把她创造出来。她的美丽的肢体在轻柔地移动；她的脚下有海豚在跳跃；她的双眼射出永恒不朽的光芒。世人把她叫做美第奇的"维纳斯"①。她的两旁立着许多大理石像——它们都被注入了生命的精灵。这些都是美丽的裸体男子；有一个正在磨剑，因此他被叫做磨剑人。另一系列的雕像是一群搏斗的武士；斗士们都在磨剑，他们都要争取这位美的女神。

这个孩子在这种壮观面前感到惊奇。墙上射出种种的光彩，一切都有生命，都能动作。维纳斯——现世的维纳斯像——丰满而又热情，正如提香②见到她时一样，这真是一种奇观。在她旁边是两个美丽女人的画像：她们娇美的、裸着的肢体伸在柔软的垫子上；她们的胸脯在起伏地动着，头也在动着，弄得浓密的鬈发垂到圆润的肩上，在此同时那一双双乌黑的眼睛表示出她们炽热的内心。不过没有任何一张画敢走出画框。美的女神、斗士和磨剑人留在自己的原位上，因为圣母、耶稣和圣·约翰所射出的荣光，把他们罩住了。这些神圣的画像已经不再是画像了，他们就是神本身。

从这一个殿到那一个殿，是说不尽的光彩！是说不尽的美丽！这小家伙把这些东西全都看了，因为铜猪是一步一步地走过这些美和这些光。下一幅画总是冲淡头一幅画的印象。只有一幅图画在他的灵魂里面深深地生下了根，这是因为它里面有很多幸福的孩子——而这小家伙有一次在大白

① 这是爱情的女神维纳斯（Venus）的名雕像之一。美第奇是佛罗伦萨的统治者，相传他热心保护文学、艺术和诗人。

② 提香（Titian，1490—1576）是意大利威尼斯学派的一个名画家。

天里曾经对这些孩子点过头。

有许多人在这幅画面前漠不关心地走过,而这幅画却是一个诗的宝库。它表现救世主走向地狱。不过他周围的人并不是受难者,而是邪教徒。这幅画是佛罗伦萨人安季奥罗·布龙切诺[①]绘的。它里面最美的东西是孩子面上的表情——他们认为自己能走进天国的那种信心;有两个小家伙已经拥抱在一起,还有一个在对那个站在他下面的伸着手,似乎在说:“我要到天国去了!”年纪大的人都站在那儿犹疑,有的在希望,有的在主耶稣面前卑微地低着头。

这孩子把这幅画看得比任何画都久。这时有一个低微的叹息声发起来了:它是从这幅画里发出来的呢,还是从这动物发出来的?小家伙对那些微笑着的孩子们高举起手来……于是铜猪就背着他跑出去了,一直跑出那个敞开着的大门。

“我感谢你和祝福你,你——可爱的动物!”小家伙说,同时把铜猪拍了几下。它就“砰!砰!”跳下了台阶。

“我也感谢你和祝福你!”铜猪说,“我帮助了你,你也帮助了我呀,因为只有当一个天真的孩子骑在我背上的时候,我才能有力量跑动!是的。你看吧,我还能走到圣母画像面前那盏灯的光亮下面去呢。什么地方我都可以把你带去;只有教堂我不能进去!不过,只要你在我身上,我站在外面就可朝着敞开的大门看见里面的东西了。请你不要从我的背上溜下来吧;因为如果你这样做,我就会停下来死掉,像你白天在波尔塔·罗萨看到我的那个样子。”

“我不离开你,我亲爱的朋友!”小家伙说。

于是他们就以飞快的速度跑过佛罗伦萨的街道,一直跑到圣·克鲁采教堂前面的广场上。

教堂的门自动地向两边开了,祭坛上的灯光射到教堂外面来,一直射到这孤独的广场上。

教堂左边的一个墓碑上射出一道奇异的强光,无数移动着的星星在它周围形成一道光圈。墓上有一个纹章发出光辉,一架以绿色为背景的红色

---

① 安季奥罗·布龙切诺(Angiolo, Broncino,1502—1572)是佛罗伦萨的一个画家。

梯子射出火一般的光焰，这就是伽利略[1]的坟墓。这是一个朴素的墓碑，不过这绿地上的红色梯子是一种极有意义的纹章：它好像就代表艺术，因为艺术的道路总是经过一个灼热的梯子通到天上去的。一切心灵的先知[2]都升到天上，像先知伊里亚[3]一样。

在教堂的右边，刻满了花纹的石棺上的每一个半身像，似乎都具有生命。这儿立着米开朗琪罗；那儿立着戴有桂冠的但丁、阿尔菲爱里[4]和马基雅弗利[5]，因为在这儿，伟人们——意大利的光荣——都是并排地躺在一起。这是一座华丽的教堂，比佛罗伦萨的大理石主教堂更要美丽，但是没有那样宽大。

那些大理石刻的衣服似乎在飘动，那些巨大的石像似乎把头抬得更高，在黑夜的歌声和音乐中，朝着那明亮的、射出光彩的祭坛凝望——这儿有一群穿着白衣的孩子在挥动着金制的香炉。强烈的香烟从教堂流到外面空旷的广场上。

这孩子向这闪耀着的光辉伸出手来。在这同时，铜猪又开始奔跑：他得把它紧紧地抱着。风在他的耳边呼啸；他听到教堂开门的时候，门上的枢轴发出嘎吱的响声。在这同时，他的知觉似乎离开了他，他打了一个寒战，就醒了。

这是早晨。他仍然坐在铜猪的背上，但他差不多已经要滚下来了。这只猪仍然像过去一样，立在波尔塔·罗萨的那块老地方。

这孩子一想起那个他称为“母亲”的女人，心中就充满了恐惧和战栗。她昨天叫他出去讨几个钱回来，到现在他却一个铜子也没有弄到手，并且还感到又饥又渴。他又把铜猪的脖子拥抱了一次，吻了吻它的鼻子，对它点点头，然后就走开了。他走进一条最狭小的街道——狭小得只够让一只驮着

---

① 伽利略（Galileo，1564—1642）是意大利的天文学家和物理学家。发明过许多物理学上的定律。他同时是佛罗伦萨大学的教授。

② 指艺术家。据基督教《圣经》上的意义。先知是指代上帝说教的人。

③ 古代希伯来民族的一个先知。

④ 阿尔菲爱里（Vittorio Alfieri，1749—1803）是意大利的剧作家和诗人。

⑤ 马基雅弗利（Niccolo di Bernardo Machiavelli，1469—1527）是佛罗伦萨的政治家和政治理论家，并且是“不择手段，只求达到目的”的泼辣的外交家。

东西的驴子走过去。一扇用铁皮包着的大门半掩着。他走了进去,爬上了砖铺的梯子——梯子两边的墙非常脏;只有一根光滑的绳子算是梯子的扶手。他一直爬到晒着许多破衣的阳台上。从这儿又有一道梯子通到下边的院子。这里有一口水井,有许多铁丝从这口井牵到各层的楼上。许多水桶并排地悬着;辘轳格格地响起来,于是水桶就在空中东摇西摆,水洒得满院子都是。另外还有一道要倒的砖梯通到楼上。有两个俄国水手正在兴冲冲地走下楼来,几乎把这个可怜的孩子撞倒了:他们在这儿狂欢了一夜,正要回到船上去。一个年纪不小的胖女人,长着一头粗硬的黑发,送他们下楼。

"你带了什么东西回来?"她问这孩子。

"请不要生气吧!"他哀求着,"我什么东西也没有讨到——什么东西也没有!"他紧抱着"母亲"的衣服,好像想要吻它似的。

他们走进一个小房间里去。我不想来描写它。我只想说一件事情:房间里有一个带把手的土钵子,里面烧着炭火。它的名字叫做"玛丽多"①。她把这钵子抱在怀里,暖着自己的手指。随后她就用手肘把这孩子一推。

"你总会带回几个钱吧?"她问。

孩子哭起来。她用脚踢了他几下,他哭得更厉害起来。

"请你放安静一点,不然我就会把你这个尖叫的脑袋敲破!"她说,同时举起手中抱着的火钵打过去。孩子发出一声尖叫,倒在地上。这时一位邻居走进来了,她也抱着一个"玛丽多"。

"菲丽姬达,你又在对这孩子干什么?"

"这孩子是我的!"菲丽姬达回答说,"只要我高兴,就可以把他打死,也可以把你打死,贾妮娜!"

于是她挥舞着火钵。另一位也举起了火钵,采取自卫行动。这两个火钵互相殴打,弄得碎片、火星和火灰在屋里四处飞扬。可是孩子就在这时候溜出门,穿过天井,跑出去了。这可怜的孩子一直在跑,连气也喘不过来。他在圣·克鲁采教堂面前停下来。头天晚上这教堂的门还是为他开着的。他走进去。一切都在放射着光辉。他在右边的第一个坟旁跪下来。这是米开朗琪罗的坟。他马上放声大哭。有的人来,有的人去。他们念着弥撒,可

① 这词的意大利原文是 Marito,即"丈夫"或"爱人"的意思。

是谁也没有理会这孩子。只有一个年老的市民停住望了他一眼，随后也像其余的人一样，离去了。

饥饿鞭挞着这孩子；他已经没有气力，病了。他爬到墙和大理石墓碑之间的一个角落里，睡着了。这时已经将近黄昏，有一个人拉了他一下，把他惊醒了。他跳起来，原来刚才那位老市民正站在他面前。

"你病了吗？你的家在什么地方？你在这儿待了一整天吗？"这是这位老人所问的许多问题中的几个问题。

他回答了。这位老人把他带到附近一条偏僻的街上的小屋子里去。他们来到一个制造手套的店里。当他们走进去的时候，有一个妇人在忙着缝纫。一只小小的白哈巴狗——它身上的毛剃得精光，人们看得见它鲜红的皮肤——在桌上跳来跳去，又在这孩子面前翻起跟头来。

"天真的动物马上就相互认识了。"女人说。

她抚摸这孩子和小狗。这对善良的夫妇给这孩子一些食物和饮料，同时说他可以在这儿过一夜，第二天裘赛比爸爸可以到他的母亲面前去讲情。他在一个简陋的小床上睡了，不过对于他这个常常在硬石板上睡觉的人说来，这床简直是太舒服了。他睡得很好，梦见那些美丽的绘画和那只铜猪。

裘赛比爸爸第二天早上出去了。这个可怜的孩子对于这件事并不感到高兴，因为他知道他出去的目的是要把他送回到他"母亲"那儿去。于是他哭起来，吻着那只快乐的小狗。那妇人点点头，表示同意他们俩的行为。

裘赛比爸爸带回了什么消息呢？他跟他的太太讲了很久的话，而她一直在点着头，抚摸着这孩子的脸。

"他是一个可爱的孩子！"她说，"他也能像你一样，成为一个很能干的手套匠人！你看，他有多么细致的手指！圣母注定他要成为一位手套制造家。"

孩子留在这家里，妇人教他缝手套；他吃得很好，睡得也很好，而且很快乐，他还开始跟"最美的人儿"——这就是那只小狗的名字——开玩笑呢；可是妇人伸出手指来吓他，骂他，还和他生气。这触动了孩子的心事。他在他的小房间里默默地坐着。房间面对着一条晒着许多皮的街道；窗子上有很粗的铁栏杆。他睡不着，因为他在想念那只铜猪。这时他忽然听到外面有一阵"扑嗒！扑嗒！"的声音。这一定是那只猪了。他跳到窗子那儿去，可是什么也看不见——它已经走过去了。

"快帮助先生提他的颜料匣子吧。"太太第二天早晨对孩子说。这时他们的一位年轻邻居——一位画家——正在提着颜料匣子和一大卷帆布走过。

孩子拿起颜料匣子,跟着这位画家走了;他们走到美术陈列馆,登上台阶——那晚他曾经骑着铜猪到这台阶上来过,所以他记得很清楚。他认得出那些半身像和绘画,那座美丽的大理石雕的维纳斯和那用彩色活灵活现地绘出的维纳斯。他又看到了圣母、救世主和圣·约翰。

他们在布龙切诺绘的那幅像面前站着,一声不响。在这幅画里,耶稣走到下界,许多孩子在他的周围微笑,幸福地等待走进天国。这个穷苦的孩子也在微笑,因为他觉得好像天国就在眼前。

"你现在回去吧!"画家站了一会儿,把画架架好以后说。

"我能看看你画画吗?"孩子问,"我可以看看你在这张白帆布上把那幅画画下来吗?"

"我现在还不能马上就画。"画家回答说。他取出一支黑粉笔。他的手在很快地挥动,眼睛在打量那张伟大的绘画。虽然他只画出几根很细的线条,救世主形象却现出来了,像在那张彩色画里一样。

"你为什么不走呢?"画家问。

这孩子默默不语地走回家去。他坐在桌子旁边学习缝手套。

但是他整天在想那个美术陈列馆。因此有时他的针刺着了他的手指,使他显得很笨拙。不过他再也不去逗着"最美的人儿"玩了。当黄昏到来,门还是开着的时候,他就偷偷地溜出去。这是一个很寒冷、但是星光满天的晚上,既美丽,又明亮。他走过几条静寂的街道,不久就走到铜猪面前来了。他对它弯下腰来,在它光滑的鼻子上吻了一下,于是他就骑上它的背。

"你这个幸福的动物!"他说,"我是多么想念着你啊!我们今晚上要去逛逛才好。"

铜猪立着一动也不动。新鲜的泉水从它的嘴里喷出来。小家伙像一个骑师似的坐着。这时他觉得有人在拉他的衣服。他朝旁边一看,原来是"最美的人儿"来了——那个毛剃得光光的"最美的人儿"。这只小狗也是跟他一道偷偷地溜出屋子的,而他却没有发现。"最美的人儿"叫了几声,好像是在说:“你看我也来了,为什么你坐在这儿呢?”这条小狗在这块地方比一条凶猛的蟒蛇还要使这孩子害怕。像那位老太太说的一样,“最美的人儿”居然跑到街上来了,而且还没有穿上衣服哩!结果会怎样呢?小狗除非披上了一块羔羊皮,它在冬天是从来不出门的。这块羔羊皮是专为它裁制的。它是用一根红缎带系在小狗的脖子上的,此外还有一个蝴蝶结和小铃铛;另外还有一根带子系在它的肚子上。当小狗在冬天穿着这样的衣服和女主人一块散步的时候,它很像一只羔羊。现在“最美的人儿”却在外面而没有穿上衣服!这会产生一个什么后果呢?他作了许许多多的推想。不过他又吻了这铜猪一次,把“最美的人儿”抱进怀里;这小东西冻得发抖,因此这孩子尽快地向前跑。

“你抱着一件什么东西跑得这样快?”他在路上遇着的两个宪兵问他,同时“最美的人儿”也叫起来。“你从什么地方偷来这只漂亮的小狗的?”他们问,并且把小狗从他手中夺过来。

“啊,请把小狗还给我吧!”孩子哀求着。

“假如你没有偷它,你可以回去告诉家里的人,叫他们到警察局来领取。”接着他们把地址告诉他,就带着“最美的人儿”走了。

这真是糟糕透顶的事儿!孩子不知道应该跳到亚尔诺河里去呢,还是回家去坦白一番好。他想,他们一定会把他打死的。

“不过我倒很愿意被打死。如果我死了,我可以去找耶稣和圣母!”于是他回到家里去,准备被打死。

门已经关上了,他的手又够不到门环。街上什么人也没有,只有一块松石头。他就拿起这块石头敲着门。

“是谁?”里面有人问。

“是我,”他说,“‘最美的人儿’逃走了。请开门,打死我吧!”

大家为这“最美的人儿”感到非常狼狈,特别是太太。她马上朝那经常挂着小狗的衣服的墙上看。那块羔羊皮还在那儿。

“‘最美的人儿’在警察局里!”她大声叫起来,“你这个坏蛋!你怎样把它弄出去的?它会冻死的!可怜娇嫩的小东西,现在落到粗暴的丘八手中去了!”

爸爸马上就出去了——太太恸哭起来,孩子在流着眼泪。住在这幢房子里的人全都跑来了，那位画家也来了：他把孩子抱在他双腿中间，问了他许多问题。他从这孩子的一些不连贯的话语中听到关于铜猪和美术陈列馆的整个故事——这故事当然是不太容易理解。画家安慰了孩子一番，同时也劝了劝这位太太。不过，等到爸爸把在丘八们手中待过一阵子的"最美的人儿"带回家以后，她才算安静下来。随后大家就非常高兴。画家把这可怜的孩子抚摸了一会儿，同时送给他几张图画。

啊，这些真是可爱的作品——这么些滑稽的脑袋！……特别是那只栩栩如生的铜猪。啊！什么东西也没有比这好看！只是寥寥几笔就使它立在纸上，甚至它后面的房子也被画出来了。

"啊，如果一个人能够描写和绘画，那么他就可以把整个的世界摆在他面前了！"

第二天，当他身边没有人的时候，这小家伙拿出一支铅笔，在图画的背面临摹了那幅铜猪，而他居然做得很成功！——当然有些不太整齐，有点歪歪倒倒，一条腿粗，一条腿细。虽然如此，它的形象仍然很清楚。他自己对这成绩感到高兴。他看得很清楚。这支铅笔还不能随心所欲地灵活使用。不过，到第三天，原来的铜猪旁边又出现了另一只，而这一只比头一只要好一百倍。至于第三只，它是非常好，一眼就可以看得出来。

可是手套的生意并不兴旺；他的跑腿工作尽可以不慌不忙地去做。铜猪已经告诉了他：任何图画都可以在纸上画下来，而佛罗伦萨本身就是一个画册，只要人愿意去翻翻它就成。三一广场①上有一个细长的圆柱，上面是正义的女神的雕像。她的眼睛被布蒙着，手中拿着一个天平。马上她就被移到纸上来了，而移动她的人就正是手套制造匠的这个小学徒。他的画越积越多，不过全都是些静物。有一天，"最美的人儿"跳到他面前来了。

"站着不要动！"他说，"我要使你变得美丽，同时叫你留在我的画册里面。"

不过"最美的人儿"却不愿意站着不动，所以他就把它绑起来。它的头和尾巴都被绑住了，因此它就乱跳乱叫，结果他不得不把绳子拉得更紧。这时太太就来了。

---

① 原文是 Piazza della Trinita。

“你这恶毒的孩子！——可怜的动物！”她这时能够说出来的就只是这句话。

她把这孩子推开，踢了他一脚，叫他滚出去——他，这个最忘恩负义的废料和最恶毒的孩子。于是她一把眼泪一把鼻涕地吻了这只被缢得半死的小小的“最美的人儿”。

正在这时候，那位画家走上楼来了。故事的转折点就从这时候开始。

1834年，佛罗伦萨的美术学院举行了一个展览会。有两张并排放着的画吸引住了许多观众。较小的那幅画表现一个快乐的小孩坐着作画——他的模特儿是一个毛剃得很光的小白哈巴狗；不过这东西不愿意静静地站着，因此它的脖子和尾巴便被一根线绑起来了。这幅画里有真理，也有生活，因而大家都对它感兴趣。画这幅画的人据说是一个年轻的佛罗伦萨的居民，他小时是一个流浪在街头的孤儿，由一个老手套匠养大，他是自修学好绘画的。一位驰名的画家发现了这个天才，而他发现的时候恰恰是这个孩子要被赶出去的时候，因为他把太太的一只心爱的小哈巴狗绑起来，想要它作个模特儿。

手套制造匠的徒弟成了一个伟大的画家：这幅画本身证明了这一点，而在它旁边一幅较大的画更证明了这一点。这里面只是绘着一个人像——一个衣衫褴褛的美貌的孩子，他坐在地上，睡在街上，靠着波尔塔·罗萨街上的那只铜猪①。所有的观众都知道这个地方。孩子的双臂搭在这只猪的头上，而他自己则在呼呼地打盹。圣母画像面前的灯对这孩子白嫩的面孔射出一道强有力的光——这是一张美丽的画！一个镀金的大画框镶着它，在画框的一角悬着一个桂花圈；可是在绿叶中间扎着一条黑带，黑带上面挂着一块黑纱。

因为这位青年艺术家在几天以前死去了！

---

① 铜猪是后来铸造的。原物很古，是用大理石刻成的猪，立在乌菲齐宫美术陈列馆前面的广场上。

玫瑰花精

花园中央有一个玫瑰花丛，开满了玫瑰花。这些花中有一朵最美丽，它里面住着一个花精。他的身体非常细小，人类的眼睛简直没有办法看得见他。每一片玫瑰花瓣的后面都有一张他的睡床。像任何最漂亮的孩子一样，他的样子好看，而且可爱。他肩上长着一双翅膀，一直垂到脚跟。哎，他的房间才香哩！那些墙壁是多么透明和光亮啊！它们就是粉红的、细嫩的玫瑰花瓣。

他整天在温暖的太阳光中嬉戏。他一忽儿飞向这朵花，一忽儿又飞向那朵花；他在飞翔着的蝴蝶翅膀上跳舞，他计算一共要走多少步子，才能跑完一片菩提树叶上的那些大路和小径——我们所谓的叶脉，在他看起来就是大路和小路。的确，对他说来，这真是一些走不完的路！他还没有走完，太阳就落下去了；因为他开始得太迟了。

天气变得非常冷。露水在下降，风儿在吹。这时最好的办法是回到家里去，所以他就尽快地赶路。但是玫瑰花已经闭上了，他没有办法进去——连一朵开着的玫瑰花也没有了。可怜的小花精因此就非常害怕起来。他过去从来没有在外面宿过夜，他总是很甜蜜地睡在温暖的玫瑰花瓣后面。啊，这简直是要他的命啊！

他知道，在花园的另一端有一个花亭，上面长满了美丽的金银花。那些花很像画出来的兽角。他真想钻进一个角里去，一直睡到天明。

于是他就飞进去了。别做声！花亭里还有两个人呢——一个漂亮的年轻人和一个美丽的少女。他们紧挨在一起坐着；他们希望永远不要分开。

他们彼此相爱,比最好的孩子爱自己的爸爸和妈妈还要强烈得多。

"但是我们不得不分开!"那个年轻人说,"你的哥哥不喜欢我们俩,所以他要我翻山过海,到一个遥远的地方去办一件差事。再会吧,我亲爱的新嫁娘——因为你不久就是我的新嫁娘了!"

他们互相接吻。这位年轻的姑娘哭了起来,同时送给他一朵玫瑰。但是她在把这朵花交给他以前,先在上面吻了一下。她吻得那么诚恳,那么热烈,花儿就自动地张开了。那个小花精赶快飞进去,把他的头靠着那些柔嫩的、芬芳的墙壁。但是他很清楚地听到他们说:"再会吧! 再会吧!"他感觉到这朵花被贴到年轻人的心上——啊,这颗心跳动得多么厉害啊! 小小的花精怎么也睡不着,因为这颗心跳得太厉害了。

但是这朵花儿没有在他的心上贴得太久,那个年轻人就把它取出来了。他一边走过阴暗的森林,一边吻着这朵玫瑰花。啊,他吻得那么勤,那么热烈,小小的花精在里面几乎要被挤死了。他隔着花瓣可以感觉到年轻人的嘴唇是多么灼热,这朵花开得多么大——好像是在中午最热的太阳光下一样。

这时来了另外一个人,一个阴险和毒辣的人。这人就是那个美丽姑娘的坏哥哥。他抽出一把又快又粗的刀子。当那个年轻人正在吻着玫瑰花的时候,他一刀把他刺死了;接着他把他的头砍下来,连他的身体一起埋在菩提树底下的柔软的土里。

"现在他完蛋了,被人忘掉了,"这个恶毒的哥哥想,"他再也回不来了。他的任务是翻过海,作一次长途的旅行。这很容易使他丧失生命,而他现在也就真的丧命了。他再也回不来了;我的妹妹是不敢向我问他的消息的。"

他用脚踢了些干叶子到新挖的土上去,然后就在黑夜中回到家里来。但是与他的想象相反,他并不是一个人独自回来的;那个小小的花精在跟着他。他坐在一片卷起的干菩提树叶里。当坏人正在挖墓的时候,这片叶子恰巧落到了他的头发上。现在他戴上了帽子,帽子里非常黑暗,花精害怕得发抖,同时对这种丑恶的行为却又感到很生气。

坏人在天亮的时候回到家里来了。他取下帽子,径直走到他妹妹的房间里去。这位像盛开的花朵一般美丽的姑娘正在睡觉,正在梦着她心爱的人儿——她还以为他在翻山走过树林呢。恶毒的哥哥弯下腰来看着她,发出一个丑恶的、只有恶魔才能发出的笑声。这时他头上那片干枯的叶子落到被单上去了，但是他却没有注意到。他走了出来，打算在清晨睡一小觉。

但花精却从干枯的叶子上溜出来，走到正在熟睡的姑娘的耳朵里去。像在梦中一样，他把这个可怕的谋杀事件告诉了她，并且把她哥哥刺死他和埋葬他的地方也讲了出来。他还把坟旁那棵开花的菩提树也讲给她听。他说：

“千万不要以为我对你讲的话只是一个梦！你可以在你的床上找到一片干叶子作证！”

她找到了这片叶子。她醒了。

唉，她流了多少痛苦的眼泪啊！没有一个人可以倾听她的悲愁。窗子整天是开着的。小小的花精可以很容易地飞出去，飞到玫瑰花和一切别的花儿中去；但是他不忍离开这个痛苦的姑娘。窗子上放着一盆月季花；他就坐在上面的一朵花上，经常望着这个可怜的姑娘。她的哥哥到她房间里来过好几次。他非常高兴，同时又很恶毒；但是她心里的痛苦，却一个字也不敢告诉他。

黑夜一到，她就偷偷地离开屋子，走到树林中去。她走到菩提树所在的地方，扫掉地上的叶子，把土挖开。她立刻就看到了被人谋害了的他。啊，她哭得多么伤心啊！她祈求上帝，希望自己也很快地死去。

她很想把尸体搬回家来，但是她不敢这样做。她把那个闭着眼睛的、灰白的头颅拿起来，在他冰冷的嘴上亲了一下，然后把他美丽的头发上的土抖掉。“我要把它保存起来！”她说。当她用土和叶子把死尸埋好了以后，就把这颗头带回家来。在树林中埋葬着他的地方有一棵盛开的素馨花；她摘下一根枝子，带回家里来。

她一回到自己的房里，就去找来一个最大的花盆。她把死者的头颅放在里面，盖上土，然后栽上这根素馨花的枝子。

“再会吧！再会吧！”小小的花精低声说。这种悲哀他再也看不下去了；因此就飞进花园，飞到他自己的玫瑰花那儿去。但是玫瑰花儿已经凋谢了，只剩下几片枯萎的叶子，还在那绿色的枝子上垂着。

“唉，美好的东西消逝得多么快啊！”花精叹了一口气。

他终于找到了另一朵玫瑰。这成了他的家。在它柔嫩芬芳的花瓣后面，他可以休息和居住下去。

每天早晨，他向可怜的姑娘的窗子飞去。她老是站在花盆前面，流着眼泪。她的痛苦的泪珠滴到素馨花的花枝上。她一天比一天憔悴，但是这枝子却长得越来越绿，越来越新鲜；它冒出许许多多嫩芽，放出白色的小小花苞。她吻着它们。她恶毒的哥哥骂她，问她是不是发了疯。他看不惯这样子，也不懂她为什么老是对着花盆流眼泪。

他当然不知道这里面有一对什么样的眼睛闭了，有一双什么样的红唇化作了泥土。她对着花盆垂下头。小小的玫瑰花精发现她就是这样睡去了，因此他就飞进她的耳朵，告诉她那天晚上花亭里的情景、玫瑰花的香气和花精们的爱情。她做了一个非常甜蜜的梦，而她的生命也就在梦里消逝了。她死得非常安静，她到天上去了，跟她心爱的人在一起。

素馨花现在开出了大朵的白花，发出非常甜蜜的香气；它们现在只有用那种方式来哀哭死者了。

不过那个恶毒的哥哥把这朵盛开的美丽的花看了一眼，认为这是他的继承物，所以就把它拿走，放在他的卧室里，紧靠在床边，因为这花儿看起来实在叫人愉快，它的香气既甜蜜又清新。那个小小的花精也一块儿跟着进去了。他从这朵花飞到那朵花，因为每朵花里都住着一个灵魂。他把那个被谋害的年轻人——他的头颅已经变成了泥土下面的泥土——的事情讲了出来，把那个哥哥和那个可怜的妹妹的事情也讲了出来。

“这件事我们都知道！”花朵里的每一个灵魂说，“我们都知道！难道我们不是从这被害者的眼睛和嘴唇上生出来的么？我们都知道！我们都知道！”

于是他们用一种奇异的方式点着头。

玫瑰花精不懂，他们怎么能够这样毫不在乎。于是他飞向那些正在采蜜的蜜蜂，把那个恶毒的哥哥的事情告诉他们。蜜蜂们把这事情转告给他们的皇后。于是她就下命令，叫他们第二天早晨把那个谋杀犯刺死。

可是在第一天晚上——就是他妹妹死去的头一个晚上，当哥哥正睡在那盆芬芳的素馨花旁的床上的时候，每朵花忽然都开了。花的灵魂带着毒剑，从花里走出来——谁也看不见他们。他们先钻进他的耳朵，告诉他许多噩梦；然后飞到他的嘴唇上，用他们的毒剑刺着他的舌头。

"我们现在算是为死者报仇了!"他们说,接着就飞回到素馨花的白色花朵上去。

当睡房的窗子早晨打开来的时候,玫瑰花精和蜂后带着一大群蜜蜂飞进来,想要刺死他。

但是他已经死了。许多人站在床的周围;大家都说:"素馨花的香气把他醉死了!"

这时玫瑰花精才知道花儿报了仇。他把这事情告诉给蜂后。她带着整群的蜜蜂在花盆的周围嗡嗡地叫。它们怎么也驱不散。于是有一个人把这花盆搬走,这时有一只蜂儿就把他的手刺了一下,弄得花盆落到地上,跌成碎片。

大家看到了一个白色的头颅;于是他们都知道,躺在床上的死者就是一个杀人犯。

蜂后在空中嗡嗡地吟唱。她唱着花儿的复仇和玫瑰花精的复仇,同时说道,在最细嫩的花瓣后面住着一个人——一个能揭发罪恶和惩罚罪恶的人。

牧羊女和扫烟囱的人

你曾经看到过一个老木碗柜没有？它老得有些发黑了。它上面刻着许多蔓藤花纹和叶子。客厅里正立着这么一个碗柜。它是从曾祖母继承下来的；它从上到下都刻满了玫瑰和郁金香。它上面有许多奇奇怪怪的蔓藤花纹，在这些花纹中间露出一只小雄鹿的头，头上有许多花角。在碗柜的中央雕刻了一个人的全身像。他看起来的确有些好笑，他露出牙齿——你不能认为这就是笑。他生有公羊的腿，额上长出一些小角，而且留了一把长胡须。

房间里的孩子们总是把他叫做"公山羊腿-中将和少将-作战司令-中士"。这是一个很难念的名字，而得到这种头衔的人也并不多。不过把他雕刻出来倒也是一件不太轻松的工作。

他现在就立在那儿！他老是瞧着镜子下面的那张桌子，因为桌子上有一个可爱的瓷做的小牧羊女。她穿着一双镀了金的鞋子；她的长衣服用一朵红玫瑰扎起来，显得很入时。她还有一顶金帽子和一根木杖。她真是动人！

紧靠近她的身旁，立着一个小小的扫烟囱的人。他像炭一样黑，但是也是瓷做的。他的干净和整齐赛得过任何人。他是一个"扫烟囱的人"——这只不过是一个假设而已。做瓷器的人也可能把他捏成一个王子。如果他们有这种心情的话！

他拿着梯子，站在那儿怪潇洒的。他的面孔有点儿发白，又有点儿发红，很像一个姑娘。这的确要算是一个缺点，因为他应该有点发黑才对。他站得离牧羊女非常近；他们两人是被安放在这样的一个地位上的。但是他们现在既然处在这个地位上,他们就订婚了。他们配得很好。两个人都很年轻,都是用同样的瓷做的,而且也是同样的脆弱。

紧贴近他们有另一个人物。这人的身材比他们大三倍。他是一个年老的中国人。他会点头。他也是瓷做的;他说他是小牧羊女的祖父,不过他却提不出证明。他坚持说他有权管她,因此就对那位向小牧羊女求婚的"公山羊腿-中将和少将-作战司令-中士"点点头。

"现在你可以有一个丈夫了!"年老的中国人说,"这人我相信是桃花心木做的。他可以使你成为一位'公山羊腿-中将和少将-作战司令-中士'夫人。他除了有许多秘藏的东西以外,还有整整一碗柜的银盘子。"

"我不愿意到那个黑暗的碗柜里去!"小牧羊女说,"我听说过,他在那儿藏有十一个瓷姨太太。"

"那么你就可以成为第十二个呀,"中国人说,"今天晚上,当那个老碗柜开始嘎嘎地响起来的时候,你就算是结婚了,一点也不差,正如我是一个中国人一样!"于是他就点点头,睡去了。

不过小牧羊女双眼望着她最心爱的瓷制的扫烟囱的人儿,哭起来了。

"我要恳求你,"她说,"我要恳求你带着我到外面广大的世界里去。在这儿我是不会感到快乐的。"

她的爱人安慰着她,同时教她怎样把小脚踏着雕花的桌角和贴金的叶子,沿着桌腿爬下来。他还把他的梯子也拿来帮助她。不一会儿,他们就走到地上来了。不过当他们抬头来瞧瞧那个老碗柜时,却听到里面起了一阵大的骚动声;所有的雕鹿都伸出头来,翘起花角,同时把脖子掉过来。"公山羊腿-中将和少将-作战司令-中士"向空中暴跳,同时喊着对面的那个年老的中国人,说:

"他们现在私奔了! 他们现在私奔了!"

他们有点害怕起来,所以就急忙跳到窗台下面的一个抽屉里去了。

这儿有三四副不完整的扑克牌,还有一座小小的木偶剧场——总算在可能的条件下搭得还像个样子。戏正在上演,所有的女士们——方块、梅花、红桃和黑桃[1]都坐在前一排挥动着郁金香做的扇子。所有的"贾克"都

① 这些都是扑克牌上的花色的名称。

站在她们后面，表示他们上下都有一个头，正如在普通的扑克牌中一样。这出戏描写两个年轻人没有办法结成夫妇。小牧羊女哭起来，因为这跟她自己的身世有相似之处。

"我看不下去了，"她说，"我非走出这个抽屉不可！"

不过当他们来到地上、朝桌上看一下的时候，那个年老的中国人已经醒了，而且全身在发抖——因为他下部是一个整块。

"老中国人走来了！"小牧羊女尖叫一声。她的瓷做的膝头弯到地上，因为她是那么地惊惶。

"我想到一个办法，"扫烟囱的人说，"我们钻到墙脚边的那个大混合花瓶[①]里去好不好？我们可以躺在玫瑰花和薰衣草里面。如果他找来的话，我们就撒一把盐到他的眼睛里去。"

"那不会有什么用处，"她说，"而且我知道老中国人曾经跟混合花瓶订过婚。他们既然有过这样一段关系，他们之间总会存在着某种感情的。不成，现在我们没有其他的办法，只有逃到外面广大的世界里去了。"

"你真的有勇气跟我一块儿跑到外边广大的世界里去么？"扫烟囱的人问，"你可曾想过外边的世界有多大，我们一去就不能再回到这儿来吗？"

"我想过。"她回答说。

扫烟囱的人直瞪瞪地望着她，于是他说：

"我的道路是通过烟囱。你真的有勇气跟我一起爬进炉子、钻出炉身和通风管吗？只有这样，我们才能走进烟囱。到了那里，我就知道怎样办了。我们可以爬得很高，他们怎样也追不到我们。在那顶上有一个洞口通到外面的那个广大世界。"

于是他就领着她到炉门口那儿去。

"它里面看起来真够黑！"她说。但是她仍然跟着他走进去，走过炉身和通风管——这里面简直是漆黑的夜。

"现在我们到了烟囱里面了，"他说，"瞧吧，瞧吧！上面那颗美丽的星

---

① 混合花瓶(Potpourri Krukken)是旧时欧洲的一种室内装饰品，里边一般盛着干玫瑰花瓣和其他的花瓣，使室内经常保持一种香气。为了使这些花瓣不致腐烂，瓶里经常放有一些盐。

星照得多么亮!”

那是天上一颗真正的星。它正照着他们,好像是要为他们带路似的。他们爬着,他们摸着前进。这是一条可怕的路——它悬得那么高,非常之高。不过他拉着她,牵着她向上爬去。他扶着她,指导她在哪儿放下一双小瓷脚最安全。这样他们就爬到了烟囱口,在口边坐下来,因为他们感到非常疲倦——也应该如此。

布满了星星的天空高高地悬着;城里所有的屋顶罗列在他们的下面。他们远远地向四周瞭望——远远地向这广大的世界望去。这个可怜的牧羊女从来没有想象到世界就是这个样子;她把她的小脑袋靠在扫烟囱的人身上,哭得可怜而又伤心,弄得缎带上的金色都被眼泪洗掉了。

“这真是太那个了,”她说,“我吃不消。这世界是太广大了!我但愿重新回到镜子下面那个桌子上去!在我没有回到那儿去以前,我是永远也不会快乐的。现在我既然跟着你跑到这个茫茫的世界里来了,如果你对我有点爱情的话,你还得陪着我回去!”

扫烟囱的人用理智的话语来劝她,并且故意提到那个中国老头儿和“公山羊腿-中将和少将-作战司令-中士”。但是她抽噎得那么伤心,并且吻着这位扫烟囱的人,结果他只好听从她了——虽然这是很不聪明的。

所以他们又费了很大的气力爬下烟囱。他们爬下通风管和炉身。这一点也不愉快。他们站在这个黑暗的火炉里面,静静地在门后听,想要知道屋子里面的情况到底怎样。屋子里是一片静寂,他们偷偷地露出头来看。——哎呀!那个老中国人正躺在地中央!这是因为当他在追赶他们的时候,从桌子上跌下来了。现在他躺在那儿,跌成了三片。他的背跌落了,成为一片;他的头滚到一个墙角里去了。那位“公山羊腿-中将和少将-作战司令-中士”仍然站在他原来的地方,脑子里仿佛在考虑什么问题。

“这真可怕!”小牧羊女说,“老祖父跌成了碎片。这完全是我们的过错。我再也活不下去了!”于是她悲恸地扭着一双小巧的手。

“他可以补好的!”扫烟囱的人说,“他完全可以补好的!请不要过度地激动吧。只消把他的背粘在一起,再在他颈子上钉一个钉子,就可以仍然像新的一样,仍然可以对我们讲些不愉快的话了。”

“你真的这样想吗?”她问。

于是他们就又爬上桌子,回到他们原来的地方去。

“你看,我们白白地兜了一个大圈子,”扫烟囱的人说,“我们大可不必找这许多的麻烦!”

“我只希望老祖父被修好了!”牧羊女说,“这需要花很多的钱吗?”

他真的被修好了。这家人设法把他的背粘好了,在他的颈子上钉了一根结实的钉子。他像新的一样了,只是不能再点头罢了。

“自从你跌碎了以后,你倒显得自高自大起来,”“公山羊腿-中将和少将-作战司令-中士”说,“我看你没有任何理由可以摆出这副架子。我到底跟她结婚呢,还是不跟她结婚?”

扫烟囱的人和牧羊女望着这位老中国人,样子很可怜,因为他们害怕他会点头答应。但是他现在不能点头了,他同时又觉得怪不好意思告诉一个生人,说自己颈子里牢牢地钉着一根钉子。因此这一对瓷人就成为眷属了。他们祝福老祖父的那根钉子;他们相亲相爱,直到他们碎裂为止。

瓦尔都窗前的一瞥[①]

面对着围着哥本哈根的、生满了绿草的城堡，是一幢高大的红房子。它的窗子很多，窗子上种着许多凤仙花和青蒿一类的植物。房子内部是一副穷相；里边住的也全是一些穷苦的老人。这就是“瓦尔都养老院”。

看吧！一位老小姐倚着窗槛站着，她摘下凤仙花的一片枯叶，同时望着城堡上的绿草。许多小孩子就在那上面玩耍。这位老小姐有什么感想呢？这时一出人生的戏剧就在她的心里展开了。

“这些贫苦的孩子们，他们玩得多么快乐啊！多么红润的小脸蛋！多么幸福的眼睛！但是他们没有鞋子，也没有袜子穿。他们在这青翠的城堡上跳舞。根据一个古老的传说，多少年以前，这儿的土老是在崩塌，直到一个天真的小宝宝，带着她的花儿和玩具被诱到这个敞着的坟墓里去才停止；当她正在玩和吃着东西的时候，城堡就筑起来了[②]。从那一忽儿起，这座城堡就一直是坚固的；很快它上面就盖满了美丽的绿草。小孩子们一点也不知道这个故事，否则他们就会听到那个孩子还在地底下哭，就会觉得草上的露珠是热烘烘的眼泪。他们也不知道那个丹麦国王的故事：当敌人在外边

---

① 瓦尔都(Vartou)是哥本哈根的一个收留孤寡人的养老院，建于1700年。

② 丹麦诗人蒂勒(J. M. Thiele)编的《丹麦民间传说》(*Danske Folk-esagn*)中有这样一段记载：“很久很久以前，人们在哥本哈根周围建了一个城堡。城堡一直在不停地崩塌，后来简直无法使它稳固下来，最后大家把一个天真的女孩子放在一把椅子上，在她面前放一个桌子，上面摆着许多玩具和糖果。当她正在玩耍的时候，十二个石匠在她上面建起一座拱门。大家在音乐和喊声中把土堆到这拱门上，筑起一个城堡，从此以后城堡再也不崩塌了。”

围城的时候，他骑着马走过这儿，作了一个誓言，说他要死在他的岗位上[①]。那时许多男人和女人齐集拢来，对那些穿着白衣服，在雪地里爬城的敌人泼下滚烫的开水。

“这些贫穷的孩子玩得非常快乐。

“玩吧，你这位小小的姑娘！岁月不久就要到来——是的，那些幸福的岁月：那些准备去受坚信礼的青年男女手挽着手漫步着。你穿着一件白色的长衣——这对你的妈妈说来真是费了不少的气力，虽然它是一件宽大的旧衣服改出来的。你还披着一条红披肩；它拖得太长了，所以人们一看就知道它是太宽大，太宽大了！你在想着你的打扮，想着善良的上帝。在城堡上漫步是多么痛快啊！

“岁月带着许多阴暗的日子——但也带着青春的心情——走过去了。你有了一个男朋友，你不知道是怎样认识他的。你们常常会面。你们在早春的日子里到城堡上去散步，那时教堂的钟为伟大的祈祷日发出悠扬的声音。紫罗兰花还没有开，但是罗森堡宫外有一株树已经发出新的绿芽。你们就在这儿停下步来。这株树每年生出绿枝，心在人类的胸中可不是这样！一层层阴暗的云块在它上面浮过去，比在北国上空所见到的还要多。

“可怜的孩子，你的未婚夫的新房变成了一具棺材，而你自己也变成了一个老小姐。在瓦尔都，你从凤仙花的后面看见了这些玩耍着的孩子，也看见了你一生的历史的重演。”

这就是当这位老小姐望着城堡的时候，在她眼前所展开的一出人生的戏剧。太阳光在城堡上照着，红脸蛋的、没有袜子和鞋子穿的孩子们像天空的飞鸟一样，在那上面发出欢乐的叫声。

---

① 指丹麦国王佛列得里克三世（Frederick III，1609—1670）。这儿是指1659年2月11日，瑞典军队围攻哥本哈根，但没有夺下该城。

世上最美丽的一朵玫瑰花

从前有一位权力很大的皇后。她的花园里种植着每季最美丽的、从世界各国移来的花。但是她特别喜爱玫瑰花,因此她有各种各色的玫瑰花:从那长着能发出苹果香味的绿叶的野玫瑰,一直到最可爱的、普罗旺斯[①]的玫瑰,样样都有。它们爬上宫殿的墙壁,攀着圆柱和窗架,伸进走廊,一直长到所有大殿的天花板上去。这些玫瑰有不同的香味、形状和色彩。

但是这些大殿里充满了忧虑和悲哀。皇后睡在病床上起不来;御医宣称她的生命没有希望。

"只有一件东西可以救她,"御医之中一位最聪明的人说,"送给她一朵世界上最美丽的玫瑰花——一朵表示最高尚、最纯洁的爱情的玫瑰花。这朵花要在她的眼睛没有闭上以前就送到她面前来,那么她就不会死掉。"

各地的年轻人和老年人送来许多玫瑰花——所有的花园里开着的最美丽的玫瑰花。然而这却不是那种能治病的玫瑰花。那应该是在爱情的花园里摘下来的一朵花;但是哪朵玫瑰真正表示出最高尚、最纯洁的爱情呢?

诗人们歌唱着世界上最美丽的玫瑰花;每个诗人都有自己的一朵。消息传遍全国,传到每一颗充满了爱情的心里,传给每一种年龄和从事每种职业的人。

"至今还没有人能说出这朵花,"那个聪明人说,"谁也指不出盛开着这

---

① 普罗旺斯(Provence)是法国东南部的一个地区。这儿的天气温和,各种各色的花草很多。

朵花的那块地方。这不是罗密欧和朱丽叶棺材上的玫瑰花，也不是瓦尔堡①坟上的玫瑰花，虽然这些玫瑰在诗歌和传说中永远是芬芳的。这也不是从文克里得②的血迹斑斑的长矛上开出的那些玫瑰花——从一个为祖国而死去的英雄的心里所流出的血中开出的玫瑰花，虽然什么样的死也没有这种死可爱，什么样的花也没有他所流出的血那样红。这也不是人们在静寂的房间里，花了无数不眠之夜和宝贵的生命所培养出的那朵奇异之花——科学的奇花。”

“我知道这朵花开在什么地方。”一个幸福的母亲说。她带着她的娇嫩的孩子走到这位皇后的床边来。“我知道在什么地方可以找到世界上最美丽的玫瑰花！那朵表示最高尚和最纯洁的爱情的玫瑰，是从我甜蜜的孩子的鲜艳的脸上开出来的。这时他睡足了觉，睁开他的眼睛，对我发出充满了爱情的微笑！”

“这朵玫瑰是够美的，不过还有一朵比这更美。”聪明人说。

“是的，比这更要美得多，”另一个女人说，“我曾经看到过一朵，再没有任何一朵开得比这更高尚、更神圣的花，不过它像庚申玫瑰的花瓣，白得没有血色。我看到它在皇后的脸上开出来。她取下了她的皇冠，她在悲哀的长夜里抱着她的病孩子哭泣，吻他，祈求上帝保佑他——像一个母亲在苦痛的时刻那样祈求。”

“悲哀中的白玫瑰是神圣的，具有神奇的力量；但是它不是我们所寻找的那朵玫瑰花。”

“不是的，我只是在上帝的祭坛上看到世界上最美的那朵玫瑰花，”虔诚的老主教说，“我看到它像一个安琪儿的面孔似的射出光彩。年轻的姑娘走到圣餐的桌子面前，重复她们在受洗时所作出的诺言，于是玫瑰花开了——她们的鲜嫩的脸上开出淡白色的玫瑰花。一个年轻的女子站在那

---

① 瓦尔堡（Valborg）是8世纪在德国传道的一个修女，在传说中被神化成为“圣者”。她在传说中是保护人民反对魔术侵害的神仙。

② 文克里得（Arnold Von Winkelried）是瑞士的一个爱国志士。1386年瑞士在山巴赫（Sempach）战胜奥国时，据说他起了决定性的作用。他把好几个敌人的长矛抱在一起，使它们刺进自己的胸口里而失去作用。这样他就造成一个缺口，使瑞士军队可以在他身上踩过去，攻击敌人的阵地。

儿。她的灵魂充满了纯洁的爱,她抬头望着上帝——这是一个最纯洁和最高尚的爱的表情。”

“愿上帝祝福她!”聪明人说,“不过你们谁也没有对我说出世界上最美丽的玫瑰花。”

这时有一个孩子——皇后的小儿子——走进房间里来了。他的眼睛里和他的脸上全是泪珠。他捧着一本打开的厚书。这书是用天鹅绒装订的,上面还有银质的大扣子。

“妈妈!”小家伙说,“啊,请听我念吧!”

于是这孩子在床边坐下来,念着书中关于他的事情——他,为了拯救人类,包括那些还没有出生的人,在十字架上牺牲了自己的生命。

“没有什么爱能够比这更伟大!”

皇后的脸上露出一片玫瑰色的光彩,她的眼睛变得又大又明亮,因为她在这书页上看到世界上最美丽的玫瑰花——从十字架上的基督的血里开出的一朵玫瑰花。

“我看到它了!”她说,“看到了这朵玫瑰花——这朵地上最美丽的玫瑰花——的人,永远不会死亡!”

在辽远的海极

有几艘大船开到北极去;它们的目的是要发现陆地和海的界线,同时也要试验一下,人类到底能够向前走多远。它们在雾和冰中已经航行了好几年,而且也吃过不少的苦头。现在冬天开始了,太阳已经不见了。漫长的黑夜将要一连持续好几个星期。四周是一望无际的冰块。船只已经凝结在冰块的中间。雪堆积得很高;从雪堆中人们建立起蜂窠似的小屋——有的很大,像我们的古冢[①];有的还要大,可以住下三四个人。但是这儿并不是漆黑一团;北极光射出红色和蓝色的光彩,像永远不灭的、大朵的焰火。雪发出亮光,大自然是一片黄昏的彩霞。

当天空是最亮的时候,当地的土人就成群结队地走出来。他们穿着毛茸茸的皮衣,样子非常新奇。他们坐着用冰块制作成的雪橇,运输大捆的兽皮,好使他们的雪屋能够铺上温暖的地毡。这些兽皮还可以当做被子和褥子使用。当外面正在结冰、冷得比我们严寒的冬天还要冷的时候,水手们就可以裹着这些被子睡觉。

在我们住的地方,这还不过是秋天。住在冰天雪地里的他们也不禁想起了这件事情。他们记起了故乡的太阳光,同时也不免记起了挂在树上的红叶。钟上的时针指明这正是夜晚和睡觉的时候。事实上,冰屋里已经有两个人躺下来要睡了。

这两个人之中最年轻的那一位身边带着他最好和最贵重的宝物——一

① 这是指欧洲现存的一些史前期的古墓(Kaempeh φie)。它们比一般坟墓大。

部《圣经》。这是他动身前他的祖母送给他的。他每天晚上把它放在枕头底下,他从儿童时代起就知道书里面写的是什么东西。他每天读一小段,而且每次翻开的时候,他就读到这几句能给他安慰的神圣的话语:“我若展开清晨的翅膀,飞到海极居住,就是在那里,你的手必引导我,你的右手,也必扶持我。”①

他记住这些含有真理的话,怀着信心,闭起眼睛;于是他睡着了,做起梦来。梦就是上帝给他的精神上的启示。当身体在休息的时候,灵魂就活跃起来,他能感觉到这一点;这好像那些亲爱的、熟识的、旧时的歌声;这好像那在他身边吹动的、温暖的夏天的风。他从他睡的地方看到一片白光在他身上扩展开来,好像是一件什么东西从雪屋顶上照进来了似的。他抬起头来看,这白天并不是从墙上,或从天花板上射来的。它是从安琪儿肩上的两个大翅膀上射下来的。他朝他的发光的、温柔的脸上望去。

这位安琪儿从《圣经》的书页里升上来,好像是从百合的花萼里升上来似的。他伸开手臂,雪屋的墙在向下坠落,好像不过是一层轻飘的薄雾似的。故乡的绿草原、山丘和赤褐色的树林在美丽的秋天的太阳光中静静地展开来。鹳鸟的窠已经空了,但是野苹果树上仍然悬着苹果,虽然叶子都已经落掉了。玫瑰射出红光;在他的家——一个农舍——的窗子面前,一只八哥正在一个小绿笼子里唱着歌。这只八哥所唱的就正是他以前教给它的那支歌。祖母在笼子上挂些鸟食,正如他——她的孙子——以前所作过的那样。铁匠的那个年轻而美丽的女儿,正站在井边汲水。她对祖母点着头,祖母也对她招手,并且给她看一封远方的来信。这封信正是这天从北极寒冷的地方寄来的。她的孙子现在就在上帝保护之下,住在那儿。

她们不禁大笑起来,又不禁哭起来;而他住在冰天雪地里,在安琪儿的双翼下,也不禁在精神上跟她们一起笑,一起哭。她们高声地读着信上所写的上帝的话语:就是在海极居住,“你的右手,也必扶持我”。四周发出一阵动听的念圣诗的声音。安琪儿在这个梦中的年轻人身上,展开他的迷雾一

① 引自《圣经·旧约全书·诗篇》第一三九篇第九至第十节。

般的翅膀。

他的梦做完了。雪屋里是一片漆黑,但是他的头底下放着《圣经》,他的心里充满了信心和希望。“在这海极的地方”,上帝在他的身边,家也在他的身边!

老 路 灯

你听见过那个老路灯的故事吗？它并不是怎么特别有趣，不过听它一次也没有关系。

这是一个非常和善的老路灯。它服务了许多许多年，但是现在没有人要它了。现在是它最后一晚待在杆子上，照着这条街。它的心情很像一个跳芭蕾舞的老舞女：现在是她最后一晚登台，她知道明天她就要回到顶楼[①]里去了。这个"明天"引起路灯的恐怖，因为它知道它将第一次要在市政府出现，被"三十六位先生"[②]审查一番，看它是不是还能继续服务。

那时就要决定：要不要把它送去照亮一座桥，还是送到乡下的一个工厂里去，也可能直接送到一个炼铁厂去被熔掉。在这种情形下，它可能被改造成为任何东西。不过，它不知道，它是不是还能记得它曾经一度做过路灯——这问题使它感到非常烦恼。

不管情形怎样，它将会跟那个守夜人和他的妻子分开——它一直把他们当做自己的家属。它当路灯的时候也正是他当守夜人的时候。那时他的老婆颇有点自负。她只有在晚上走过路灯的时候，才瞧它一眼；在白天她是不睬它的。不过最近几年间，他们三个人——守夜人、老婆和路灯——都老了；这位太太也来照料它，洗擦它，在它里面加加油。这对夫妇是非常诚实

① 即屋顶下的那间低矮的房间。一般是当作储藏室使用的。只有穷学生和艺术家住在里面。

② 这是丹麦市政府里参议员的总数。

的;他们从来不揩路灯的一滴油。

现在是路灯在街上的最后一晚了;明天它就得到市政府去。这两件事情它一想起就难过!人们不难想象,它现在点燃的劲头不大。不过它的脑子里面也起了许多别的感想。它该是看过多少东西,该是照过多少东西啊,可能它看过的东西还比得上那"三十六位先生"呢。不过它不愿意讲出来,因为它是一个和善的老路灯。它不愿意触怒任何人,更不愿意触怒那些当权的人。它想起许多事情;偶尔之间,它的亮光就闪一下,好像它有这样的感觉:

"是的,人们也会记得我!曾经有一位美貌的年轻人——是的,那是很久很久以前的事了!他拿着一封信走来——一封写在有金边的、粉红色的纸上的信,它的字迹是那么美丽,像是一位小姐的手笔。他把它读了两次,吻了它一下,然后抬起头来看着我,他的眼睛在说:'我是一个最幸福的人!'只有他和我知道他的恋人的第一封信所写的是什么东西。我还记起了另一对眼睛。说来也真妙,我们的思想会那么漫无边际!街上有一个盛大的送葬的行列。有一个年轻美丽的少妇躺在一具棺材里。棺材搁在铺满了天鹅绒的、盖满了花朵和花圈的柩车上。许多火炬几乎把我的眼睛都弄昏了。整个人行道上都挤满了人,他们都跟在柩车后面。不过当火炬看不见了的时候,我向周围望了一眼:还有一个人倚着路灯杆子在哭泣呢。我永远也忘记不了那双望着我的悲伤的眼睛!"

许多这类的回忆在老路灯的思想中闪过——这个今晚最后一次照着的老路灯。

一个要下班的哨兵最低限度会知道谁来接他的班,还可以和接班的人交代几句话。但是路灯却不知道它的继承人;它可能供给一点关于雨和雾这类事情的情况,关于月亮在人行道上能照多远、风儿多半会从哪方吹来这类材料。

有三个东西站在排水沟的桥上,它们把自己介绍给路灯,因为它们以为路灯可以让位给它们。一个是青鱼的头——它在黑暗中可以发出亮光。它觉得如果有它待在路灯杆子上,人们可以节省许多油。另一个是一块朽木——它也可以发出闪光。它对自己说,它的光起码比鱼头的光要亮一点;何况它还是森林中一株最漂亮的树的最后遗体。第三个是萤火虫。这一位是从什么地方来的,路灯想象不出来。但是它居然来了,而且还在发着光。不过朽木和青鱼头发誓说,萤火虫只能在一定的时刻内发光,因此不能考虑它。

老路灯说它们哪个也发不出足够的光,来完成一个路灯的任务。但是它们都不相信这话。当它们听说老路灯自己不能把位置让给别人的时候,它们很高兴,觉得这是因为路灯老糊涂了,不会选择继承人。

在这同时,风儿从街角那边走来,向老路灯的通风口里吹,并且说:

"我刚才听到的这些话是什么意思呢?难道你明天就要离开吗?难道这就是我看到你的最后一晚么?那么我送给你一件礼物吧!我将用一种特殊的方式向你的脑盖骨里吹,使你不仅能清楚地记得你看见过或听到过的一切东西,同时还要使你有一个清醒的头脑,使你能看到人们在你面前谈到或讲到的事情。"

"是的,那真是太好了!"老路灯说,"我感谢你,只要我不会被熔掉!"

"大概还不会的,"风儿说,"现在我将吹起你的记忆。如果你能多有几件这样的礼物,你的老年就可以过得很愉快了!"

"只要我不会被熔掉!"路灯说,"也许,即使如此,你还能保证我有记忆吧!"

"老路灯,请放得有理智些吧!"风儿说。于是风就吹起来。这时月亮走出来了。

"你将送点什么礼物呢?"风儿问。

"我什么也不送,"月亮说,"我快要缺口了。灯儿从来不借光给我。相反地,我倒常常借光给他。"

说完这话以后,月亮就又钻到云块后面去了,它不愿意人们来麻烦它。

有一滴水从通风口里落进来。这滴水好像是从屋顶上滴下来的。不过它说它是从乌云上滴下来的,而且还是一件礼物——可能是一件最好的礼物。

"我将浸润你的全身,使得你——如果你愿意的话——获得一种力量,叫你一夜就把全身锈掉,化成灰尘。"

不过路灯认为这是一件很不好的礼物;风儿也同意这种看法。

"再没有更好的吗?再没有更好的吗?"风呼呼地使劲吹着。

这时一颗明亮的流星落下来了,形成一条长长的光带。

“那是什么?”青鱼头大声说,“不是一颗星落下来了么?我以为它落到路灯里去了!如果地位这样高的人物也来要他的位置,那么我们最好还是回去睡觉的好!”

它这样做了,其余的两位也这样做了!不过老路灯忽然发出一道强烈的光来。

“这是一件可爱的礼物,”它说,“我一直非常喜爱这些明星,他们发出那么美丽的光,不管我怎样努力和争取,我自己是怎么也做不到的;他们居然注意起我这个寒碜的老路灯来,派一颗星送一件礼物给我,使我有一种机能把我所能记得的和看见的东西也让我所喜欢的人能够看到。这才是真正的快乐哩。因为凡是我们不能跟别人共享的快乐,只能算是一半的快乐。”

“这是一种值得尊敬的想法!”风儿说,“不过你不知道,为了达到这种目的,蜡烛是必要的。如果你的身体里没有燃着一支蜡烛,别人也不会看见你的任何东西。星星没有想到这一点,他们以为凡是发光的东西,身体里都有一根蜡烛。但是我现在困了!”风儿说,“我要睡了!”于是风就睡下了。

第二天——是的,我们可以把第二天跳过去。第二天晚上,路灯躺在一把椅子上。这是在什么地方呢?在那个老守夜人的屋子里。他曾经请求过那“三十六位先生”准许他保留住这盏灯,作为他长期忠实服务的一种报酬。他们对他的要求大笑了一通;他们把这路灯送给了他。现在这灯就躺在一个温暖的火炉旁的靠椅上。路灯仿佛比以前长得更大了,因为它几乎把整把椅子都塞满了。

这对老夫妇正在坐着吃晚饭,同时用温柔的眼光望着这个老路灯。他们倒很想让它坐上饭桌呢。

他们住的地方事实上是一个地窖,比地面要低两码。要走进这房间里去,人们得通过一个有石子铺地的过道。不过这里是很舒适的;门上贴着许多布条,一切东西都显得清洁和整齐;床的周围和小窗上都挂着帘子。窗台上放着两个奇怪的花盆——是水手克利斯仙从东印度或西印度带回来的。那是用泥土烧成的两只象。这两只动物都没有背;不过代替背的是人们放在它们身躯中的土,土里还开出了花:一只象里长出美丽的青葱——这是这对老年人的菜园;另一只象里长出一棵大天竺葵——这是他们的花园。墙上挂着一张大幅的彩色画，描写维也纳会议[1]的情景。你一眼就可以看到所有的国王和皇帝。那架有沉重的铅摆的、波尔霍尔姆钟[2]在"滴答！滴答！"地走着，而它老是走得太快。不过这对老年人说，比走得慢要好得多。

他们吃着晚饭。这个路灯，正如刚才说过了的，是躺在火炉旁边的一把靠椅上。对路灯说来，这就好像整个世界翻了一个面。不过这个老守夜人望着它，谈起他们两人在雨和雾中，在短短的明朗的夏夜里，在那雪花纷飞、使人想要回到地窖里的家去的那些生活经历，这时候，老路灯的头脑就又变得清醒起来。那些生活又清清楚楚地在他面前出现。是的，风儿把它弄得亮起来了。

这对老人是很朴素和勤俭的。他们没有浪费过一分钟。在星期日下午他们总是拿出一两本书来读——一般说来，总是游记一类的读物。老头儿高声地读着关于非洲、关于藏有大森林和野象的故事。老太太总是注意地听着，同时偷偷地望着那对作为花盆的泥象。

"我几乎像是亲眼看到过的一样！"她说。

这时路灯特别希望它身体里能有一根蜡烛在燃着，好叫这个老太太像它一样能把一切东西都看得清清楚楚：那些枝丫交叉在一起的、高大的树啦，骑在马上的裸体黑人啦，用又宽又笨的脚在芦苇和灌木上踩过去的一群一群的象啦。

"如果我没有蜡烛，那么我的机能又有什么用呢？"路灯叹了一口气，"他们只有清油和牛油烛，这个不成！"

有一天，地窖里有了一扎蜡烛头，顶大的那几根被点着了；最小的那几根老太太要在做针线时用来擦线。这样一来，蜡烛倒是有了，但是没有人想起放一小根到路灯里面去。

"我现在和我稀有的机能全在这儿！"路灯想，"我身体里面什么都有，但是我没有办法让他们来分享！他们不知道，我能在这白色的墙上变出最美丽的壁毯、丰茂的森林，和他们所能希望看到的一切东西。"

---

① 维也纳会议，是法国拿破仑帝国崩溃的时候，英、俄、普、奥等欧洲国家于1814—1815年在维也纳召开的重新瓜分欧洲领土的会议。但这个会议没有解决什么问题。参加的要人们只是开跳舞会，舒服了一阵子。

② 波尔霍尔姆(Bornholm)是丹麦的一个小岛，以制钟闻名。

但是路灯待在墙角里,被擦得干干净净,弄得整整齐齐,引起所有的眼睛注意。人们说它是一件老废料;不过那对老年夫妇倒不在乎,仍然爱这路灯。

有一天老守夜人的生日到来了。老太太走近这盏灯,温和地微笑了一下,说:

"我今晚要为他把灯点一下!"

路灯把它的铁盖嘎嘎地响了一下,因为它想:"现在我要为他们亮起来了。"但是它里面只是加进了油,而没有放蜡烛。路灯点了一整晚,只有现在它才懂得,星星所送给它的礼物——一切礼物之中最好的一件礼物——恐怕只能算是它余生中一件专用的"秘宝"了。这时它做了一个梦——凡是一个有稀有机能的人,做梦是不太难的。它梦见这对老夫妇都死了,它自己则被送进一个铁铺里被熔掉了。它惊恐的程度,跟它那天要到市政府去、要被那"三十六位先生"检查时差不多。虽然假如它愿意的话,它有一种能力可以使自己生锈和化为灰尘,但是它并不这样做。它却走进熔炉里去,被铸成了一个可以插蜡烛的最漂亮的烛台。它的形状是一个抱着花束的安琪儿;而蜡烛就插在这个花束的中央。这烛台在一张绿色的写字台上占了一个地位。这房间是非常舒适的;房间里有许多书籍,墙上挂着许多名画。这是一个诗人的房间。他所想的和写的东西都在它的周围展开。这房间有时变成深郁的森林,有时变成太阳光照着的、有鹳鸟在漫步的草原,有时变成在波涛汹涌的海上航行着的船。

"我有多么奇妙的机能啊!"老路灯醒来的时候说,"我几乎想要熔化了!不成!只要这对老夫妇还活着,我决不能这样做!他们因为我是一个路灯才爱我。我像他们的一个孩子。他们洗擦我,喂我油吃。我现在情况好得像整个维也纳会议,[①]这真是一件了不起的事情!"

从那时候起,它享受着内心的平安,而这个和善的老路灯也应当有这种享受。

---

① 这里安徒生说的是一句讽刺的话。

她是一个废物

市长正站在开着的窗子前面。他只穿着衬衫;衬衫的前襟上别着一根领带别针。他的胡子刮得特别光——是他亲自刮的。的确,他划开了一个小口,但是他已经在上面贴了一小片报纸。

"听着,小家伙!"他大声说。

这小家伙不是别人,就是那个贫苦的洗衣妇的儿子。他正在这房子前面经过;他恭恭敬敬地把帽子摘下来。帽子已经破了,因此他随时可以把帽子卷起来塞在衣袋里。这孩子穿着一件朴素的旧衣服,但是衣服很干净,补得特别平整,脚上拖着一双厚木鞋,站在那儿,卑微得好像是站在皇帝面前一样。

"你是一个好孩子!"市长先生说,"你是一个有礼貌的孩子!我想你妈妈正在河边洗衣服;你现在是要把藏在衣袋里的东西送给她。这对你母亲说来是一件很不好的事情!你弄到了多少?"

"半斤。"这孩子用一种害怕的声音吞吞吐吐地说。

"今天早晨她已经喝了这么多。"市长说。

"没有,那是昨天!"孩子回答说。

"两个半斤就整整是一斤!她真是一个废物!你们这个阶级的人说来也真糟糕!告诉你妈妈,她应该觉得羞耻。你自己切记不要变成一个酒徒——不过你会的!可怜的孩子,你去吧!"

孩子走开了,帽子仍然拿在手中,风在吹着他金黄的头发,把鬈发都弄得直立起来了。他绕过一个街角,拐进一条通向河流的小巷里去。他的母亲站在水里一个洗衣凳旁边,用木杵打着一大堆沉重的被单。水在滚滚地流,因为磨坊的闸门已经抽开了;这些被单被水冲着,差不多要把洗衣凳推翻。这个洗衣妇不得不使尽一切气力来稳住这凳子。

“我差不多也要被卷走了!”她说,“你来得正好,我正需要人来帮帮忙,站在这水里真冷,但是我已经站了六个钟头了。你带来什么东西给我吗?”

孩子取出一瓶酒来。妈妈把它凑在嘴上,喝了一点。

“啊,这算是救了我!”她说,“它真叫我感到温暖!它简直像一顿热饭,而且价钱还不贵!你也喝点吧,我的孩子!你看起来简直一点血色都没有。你穿着这点单衣,要冻坏的。而且现在又是秋天。噢!水多冷啊!我希望我不要闹起病来。不,我不会生病的!再给我喝一口吧,你也可以喝一点,不过只能喝一点,可不能喝上瘾,我可怜的、亲爱的孩子!”

于是她就走出河水,爬到孩子站着的那座桥上来。水从她草编的围裙上和她的衣服上不停地往下滴。

“我要苦下去,我要拼命地工作,工作得直到手指流出血来。不过,我亲爱的孩子,只要我能凭诚实的劳动把你养大,我吃什么苦也愿意。”

当她正在说这话的时候,有一个年纪比她大一点的女人向他们走来了。她的衣服穿得非常寒碜,一只脚也跛了,还有一卷假发盖在一只眼睛上。这卷假发的作用本来是要掩住这只瞎眼的,不过它反而把这缺点弄得更突出了。她是这个洗衣妇的朋友。邻居们把她叫做“假发跛子玛伦”。

“咳,你这可怜的人!你简直在冷水里工作得不要命了!你的确应该喝点什么东西,把自己暖一下;不过有人一看到你喝几滴就大喊大叫起来!”不一会儿,市长刚才说的话就全部传到洗衣妇的耳朵里去了,因为玛伦把这些话全都听到了,而且她很生气,觉得他居然敢把一个母亲所喝的几滴酒,那样郑重其事地告诉给她亲生的儿子,特别是因为市长正在这天要举行一个盛大的宴会;在这宴会上,大家将要一瓶瓶地喝着酒。“而且是强烈的好酒!有许多人将要喝得超过他们的酒量——但是这却不叫做喝酒!他们是有用的人,但是你就算是废物!”

“咳,我的孩子,他居然对你说那样的话!”洗衣妇说,同时她的嘴唇在发抖。“你看,你的妈妈是个废物!也许他的话有道理,但他不能对我的孩子说呀!况且我在他家里吃的苦头已经够多了。”

"当市长的父母还活着的时候,你就在他家里当用人,并且住在他家里。那是多少年前的事!从那时起,人们不知吃了多少斗的盐,现在人们也应该感到渴了!"玛伦笑了一下,"市长今天要举行一个盛大的午宴。他本来要请那些客人改期再来的,不过已经来不及了,因为菜早就准备好了。这事是门房告诉我的。一个钟头以前他接到一封信,说他的弟弟已经在哥本哈根死了。"

"死了?"洗衣妇大叫一声;她的脸变得像死一样地惨白。

"是的,死了,"玛伦说,"你感到特别伤心吗?是的,你认识他,你在他家当过用人。"

"他死了!他是一个非常好、非常可爱的人!我们的上帝是少有像他那样的人的。"于是眼泪就沿着她的脸滴下来了。"啊,老天爷!我周围的一切东西都在旋转!——这是因为我把一瓶酒喝光了的缘故。我实在没有那么大的酒量!我觉得我病了!"于是她就靠着木栅栏,免得倒下来。

"老天爷,你真的病了!"玛伦说,"不要急,你可能会清醒过来的。不对,你真的病了!我最好还是把你送回家去吧。"

"不过我这堆被单——"

"交给我好了!扶着我吧!你的孩子可以留在这儿等着。我一会儿就回来把它洗完;它并不多。"

这个洗衣妇的腿在发抖。

"我在冷水里站得太久了!从清早起我就没有吃喝过什么东西。我全身烧得滚烫。啊,耶稣上帝!请帮助我走回家去吧!啊,我可怜的孩子!"于是她就哭起来。

孩子也哭起来。他单独坐在河边,守着这一大堆湿衣服。这两个女人走得很慢。洗衣妇摇摇摆摆地走过一条小巷,拐过一条街就来到市长住着的那条街上。一到他的公馆前面,她就倒到人行道上去了。许多人围拢来。

跛脚玛伦跑进这公馆里去找人来帮忙。市长和他的客人们走到窗子前来朝外面望。

"原来是那个洗衣的女人!"他说,"她喝得太多,醉了!她是一个废物!真可惜,她有一个可爱的儿子。我的确喜欢这孩子。不过这母亲是一个废物!"

不一会儿洗衣妇恢复了知觉。大家把她扶到她简陋的屋子里去，然后把她放到床上。好心肠的玛伦为她热了一杯啤酒，里面加了一些黄油和糖；她认为这是最好的药品。然后她就匆匆忙忙地跑到河边去，把被单洗完了——洗得够马虎，虽然她的本意很不坏。严格地说，她不过只是把潮湿的被单拖上岸来，放进桶里去罢了。

天黑的时候，她来到那间简陋的小房子里，坐在洗衣妇的旁边。她特别为病人向市长的厨子讨了一点烤洋山芋和一片肥火腿来。玛伦和孩子大吃了一通，不过病人只能欣赏这食物的香味。她说香味也是很滋补的。

不一会儿，孩子就上床去睡了，睡在他的妈妈睡的那张床上。他横睡在她的脚头，盖着一床打满了蓝色和白色补丁的旧地毯。

洗衣妇感到现在精神稍微好了一点。温暖的啤酒使她有了一点气力；食物的香味也对她起了好的作用。

"多谢你，你这个好心肠的人。"她对玛伦说，"孩子睡着以后，我就把一切经过都告诉你。我想他已经睡着了。你看，他闭着眼睛躺着，是一副多么温柔好看的样儿！他一点也不知道妈妈的痛苦——我希望老天爷永远不要让他知道。我那时是帮那位枢密顾问官——就是市长的父亲——做用人。有一天他的在大学里念书的小儿子回来了。我那时是一个粗野的年轻女孩子；但是我可以在老天爷面前发誓，我是正派的！"洗衣妇说，"那大学生是一个快乐、和蔼、善良和勇敢的人！他身上的每一滴血都是善良和诚实的。我在这世界上没有看到过比他更好的人。他是这家的少爷，我不过是一个女用人。但是我们相爱起来了——我们相爱是真诚的，正当的。当人们正在真诚地相爱的时候，接吻就不能算是罪过了。他把这事告诉了他的母亲，她在他的眼中就像世上的一个活神仙。她既聪明，又温柔。他离开家的时候就把他的戒指套到我的手指上。他已经走了很远以后，我的女主人就喊我去。她用一种坚定、但是温和严肃的语气对我说话——只有我们的上帝才能这样讲话。她把他跟我的区别，无论从精神方面或实质方面，都清楚地告诉了我。

"'他现在只看到你是多么漂亮，'她说，'不过漂亮是保持不住多久的！你没有受过他那样的教育。你在智力方面永远赶不上他——不幸的关键就在这里。我尊重穷人，'她继续说，'在上帝面前，他们比许多富人的位置还高;不过在我们人的世界里,我们必须当心不要越过了界限,不然车子就会翻掉,你们两人也就会翻掉。我知道有一个很好的人向你求过婚——一个手艺人——就是那个手套匠人爱力克。他的妻子已经死了,没有小孩。他的境遇也很好。你考虑考虑吧!'

"她讲的每个字都像一把刺进我心里的尖刀。不过我知道她的话是有道理的。这使我感到难过,感到沉重。我吻了她的手,流出苦痛的眼泪。当我回到我的房里倒到床上的时候,我哭得更痛苦。这是我最难过的一夜。只有上帝知道,我是在怎样受难,怎样挣扎!

"第二个礼拜天我到教堂里去,祈求上帝指引我。当我走出教堂的时候,手套匠人爱力克正在向我走来——这好像就是上帝的意志。这时我心里的一切疑虑都消除了。我们在身份和境遇方面都是相称的——他还可以算得是境况好的人。因此我就走向他,握着他的手,同时说:

"'你的心还没有变吧?'

"'没有,永远不会变!'他回答说。

"'你愿跟一个尊重和敬服你、但是不爱你的女子结婚吗——虽然她以后可能会对你产生爱情?'

"'是的,爱情以后就会来的!'他说。这样,我们就同意了。我回到女主人的家里来。她的儿子给我的那个戒指一直是藏在我的怀里。我在白天不敢戴它;只是在晚上我上床去睡的时候才戴上它。现在我吻着这戒指,一直吻得我的嘴唇要流出血来。然后我把它交还给我的女主人,同时告诉她,下星期牧师就要宣布我和手套匠人的结婚的预告。我的女主人双手抱着我,吻我。她没有说我是一个废物;不过那时我可能是比现在更有用一点的,因为我还没有碰上生活的灾难。在圣烛节①那天我们就结婚了。头一年我们的生活还不坏:我们有一个伙计和一个学徒,还有你,玛伦——你帮我们的忙。"

"啊,你是一个善良的女主人!"玛伦说,"我永远也忘记不了,你和你的丈夫对我是多么好!"

---

① 圣烛节(Kyndelmisse)是在2月2日举行的基督教的节日,纪念耶稣诞生后四十天,圣母玛利亚带他到耶路撒冷去祈祷。

"是的，你和我们住在一起的时候，正是我们过得好的时候！我们那时还没有孩子。那个大学生我再也没有见到过——啊，对了，我看到过他，但是他却没有看到我！他回来参加他母亲的葬礼。我看到他站在坟旁，脸色惨白，样子很消沉，不过那是因为母亲死了的缘故。后来，当他的父亲死的时候，他正住在外国，没有回来。以后他也没有回来。我知道他一直没有结婚。后来他成了一个律师。他已经把我忘记了。即使他再看到我，大概也不会认识我的——我已经变得非常难看。这也可算是一件幸事！"

于是她谈到她那些苦难的日子和她家所遭遇到的不幸。他们积蓄了五百块钱。街上有一座房子要卖，估价是两百块钱。把它拆了，再建一座新的，还是值得。所以他们就把它买下来了。石匠和木匠把费用计算了一下：新房子的建筑费要一千零二十块钱。手套匠人爱力克很有信用，所以他在京城里借了这笔钱。不过带回这笔钱的那个船长，在半路上翻了船；钱和他本人都没有了。

"这时候，现在正在睡觉的我的这个亲爱的孩子出世了。长期的重病把我的丈夫拖倒了。有九个月的光景，我得每天替他穿衣和脱衣。我们一天不如一天，而且在不停地借债。我们把所有的东西都卖了，接着丈夫也死了。我工作着，操劳着，为我的孩子操劳和工作，替人擦楼梯，替人洗粗细衣服，但是我的境遇还是没有办法改好——这就是上帝的意志！他将要在适当的时候把我唤走的，他也不会不管我的孩子。"

于是她便睡去了。

到了早晨她的精神好了许多，也觉得有了些气力；她觉得自己可以去继续工作。不过她一走进冷水里去的时候，就感到一阵寒战和无力。她用手在空中乱抓，向前走了一步，便倒下来了。她的头搁在岸上，但是脚仍然浸在水里。她的一双木鞋——每只鞋里垫着一把草——顺着水流走了。这情形是玛伦送咖啡来时看到的。

这时市长家里的一个仆人跑到她简陋的屋子里来，叫她赶快到市长家里去，因为他有事情要对她讲，但是现在已经迟了！大家请来了一个剃头兼施外科手术的人来为她放血。不过这个可怜的洗衣妇已经死了。

"她喝酒喝死了！"市长说。

那封关于他弟弟去世的信里附有一份遗嘱的大要。这里面有一项是：

死者留下六百块钱交给他母亲过去的用人——就是现在的手套匠的寡妇。这笔钱应该根据实际需要,以或多或少的数目付给她或她的孩子。

"我的弟弟和她曾经闹过一点无聊的事儿,"市长说,"幸亏她死了,现在那个孩子可以得到全部的钱。我将把他送到一个正经人家里去寄养,好使他将来可以成为一个诚实的手艺人。"

请我们的上帝祝福这几句话吧。

于是市长就把这孩子喊来,答应照顾他,同时还说他的母亲死了是一桩好事,因为她是一个废物!

人们把她抬到教堂墓地上去,埋在穷人的公墓里。玛伦在她的坟上栽了一棵玫瑰树;那个孩子立在她旁边。

"我亲爱的妈妈!"他哭起来,眼泪不停地流着,"人们说她是一个废物,这是真的吗?"

"不,她是一个非常有用的人!"那个老用人说,同时生气地朝天上望着。"我在许多年以前就知道她是一个好人;从昨天晚上起我更知道她是一个好人。我告诉你她是一个有用的人!老天爷知道这是真的。让人说'她是一个废物'吧!"

笨汉汉斯

乡下有一幢古老的房子,里面住着一位年老的乡绅。他有两个儿子。这两个人是那么聪明,他们只须用一半的聪明就够了,还剩下一半是多余的。他们想去向国王的女儿求婚,而且也敢于这样做,因为她宣布过,说她要找一个她认为最能表现自己的人做丈夫。

这两个年轻人做了整整一星期的准备——这是他们所能花的最长的时间。但是这也够了,因为他们有许多学问,而这些学问都是有用的。一位已经把整部拉丁文字典和这个城市出的三年的报纸,从头到尾和从尾到头,都背得烂熟。另一位精通公司法和每个市府议员所应知道的东西,因此他就以为自己能够谈论国家大事;此外他还会在裤子的吊带上绣花,因为他是一个文雅和手指灵巧的人。

"我要得到这位公主!"他们两人齐声说。

于是他们的父亲就给他们两人每人一匹漂亮的马。那个能背诵整部字典和三年报纸的兄弟得到一匹漆黑的马;那个懂得国家大事和会绣花的兄弟得到一匹乳白色的马。然后他们就在自己的嘴角上抹了一些鱼肝油,以便能够说话圆滑。所有的仆人们都站在院子里,观看他们上马。这时忽然第三位少爷来了,因为他们兄弟有三个人,虽然谁也不把他当做一个兄弟——因为他不像其他两个那样有学问。一般人都把他叫做"笨汉汉斯"。

"你们穿得这么漂亮,要到什么地方去呀?"他问。

"到宫里去,向国王的女儿求婚去!你没有听到全国各地的鼓声么?"

于是他们就把事情原原本本地都告诉了他。

"我的天！我也应该去！"笨汉汉斯说。他的两个兄弟对他大笑了一通以后，便骑着马儿走了。

"爸爸，我也得有一匹马，"笨汉汉斯大声说。"我现在非常想结婚！如果她要我，她就可以得到我。她不要我，我还是要她的！"

"这完全是胡说八道！"父亲说，"我什么马也不给你。你连话都不会讲！嗨，你的两个兄弟才算得是聪明人呢！"

"如果我不配有一匹马，"笨汉汉斯说，"那么就给我一只公山羊吧，它本来就是我的，它驮得起我！"

因此他就骑上了公山羊。他把两腿一夹，山羊就在公路上跑起来了。

"嗨，嗬！骑得真够劲！我来了！"笨汉汉斯说，同时唱起歌来，他的声音引起一片回音。

但是他的两个哥哥在他前面却骑得非常斯文，他们一句话也不说，他们正在考虑如何讲出那些美丽的词句，因为这些东西都非在事先想好不可。

"喂！"笨汉汉斯喊着，"我来了！瞧瞧我在路上拾到的东西吧！"于是他就把他拾到的一只死乌鸦拿给他们看。

"你这个笨虫！"他们说，"你把它带着做什么？"

"我要把它送给公主！"

"好吧，你这样做吧！"他们说，大笑一通，骑着马走了。

"喂，我来了！瞧瞧我现在找到了什么东西！这并不是你可以每天在公路上找得到的呀！"

这两兄弟掉转头来，看他现在又找到了什么东西。

"笨汉！"他们说，"这不过是一只旧木鞋，而且上面一部分已经没有了！难道你把这也拿去送给公主不成？"

"当然要送给她的！"笨汉汉斯说。于是两位兄弟又大笑了一通，继续骑马前进。他们走了很远。

"喂，我来了！"笨汉汉斯喊着，"嗨，事情越来越好了！好哇！真是好哇！"

"你又找到了什么东西？"两兄弟问。

"啊，"笨汉汉斯说，"这个很难说！她，公主将会多么高兴啊！"

"呸！"这两个兄弟说，"那不过是沟里的一点泥巴罢了。"

"是的,一点也不错,"笨汉汉斯说,"而且是一种最好的泥巴。你连捏都捏不住。"于是他把袋子里装满了泥巴。

这两兄弟现在尽快地向前飞奔,所以他们来到城门口时,足足比汉斯早一个钟头。他们一到来就马上拿到一个求婚者的登记号码。大家排成几排,每排有六个人。他们挤得那么紧,连手臂都无法动一下。这是非常好的,否则他们因为你站在我的面前,就会把彼此的背撕得稀烂。

城里所有的居民都挤到宫殿的周围来,一直挤到窗子上去;他们要看公主怎样接待她的求婚者。每个人走进房间里去,马上就失去说话的能力。

"一点用也没有!"公主说,"滚开!"

现在轮到了那位能背诵整部字典的兄弟,但是他在排队的时候把字典全忘记了。地板在他脚下发出格格的响声。大殿的天花板是镜子做的,所以他看到自己是头在地上倒立着的。每个窗子旁边站着三个秘书和一位参议员。他们把人们所讲出的话全都记了下来,以便马上在报纸上发表,拿到街上去卖两个铜板。这真是可怕得很。此外,火炉里还烧着旺盛的火,把烟囱管子都烧红了。

"这块地方真热得要命!"这位求婚者说。

"一点也不错,因为我的父亲今天要烤几只子鸡呀!"公主说。

糟糕! 他呆呆地站在那儿。他没有料想到会碰到这类的话;正当他应该想讲句把风趣话的时候,却一句话也讲不出来。糟糕!

"一点用也没有!"公主说,"滚开!"

于是他也只好走开了。现在第二个兄弟进来了。

"这儿真是热得可怕!"他说。

"是的,我们今天要烤几只子鸡。"公主说。

"什么——什么?"他说,同时那几位秘书全都一齐写着:"什么——什么?"

"一点用也没有!"公主说,"滚开!"

现在轮到笨汉汉斯了。他骑着山羊一直走到房间里来。

"这儿真热得厉害!"他说。

"是的,因为我正在烤子鸡呀。"公主说。

"啊,那真是好极了!"笨汉汉斯说,"那么我也要烤一只乌鸦了!"

"欢迎你烤，"公主说，"不过你用什么家什烤呢？因为我既没有罐子，也没有锅呀。"

"但是我有！"笨汉汉斯说，"这儿有一个锅，上面还有一个洋铁把手。"

于是他就取出一只旧木鞋来，把那只乌鸦放进去。

"这足够吃一整餐！"公主说，"不过我们从哪里去找酱油呢？"

"我衣袋里有的是！"笨汉汉斯说，"我有那么多，我还可以扔掉一些呢！"他就从衣袋里倒出一点泥巴来。

"这真叫我高兴！"公主说，"你能够回答问题！你很会讲话，我愿意要你做我的丈夫。不过，你知道不知道，你所讲的和已经讲过了的每句话都被记下来了，而且明天就要在报纸上发表？你看，每个窗子旁站着三个秘书和一个老参议员。这位老参议员最糟，因为他什么也不懂！"

不过她说这句话的目的无非是要吓他一下。这些秘书都傻笑起来，还洒了一滴墨水到地板上去。

"乖乖！这就是所谓绅士！"笨汉汉斯说，"那么我得把我最好的东西送给这位参议员了。"

于是他就把衣袋翻转来，对着参议员的脸撒了一大把泥巴。

"这真是做得聪明，"公主说，"我自己就做不出来，不过很快我也可以学会的。"

笨汉汉斯就这样成了一个国王，得到了一个妻子和一顶王冠，高高地坐在王位上面。这个故事是我们直接从参议员办的报纸上读到的——不过它并不完全可靠！

树　精

我们旅行去,去看巴黎的展览会。

我们现在就到了!这是一次飞快的旅行,但是并非凭借什么魔力而完成的。我们是凭着蒸汽的力量,乘船或坐火车去的。

我们的时代是一个童话的时代。

我们现在是在巴黎的中心,在一个大旅馆里面,整个的楼梯上都装饰得有花:所有的梯级上都铺满了柔软的地毯。

我们的房间是很舒服的;阳台的门是朝着一个宽大的广场开着的。春天就住在那上面。它是和我们乘车子同时到来的。它的外表是一株年轻的大栗树,长满了新出的嫩叶子。它的春天的新装是多么美丽啊!它穿得比广场上任何其他的树都漂亮!这些树中有一棵已经不能算是有生命的树了,它直直地倒在地上,连根都拔起来了。在它过去立着的那块地方,这棵新的栗树将会被栽进去,生长起来。

到目前为止,它还是立在一辆沉重的车子里。是这辆车子今天从许多里以外的乡下把它运进巴黎来的。在这以前,有好几年,它一直是立在一棵大的栎树旁边。一位和善的老牧师常常坐在这棵栎树下,讲故事给那些聚精会神的孩子们听。这棵年轻的栗树也跟着他们一起听。住在它里面的树精那时也还不过是一个孩子。她还记得这树儿童时代的情景。那时它很小,还没有草叶或凤尾草那么高。这些草类可以说是大得不可能再大了。但是,栗树却在不断地生长,每年总要增大一点。它吸收空气和太阳光,喝着露水和雨点,被大风摇撼和吹打。这是它的教育的一部分。

树精喜欢自己的生活和环境、太阳光和鸟儿的歌声。不过她最喜欢听人类的声音。她懂得人类的语言,也同样懂得动物的语言。

蝴蝶啦,蜻蜓啦,苍蝇啦——的确,所有能飞的东西都来拜访她。他们到一起就聊天,他们谈论着关于乡村、葡萄园、树林和皇宫——宫里还有一个大花园——这类的事情。这些东西之中还有溪流和水坝。水里也住得有生物,而且这些生物也有自己的一套办法从这里飞到那里。它们都是有知识、有思想的生物,但是它们不说话,因为它们非常聪明。

曾经钻进水里去过的燕子谈论着美丽的金鱼、肥胖的鲫鱼、粗大的鲈鱼和长得有青苔的老鲤鱼。它把它们描写得非常生动,但是它说:"最好你还是亲自去看看吧。"不过树精怎样能看到这些生物呢?她能看到美丽的风景和忙碌的人间活动——她也只能满足于这些东西了。

这是很美丽的事情。不过最美丽的事情还是听那位老牧师在栎树下谈论法兰西和许多男人和女人的伟大事迹——这些人的名字,任何时代的人一提起来就要表示羡慕。

树精听着关于牧羊女贞德[①]的事情和关于夏洛·哥戴[②]的事情。她听着关于远古时代的事情——从亨利四世和拿破仑一世,一直到我们这个时代的天才和伟大的事迹。她听着许多在人民心里引起共鸣的名字。法兰西是一个具有世界意义的国家,是一块抚育着自由精神的理智的土地。

村里的孩子聚精会神地听着;树精也聚精会神地听着。她像别的孩子一样,也是一个小学生。凡是她所听到的东西,她都能在那些移动着的浮云中看出具体的形象。

白云朵朵的天空就是她的画册。

她觉得住在美丽的法国是非常幸福的,但是她也觉得鸟儿和各种能飞的动物都比她幸运得多。甚至苍蝇都能向周围看得很远,比一个树精的眼界要大得多。

法国是那么广阔和可爱,但是她只能看到它的一个片断。这个国家是

---

① 贞德(Jaenne d'Arc,1412—1431)是法国的女英雄,曾领导法国人与英国抗战,后来被英国人当做巫婆烧死了。

② 夏洛·哥戴(Charlotte Corday,1768—1793)是法国大革命时一个女战士,于 1793 年被绞死。

一个世界，有葡萄园、树林和大城市。在这些东西之中，巴黎要算是最美丽、最伟大的了。鸟儿可以飞进它里面去，但是她却不能。

这些乡下孩子中有一个小女孩。她穿着一身破烂的衣服非常穷苦，但是她的样子却非常可爱。她不是在笑，就是在唱歌；她喜欢在她的黑发上插一朵红花。

"不要到巴黎去吧！"老牧师说，"可怜的孩子，如果你去，你就会受到损害！"

但是她却去了。

树精常常想念着她。的确，她们俩对这个伟大的城市有同样的要求和渴望。

春天来了；接着就是夏天、秋天和冬天。两年过去了。

树精所住的这棵树第一次开出了栗花。鸟儿在美丽的阳光中喃喃地歌颂这件事情。这时路上有一辆漂亮的马车开过来了。车里坐着一位高贵的太太。她亲自赶着那几匹美丽的快马。一个俊秀的小马车夫坐在她的后面。树精认出了她，那个老牧师也认出了她。牧师摇摇头，惋惜地说：

"你到那儿去！那会带给你损害呀！可怜的玛莉啊！"

"她可怜吗？"树精想，"不，这是一种多么大的改变啊！她打扮得像一位公爵夫人！这是因为她到了一个迷人的城市才改变得这样。啊，我希望我自己也能到那豪华富贵的环境中去！当我在夜里向我知道的这个城市所在的方向望去的时候，我只见它射出光来，把天空的云块都照亮了。"

是的，每天黄昏，每天夜里，树精都向那个方向望。她看见一层充满了光的薄雾，浮在地平线上。但是在月明之夜她就看不见它了；她看不见显示着这城的形象和历史的那些浮云。

孩子喜欢自己的画册；树精喜欢自己的云世界——她的思想之书。

没有云块的、酷热的夏日的天空，对她说来，等于是一本没有字的书。现在一连有好几天她只看到这样的天空。

这是一个炎热的夏天，一连串闷人的日子，没有一点风。每一片树叶，每一朵花，好像是昏睡过去了一样，都垂下了；人也是这样。

后来云块出现了，而且它出现的地方恰恰是夜间光彩的雾气所笼罩着的地方:这是巴黎。

云块升起来了,形成一整串连绵的山脉。它们在空中,在大地上飞驰,树精一眼都望不着边际。

云块凝结成为紫色的庞大石块,一层一层地叠在高空中。闪光从它们中间射出来。"这是上帝的仆人。"老牧师说。接着一道蓝色的、耀眼的光——一道像太阳似的光——出现了。它射穿石块;于是闪电打下来,把这株可敬的老栎树连根劈成两半。它的顶裂开了,它的躯干裂开了;它倒下来,伏在地上,好像是它想要拥抱光的使者似的。

一个王子诞生时向天空和全国所放的炮声,怎样也赶不上这株老栎树死亡时的雷轰。雨水在向下流;一阵清新的和风在吹。暴风雨已经过去了;处处是一片和平的节日景象。村里的人在这株倒下的老栎树周围齐集拢来。那位可尊敬的老牧师说了几句赞美它的话;一位画家把这株树绘下来,留作最后的纪念。

"一切都过去了!"树精说,"像那些云块一样过去了,再也不回来!"

老牧师也不再来了,学校的屋顶也塌下来了,老师的座位也没有了,孩子们也不再来了。但是秋天来了,冬天来了,春天也来了。在这些变换的季节中,树精遥遥地向远方望——在那远方,巴黎每夜像一层放光的薄雾似的,在地平线上出现。火车头一个接着一个、车厢一串接着一串,时时刻刻地从巴黎开出来,发出隆隆的吼声。火车在晚间和半夜开行、在早晨和白天开行。世界各国来的人,有的钻进车厢里去,有的从车厢里走出来。一件世界的奇观把他们吸引到巴黎来了。

这是怎样的一种奇观呢?

"一朵艺术和工业的美丽之花,"人们说,"在马尔斯广场的荒土上开出来了。它是一朵庞大的向日葵。它的每片花瓣使我们学习到关于地理和统计的知识,了解到各行师傅的技术,把我们提高到艺术和诗的境地,使我们认识到各个国家的面积和伟大。"

"这是一朵童话之花,"另外有些人说,"一朵多彩的荷花。它把它在初春冒出的绿叶铺在沙土上,像一块天鹅绒的地毯。它在夏天表现出它的一切美丽。秋天的风暴把它连根带叶全部都扫走了。"

军事学校面前是一片平时的战场。这一片土地没有长草和粮食。它是从非洲沙漠里割下来的一块沙洲。在那个沙漠上，莫甘娜仙女[1]常常显示出她的奇异的楼阁和悬空的花园。现在这块马尔斯广场显得更美丽，更奇异，因为人类的天才把幻景变成了真实。

"现在正在建筑的是一座近代阿拉丁之宫[2]，"人们说，"每过一天，每过一分钟，它就显露出更多和更美丽的光彩。"

大理石和各种的色彩把那些无穷尽的大厅装饰得非常漂亮。"没有血液"的巨人在那又圆又大的"机器馆"里动着它的钢铁的四肢。钢铁制成的、石头雕成的和手工织成的艺术品说明了在世界各个国家所搏动着的精神生活。画廊、美丽的花朵、手艺人在他们的工作室里用智慧和双手所创造出来的东西，现在全都在这儿陈列出来了。古代宫殿和沼泽地的遗物现在也在这儿展览出来了。

这个庞大的、丰富多彩的展览，不得不复制成为模型，压缩到玩具那么大小，好使人们能够看到和了解它的全貌。

马尔斯广场，像个巨大的圣诞餐桌一样，就是这个工业和艺术的阿拉丁之宫。宫的周围陈列着来自世界各国的展品：每个民族在这儿都有一件纪念他们的国家的东西。

这儿有埃及的皇宫，这儿有沙漠的旅行商队。这儿有从太阳的国度来的、骑着骆驼走过的贝杜因人[3]，这儿有养着草原上美丽烈马的俄国马厩。挂着丹麦国旗的、丹麦农民的茅屋，跟达拉尔的古斯达夫·瓦萨时代[4]的精巧的木雕房子，并排站在一起。美国的木房子、英国的村屋、法国的亭子、清真寺、教堂和戏院都很艺术地在一起陈列了出来。在它们中间有新鲜的绿草地、清亮的溪流、开着花朵的灌木丛、珍奇的树和玻璃房子——你在这里面可以想象你是在热带的树林中。从大马士革运来的整个玫瑰花畦，在屋顶下盛开着的花朵，多么美的色彩！多么芬芳的香气！

---

① 据传说，这个仙女的空中楼阁，就是我们肉眼所见的海市蜃楼。

② 阿拉丁是《一千零一夜》中的一个人物。他有一盏神灯，他只需把它擦一下，就可以得到他所希望的东西。因此他所住的宫室非常豪华。

③ 这是位在亚洲和非洲之间的一个游牧民族。

④ 古斯达夫·瓦萨（Gustav Vasa）是瑞典瓦萨王朝（1521—1720）的创始人。达拉尔是瑞典西部的一个地区，这里的人民支持古斯达夫·瓦萨建立这个王朝。

人工造的钟乳石岩洞里面有淡水湖和咸水湖;它们代表鱼的世界。人们现在是站在海底,在鱼和珊瑚虫的中间。

人们说,这一切东西现在马尔斯广场都有了,都陈列出来了。整群的人,有的步行,有的坐在小马车里,都在这个丰盛的餐桌上移动,像一大堆忙碌的蚂蚁一样。一般人的腿是无法支持这种疲劳的参观的。

参观者从大清早一直到黑夜都在不停地到来。装满了客人的轮船,一艘接着一艘地在塞纳河上开过去。车子的数目在不断地增加,步行和骑马的人也在不断地增加。公共马车和电车上都挤满了人。这些人群都向同一个目的地汇聚:巴黎展览会!所有的入口都悬着法国的国旗,展览馆的周围则飘扬着其他国家的国旗。“机器馆”发出隆隆的响声;塔上的钟奏起和谐的音乐。教堂里有风琴在响;东方的咖啡馆飘出混杂着音乐的粗嗄的歌声。这简直像一个巴别人的帝国,一种巴别人的语言①,一种世界的奇观。

一切的确是这个样子——至少关于展览会的报道是这样说的。谁没有这样说过呢?所有这儿一切关于这个世界名城的“新的奇迹”的报道,树精都听说过。

“你们这些鸟儿啊!飞吧!飞到那儿去看看,然后再回来告诉我吧!”这是树精的祈求。

这种向往扩大成为一个希望——成为生活的一个中心思想。于是在一个静寂的夜里,当满月正在照着的时候,她看到一颗火星从月亮上落下来了。这火星像一颗流星似的发着亮。这时有一个庄严、光芒四射的人形在这树前出现——树枝全在动摇,好像有一阵狂风吹来似的。这人形用一种柔和而强有力的调子,像唤醒人的生命的、催人受审的、末日的号角一样,对她说:

“你将到那个迷人的城市里去,你将在那儿生根,你将会接触到那儿潺潺的流水、空气和阳光。但是你的生命将会缩短。你在这儿旷野中所能享

① 古代的巴别人想建造一座塔通到天上。上帝为了要阻止他们做这件事就使他们的语言混杂起来,使他们无法彼此了解,因而无从协力做完这件工作。“巴别人的语言”形容语言的混杂。事见《圣经·旧约·创世记》第十一章第四至九节。

受到的一连串的岁月，将会缩为短短的几个季节。可怜的树精啊，这将会是你的灭亡！你的向往将会不断地增大，你的渴望将会一天一天地变得强烈！这棵树将会成为你的一个监牢。你将会离开你的住处，你将会改变你的性格，你将会飞走，跟人类混在一起。那时你的寿命将会缩短，缩短得只有蜉蝣的半生那么长——只能活一夜。你的生命的火焰将会熄灭，这树的叶子将会凋零和被吹走，永远再也不回来。”

声音在空中这样响着，引起回音。于是这道强光就消逝了；但是树精的向往和渴望却没有消逝。

“我要到这个世界的名城里去！”她兴高采烈地说，“我的生命开始了。它像密集的云块；谁也不知道它会飘向什么地方去。”

在一个灰色的早晨，当月亮发白、云块变红的时候，她的希望实现的时刻到来了。诺言现在成为了事实。

许多人带着铲子和杠子来了。他们在这树的周围挖，挖得很深，一直挖到根底下。于是一辆马拉的车子开过来了。这树连根带土被抬起来，还包上一块芦席，使它的根能够保持温暖。这样，它就被牢牢地系在车上。它要旅行到巴黎去，在这个法国的首都，世界的名城里长大。

在车子最初开动的一瞬间，这棵栗树的枝叶都颤抖起来。树精在幸福的期待中也颤抖起来。

“去了！去了！”每一次脉搏都发出这样一个声音。“去了！去了！”这是一个震荡、颤抖的回响。树精忘记了对她的故乡、摇动的草儿和天真的雏菊告别。这些东西一直把她看做是我们上帝花园里的一位贵妇人——一位扮做牧羊女下乡的公主。

栗树坐在车子上，用它的枝子点头表示“再会”和“去了”的意思。树精一点也不知道这些事情。她只是梦想着将要在她眼前展开的那些新奇而又熟悉的事物。没有任何充满了天真幸福感的孩子的心，没有任何充满了热情的灵魂，会像她动身到巴黎去时那样，是那么地思绪万端。

“再会！”成为“去了！去了！”

车轮在不停地转动着；距离缩短了，落在后面。景色在变幻，像云块在变幻一样。新的葡萄园、树林、村庄、别墅和花园出现了，又消逝了。栗树在向前进,树精也在向前进。火车彼此在旁经过或彼此对开。火车头吐出一层烟云。烟云变成种种的形象,好像是巴黎的缩影——火车离开了的和树精正在首途前去的巴黎。

她周围的一切知道、同时也必须懂得,她的旅行的目的地。她觉得,她所经过的每一棵树都在向她伸出枝子,同时恳求她说:“把我带去吧！把我带去吧!”每一株树里面也住着一位怀着渴望心情的树精。

真是变幻莫测！真是急驶如飞！房子好像是从地上冒出来的一般,越冒越多,越聚越密。烟囱一个接着一个,一排接着一排,罗列在屋顶上,像许多花盆一样。由一码多长的字母所组成的字,绘在墙上的图画,从墙脚一直伸到屋檐,射出光彩。

“巴黎是从什么地方开始的呢？我什么时候才算是到了巴黎呢?”树精问着自己。

人的数目也增加了,闹声和噪声也扩大了。车子后面跟着车子,骑马的人后面跟着步行的人。前后左右全是店铺、音乐、歌声、叫声和讲话声。

坐在树里的树精现在来到了巴黎的中心。

这辆沉重的大马车在一个小广场上停下来。广场上种满了树。它的周围全是些高房子,而且每个窗子都有一个阳台。阳台上的人望着这棵新鲜年轻的栗树。它现在被运进来,而且要栽在这里。来代替那棵连根拔起的、现在倒在地上的老树。广场上的人们,带着微笑和愉快的心情、静静地望着这代表春天的绿色。那些刚刚冒芽的老树,摇动着它们的枝叶,对它致敬:“欢迎！欢迎!”喷泉向空中射着水,水又哗哗啦啦地落到它宽广的池里。它现在叫风儿把它的水点吹到这新来的树上,作为一种欢迎的表示。

树精感觉到,她的这株树已经从车子上被抬下来了,而且被栽在它未来的位置上。树根被埋在地里,上面还盖了一层草土。开着花的灌木也像这株树一样被栽下来了;四周还安放了许多盆花。这么着,城市的中央就出现了一个小小的花园。

那株被煤烟、炊烟和城里一切足以致命的气味所杀死了的、连根拔起的老树,现在被装在马车上拖走了。民众在旁边观看;小孩子和老年人坐在草地上的凳子上,望着树上的绿叶。至于我们讲这个故事的人呢,我们站在阳台上,俯视着这株从乡下新鲜空气中运来的年轻的树。我们像那个老牧师一样，也很想说一声："可怜的树精啊！"

"我是多么幸福啊！多么幸福啊！"树精说，"但是我却不能了解，也不能解释我的这种情感。一切跟我所盼望的是一样，但也不完全跟我所盼望的是一样！"

周围的房屋都很高，而且很密。只有一面墙上映着阳光。墙上贴满了招贴和广告。人们站在它面前看，而且人越集越多。轻车和重车从旁边开过去。公共马车，像挤满了人的、移动着的房子，也哗啦哗啦地开过去了。骑在马上的人向前驰骋；货车和马车也要求有同样的权利。

树精想：这些挤在一起的高房子，可不可以马上走开，或者变成像天上云块那样的东西浮走，以便让她看看巴黎和巴黎以外的东西呢？她要看看圣母院①、万多姆塔②和这件一直吸引着许多观众来参观的奇迹。

可是这些房子却一动也不动。

天还没有黑，灯就已经亮起来了。煤气灯光从店铺里和树枝间隐隐地射出来。这跟太阳光很有些相像。星星也出来了——树精在故乡所看到过的那些同样的星星。她感到一阵清凉的和风从星星上吹来，她有一种高超和健康的感觉。她觉得树里流着一股活力——从树叶一直流到树根的每一个尖端。她觉得她活在人的世界里，人的温和的眼睛在望着她。她的周围是一片闹声和音乐，色彩和光线。

从一条侧街里飘来管乐和手风琴奏的邀舞曲。是的，跳舞吧！跳舞吧！这是叫人欢乐和享受生活的音乐。

这是鼓舞人、马、车子、树和房子跳舞的音乐——如果他们能跳舞的话。树精的心里有一种狂欢的感觉。

"多么幸福啊！多么美啊！"她快乐地高呼着，"我现在是住在巴黎！"

新的日子、新的夜晚和继续到来的新的日子，带来同样的景象，同样的活动和同样的生活——一切在不停地变幻，但同时又都是一样。

---

① 即巴黎圣母院，巴黎最重要的一座教堂，1163 年开始建，1245 年完成。

② 巴黎一个重要的建筑物，为纪念法国元帅万多姆（Louis-Joseph，duke de Vendôme，1654—1712）而建。

"现在我认识这广场上的每一棵树,每一朵花!我认识这儿的每一幢房子、每一个阳台和店铺。我被安放在这一个局促的角落里,弄得一点也看不见这个庄严伟大的城市。凯旋门、林荫路和那个世界的奇观在什么地方呢?这些东西我一点也没有看到!我被关在这些高房子中间,像在一个囚笼里一样。这些房子我现在记得烂熟:这包括它们墙上写的字、招贴、广告和一切画出来的糖果——我对这些东西现在感不到有任何兴趣。我所听到、知道和渴望的那些东西在什么地方呢?我是为了那些东西到这儿来的呀!我把握了、获得了和找到了什么呢?我仍然是像从前那样在渴望着。我已经触摸到了一种生活,我必须把握住它,我必须过这种生活!我必须走进活生生的人群中去。在人群中跳跃,像鸟儿一样飞,观察,体验,做一个不折不扣的人。我宁愿过半天这样的生活,而不愿在沉闷和单调中度过一生——这种生活使我感到腻,感到沉沦,直到最后像草原上的露珠似的消逝了。我要像云块,像生活和阳光一样有光彩,像云块一样能够看见一切东西,像云块一样运行——运行到谁也不知道的地方去!"

这是树精的叹息。这叹息声升到空中,变成一个祈祷:

"请把我一生的岁月拿去吧!我只要求相当于一个蜉蝣的半生的时间!请把我从我的囚笼中释放出来吧!请让我过人的生活吧!哪怕只是一瞬间,只是一夜晚都可以!哪怕我的这种大胆和对生活的渴望会招致惩罚都可以!让我获得自由吧,哪怕我的这个屋子——这棵新鲜而年轻的树——萎谢,凋零,变成灰烬,被风吹得无影无踪都可以!"

树枝发出一阵沙沙的响声。一种痒酥酥的感觉通过它的每一片叶子,使它颤抖,好像它里面藏有火花,或者要迸出火花似的。一阵狂风在树顶上拂过去;正在这时候,一个女子的形体出现了——这是树精。她坐在煤气灯照着的、长满了绿叶的枝子下面。她是年轻和美丽的,像那个可怜的玛莉一样——人们曾经对这个玛莉说过:"那个大城市将会使你毁灭!"

树精坐在这树的脚下。坐在她屋子的门口——她已经把她的门锁了,而且把钥匙也扔掉了。她是这么年轻,这么美丽!星星看见了她,对她眨着眼睛!煤气灯看见了她,对她微笑,对她招手!她是多么苗条,但同时又是多么健康啊!她是一个孩子,但同时又是一个成年的姑娘。她的衣服像绸子一样柔和，像树顶上的新叶一样碧绿。她的棕色头发上插着一朵半开的栗树花。她的外貌像春天的女神。

她静静坐了一会儿，于是她就跳起来，用羚羊那种轻快的步子，绕过墙脚就不见了。她跑着，跳着，像一面在太阳光里移动着的镜子所射出的光辉。如果一个人能够仔细地观察一下，看出实际的情况，他将会感到多么奇异啊！无论什么时候，只要她一停下步子，她的衣服和形体的色调，就会随着她所在的地方的特点和射在她身上的灯光的颜色而变换。

她走上了林荫大道。路灯、店铺和咖啡馆所射出的煤气灯光形成一个光的大海。年轻而瘦削的树在这儿成行地立着，各自保护着自己的树精，使她不要受这些人工阳光的损害。无穷尽的人行道，看起来像一个巨大的餐厅：桌子上摆着各种各样的食品——从香槟酒和荨麻酒一直到咖啡和啤酒。这儿还有花、绘画、雕像、书籍和各种颜色布料的展览。

她从那些高房子下边的人群中，向树下可怕的人潮眺望：急驶的马车，单马拉着的篷车、轿车、公共马车、出租马车，骑马的绅士和前进的军队合起来形成一股浪潮。要想走到对面的人行道上简直是等于冒生命的危险。一会儿灯光变蓝，一会儿煤气灯发出强烈的闪光，一会儿火箭向高空射去：它是从什么地方来的，射到什么地方去了呢？

的确，这就是世界名城的大马路！

这儿有柔和的意大利音乐，有响板伴奏着的西班牙歌曲。不过那淹没一切的巨大响声是一个八音盒所奏出的流行音乐——这种刺激人的“康康”音乐①连奥尔菲斯②也不知道，美丽的海伦③简直没有听见过。如果独轮车能够跳舞的话，它恐怕也要在它那个独轮子上跳起舞来了。树精在跳舞，在旋转，在飘荡，像阳光中的蜂鸟④一样在变换着颜色，因为每一幢房子和它的内部都在它身上反射了出来。

像一枝从根拔断了的鲜艳的莲花在顺水漂流一样，树精也被这人潮卷

---

① 这是1830年在巴黎舞场流行的一种音乐。

② 奥尔菲斯（Orpheus）是希腊神话中的有名的歌唱家和音乐师。

③ 古希腊神话中一个美人。

④ 蜂鸟（Calibrian）是美洲热带所产的一种燕雀。身体很小，羽毛有光，飞时翅膀发出嗡嗡的声音。

走了。她每到一个地方，就变出一个新的形状；因此谁也没有办法追随她，认出她，甚至眺望她。

一切东西像云块所形成的种种幻象，在她身旁飘过去了，但是哪一个她也不认识：她没有看见过任何一个来自她故乡的人。她的思想中亮着两颗明亮的眼珠：她想起了玛莉——可怜的玛莉！这个黑发上戴着一朵红花的、褴褛的孩子，她现在就在这个豪华富贵的世界名城里，正如她坐在车子里经过牧师的屋子、树精的树和那棵老栎树的时候一样。

是的，她就在这儿——在这儿震人耳鼓的闹声中。可能她刚刚才从停在那儿的一辆漂亮马车里走出来呢。这些华贵的马车都有穿着整齐制服的马夫和穿着丝袜的仆役。车上走下来的全是些服装华丽的贵妇人。她们走进敞着的格子门，走上宽阔的、通向一个有大理石圆柱的建筑物的高梯。可能这就是"世界的奇观"吧？玛莉一定在这儿！

"圣·玛莉亚！"里面有人在唱着圣诗，香烟在高大的、色彩鲜明的、镀金的拱门下缭绕，造成一种阴暗的气氛。

这是玛德兰教堂。

上流社会的贵妇人，穿着最时新的料子所做的黑礼服，在光滑的地板上轻轻地走过。族徽在用天鹅绒精装的祈祷书的银扣子上射出光，也在缀有贵重的布鲁塞尔花边的、芬芳的丝手帕上露出面。有些人在祭坛面前静静地跪着祈祷，有些人在向忏悔室走去。

树精感到一种不安和恐惧，好像她走进了一个她不应该插足的处所似的。这是一个静寂之家，一个秘密的大殿。一切话语都是用低声，或者在沉默的信任中讲出来的。

树精把自己用丝绸和面纱打扮起来，在外表上跟别的富贵女人没有两样。她们每人是不是像她一样，也是"渴望"的产儿呢？

这时空中发出一个痛苦的、深沉的叹息声。这是由忏悔室那个角落来的呢，还是由树精的胸中发出来的？她把面纱拉下一点。她吸了一口教堂的香烟——不是新鲜的空气。这儿不是她渴望的地方。

去吧！去吧！无休无止地飞翔吧！蜉蝣是没有休息的。飞翔就是它的生活！

她又到外面来了;她是在喷泉旁的耀眼的煤气灯下面。“所有的流水都洗不净在这儿流过的、无辜的鲜血。”

她听到了这样一句话。

许多外国人站在这儿高声地、兴高采烈地谈论着。在那个神秘的深宫里——树精就是从这里来的——谁也不敢这样谈话。

一块大石板被翻起来了,而且还被竖起来了。她不了解这件事情;她看到通到地底层的一条宽路。人们从明亮的星空,从太阳似的煤气灯光,从一切活跃的生命中走到这条路上来。

“我害怕这情景!”站在这儿的一个女人说,“我不敢走下去!我也不愿意看那儿的绮丽的景象!请陪着我吧!”

“要回去!”男人说,“离开了巴黎而没有看这最稀奇的东西——人凭他的天才和意志所创造出来的、近代的真正奇迹!”

“我不愿意走下去。”这是一个回答。

“近代的奇迹!”人们说。树精听到了这话,也懂得它的意思。她的最大的渴望已经达到了目的。伸向巴黎的地底层的入口就在这儿。她从来没有想到过这事情,但是现在她却听到了,看到许多外国人朝下面走。于是她跟着他们走。

螺旋形的梯子是铁做的。既宽大,又便利。下面点着一盏灯,更下面一点还有另一盏灯。

这儿有一个迷宫,里面有数不完的大殿和拱形长廊,彼此交叉着。巴黎所有的大街和小巷这儿都可以看得见,好像是站在一个模糊的镜子里一样。你可以看到它们的名字;每一幢房子都有一个门牌——它的墙基伸到一条石铺的、空洞的小径上。这条小路沿着一条填满了泥巴的宽运河伸展开去。这上面就是运送清水的引水槽;更上面就悬着网一样的煤气管和电线。远处有许多灯在射出光来,很像这个世界的都市的反影。人们不时可以听到头上有隆隆声;这是桥上开过去的载重车辆。

树精到什么地方去了呢?

你听到过地下的墓窖吧?比起这个地下的新世界、这个近代的奇迹——这些巴黎的暗沟来,它真是小巫见大巫了。树精就在那儿,而不在这个马尔斯广场上的世界展览会里。

她听到惊奇、羡慕和欣赏的欢呼声。

“从这地层的深处，”人们说，“上面成千成万的人获得他们的健康和长寿！我们的时代是一个进步的时代，具有这个时代的一切幸福。”

这是人的意见和言谈，但不是生在这儿和住在这儿的那些生物——耗子——的意见或言谈。它们从一堵旧墙的裂缝里发出吱吱的叫声，非常清楚，连树精都可以听懂。

这是一只很大的公耗子。它的尾巴被咬掉了；它用刺耳的声音把它的情感、痛苦和心里的话都叫出来。它的家族对它所说的每一个字都表示支持。

“我讨厌这些声音，这些人的声音，这些毫无意义的话语！是的，这儿很漂亮，有煤气，有煤油！但是我不吃这类的东西！这儿现在变得这么清洁和光明，我们不知怎的，不禁对自己感到羞愧起来。我们唯愿活在蜡烛的时代里！那个时代离开我们并不很远！那是一个浪漫的时代——人们都这样说。”

“你在讲什么话？”树精说，“我从前并没有看见过你。你在讲些什么东西？”

“我在讲那些过去的好日子，”耗子说，“祖父和曾祖母耗子时代的好日子！那时到这地下来才是一件了不起的事情呢。那时的耗子窝比整个的巴黎都好！鼠疫妈妈就住在这儿。她杀死人，却不杀死耗子。强盗和走私贩子可以在这儿自由呼吸。这儿是许多最有趣的人物的避乱所——我们近时在一般通俗剧场的舞台上所看到的那些人物。我们耗子窝里最浪漫的时代也已经过去了；我们这儿现在有了空气和煤油。”

耗子发出这样吱吱的叫声！它反对新时代，称赞鼠疫妈妈那些过去了的日子。

一辆车子停在这儿。这是由飞快的小马拖着的一种敞篷马车。这一对人坐进去，在地下的塞巴斯托波尔大道上奔驰起来。上面就是那有着同样名字的巴黎大马路，挤满了行人。

马车在稀薄的光中消逝了。树精也升到煤气光中和新鲜自由的空气中消逝了。她不是在地下那些交叉的拱形走廊里和窒息的空气中，而是在这儿看见了世界的奇观——她在这短短的一夜生命中所追寻的奇观。它现在滑行过去，发出比一切煤气灯还要强烈的光来——比月亮还要强烈的光来。

是的，一点也不错！她看到它向她致敬，它在她面前射出光来。它闪耀着，像天上的太白星。

她看到一个光亮的门，向一个充满了光和舞曲的小花园开着。人造湖和水池上面静静地亮着五光十色的煤气灯。用弯弯曲曲的彩色锡箔所剪成的水草反射出闪光，同时从它们的花瓣里喷出一尺多高的水来。美丽的垂柳——真正春天的垂柳——垂着它们新鲜的枝条，像一片透明而又能遮面的绿面纱。在这儿的灌木林中烧起了一堆篝火。它的红色火焰照着一座小巧的、半暗的、静寂的花亭。富有魅力的音乐使耳朵震荡，使血液在人的四肢里激动和奔流。

她看到许多美丽的、盛装华服的年轻女人；这些女人脸上露出天真的微笑和青春的欢乐。还有一位叫做玛莉的姑娘；她头上戴着玫瑰花，但是她却没有马车和车夫。她们在这里尽情地狂舞，飞翔，旋转！好像“塔兰得拉舞”①刺激着她们似的，她们跳着，笑着。她们感到说不出地幸福，她们打算拥抱整个的世界。

树精觉得自己不可抗拒地被吸引到这狂舞中去了。她的一双小巧的脚穿着一双绸子做的鞋。鞋的颜色是栗色的，跟飘在她的头发和她的赤裸的肩膀之间的那条缎带的颜色完全是一样。她的绿绸衫有许多大折叠，在空中飘荡，但是遮不住她美丽的腿和纤细的脚。这双脚好像是要在她的舞伴的头上绘出神奇的圈子。

难道她是在阿尔米达的魔花园里面吗？这块地方的名字叫什么呢？

外面的煤气灯光中照出这样一个名字：

玛壁尔

音乐的调子、拍掌声、放焰火声、潺潺的水声、开香槟酒声，都混在一起。舞跳得像酒醉似的疯狂。在这一切上面是一轮明月——无疑地它做出了一个怪脸。天空是澄净的，没有一点云。人们似乎可以从玛壁尔一直看到天上。

树精全身感到一种使人疲劳的陶醉，好像吸食鸦片过后的那种昏沉。

---

① 这是意大利那不勒斯的一种土风舞，以动作激烈著称。

她的眼睛在讲话,她的嘴唇在讲话,但是笛子和提琴的声音把她的讲话都淹没了。她的舞伴在她的耳边低语,这低语跟康康舞的音乐节奏在一起颤抖。她听不懂这些私语;我们也听不懂这些私语。他把手向她伸过来,抱着她,但她所抱着的却是透明的、充满了煤气的空气。

气流托着树精浮走了,正如风把一片玫瑰花瓣托着一样。她在高空上,在塔顶上,看到一个火焰,一道闪光。一个亮光从她渴望的目的物上射出来,从马尔斯广场的“海市蜃楼”的灯塔上射出来。春天的微风把她吹向这儿;她绕着这塔飞。工人们以为他们所看到的是一只蝴蝶在下落,在死去——因为它来得太早了。

月亮在照着,煤气灯和灯笼在大厅里,在散在各处的“万国馆”里照着,照着那些起伏的青山和人的智慧所创造的巨石“无血巨人”使瀑布从这上面倾泻下来。海的深处和淡水的深处——鱼儿的天下——都在这儿展览出来了。你可以想象你是在海底——在一个潜水钟里。水从四面八方向这厚玻璃壁压过来。六英尺多长的珊瑚虫,柔软和弯曲得像鳝鱼一样,抖着它身上的活刺,正在前后蠕动,同时紧紧地贴着海底。

它旁边有一条庞大的比目鱼:这条鱼舒舒服服地躺着,好像有所思的样子。一只螃蟹像一只巨大的蜘蛛在它身上爬;虾子在它周围不停地飞跃,好像它们是海底的蝴蝶和飞蛾。

淡水里长着许多睡莲、菅茅和灯心草。金鱼像田野里的红色母牛一样,都排成队,把头掉向同一个方向,好让水潮能够流进它们的嘴里。又肥又粗的梭鱼呆呆地睁着它们的大眼睛望着玻璃墙。它们都知道,它们现在是在巴黎展览会里。它们也知道,它们曾经在盛满了水的桶里,作过一段很艰苦的旅行;它们曾经在铁路上晕过车,正如人在海上晕船一样。它们是来看这展览会的,而它们也就在它们的淡水或咸水缸里看见了;它们看到人群从早到晚不停地流动。世界各国送来了和展览了他们不同的人种,使这些梭鱼和鲫鱼、活泼的鲈鱼和长满青苔的鲤鱼都能看看这些生物和对这些种族表示一点意见。

“他们全是些有鳞的生物!”一条黏糊糊的小鲤鱼说,“他们一天换两三次鳞,而且用他们的嘴发出声音——他们把这叫做‘讲话’。我们可是什么也不换,我们有更容易的办法使我们可以互相了解:把嘴角动一下,或者把眼睛瞪一下就得了！我们有许多地方要比人类高明得多！”

“他们可是学会了游泳，”一条小淡水鱼说，“我是从一个大湖里来的。那儿人类在热天里钻进水里去。这是青蛙教给他们的。他们用后腿推着，用前腿划着。他们支持不了多久。他们倒很想模仿我们呢，但是他们学得一点也不像。可怜的人类啊！”

鱼儿们都瞪着眼睛。它们以为这儿拥挤着的人群仍然是它们在强烈的阳光里所看到的那些人。是的，它们相信这仍然是那些第一次触动了它们的所谓感觉神经的人形。

一条身上长有美丽的条纹和有一个值得羡慕的肥背的小鲫鱼，说它仍然可以看到“人泥”。

“我也看见了，看得非常清楚！”一条黄鲤鱼说，“我清楚地看到一个身材美丽的人形——一个‘高腿的小姐’——随便你怎样叫她吧。她有我们这样的嘴和一双瞪着的眼睛；她后面有两个气球，前面挂着一把伞，身上丁丁当当悬着一大堆海草。她很想把这些东西都扔掉，像我们一样地回到自然。她很想在人类所及的范围内，做一条有身份的鲤鱼。”

“那个被拉在鱼钩上的人——那个男人——在做些什么呢？”

“他坐在一个病人的车椅上。他手边有纸、笔和墨水；他把什么都写下来。他在做什么吗？人们把他叫做记者。”

“他仍然坐在车椅上跑来跑去！”一条全身长满了青苔的鲤鱼老小姐说。她的喉咙里塞满了世界的艰难辛苦，因此她的声音有点嘶哑。她曾有一次吞过一个鱼钩，她仍然把它带在喉咙里很有耐心地游来游去。

“一个记者，”她说，“用鱼的语言讲老实话，那就是人类中间的乌贼①！”

鱼儿们都谈了自己的一套意见。不过在这人造的水晶洞里响起了一片槌子声和工人的歌声。这些工人不得不在夜里做工，好使一切能在最短的时间内完成。他们的歌声在树精的仲夏夜里发出回响——她站在那儿，打算飞翔和消逝。

“这都是金鱼！”她说，同时对它们点点头，“我总算看到你们了！我认

① 乌贼的原文是 Blaeksprutte，这是由 Blaek 和 Sprutte 两字合成的复合字，有双关意义。照字面讲，是“吐墨水的人”，即“黑良心的造谣者”的意思。

识你们！我早就认识你们！燕子在我家里讲过你们的故事。你们是多么美，多么辉煌，多么可爱啊！我可以把你们每一位都吻一下！我也认识别的鱼！这个一定是肥胖的梭鱼，那个一定是美丽的鲫鱼，这儿一定是长满了青苔的老鲤鱼。我认识你们，但是你们却不认识我！"

鱼儿呆呆地望着，一个字也听不懂。它们向那稀薄的微光望着。

树精已经不在那儿了。她已经来到外面。从各国运来的"奇花"在这儿发出新鲜的香气——从黑面包的国度来的，从鳕鱼的海岸来的，从产皮革的俄罗斯来的，从德国出产柯龙香水的河岸来的，从产玫瑰花精的东方国度里来的。

晚间的舞会结束以后，我们在半睡的状态中乘着车子回来了。音乐仍然清晰地在我们的耳朵里发出回音；我们仍然可以听见每一个调子；我们可以把它哼出来。一个被谋害者的眼睛可以把最后一刹那间所看到的东西保留一段时间；同样，白天熙熙攘攘的景象和光彩，也映在夜的眼里。这既不能被吸收，也不能被磨灭。树精感觉到了这一点。她知道，明天的一切情形仍然会这样。

树精站在芬芳的玫瑰花中间。她觉得她在故乡就认识这些花儿。这是御花园和牧师花园里的花。她在这儿还看见了鲜红的石榴花——玛莉曾经在她炭一样黑的头发上戴过这样一朵花。

她心中闪过一段回忆——一段在乡下老家所度过的儿时的回忆。她的热望的眼睛把周围的景色望了一下，她感到一种迫切不安的心情。这种心情驱使她走过那些壮丽的大厦。

她感到疲倦。这种疲倦的感觉在不停地增长。她很想在那些铺着的垫子和地毯上躺下来，或者在清亮的水上浮沉——像垂柳的枝条一样。

但是蜉蝣是没有办法休息的。在几分钟以内，这一天就完了。

她的思想颤抖起来。她的肢体也颤抖起来。她躺在潺潺流水旁边的草上。

"你带着永恒的生命从土地里流出来！"她说，"请你使我的舌头感到清凉,请你给我一点提神药吧!"

"我并不是一条活泉水!"泉水说,"我是靠机器的力量流动的!"

"绿草啊,请把你的新鲜气氛赠一点给我吧!"树精要求说,"请给我一朵芬芳的花吧!"

"如果我们被折断了,我们就会死亡!"草和花儿一起说。

"清凉的微风呀,请你吻我吧!我只要一个生命的吻!"

"太阳马上就会把云块吻得绯红!"风儿说,"那时你就会走进死人群中去,消逝了,正如一切光荣在这一年没有结束以前就会消逝一样。那时我就又可以跟广场上那些轻微的散沙玩耍,吹起地上的尘土,吹到空气中去——尘土,遍地都是尘土!"

树精感到一阵恐怖。她像一个正在洗浴的女人,把动脉管划开了,不停地流着血,而当她流得正要死的时候,她却仍然希望活下去。她站起来,向前走了几步,最后在一个小教堂面前又倒下来了。门是开着的,祭坛上燃着蜡烛,风琴奏出音乐。

多美的音乐啊!树精从来没有听见过这样的调子,但她在这些调子中似乎听见了熟识的声音。这声音是从一切造物的心深处发出来的。她觉得她听见了老栎树的萧萧声:她觉得她听到了老牧师在谈论着一些伟大的事迹、驰名的名字,谈论着上帝的造物可以而且能够对未来作些什么贡献,以求自己获得永恒的生命。

风琴的调子在空中盘旋着,用歌声说出这样的话:

"上帝给你一块地方生下根,但你的要求和渴望却使你拔去了你的根。可怜的树精啊,这促使你灭亡!"

柔和的风琴声好像是在哭泣,好像是在空气中消逝了。

天上露出红云。风儿在呼啸和歌唱:"死者啊,走开吧,太阳出来了呀!"

头一道阳光射在树精的身上。她的形体照出五光十色的光彩,像一个肥皂泡在破裂,在消逝,在变成一滴水、一滴眼泪——一落到地上就消逝了的眼泪。

可怜的树精啊!一滴露水,一滴眼泪——一流出来就不见了!

太阳照在马尔斯广场的"海市蜃楼"上,照在伟大的巴黎上空,照在有许多树和一个小喷泉的小广场上，照在许多高大的房屋上——这些房屋旁边长着一棵栗树。这树的枝子垂下来了，叶子也枯萎了，但是昨日它还是生气勃勃，像一个春天。大家说它现在已经死了。树精已经离开了，像云块似的不见了——谁也不知道她到什么地方去了。

地上躺着一朵萎谢了的、残破的栗树花。教堂里的圣水没有力量使它恢复生命。人类的脚不一会就把它踩进尘土。

这一切都是发生过和经验过的事情。

我们亲眼看见过这些事情，在 1867 年的巴黎展览会里，在我们这个时代，在伟大的、奇异的、童话的时代里看见过这些事情。

烂布片

在造纸厂外边，有许多烂布片堆成垛。这些烂布片都是从东西南北各个不同的地方来的。每个布片都有一个故事可讲，而布片也就讲了。但是我们不可能把每个故事都听一听。有些布片是本地出产，有些是从外国来的。

在一块挪威烂布的旁边躺着一块丹麦烂布。前者是不折不扣的挪威货，后者是百分之百的丹麦产。每个地道的丹麦人或挪威人会说：这正是两块烂布的有趣之处。它们都懂得彼此的话语，没有什么困难，虽然它们的语言的差别——按挪威人的说法——比得上法文和希伯来文的差别。“为了我们语言的纯洁，我们才跑到山上去呀。”丹麦人只会讲些乳臭未干的孩子话①！

两块烂布就是这样高谈阔论——而烂布总归是烂布，在世界上哪一个国家里都是一样。除了在烂布堆里以外，它们一般是被认为没有什么价值的。

“我是挪威人！”挪威的烂布说，“当我说我是挪威人的时候，我想我不需再作什么解释了。我的质地坚实，像挪威古代的花岗岩一样，而挪威的宪法是跟美国自由宪法一样好！我一想起我是什么人的时候，就感到全身舒服，就要以花岗岩的尺度来衡量我的思想！”

① 事实上丹麦和挪威用的是同一种语言，也属于同一个种族。这儿安徒生故意讽刺两个邻邦的狭隘的民族主义。

"但是我们有文学,"丹麦的烂布片说,"你懂得文学是什么吗?"

"懂得?"挪威的布片重复着,"住在洼地上的东西![①] 难道你这个烂东西需要人推上山去瞧瞧北极光吗[②]? 挪威的太阳把冰块融化了以后,丹麦的水果船就满载牛油和干奶酪到我们这儿来——我承认这都是可吃的东西。不过你们同时却送来一大堆丹麦文学作为压仓货! 这类东西我们不需要。当你有新鲜的泉水的时候,你当然不需要陈啤酒的。我们山上的天然泉水有的是,从来没有人把它当做商品卖过,也没有什么报纸、经纪人和外国来的旅行家把它喋喋不休地向欧洲宣传过。这是我从心眼里讲的老实话,而一个丹麦人应该习惯于听老实话的。只要你将来有一天作为一个同胞的北欧人,上我们骄傲的山国——世界的顶峰——的时候,你就会习惯的!"

"丹麦的烂布不会用这口气讲话——从来不会!"丹麦的烂布片说,"我们的性格不是这个样子。我了解我自己和像我这样子的烂布片。我们是一种非常朴素的人。我们并不认为自己了不起。但我们并不以为谦虚就可以得到什么好处;我们只是喜欢谦虚;我想这是很可爱的。顺便提一句,我可以老实告诉你, 我完全可以知道我的一切优点,不过我不愿意讲出来罢了——谁也不会因此而来责备我的。我是一个温柔随便的人。我耐心地忍受着一切。我不嫉妒任何人,我只讲别人的好话——虽然大多数人是没有什么好话可说的,不过这是他们自己的事情。我可以笑笑他们。我知道我是那么有天才。"

"请你不要用这种洼地的、虚伪的语言来跟我讲话吧——这使我听了作呕呀!"挪威布片说。这时一阵风吹来,把它从这一堆吹到那一堆上去了。

它们都被造成了纸。事又凑巧,用挪威布片造成的那张纸,被一位挪威人用来写了封情书给他的丹麦女朋友;而那块丹麦烂布成了一张稿纸,上面写着一首赞美挪威的美丽和力量的丹麦诗。

你看,甚至烂布片都可以变成好东西,只要它离开了烂布堆,经过一番

---

① 丹麦是一块平原,没有山。

② 北极光是北极圈内在夏天发出的一种奇异的光彩,非常美丽,但是只有在高处才能看得见。

改造,变成真理和美。它们使我们彼此了解;在这种了解中我们可以得到幸福。

故事到此为止。这故事是很有趣的,而且除了烂布片本身以外,也不伤任何人的感情。

单身汉[①]的睡帽

哥本哈根有一条街;它有这样一个奇怪的名字——虎斯根·斯特勒得[②]。为什么它要叫这样一个名字呢?它的意义是什么呢?它应该是德文。不过人们在这儿却把德文弄错了。人们应该说 Haüschen 才对,它的意义是“小房子”。有个时候——的确是在许多许多年以前——这儿没有什么大建筑,只有像我们现在在庙会时所看到的那种木棚子。是的,它们比那还要略为大一点,而且开得有窗子;不过窗框里镶着的东西,不是兽角,就是膀胱皮,因为那时玻璃很贵,不是每座屋子都用得起的。当然,我们是在谈很久以前的事情——那么久,即使曾祖父的祖父谈起它,也要说“好久以前的时候”——事实上,那是好几个世纪以前的事儿。

那时卜列门和留贝克的有钱商人经常跟哥本哈根做生意。他们不亲自到这儿来,只是派他们的伙计来。这些人就住在这条“小房子街”上的木棚子里,售卖啤酒和香料。

德国的啤酒是非常可口的,而且种类繁多,包括卜列门、普利生、爱姆塞等啤酒,甚至还有布龙斯威克白啤酒[③]。香料出售的种数也不少——番红

---

① 单身汉(Pebersvend)这个字在丹麦文里是由 Peber(胡椒)和 Svend(店伙)两个字合成的。可见丹麦文中“单身汉”这个字的起源是与这个故事有关的,即“胡椒朋友”。

② 原文“Hysken Straede”即“小房子街”的意思。这既不像丹麦文,也不像德文,而是“洋泾浜”的德文和丹麦文的混合物。Hysken 是丹麦人把德文 Haüschen(小房子)改成丹麦文的结果。“Straede”(街)是地道的丹麦文。

③ 布龙斯威克(Brunswick)是德国中部的一个城市。这儿的啤酒以烈性著名。

花、大茴香、生姜,特别是胡椒。的确,胡椒是这儿一种最重要的商品;因此在丹麦的那些德国的伙计就获得了一个称号:“胡椒朋友”。他们在出国以前必须答应老板一个条件,那就是:他们不能在丹麦讨太太。他们有许多人就这样老了。他们得自己照料自己,安排自己的生活,压制自己的感情——如果他们真有感情冲动起来的话。他们有些人变成了非常孤独的单身汉,思想很古怪,生活习惯也很古怪。从他们开始,凡是达到了某种年龄而还没有结婚的人,现在人们统统把他们叫做“胡椒朋友”。人们要懂得这个故事,必须要了解这一点。

“胡椒朋友”成了人们开玩笑的一个对象。据说他们总是要戴上睡帽,并且把帽子拉到眼睛上,然后才去睡觉:

砍柴,砍柴!
唉,唉!这些单身汉真孤独,
他们戴着一顶睡帽去睡觉,
他只好自己点上蜡烛。

是的,这就是人们所唱的关于他们的歌!人们这样开一个单身汉和他的睡帽的玩笑,完全是因为他们既不理解单身汉,也不认识他的睡帽的原故。唉!这种睡帽谁也不愿意戴上!为什么不呢?我们且听吧:

在很古的时候,这条小房子街上没有铺上石块:人们把脚从这个坑里拖出来,又踏进另一个坑里去,好像是在一条崎岖不平的侧路上走一样;而且它还是狭窄得很。那些小房子紧挨在一起,和对面的距离很短,所以在夏天就常常有人把布篷从这个屋子扯到对面的屋子上去。在这种情况下,胡椒、番红花和生姜的气味就比平时要特别厉害了。

柜台后面站着的没有很多年轻人;不,他们大多数都是老头儿。但是他们并不是像我们所想象的那些人物:他们并没有戴着假发和睡帽,穿着紧腿裤,把背心和上衣的扣子全都扣上。不是的,祖父的曾祖父可能是那个样儿——肖像上是这样绘着的;但是“胡椒朋友”却没有钱来画他们的肖像。这也实在可惜:如果曾经有人把他们某一位站在柜台后或在礼拜天到教堂去做礼拜的那副样儿画出一张来,现在一定是很有价值的。他们的帽子总是有很高的顶和很宽的边。年轻的伙计有时还喜欢在帽子上插一根羽毛。羊毛衬衫被烫得很平整的布领子掩着;窄上衣紧紧地扣着,大氅松松地披在身上,裤脚一直扎进宽口鞋里——因为这些伙计们都不穿袜子;腰带上挂着一把吃饭用的刀子和汤匙;同时为了自卫起见,还插着一把较大的刀子——这个武器在那个时候常常是不可缺少的。

安东——小房子街上一位年纪最大的店员——他节日的装束就是这样。他只是没有戴高顶帽子,而戴了一种无边帽。在这帽子底下还有一顶手织的便帽——一顶不折不扣的睡帽。他戴惯了它,所以它就老是在他的头上。他有两顶这样的帽子。他真是一个值得画一下的人物,他瘦得像一根棍子,他的眼睛和嘴巴的四周全是皱纹;他的手指很长,全是骨头;他的眉毛是灰色的,密得像灌木丛。他的左眼上悬有一撮头发——这并不使他显得漂亮,但却引起人对他的注意。人们都知道,他是来自卜列门;可是这并不是他的故乡,只是他的老板住在那儿。他的老家是在杜林吉亚——在瓦尔特堡附近的爱塞纳哈城①。老安东不大谈到它,但这更使他想念它。

这条街上的老伙计们不常碰到一起。每人待在自己的店里。晚间很早店就关上门了,因此店也显得相当黑暗。只有一丝微光从屋顶上镶着角的窗子透露进来。在这里面,老单身汉一般是坐在床上,手里拿着一本德文《圣诗集》,口中吟着晚祷诗;要不然他就在屋子里东摸西摸,一直忙到深夜,这种生活当然不是很有趣的。在他乡作为一个异国人是一种悲惨的境遇:谁也不管你,除非你妨害到别人。

当外面是黑夜、下着大雨或小雨的时候,这地方就常常显得极端阴暗和寂寞。这儿看不见什么灯,只有挂在墙上的那个圣母像面前有一点孤独的小亮。在街的另一头,在附近一个渡口的木栅栏那儿,水声这时也可以清楚地听得见。这样的晚上是既漫长而又孤寂,除非人们能找些事情来做。打包裹和拆包裹并非是天天有的事情;而人们也不能老是擦着秤或者做着纸袋。所以人们还得找点别的事情来做。老安东正是这样打发他的时间。他

---

① 杜林吉亚(Thuringia)是德国一个省,以多森林和美丽的城市如魏玛(Weimar)和爱塞纳哈(Eisenach)著名。瓦尔特堡(Wartburg)是一个古老的宫殿;在中世纪许多吟游诗人经常到这儿来举行诗歌比赛。

缝他的衣服，补他的皮鞋。当他最后上床睡觉的时候，他就根据他的习惯在头上保留着他的睡帽。他把它拉得很低。但是不一会儿他又把它推上去，看看灯是不是完全吹熄了。他把灯摸一下，把灯芯捻一下，然后翻个身躺下去，又把睡帽拉下一点，这时他心里又疑虑起来：是不是下面那个小火钵里的每一颗炭都熄了和压灭了——可能还有一颗小小的火星没有灭，它可以使整钵的火又燃起来，造成灾害。于是他就下床来，爬下梯子——因为我们很难把它叫做“楼”梯。当他来到那个火钵旁边的时候，一颗火星也看不见；他很可以转身就回去的。但是当他走了一半的时候，他又想起门闩没有插好，窗扉没有关牢。是的，他的那双瘦腿又只好把他送到楼下来。当他又爬到床上去的时候，他全身已经冻冰了，他的牙齿在嘴里发抖，因为当寒冷知道自己待不了多久的时候，它也就放肆起来。他把被子拉得更上一点，把睡帽拉得更低一点，直盖到眉毛上，然后他的思想便从生意和这天的烦恼转到别的问题上去。但是这也不是愉快的事情，因为这时许多回忆就来了，在他周围放下一层帘子，而这些帘子上常常是有尖针的。人们常常用这些针来刺自己，叫出一声“哦！”这些刺就刺进肉里去，使人发烧，还使人流出眼泪。老安东就常常是这个样子——流出热泪来。大颗的泪珠一直滚到被子上或地板上。它们滴得很响，好像他痛苦的心弦已经断了似的。有时它们像火焰似的燎起来，在他面前照出一幅生命的图画——一幅在他心里永远也消逝不了的图画。如果他用睡帽把他的眼睛揩一下的话。这眼泪和图画的确就会破灭，但是眼泪的源泉却是一点也没有动摇，它仍然藏在他心的深处。这些图画并不根据它们实际发生的情况，一幕一幕地按照次序显现出来；最痛苦的情景常常是一齐到来；最快乐的情景也是一齐到来，但是它们总是撒下最深的阴影。

“丹麦的山毛榉林子是美丽的！”人们说，但是瓦尔特堡附近的山毛榉林子，在安东的眼中，显得更美丽得多。那个巍峨的骑士式的宫殿旁长着许多老栎树。它们在他的眼中也要比丹麦的树威严和庄重得多。石崖上长满了常春藤；苹果树上开满了花：它们要比丹麦的香得多。他生动地记起了这些情景。于是一颗亮晶晶的眼泪滚到他脸上来了；在这颗眼泪里面，他可以清楚地看到两个孩子在玩耍——一个男孩和一个女孩。男孩有一副鲜红的脸，金黄的鬈发和诚实的蓝眼睛。他是一个富有商人的儿子小安东——就是他自己。女孩有棕色的眼珠、黑发和聪明伶俐的外表。她是市长的女儿茉莉。这两个孩子在玩着一个苹果。他们摇着这苹果,倾听里面的苹果籽发出什么响声。他们把它切成两半;每个人分一半。他们把苹果籽也平均地分了,而且都吃掉了,只剩下一颗。小女孩提议把这颗籽埋在土里。

"那么你就可以看到会有什么东西长出来。那将是你料想不到的一件东西。一棵完整的苹果树将会长出来,但是它不会马上就长的。"

于是他们就把这苹果籽埋在一个花钵里。两个人为它热心地忙了一阵。男孩用手指在土里挖了一个洞,小女孩把籽放进去;然后他们两人就一起用土把它盖好。

"不准明天把它挖出来,看它有没有长根,"她说,"这样可就不行!我以前对我的花儿也这样做过,不过只做过两次。我想看看它们是不是在生长;那时我也不太懂,结果花儿全都死了。"

安东把这花钵搬到自己家里去。有一整个冬天,他每天早晨去看它。可是除了黑土以外,他什么也看不见。接着春天到来了;太阳照得很温暖。最后有两片绿叶子从钵子里冒出来。

"它们就是我和茉莉!"安东说,"这真是美!这真是妙极了!"

不久第三片叶子又冒出来了。这一片代表谁呢?是的,另外一片叶儿也长出来了,接着又是另外一片!一天一天地,一星期一星期地,它们长宽了。这植物开始长成一棵树。这一切现在映在一颗泪珠里——于是被揩掉了,不见了;但是它可以从源泉里再涌出来——从老安东的心里再涌出来。

在爱塞纳哈的附近有一排石山。它们中间有一座是分外地圆,连一棵树,一座灌木林,一根草也没有。它叫做维纳斯山,因为在它里面住着维纳斯夫人——异教徒时代的神祇之一。她又叫做荷莱夫人。住在爱塞纳哈的孩子们,过去和现在都知道关于她的故事。把那个高贵的骑士和吟游诗人但霍依塞尔①,从瓦尔特堡宫的歌手群中引诱到这山里去的人就正是她。

小茉莉和安东常常站在这山旁边。有一次茉莉说:"你敢敲敲这山,

---

① 但霍依塞尔(Tannhaüser)是德国13世纪的一个抒情诗人。德国的名作曲家瓦格纳(Richard Wagner,1818—1883)曾根据关于他的传说写出一个有名的歌剧,叫做《但霍依塞尔》。

说:'荷莱夫人！荷莱夫人！请把门打开,但霍依塞尔来了呀'吗?"但是安东不敢。茉莉可是敢了,虽然她只是高声地、清楚地说了这几个字:"荷莱夫人！荷莱夫人!"其余的几个字她对着风说得那么含糊,连安东都不相信她真的说过什么话。可是她做出一副大胆和淘气的神气——淘气得像她平时带些小女孩子到花园里来逗他的那个样儿:那时因为他不愿意被人吻,同时想逃避她们,她们就更想要吻他;只要她是唯一敢吻他的人。

"我可以吻他!"她骄傲地说。于是她便搂着他的脖子。这是她的虚荣的表现。安东只有屈服了,对于这事也不深究。

茉莉是多么可爱,多么大胆啊！住在山里的荷莱夫人据说也是很美丽的,不过那是一种诱惑人的恶魔的美。最完善的美要算是圣·伊丽莎白的那种美。她是这地方的守护神,杜林吉亚的虔诚的公主;她的善行被编成了传说和故事,在许多地方被人歌颂。她的画像挂在教堂里,四周悬着许多银灯。但是她一点也不像茉莉。

这两个孩子所种的苹果树一年一年地在长大。它长得那么高,他们不得不把它移植到花园里去,让它能有新鲜空气、露水和温暖的太阳。这树长得很结实,能够抵御冬天的寒冷。它似乎在等待严寒过去,以便它能开出春天的花朵而表示它的欢乐。它在秋天结了两个苹果——一个给茉莉,一个给安东。它不会结得少于这个数目。

这株树在欣欣向荣地生长。茉莉也像这样在生长。她是像一朵苹果花那样新鲜。可是安东欣赏这朵花的时间不长久。一切都起了变化！茉莉的父亲离开了老家,到很远的地方去了,茉莉也跟他一起去了。是的,在我们的这个时代里,火车把他们的旅行缩短成为几个钟头。但是在那个时候,从爱塞纳哈向东走,到杜林吉亚最远边境上的一个叫做魏玛的城市,却需要一天一夜以上的时间。

茉莉哭起来;安东也哭起来。他们的眼泪溶成一颗泪珠,而这颗泪珠有一种快乐可爱的粉红颜色,因为茉莉告诉他,说她爱他——爱他胜过爱华丽的魏玛城。

一年、两年、三年过去了。在这期间他收到了两封信。一封是由一个信差带来的;另一封是由一个旅人带来的。路途是那么遥远而又艰难,同时还要曲曲折折地经过许多城市和村庄。

茉莉和安东常常听人谈起特里斯丹和依苏尔特[①]的故事，而且他常常把这故事来比自己和茉莉。但是特里斯丹这个名字的意义是在“苦难中生长的”；这与安东的情况不相合，同时他也不能像特里斯丹那样，想象“她已经忘掉了我”。但是依苏尔特的确也没有忘掉她的意中人：当他们两人死后各躺在教堂一边的时候，他们坟上的菩提树就伸到教堂顶上去，把它们盛开的花朵交织在一起。安东觉得这故事很美丽，但是悲惨。不过他和茉莉之间的关系不可能是这样悲惨的吧。于是他就唱出一个吟游诗人维特·冯·德尔·佛格尔外得[②]所写的一支歌：

在荒地上的菩提树下——！

他特别觉得这一段很美丽：

从那沉静的山谷里，从那树林，
哎哎哟！
飘来夜莺的歌声。

他常常唱着这支歌。当他骑着马走过深谷到魏玛去看茉莉的时候，他就在月明之夜唱着并且用口哨吹着这支歌。他要在她意料不到的时候来，而他也就在她意料不到的时候到来了。

茉莉用满杯的酒、愉快的陪客、高雅的朋友来欢迎他；还为他准备好了一个漂亮的房间和一张舒服的床。然而这种招待跟他梦想的情形却有些不同。他不理解自己，也不能理解别人；但是我们可以理解！一个人可能被请到一家去，跟这家的人生活在一起，而不成为他们中的一员。一个人可以一起跟人谈话，像坐在马车里跟人谈话一样，可能彼此都认识，像在旅途上同行的人一样——彼此都感到不方便，彼此都希望自己或者这位好同伴赶快

---

① 这是中世纪一个传奇故事中的两个主角。特里斯丹（Tristan）爱上了国王马尔克的女儿依苏尔特（Isolde）。因为皇后的嫉妒，他们不得结婚。

② 维特·冯·德尔·佛格尔外得（Walther von der Vogelweide，1170—1230?）是德国一个有名的抒情诗人和吟游诗人。他最著名的情诗是《在菩提树下》（“Unter der Linden”）。

走开。是的,安东现在的感觉就是这样。

“我是一个诚实的女子,”茉莉对他说,“我想亲自把这一点告诉你!自从我们小的时候起,我们彼此有了许多变化——内在的和外在的变化。习惯和意志控制不了我们的感情。安东!我不希望叫你恨我,因为不久我就要离开此地。请相信我,我衷心希望你一切都好。不过叫我爱你——现在我所理解的对于男子的那种爱——那是不可能的了。你必须接受这事实。再会吧,安东!”

安东也就对她说了“再会”。他的眼里流不出什么眼泪,不过他感到他不再是茉莉的朋友了。白热的铁和冰冷的铁,只要我们吻它一下,在我们的嘴唇上所产生的感觉都是一样的。他的心里充满了恨,也充满了爱。

他这次没有花一天一夜的工夫,就回到爱塞纳哈来了,但是这种飞快的速度已经把他骑着的那匹马累坏了。

“有什么关系!”他说,“我也毁掉了。我要毁掉一切能使我记起她、荷莱夫人或者那个女异教徒维纳斯的东西,我要把那棵苹果树砍断,把它连根挖起来,使它再也开不了花,结不了果!”

可是苹果树倒没有倒下来,而他自己却倒下来了:他躺在床上发烧,起不来了。什么东西可以使他再起床呢?这时他得到一剂药,可以产生这样的效果——一剂最苦的、会刺激他生病的身体和萎缩的灵魂的药:安东的父亲不再是富有的商人了。艰难的日子——考验的日子——现在来到门前了。倒霉的事情像汹涌的海浪一样,打进这曾经一度是豪富的屋子里来。他的父亲成了一个穷人。悲愁和苦难把他的精力折磨尽了。安东不能再老是想着他爱情的创伤和对茉莉的愤怒,他还要想点别的东西。他得成为这一家的主人——布置善后,维持家庭,亲自动手工作。他甚至还得自己投进这个茫茫的世界,获得自己的面包。

安东到卜列门去。他在那里尝到了贫穷和艰难日子的滋味。这使得他的心硬,使得他的心软——常常是过于心软。

这世界是多么不同啊!实际的人生跟他在儿时所想象的东西是多么不同啊!吟游诗人的歌声现在对他有什么意义呢?那只不过是一种声音,一种废话罢了!是的,这正是他不时所起的感想;不过这歌声有时在他的灵魂里又唱起来,于是他的心就又变得温柔了。

"上帝的意志总是最好的!"他不免要这样说,"这倒也是对的:上帝不让我保留住茉莉的心。好运既然离开了我,我们的关系发展下去又会有什么结果呢?在她还没有知道我破产以前,在她还想不到我的遭遇以前,她就放弃了我——这是上天给我的一种恩惠。一切都是为了一个最好的目的而安排的。这不能怪她——而我却一直在恨她,对她起了那么大的恶感!"

许多年过去了。安东的父亲死了;他的老屋已经有陌生人进去了。不过安东却要再看到它一次。他富有的主人因了某些生意要派他出去;他的职务又使他回到他的故乡爱塞纳哈城来。那座古老的瓦尔特堡宫和它的一些石刻的"修士和修女",仍然立在山上,一点也没有改变。巨大的栎树把那些轮廓衬托得更鲜明,像在他儿时一样。那座维纳斯山赤裸裸地立在峡谷上,发着灰色的闪光。他倒很想喊一声:"荷莱夫人哟,荷莱夫人哟,请把山门打开吧,让我躺在我故乡的土里吧!"

这是一种罪恶的思想;他画了一个十字。这时有一只小鸟在一个丛林里唱起来;于是那支吟游诗人的歌又回到他心里来了:

从那沉静的山谷里,从那树林,
哎哎哟!
飘来夜莺的歌声。

他现在含着眼泪来重看这座儿时的城市,不禁记起了许多事情。他父亲的房子仍然跟以前一样,没有改变;但是那个花园却改观了:现在在它的一边开辟了一条小径;他没有毁掉的那棵苹果树仍然立在那儿,不过它的位置已经是在花园的外面,在小径的另一边。像往时一样,太阳照在这苹果树上,露珠落到它身上;它结了那么多的果子,连枝丫都弯到地上来了。

"它长得真茂盛!"他说,"它可会长!"

虽然如此,它还是有一根枝子被折断了。这是一只残忍的手做的事情,因为它离开路旁那么近。

"人们把它的花朵折下来,连感谢都不说一声——他们偷它的果子,折断它的枝条。我们谈到这棵树的时候,也可以像谈到某些人一样,当它在摇篮里的时候,谁也没有想到它会达到这步田地!它的生活在开始的时候是多么光明啊,结果是怎样呢?它被人遗弃了,忘掉了——一棵花园的树,现在居然流落到荒郊,站在大路边!它立在那儿没有什么东西保护它;它只让人劫掠和折断,它固然不会因此而死掉,但是它的花将会一年一年地变得稀少,它很快就会停止结果,最后——最后一切就都完了!"

这是安东在这树下所起的感想。这也是他在一个遥远的国度里,在哥本哈根的那个"小房子街"上的一座孤寂的木屋子里,在许多夜里,所起的感想。他被他富有的老板——一个卜列门的商人——送到这儿来,第一个条件是不准他结婚。

"结婚!哈!哈!"他对自己苦笑起来。

冬天来得很早;外面冻得厉害。一阵暴风雪在外面呼啸。凡是能待在家里的人都待在家里不出来。因此,住在对面的邻居也没有注意到安东有两天没有开过店门,他本人也没有出现,因为在这样的天气里,如果没有必要的事情,谁会走出来呢?

那是灰色的、阴沉的日子。在这些窗子没有镶玻璃的房子里,平时只有黎明和黑夜这两种气氛。老安东有整整两天没有离开过他的床,因为他没有气力起来。天气的寒冷已经把他冻僵了。这个被世人遗忘了的单身汉,简直没有办法照料自己了。他亲自放在床边的一个水壶,他现在连拿它的气力都没有。现在它里面最后的一滴水已经喝光了。压倒他的东西倒不是发烧,也不是疾病,而是衰老。在他睡着的那块地方,他简直被漫长的黑夜吞没了。一只小小的蜘蛛——可是他看不见它——在兴高采烈地、忙忙碌碌地围着他的身体织了一层蛛网。它好像是在织一面丧旗,以便在这老单身汉闭上眼睛的那天可以挂起来。

时间过得非常慢,非常长,非常空洞。他再没有眼泪可流,他也不感到痛楚。他心里也不再想起茉莉。他有一种感觉:这世界与生活熙熙攘攘的声音和他再没有什么关系——他仿佛是躺在世界的外面。谁也没有想到他。他偶尔也感觉到有点饥渴。是的,他有这种感觉!但是没有谁来送给他茶水——没有谁。

于是他想起那些饥饿的人;他想起圣·伊丽莎白生前的事迹。她是他故乡和他儿童时代的守护神,杜林吉亚的公爵夫人,一个高贵的少妇。她常常去拜访最贫寒的角落、带食物和安慰给生病的人。她的一切虔诚的善行射进他的灵魂。他想起她带给苦痛的人们安慰的话语,她替受难的人们裹伤,带食物给饥饿的人吃,虽然她的严厉的丈夫常为这类的事情骂她。他记起那个关于她的传说:她有一次提着满满一篮的食物和酒;这时监视着她的脚步的丈夫就走过来,生气地问她提着的是什么东西;她害怕得抖起来,她回答说她篮子里盛的是她在花园里摘下的玫瑰花朵;他把那块白布从篮子上拉开,于是一件奇迹为这虔诚的妇人发生了:面包、酒和这篮子里的每件东西全都变成了玫瑰花!

老安东的心里现在充满了对于这位圣者的记忆。她现在就亲身在他沮丧的面孔前面立着,在丹麦国土上这个简陋木屋子里的、他的床边立着。他把头伸出来,凝望着她那对温柔的眼睛,于是他周围的一切就变成了玫瑰和阳光。是的,它们在展开花瓣,喷出香气。这时他闻到一种甜蜜的、苹果花的香味。于是他就看到一株开满了花朵的苹果树,它在他头上展开了一片青枝绿叶——这就是他和茉莉用苹果籽共同种的那株树。

这树在他身上撒下它芬芳的花瓣,使他发热的前额感到清凉,这些花瓣落到他干渴的嘴唇上,像面包和酒似的提起他的精神。这些花瓣落到他的胸膛上,他于是感到轻松,想安静地睡过去。

"现在我要睡了!"他对自己低声说,"睡眠可以恢复精神。明天我将又可以起床了,又变得健康和强壮了。那才美呢,那才好呢!这株用真正的爱情所培养出来的苹果树!现在我可以看到它,看到它开花结果!"

于是他就睡去了。

过了一天以后——这是他的店子关门的第三天——暴风雪停止了。对面的一个邻居到他的木屋子里来看这位一直还没有露面的老安东。安东直直地躺在床上——死了——他的双手紧紧地抓着他的那顶老睡帽!在他入殓的时候,人们没有把这顶睡帽戴在他的头上,因为他还有一顶崭新的白帽子。

他曾经流过的那些眼泪现在到什么地方去了呢?这些泪珠变成了什么呢?它们都装在他的睡帽里——真正的泪珠是没有办法洗掉的。它们留在那顶睡帽里被人忘记了。不过那些旧时的回忆和旧时的梦现在保存在这顶"单身汉的睡帽"里。请你不要希望得到这顶帽子吧。它会使你的前额烧起来,使你的脉搏狂跳,使你做起像真事一样的梦来。安东死后戴过这帽子的第一个人就有这样亲身的体会。这个人就是市长本人。他有一个太太和十一个孩子,而且生活得很好。他马上就做了许多梦,梦到失恋、破产和艰难的日子!

“乖乖!这帽子真是热得烫人!”他说,赶快把它从脑袋上拉掉。

一颗泪珠滚出来,接着滚出第二颗,第三颗;它们滴出响声,发出闪光。

“一定是关节炎发作了!”市长说,“我的眼睛有些发花!”

这是半个世纪以前爱塞纳哈的老安东所洒下的泪珠。

无论什么人,只要戴上这顶睡帽,便会做出许多梦和看到许多幻影。他自己的生活便变成了安东的生活,而且成为一个故事;事实上,成为许多的故事。不过我们可以让别人来讲它们。我们现在已经讲了头一个。我们最后的一句话是:请不要希望得到那顶“老单身汉的睡帽”。

影　子

在热带的国度里，太阳晒得非常厉害。人们都给晒成棕色，像桃花心木一样；在最热的国度里，人们就给晒成了黑人。不过现在有一位住在寒带的学者偏偏要到这些热的国家里来。他以为自己可以在这些国家里面漫游一番，像在本国一样；不过不多久他就改变了看法。像一切有理智的人一样，他得待在家里，把百叶窗和门整天都关起来。这看起来好像整屋子的人都在睡觉或者家里没有一个人似的。他所住的那条有许多高房子的狭小街道，建造得恰恰使太阳从早到晚都照在它上面。这真叫人吃不消！

这位从寒带国家来的学者是一个聪明的年轻人。他觉得好像是坐在一个白热的炉子里面。这弄得他筋疲力尽。他变得非常瘦，连他的影子也萎缩起来，比在家时小了不知多少。太阳也把它烤得没精打采。只有太阳落了以后，他和影子在晚间才恢复过来。这种情形看起来倒真是一桩很有趣的事儿。蜡烛一拿进房间里来，影子就在墙上伸长起来。它把自己伸得很高，甚至伸到天花板上面去了。为了要重新获得气力，它不得不伸长。

这位学者走到阳台上去，也伸了伸身体。星星在那美丽的晴空一出现，他觉得自己又有了生气。在这些街上所有的阳台上面——在热带的国家里，每个窗子上都有一个阳台——现在都有人走出来了，因为人们到底要呼吸些新鲜空气，即使要变成桃花心木的颜色也管不了。这时上上下下都显得生气勃勃起来。鞋匠啦，裁缝啦，在家都搬到街上来。桌子和椅子也被搬出来了；蜡烛也点起来了——是的，不止一千根蜡烛。这个人聊天，那个人唱歌；人们散步，马车奔驰，驴子走路——丁当——丁当——丁当！因为它们身上都戴着铃铛。死人在圣诗声中入了土；野孩子在放焰火；教堂的钟声在响。的确，街上充满了活跃的空气。

只有在那位外国学者住所对面的一间房子里，一切是沉寂的。但是那里面却住着一个人，因为阳台上有好几棵花。这些花儿在太阳光中长得非常美丽。如果没有人浇水，它们决不会长得这样好的；所以一定有什么人在那儿为它们浇水，因此一定有人住在那儿。天黑的时候，那儿的门也打开了，但是里面却很黑暗，最低限度前房是如此。更朝里一点有音乐飘出来。这位外国学者认为这音乐很美妙；不过这可能只是他的幻想，因为他发现在这些热带的国家里面，什么东西都是顶美丽的——如果没有太阳的话。这位外国人的房东说，他不知道谁租了对面的房子——那里从来没有任何人出现过；至于那音乐，他觉得单调之至。

他说："好像有某个人坐在那儿，老是练习他弹不好的一个调子——一个不变的调子。他似乎在说：'我终究要学会它。'但是不管他弹多久，他老是学不会。"

这个外国人有天晚上醒来了。他是睡在敞开的阳台门口的。风把它前面的帘子掀开，于是他就幻想自己看见一道奇异的光从对面的阳台上射来。所有的花都亮起来了，很像色彩鲜艳的火焰。在这些花儿中间立着一位美丽苗条的姑娘。她也似乎射出一道光来。这的确刺伤他的眼睛。不过这是因为他从睡梦中惊醒时把眼睛睁得太大了的缘故。他一翻身就跳到地上来了。他轻轻地走到帘子后面去，但是那个姑娘却不见了，光也没有了，花儿也不再闪亮，只是立在那儿，像平时一样地好看。那扇门还是半掩着，从里面飘出一阵音乐声——那么柔和，那么美妙，使人一听到它就沉浸到甜美的幻想中去。这真好像是一个幻境。但是谁住在那儿呢？真正的入口是在什么地方呢？因为最下面一层全是店铺，人们不能老是随便从这些铺子进出的。

有一天晚上，这位外国人坐在他的阳台上。在他后边的那个房间里点着灯，因此他的影子很自然地就射到对面屋子的墙上去了。它的确正坐在那个阳台上的花丛中间。当这外国人动一下的时候，他的影子也就动一下。

"我相信，我们在这儿所能看到的唯一活着的东西，就是我的影子。"这位学者说，"你看，它坐在花丛中间的一副样儿多么可爱。门是半开着的，但是这影子应该放聪明些,走进里面去瞧瞧,然后再回来把它所看到的东西告诉我。”

“是的,你应该变得有用一点才对啊!”他开玩笑地说,“请你走进去吧。嗯,你进去吗?”于是他对影子点点头;影子也对他点点头。“那么就请你进去吧,但是不要一去就不回来啦。”

这位外国人站起来;对面阳台上的影子也站了起来。这位外国人掉转身;影子也同时掉转身。如果有人仔细注意一下的话,就可以清楚地看出,当这位外国人走进自己的房间、放下那长帘子的时候,影子也走进对面阳台上那扇半掩着的门里去。

第二天早晨,这位学者出去喝咖啡,还要去看看报纸。

“这是怎么回事儿?”当他走到太阳光里的时候,他忽然问,“我的影子不见了!它昨天晚上真的走了,没有再回来。这真是一件怪讨厌的事儿!”

这使他烦恼起来,并不完全是因为他的影子不见了,而是因为他知道一个关于没有影子的人的故事。住在寒带国度里的家乡人都知道这个故事。如果这位学者回到家里、把自己的故事讲出来的话,大家将会说这是他模仿那个故事编出来的。他不愿意人们这样议论他。因此他就打算完全不提这事情——这是一个合理的想法。

晚上他又走到他的阳台上来;他已经把烛灯仔细地在他后面放好,因为他知道影子总是需要它的主人作为掩护的,但是他没有办法把它引出来。他把自己变小,把自己扩大,但是影子却没有产生,因此也没有影子走出来。他说:“出来!出来!”但是这一点用也没有。

这真使人苦恼。不过在热带的国度里,一切东西都长得非常快。过了一个星期以后,有一件事使他非常高兴:他发现当他走到太阳光里去的时候,一个新的影子从他的腿上生出来了。他身上一定有一个影子的根。三个星期以后,他已经有了一个相当可观的影子了。当他动身回到他的北国去的时候,影子在路上更长了许多;到后来它长得又高又大,就是去掉它半截也没有关系。

这位学者回到家里来了。他写了许多书,研究这世界上什么是真,什么是善,什么是美。于是日子一天一天地过去了,许多岁月也过去了,许多许多年也过去了。

有一天晚上，他正坐在房间里，有人在门上轻轻地敲了几下。“请进来！”他说，可是没有什么人进来。于是他把门打开；他看到自己面前站着一个瘦得出奇的人。这使他感到非常惊奇。但是这个人的衣服却穿得非常入时；他一定是一个有地位的人。

“请问尊姓大名？”这位教授问。

“咳！”这位有绅士风度的客人说，“我早就想到，您是不会认识我的！我现在成了一个具体的人，有了真正的血肉和衣服。您从来也没有想到会看到我是这个样子。您不认识您的老影子了吗？您决没有想到我会再来。自从我上次跟您在一起以后，我的一切情况进展得非常顺利。无论在哪方面说起来，我现在算得是很富有了；如果我想摆脱奴役，赎回自由，我也可以办得到！”

于是他把挂在表上的一串护身符①摇了一下，然后把手伸到颈项上戴着的一个很粗的金项链上去。这时钻石戒指在他的手指上发出多么亮的闪光呵！而且每件东西都是真的！

“不成，这把我弄得有点糊涂！”学者说，“这究竟是怎么一回事情？”

“决不是普通的事情！”影子说，“不过您自己也不是一个普通的人呀。您知道得很清楚，从我小时候起，我就寸步不离开您。只有当您觉得我成熟了、可以单独在这个世界上生活，我才自找出路。我现在的境遇是再美好也没有，不过我对您起了一种怀念的心情，想在您死去以前来看您一次。您总会死去的！同时我也想再看看这些地方，因为一个人总是喜爱自己的祖国的。我知道您现在已经有了另一个影子；要不要我对您——或者对它——付出一点什么代价呢？您只须告诉我好了。”

“嗨，原来是你呀！”学者说，“这真奇怪极了！我从来没有想到，一个人的旧影子会像人一样又回转来！”

“请告诉我，我该付出什么，”影子说，“因为我讨厌老欠别人的债。”

“你怎能讲这类的话呢？”学者说，“现在谈什么债呢？你跟任何人一样，是自由的！你有这样的好运气，我感到非常快乐。请坐吧，老朋友，请告

---

① 在欧洲，特别是在民间，人们常常在身边带些小玩意儿，迷信地认为它们可以带来好运。

诉我一点你过去的生活情况,和你在那个热带国家、在我们对面那所房子里所看到的事情。”

“是的,我可以告诉您,”影子说。于是他就坐下来。“不过请您答应我:随便您在什么地方遇见我,请不要告诉这城里的任何人,说我曾经是您的影子!我现在有意订婚;因为我现在的能力供养一个家庭还绰绰有余。”

“请放心,”学者说,“我决不把你的本来面目告诉任何人。请握我的手吧。我答应你。一个男子汉——说话算话。”

“一个影子——说话算话!”影子说,因为他不得不这样讲。

说来也真够了不起,他现在成了一个多么完整的人。他全身是黑色的打扮:他穿着最好的黑衣服,漆皮鞋;戴着一顶可以叠得只剩下一个顶和边的帽子。除此以外,他还有我们已经知道的护身符、金项链和钻石戒指。影子真是穿得异乎寻常地漂亮。正是这种打扮使他看起来像一个人。

“现在我对您讲吧。”影子说。于是他把他穿着漆皮鞋的脚使劲地踩在学者新影子的手臂上——它躺在他的脚下像一只小狮子狗。这种做法可能是由于骄傲而起,也可能是因为他想要把这新影子粘在他的脚上。不过这个伏着的影子是非常安静的,因为它想静听他们讲话。它也想知道,一个影子怎样可以获得自由,成为自己的主人。

“您知道住在那对面房间里的人是谁吗?”影子问,“那是一切生物中最可爱的一个人;那是诗神!我在那儿住了三个星期。这使人好像在那儿住了一千年、读了世界上所有的诗和文章似的。我敢说这句话,而且这是真话。我看到了一切,我知道了一切!”

“诗神!”学者大叫一声,“是的,是的!她常常作为一个隐士,住在大城市里面。诗神!是的,我亲眼看到过她一刹那,不过我的眼皮那时被睡虫压得沉重;她站在阳台上,发出一道很像北极光的光。请告诉我吧!请告诉我吧!你那时是立在阳台上的。你走进那个门里去,于是——”

“于是我就走进了前房,”影子说,“那时您坐在对面,老是朝着这个前房里瞧。那儿没有点灯,只有一种模糊的光。不过里面却有一整排厅堂和房间,门都是一个接着一个地开着的;房里都点着灯。要不是我直接走进去,到那个姑娘的身旁,我简直要被这强烈的光照死了。不过我是很冷静的,我静静地等着——这正是一个人所应取的态度。”

"你看到了什么呢?"这位学者问。

"我看到了一切,我将全部告诉您。不过——这并不是我的自高自大——作为一个自由人,加上我所有的学问,且不说我高尚的地位和优越的条件——我希望您把我称做'您'。"

"请原谅!"学者说,"这是一个老习惯,很不容易去掉。——您是绝对正确的,我一定记住。不过现在请您把您所看到的一切都告诉我吧。"

"一切!"影子说,"因为我看到了一切,同时我知道一切。"

"那个内房里的一切是个什么样儿的呢?"学者问,"是像在一个空气新鲜的山林里吗?是像在一个神庙里吗?那些房间是像一个人站在高山上看到的满天星斗的高空吗?"

"那儿一切都有,"影子说,"我没有完全走进里面去,只是站在阴暗的前房里,不过我在那儿的地位站得非常好。我看到一切,我知道一切。我曾经到前房诗之宫里去过。"

"不过您到底看到了什么呢?在那些大厅里面是不是有远古的神祇走过?是不是有古代的英雄在那儿比武?是不是有美丽的孩子们在那儿嬉戏,在那儿讲他们所做过的梦?"

"我告诉您,我到那儿去过,因此您懂得我在那儿看到了我所能看到的一切!如果您到那儿去过,您不会成为另外一个人;但是我却成了一个人了,同时我还学到了理解我内在的天性,我的本质和我与诗的关系。是的,当我以前和您在一起的时候,我不曾想到过这些东西。不过您知道,在太阳上升或落下去的时候,我就变得分外地高大。在月光里面,我看起来比您更真实。那时我不认识我内在的本质;我只有到了那个前房里才认出来。我变成一个人了!

"我完全成形了。您已经不再在那些温暖的国度里。作为一个人,我就觉得以原来的形态出现是羞耻的;我需要皮鞋、衣服和一个具体的人所应当有的各种修饰。——我自己藏起来;是的,我把这都告诉您了——请您不要把它写进任何书里去。我跑到卖糕饼女人的裙子下面去,在那里面藏起来。这个女人一点也不知道她藏着一件多么大的东西。起初我只有在晚上才走出来;我在街上的月光下面走来走去。我在墙上伸得很长;这使得我背上发痒,怪舒服的啦!我跑上跑下,我通过最高的窗子向客厅里面望去;我通过屋顶向谁也望不见的地方望去；我看到谁也没有见过和谁也不应该见到的东西。整个地说来，这是一个卑鄙肮脏的世界！要不是大家认为做一个人是件了不起的事情，我决不愿意做一个人。

“我看到一些在男人、女人、父母和‘亲爱无比的’孩子们中间发生的最不可思议的事情。我看到谁也不知道、但是大家却非常想知道的事情——他们的邻居做的坏事。如果我把这些事情写出来在报纸上发表的话，那么看的人可就多了！但是我只直接写给一些有关的人看，因此我到哪个城市，哪个城市就起了一阵恐怖。人们那么害怕我，结果他们都变得非常喜欢我。教授推选我为教授；裁缝送给我新衣服穿，我什么也不缺少。造币厂长为我造钱；女人们说我长得漂亮！——这么一来，我就成为现在这样的一个人了。咳，现在我要告别了。这是我的名片；我住在有太阳的那一边。下雨的时候我总在家里。”

影子告别了。

“这真是稀奇。”学者说。

许多岁月过去了。影子又来拜访。

“您好吗？”他问。

“哎呀！”学者说，“我正在写关于真、关于善、关于美的文章。但是谁也不愿意听这类的事儿；我简直有些失望，因为这使我难过。”

“但是我却不这样，”影子说，“我正长得心宽体胖——一个人应该这样才成。你不了解这个世界，因此你快要病了。你应该去旅行一下。这个夏天我将要到外面去跑跑；你也来吗？我倒很希望有一位旅伴呢。您愿不愿作为我的影子，跟我一道来？有您在一起，对我说来将是一桩很大的愉快。我愿意担负您的一切旅行费用。”

“这未免有点太过分了。”学者说。

“这要看您对这个问题取一种什么态度，”影子回答说，“旅行一次会对您有很大的好处。如果您愿意做我的影子，那么您将得到一切旅行的利益，而却没有旅行的负担。”

“这未免有点太那个了！”学者说。

“世事就是如此呀！”影子说，“而且将来也会是如此！”

于是影子就走了。

这位学者并不完全是很舒服的。忧愁和顾虑紧跟着他。他所谈的真、善、美对于大多数的人说来,正如玫瑰花之对于一头母牛一样,引不起兴趣。——最后他病了。

“你看起来真像一个影子。”大家对他说。他想到这句话时,身上就冷了半截。

“您应该到一个温泉去疗养!”影子来拜访他时说,“再没有别的办法。看在我们老交情的分上,我可以把您带去。我来付一切旅行的费用,您可以把这次旅行描写一番,同时也可以使我在路上消消遣。我要到一个温泉去住住。我的胡子长得不正常,而这是一种病态。但是我必须有胡子。现在请您放聪明一些,接受我的提议吧:我们可以作为好朋友去旅行一番。”

这么着,他们就去旅行了。影子现在成为主人了,而主人却成了影子。他们一起坐着车子,一起骑着马,一起并肩走着路;他们彼此有时在前,有时在后,完全依太阳的位置而定。影子总是很当心地要显出主人的身份。这位学者却没有想到这一点,因为他有一颗很善良的心,而且是一个特别温和和友爱的人。因此有一天主人对影子说:

“我们现在成为旅伴了——这一点也不用怀疑;同时我们也是从小在一起长大的,我们结拜为兄弟好不好?这样我们就可以变得更亲密些。”

“您说得对!”影子说——他现在事实上是主人,“您这句话非常直率,而且用意很好。我现在也要以诚相见,想什么就说什么。您是一个有学问的人;我想您知道得很清楚,人性是多么古怪。有些人不能摸一下灰纸——他们一看到灰纸就讨厌。有些人看到一个人用钉子在玻璃窗上划一下就全身发抖。我听到您把我称为‘你’,也有同样的感觉。像我跟您当初的关系一样,我觉得好像我是被踩到地上。您要知道,这是一种感觉,并不是自高自大的问题。我不能让您对我说‘你’,但是我倒很愿意把您称为‘你’呢。这样我们就两不吃亏了。”

从这时起,影子就把他从前的主人称为“你”。

“这未免有点太过火了,”后者想,“我得喊‘您’,而他却把我称为‘你’。”但是他也只好忍受了。

他们来到一个温泉。这儿住着许多外国人;他们之中有一位美丽的公主。她得了一种病,那就是她的眼睛看东西非常锐利——这可以使人感到极端地不安。

她马上就注意到,新来的这位人物跟其他的人不同。

“大家都说他到这儿来为的是要使他的胡子生长。不过我却能看出真正的原由——他不能投射出一个影子来。”

她有些好奇,因此她马上就在散步场上跟这位陌生的绅士聊起天来。作为一个公主,她没有什么客气的必要,因此她就直截了当地对他说:

“你的毛病就是不能投射出影子。”

“公主殿下的身体现在好多了,”影子说,“我知道您的毛病是:您看事情过于尖锐。不过这毛病已经没有了,您已经治好了。我恰恰有一个相当不平常的影子!您没有看到老跟我在一起的这个人么?别的人都有一个普通的影子,但是我却不喜欢普通的东西。有人喜欢把比自己衣服质料还要好的料子给仆人做制服穿;同样,我要让我的影子打扮得像一个独立的人。您看我还让他有一个自己的影子。这笔费用可是不小,但是我喜欢与众不同一点。”

“怎么!”公主想,“我的病已经真正治好了吗?这是世界上一个最好的温泉。它的水现在有一种奇异的力量。不过我现在还不打算离开这里,因为这地方开始使我很感兴趣。这个陌生人非常逗我的喜爱。我只希望他的胡须不要长起来,因为如果他长好了的话,那么他就要走了。”

这天晚上公主和影子在一个宽广的大厅里跳舞。她的体态轻盈,但是他的身体更轻。她从来没有遇见过这样一个跳舞的人。她告诉他,她是从哪一个国家来的,而他恰恰知道这个国家——他到那儿去过,但是那时她已经离开了。他曾经从窗口向她宫殿的内部看过——上上下下地看过。他看到了这,也看到了那。因此他可以回答公主的问题,同时暗示一些事情——这使得她非常惊奇。他一定是世界上最聪明的人了!因此她对于他的知识的渊博起了无限的敬意。当她再次和他跳舞的时候,她不禁对他发生了爱情。影子特别注意到了这一点,因为她的眼睛一直在盯着他。

她跟他又跳了一次舞。她几乎把心中的话说出来了,不过她是一个很懂得分寸的人:她想到了她的国家、她的王国和她将要统治的那些人民。

“他是一个聪明人,”她对自己说,“这是很好的;而且他跳舞也很出色——这也是很好的。但是我不知道他的学问是不是根底很深?这也是一个重要的问题:必须把他考察一下才是。”

于是她马上问了他一个非常困难、连她自己也回答不出来的问题。影子做了一个鬼脸。

“你回答不了。”公主说。

“我小时候就知道了,”影子说,“而且我相信,连站在门那儿的我的影子都能回答得出来。”

“你的影子!”公主叫了一声,“那倒真是了不起。”

“我并不是肯定地说他能回答,”影子说,“不过我相信他能够回答。这许多年来,他一直跟着我,听我谈话。不过请殿下原谅,我要提醒您注意,他认为自己是一个人,而且以此自豪;所以如果您要使他的心情好、使他能正确地回答问题,那么您得把他当做一个真正的人来看待。”

“我可以这样办。”公主说。

于是她走到那位站在门旁的学者身边去。她跟他谈到太阳和月亮,谈到人类的内心和外表;这位学者回答得既聪明,又正确。

“有这样一个聪明的影子的人,一定不是普通人,”她想,“如果我把他选做我的丈夫的话,那对于我的国家和人民一定是一桩莫大的幸事。——我要这样办!”

于是他们——公主和影子——马上就达成了一个谅解。不过在她没有回到自己的王国去以前,谁也不能知道这件事情。

“谁也不会知道——即使我的影子也不会知道的。”影子说。他说这句话有他自己的理由。

他们一起回到公主在家时所统治的那个国家里去。

“请听着,我的好朋友,”影子对学者说,“现在一个人所能希望得到的幸运和权力,我都有了。我现在也要为你做点特别的事情。你将永远跟我一起住在我的宫殿里,跟我一起乘坐我的皇家御车,而且每年还能领十万块钱的俸禄。不过你得让大家把你叫做影子,同时永远不准你说你曾经是一个人。一年一度,当我坐在阳台上太阳光里让大家看我的时候①,你得像一

① 在欧洲,根据封建时代遗留下来的惯例,国王和王后,或者公主和驸马,在每年国庆节的时候,走到阳台上来,向外面欢呼的民众答礼。

个影子的样儿，乖乖地躺在我的脚下。我可以告诉你，我快要跟公主结婚了；婚礼就在今天晚上举行。"

"哎，这未免做得太过火了！"学者说，"我不能接受，我决不干这类的事儿。这简直是欺骗公主和全国的人民。我要把一切事情讲出来——我是人，你是影子，你不过打扮得像一个人一样罢了！"

"决没有人会相信你的话！"影子说，"请你放聪明一点吧，否则我就要喊警卫来了！"

"我将直接去告诉公主！"学者说。

"但是我会比你先去，"影子说，"你将走进监牢。"

事实上，结果也就是如此，因为警卫知道他要跟公主结婚，所以就服从了他的指挥。

"你在发抖，"当影子走进房里去的时候，公主说，"出了什么事情吗？我们快要结婚了，你今晚不能生病呀！"

"我遇见世上一件最骇人听闻的事情！"影子说，"请想想吧！——当然，一个可怜的影子的头脑是经不起抬举的——请想想吧！我的影子疯了：他幻想他变成了一个人；他以为——请想想吧——他以为我是他的影子！"

"这真可怕！"公主说，"我想他已经被关起来了吧？"

"当然啦。我恐怕他永远也恢复不了理智了。"

"可怜的影子！"公主说，"他真是不幸。把他从他渺小的生命中解脱出来，我想也算是一桩善行吧。当我把这事情仔细思量一番以后，我觉得把他不声不响处置掉是必要的。"

"这当然未免有点过火，因为他一直是一个很忠实的仆人。"影子说，同时假装叹了一口气。

"你真是一个品质高贵的人。"公主说，在他面前深深地鞠了一躬。

这天晚上，整个城市大放光明；礼炮在一齐放射——轰轰！兵士们都在举枪致敬。这是举行婚礼！公主和影子在阳台上露面，再次接受群众的欢呼。

那位学者对于这个盛大的庆祝一点也没有听到，因为他已经被处决了。

海　　蟒

从前有一条家庭出身很好的小海鱼，它的名字我记不清楚——只有有学问的人才能告诉你。这条小鱼有一千八百个兄弟和姊妹，它们的年龄都一样。它们不认识自己的父亲或母亲。它们只好自己照顾自己，游来游去，不过这是很愉快的事情。

它们有吃不尽的水——整个大洋都是属于它们的。因此它们从来不在食物上费脑筋——食物就摆在那儿。每条鱼喜欢做什么就做什么，喜欢听什么故事就听什么故事。但是谁也不想这个问题。

太阳光射进水里来，在它们的周围照着。一切都照得非常清楚，这简直是充满了最奇异的生物的世界。有的生物大得可怕，嘴巴很宽，一口就能把这一千八百个兄弟姊妹吞下去。不过它们也没有想这个问题，因为它们没有谁被吞过。

小鱼都在一块儿游，挨得很紧，像鲱鱼和鲭鱼那样。不过当它们正在水里游来游去、什么事情也不想的时候，忽然有条又长又粗的东西，从上面坠到它们中间来了。它发出可怕的响声，而且一直不停地往下坠。这东西越拖越长；小鱼一碰到它就会被打得粉碎或受重伤，再也复原不了。所有的小鱼儿——大的也不例外——从海面一直到海底，都在惊恐地逃命。这个粗大的重家伙越沉越深，越变越长，变成许多里路长，穿过大海。

鱼和蜗牛——一切能够游、能够爬，或者随着水流动的生物——都注意到了这个可怕的东西，这条来历不明的、忽然从上面落下来的、庞大的海鳝。

这究竟是一个什么东西呢？是的，我们知道！它就是无数里长的粗大的电缆。人类正在把它安放在欧洲和美洲之间。

凡是电缆落到的地方，海里的合法居民就感到惊惶，引起一阵骚动。飞鱼冲出海面，使劲地向高空飞去。鲂鮄在水面上飞过枪弹所能达到的整个射程，因为它有这套本领。别的鱼则往海底钻；它们逃得飞快，电缆还没有出现，它们就已经跑得老远了。鳕鱼和比目鱼在海的深处自由自在地游泳，吃它们的同类，但是现在也被别的鱼吓慌了。

有一对海参吓得那么厉害，它们连肠子都吐出来了。不过它们仍然能活下去，因为它们有这套本领。有许多龙虾和螃蟹从自己的甲壳里冲出来，把腿都扔在后面。

在这种惊惶失措的混乱中，那一千八百个兄弟姊妹就被打散了。它们再也聚集不到一起，彼此也没有办法认识。它们只有一打留在原来的地方。当它们静待了个把钟头以后，总算从开头的一阵惊恐中恢复过来，开始感到有些奇怪。

它们向周围看，向上面看，也向下面看。它们相信在海的深处看见了那个可怕的东西——那个把它们吓住、同时也把大大小小的鱼儿都吓住的东西。凭它们的肉眼所能看见的，这东西是躺在海底，相当细，但是它们不知道它能变得多粗，或者变得多结实。它静静地躺着，不过它们认为它可能是在捣鬼。

"让它在那儿躺着吧！这跟我们没有什么关系！"小鱼中一条最谨慎的鱼说，不过最小的那条鱼仍然想知道，这究竟是一个什么东西。它是从上面沉下来的，人们一定可以从上面得到可靠的消息，因此它们都浮到海面上去。天气非常晴朗。

它们在海面上遇见一只海豚。这是一个耍武艺的家伙，一个海上的流浪汉：它能在海面上翻筋斗。它有眼睛看东西，因此一定看到和知道一切情况。它们向它请教，不过它老是想着自己和自己翻的筋斗。它什么也没有看到，因此也回答不出什么来。它只是一言不发，做出一副很骄傲的样子。

它们只好请教一只海豹。海豹只会钻水。虽然它吃掉小鱼，它还是比较有礼貌的，不过它今天吃得很饱。它比海豚知道得稍微多一点。

"有好几夜我躺在潮湿的石头上，朝许多里路以外的陆地望。那儿有许多呆笨的生物——在他们的语言中叫做'人'。他们总想捉住我们，不过我们经常总逃脱了。我知道怎样逃,你们刚才问起的海鳝也知道。海鳝一直是被他们控制着的,因为它无疑从远古起就一直躺在陆地上。他们把它从陆地运到船上,然后又把它从海上运到一个遥远的陆地上去。我看见他们碰到多少麻烦,但是他们却有办法应付,因为它在陆地上是很听话的。他们把它卷成一团。我听到它被放下水的时候发出的哗啦哗啦的声音。不过它从他们手中逃脱了,逃到这儿来了。他们使尽气力来捉住它,许多手来抓住它,但是它仍然溜走了,跑到海底来。我想它现在还躺在海底上吧!"

"它倒是很细呢!"小鱼说。

"他们把它饿坏了呀!"海豹说,"不过它马上就可以复原,恢复它原来粗壮的身体。我想它就是人类常常谈起而又害怕的那种大海蟒吧。我从来没有看见过它,也从来不相信它。现在我可相信了:它就是那家伙!"于是海豹就钻进水里去了。

"它知道的事情真多,它真能讲!"小鱼说,"我从来没有这样聪明过!——只要这不是说谎!"

"我们可以游下去调查一下!"最小的那条鱼说,"我们沿路还可以向别人打听打听!"

"如果我再得不到什么别的情况,我连鳍都不愿意动一下,"别的鱼儿说,掉转身就走。

"不过我要去!"最小的鱼儿说。于是它便钻到深水里去了。但是这离开"沉下的那个长东西"躺着的地方还很远。小鱼在海底朝各方面探望和寻找。

它从来没有注意到,它所住的世界是这样庞大。鲱鱼结成大队在游动,亮得像银色的大船。鲭鱼在后面跟着,样子更是富丽堂皇。各种形状的鱼和各种颜色的鱼都来了。水母像半透明的花朵,随着水流在前后漂动。海底长着巨大的植物、一人多高的草和类似棕榈的树,它们的每一片叶子上都附有亮晶晶的贝壳。

最后小鱼发现下面有一条长长的黑光,于是它向它游去。但是这既不是鱼,也不是电缆,而是一艘沉下的大船的栏杆。因为海水的压力,这艘船的上下两层裂成了两半。小鱼游进船舱里去。当船下沉的时候,船舱里有许多人都死了,而且被水冲走了。现在只剩下两个人:一个年轻的女人直直地躺着，怀里抱着一个小孩。水把她们托起来，好像在摇着她们似的。她们好像是在睡觉。

小鱼非常害怕；它一点也不知道，她们是再也醒不过来的。海藻像藤蔓似的悬在栏杆上，悬在母亲和孩子的美丽的尸体上。这儿是那么沉静和寂寞。小鱼拼命地游——游到水比较清亮和别的鱼游泳的地方去。它没有游远就碰见一条大得可怕的鲸鱼。

"请不要把我吞下去，"小鱼说，"我连味儿都没有，因为我是这样小，但是我觉得活着是多么愉快啊！"

"你跑到这么深的地方来干什么？为什么你的族人没有来呢？"鲸鱼问。

于是小鱼就谈起了那条奇异的长鳝鱼来——不管它叫什么名字吧。这东西从上面沉下来，甚至把海里最大胆的居民都吓慌了。

"乖乖！"鲸鱼说。它喝了一大口水，当它跑到水面上来呼吸的时候，不得不吐出一股庞大的水柱。"乖乖！"它说，"当我翻身的时候，把我的背擦得怪痒的那家伙原来就是它！我还以为那是一艘船的桅杆、可以拿来当做搔痒的棒子呢！但是它并不在这附近。不，这东西躺在很远的地方。我现在没有别的事情可干，我倒要去找找它！"

于是它在前面游，小鱼跟在后面——并不太近，因为有一股激流卷过来，大鲸鱼很快地就先冲过去了。

它们遇见了一条鲨鱼和一条老锯鳐。这两条鱼也听到关于这条又长又瘦的奇怪海鳝的故事。它们没有看见过它，但是想去看看。

这时有一条鲶鱼游过来了。

"我也跟你们一道去吧。"它说。它也是朝这个方向游来。"如果这条大海蟒并不比锚索粗多少，那么我一口就要把它咬断。"于是它把嘴张开，露出六排牙齿。"我可以在船锚上咬出一个印迹来，当然也可以把那东西的身子咬断！"

"原来如此！"大鲸鱼说，"我懂得了！"

它以为自己看事情要比别人清楚得多。"请看它怎样浮起来，怎样摆动、拐弯和打滚吧！"

它却看错了。朝它们游过来的是一条庞大的海鳗，有好几码长。

“这家伙我从前曾经看见过！”锯鳐说，“它在海里从来不闹事，也从来不吓唬任何大鱼的。”

因此它们就和它谈起那条新来的海鳝，同时问它愿意不愿意一同去找它。

“难道那条鳝鱼比我还要长吗？”海鳗问，“这可要出乱子了！”

“那是肯定的！”其余的鱼说，“我们的数目不少，倒是不怕它的。”于是它们就赶忙向前游。

正在这时候，有一件东西挡住了它们的去路——一个比它们全体加到一起还要庞大的怪物。

这东西像一座浮着的海岛，而又浮不起来。

这是一条很老的鲸鱼。它的头上长满了海藻，背上堆满了爬行动物、一大堆牡蛎和贻贝，弄得它的黑皮上布满了白点。

“老头子，跟我们一块来吧！”它们说，“这儿现在来了一条新鱼，我们可不能容忍它。”

“我情愿躺在我原来的地方，”老鲸鱼说，“让我休息吧！让我躺着吧！啊，是的，是的，是的。我正害着一场大病！我只有浮到海面上，把背露出水面，才觉得舒服一点！这时庞大的海鸟就飞过来啄我。只要它们不啄得太深，这倒是蛮舒服的。它们有时一直啄到我的肥肉里去。你们瞧吧！有一只鸟的全部骨架还卡在我的背上呢。它把爪子抓得太深，当我沉到海底的时候，它还取不出来。于是小鱼又来啄它。请看看它的样子，再看看我的样子！我病了！”

“这全是想象！”另一条鲸鱼说，“我从来就不生病。没有鱼会生病的！”

“请原谅我，”老鲸鱼说，“鳝鱼有皮肤病，鲤鱼会出天花，而我们大家都有寄生虫！”

“胡说！”鲨鱼说。它不愿意再拖延下去，别的鱼也一样，因为它们有别的事情要考虑。

最后它们来到电缆躺着的那块地方。它横躺在海底，从欧洲一直伸到美洲，越过沙丘、泥地、石底、茫茫一片的海中植物和整个珊瑚林。这儿激流在不停地变动，漩涡在打转，鱼在成群结队地游——它们比我们看到的无数成群地飞过的候鸟还要多。这儿有骚动声、溅水声、哗啦声和嗡嗡声——当我们把贝壳放在身边的时候,我们还可以微微地听到这种嗡嗡声。现在它们就来到了这块地方。

"那家伙就躺在这儿!"大鱼说。小鱼也随声附和着。

它们看见了电缆,而这电缆的头和尾所在的地方都超出了它们的视线。

海绵、水螅和珊瑚虫在海底漂荡,有的垂挂着,有的贴着地面,因此有的一忽儿显露,有的一忽儿隐没。海胆、蜗牛和蠕虫在海底爬来爬去。庞大的蜘蛛,背上背着整群的爬虫,在电缆上迈着步子。深蓝色的海参——不管这种爬虫叫什么,它是用整个的身体来吃东西的——躺在那儿,似乎在嗅海底的这个新的动物。比目鱼和鳕鱼在水里游来游去,静听各方面的响声。海盘车喜欢钻进泥巴里去,只是把长着眼睛的两根长脚伸出来。它静静地躺着,看这番骚动究竟会产生一个什么结果。

电缆静静地躺着,但是生命和思想却在它的身体里活动。人类的思想在它身体内通过。

"这家伙很狡猾!"鲸鱼说,"它能打中我的肚皮,而我的肚皮是最容易受伤的地方!"

"让我们摸索前进吧!"水螅说,"我有细长的手臂,我有灵巧的手指。我能够摸它。我现在要把它抓紧一点试试看。"

它把灵巧的长臂伸到电缆底下,然后绕在它上面。

"它并没有鳞!"水螅说,"也没有皮!我相信它永远也养不出有生命的孩子!"

海鳗在电缆旁躺下来,尽量把自己伸长。

"这家伙比我还要长!"它说,"不过长并不是了不起的事情,一个人应该有皮、肚子和活泼的能力才行。"

鲸鱼——这条年轻和强壮的鲸鱼——向下沉,沉得比平时要深得多。

"请问你是鱼呢,还是植物?"它问,"也许你是从上面落下来的一件东西;在我们中间生活不下去吧?"

但是电缆却什么也不回答——这不是它的事儿。它里面有思想在通过——人类的思想。这些思想,在一秒钟以内,从这个国家传到那个国家,要跑几千里。

"你愿意回答呢,还是愿意被打断?"凶猛的鲨鱼问。别的大鱼也都随声附和。“你愿意回答呢,还是愿意被打断?”

电缆一点也不理会,它有它自己的思想。它在思想,这是最自然不过的事情,因为它全身充满了思想。

“让它们把我打断吧。人们会把我捞起来,又把我连接好。我有许多族人在浅水地带曾经碰到过这类事情。”

因此它就不回答;它有别的事情要做。它在传送电报;它躺在海底完全是合法的。

这时候,像人类所说的一样,太阳落下去了。天上的云块发出火一般的光彩——一块比一块好看。

“现在我们可以有红色的亮光了!”水螅说,“我们可以更清楚地瞧瞧这家伙——假如这是必要的话。”

“瞧瞧吧! 瞧瞧吧!”鲶鱼说,同时露出所有的牙齿。

“瞧瞧吧! 瞧瞧吧!”旗鱼、鲸鱼和海鳗一起说。

它们一齐向前冲。鲶鱼跑在前面。不过当它们正要去咬电缆的时候,锯鳐把它的锯猛力刺进鲶鱼的背。这是一个严重的错误:鲶鱼再也没有力量来咬了。

泥巴里现在是一团混乱。大鱼和小鱼,海参和蜗牛都在横冲直撞,互相乱咬乱打。电缆在静静地躺着,做它应该做的事情。

海上是一片黑夜,但是成千上万的海生物在发出光来。不够针头大的虾子也在发着光。这真是奇妙得很,不过事实是如此。

海里的动物望着这根电缆。

“这家伙是一件东西呢,还是不是一件东西呢?”

是的,问题就在这儿。

这时有一头海象来了。人类把这种东西叫海姑娘或海人。这一条是一个“她”,有一个尾巴、两只划水用的短臂和一个下垂的胸脯。她的头上有许多海藻和爬行动物,而她因这些东西而感到非常骄傲。

“你们想不想知道和了解呢?”她说,“我是唯一可以告诉你们的人。不过我要求一件事情:我要求我和我的族人有在海底自由吃草的权利。我像你们一样,也是鱼,但在动作方面我又是一个爬行动物。我是海里最聪明的生物。我知道生活在海里的一切东西,也知道生活在海上的一切东西。凡是从上面放下来的东西都是死的,或者变成死的,没有任何力量。让它躺在那儿吧。它不过是人类的一种发明罢了!"

"我相信它还不只是如此!"小鱼说。

"小鲭鱼,不准你讲!"大海象说。

"刺鱼!"别的鱼儿说。此外还有更加无礼的话。

海象解释给它们听,说这个一言不发的、吓人的家伙不过是陆地上的一种发明罢了。她还作了一番短短的演讲,说明人类的狡猾。

"他们想捉我们,"她说,"这就是他们生活的唯一目的。他们撒下网,在钩子上安着饵来捉我们。那儿躺着的家伙是条绳子。他们以为我们会咬它,他们真傻!我们可不会这样傻!不要动这废物吧,它自己会消散,变成灰尘和泥巴的。上面放下来的东西都是有毛病和破绽的——一文不值!"

"一文不值!"所有的鱼儿都说。它们为了要表示意见,所以就全都赞同海象的意见。

小鱼却有自己的看法:"这条又长又瘦的海蟒可能是海里最奇异的鱼。我有这种感觉。"

"最奇异的!"我们人类也这样说,而且有把握和理由这样说。

这条巨大的海蟒,好久以前就曾在歌曲和故事中被谈到过的。

它是从人类的智慧中孕育和产生出来的。它躺在海底,从东方的国家伸展到西方的国家去。它传递消息,像光从太阳传到我们地球上一样快。它在发展,它的威力和范围在发展,一年一年地在发展。它穿过大海,环绕着地球;它深入波涛汹涌的水,也深入一平如镜的水——在这水上,船长像在透明的空气中航行一样,可以朝下看,望见像各种颜色的焰火似的鱼群。

这蟒蛇——一条带来幸运的中层界[1]的蟒蛇——环绕着地球一周,可以咬到自己的尾巴。鱼和爬虫硬着头皮向它冲来,它们完全不懂得上面放下来的东西:人类的思想,用种种不同的语言,无声无息地,为了好的或坏的目的,在这条知识的蛇里流动着。它是海里奇物中一件最奇异的东西——我们时代的**海蟒**。

---

① 原文是 Midgaard。按照宗教和民间传说,宇宙分天堂、人间和地狱三层。中间这层就是我们人类居住的世界。

老约翰妮讲的故事

风儿在老柳树间呼啸。

这听起来像一支歌，风儿唱出它的调子，树儿讲出它的故事。如果你不懂得它的话，那么请你去问住在济贫院里的约翰妮吧。她知道，因为她是在这个区域里出生的。

多少年以前，当这地方还有一条公路的时候，这棵树已经很大、很引人注目了。它现在仍然立在那个老地方——在裁缝那座年久失修的木屋子外面，在那个水池的旁边。那时候池子很大，家畜常常在池子里洗澡；在炎热的夏天，农家的孩子常常光着身子，在池子里拍来拍去。柳树底下有一个里程碑。它现在已经倒了，上面长满了黑莓。

在一个富有的农人的农庄的另一边，现在筑起了一条新公路。那条老公路已经成了一条田埂，那个池子成了一个长满了浮萍的水坑。一个青蛙跳下去，浮萍就散开了，于是人们就可以看到黑色的死水。它的周围生长着一些香蒲、芦苇和金黄的鸢尾花，而且还在不断地增多。

裁缝的房子又旧又歪，它的屋顶是青苔和石莲花的温床。鸽房塌了，欧椋鸟筑起自己的窠来。山形墙和屋顶下挂着的是一连串燕子窠，好像这儿是一块幸运的住所似的。

这是某个时候的情形；但是现在它是孤独和沉寂的。"孤独的、无能的、可怜的拉斯木斯"——大家这样叫他——住在这儿。他是在这儿出生的。他在这儿玩耍过，在这儿的田野和篱笆上跳跃过。他小时候在这个池子里拍过水，在这棵老树上爬过。

树上曾经长出过美丽的粗枝绿叶，它现在也仍然是这样。不过大风已经把它的躯干吹得有点儿弯了，而时间在它身上刻出了一道裂口。风把泥土吹到裂口里去。现在它里面长出了草和绿色植物。是的，它里面甚至还长出了一棵小山梨。

燕子在春天飞来，在树上和屋顶上盘旋，修补它们的旧窠。但是可怜的拉斯木斯却让自己的窠自生自灭；他既不修补它，也不扶持它。“那有什么用呢？”这就是他的格言，也是他父亲的格言。

他待在家里。燕子——忠诚的鸟儿——从这儿飞走了，又回到这儿来。欧椋鸟飞走了，但是也飞回来，唱着歌。有个时候，拉斯木斯也会唱，并且跟它比赛。现在他既不会唱，也不会吹。

风儿在这棵老柳树上呼啸——它仍然在呼啸，这听起来像一支歌：风儿唱着它的调子，树儿讲着它的故事。如果你听不懂，可以去问住在济贫院里的约翰妮。她知道，她知道许多过去的事情，她像一本写满了字和回忆的记录。

当这是完好的新房子的时候——村里的裁缝依瓦尔·奥尔塞和他的妻子玛伦一起迁进去住过。他们是两个勤俭、诚实的人。年老的约翰妮那时还不过是一个孩子，她是这地区里一个最穷的人——一个木鞋匠的女儿。玛伦从来不短少饭吃；约翰妮从她那里得到过不少黄油面包。玛伦跟地主太太的关系很好，永远是满面笑容，一副高兴的样子。她从来不悲观。她的嘴很能干，手也很能干。她善于使针，正如她善于使嘴一样。她会料理家务，也会料理孩子——她一共有十二个孩子，第十二个已经不在了。

“穷人家老是有一大窠孩子！”地主发牢骚说，“如果他们能把孩子像小猫似的淹死，只留下一两个身体最强壮的，那么他们也就不至于穷困到这种地步了！”

“愿上帝保佑我！”裁缝的妻子说，“孩子是上帝送来的；他们是家庭的幸福；每一个孩子都是上帝送来的礼物！如果生活紧，吃饭的嘴巴多，一个人就更应该努力，更应该想尽办法，老实地活下去。只要我们自己不松劲，上帝一定会帮助我们的！”

地主的太太同意她这种看法，和善地对她点点头，摸摸玛伦的脸：这样的事情她做过许多次，甚至还吻过玛伦，不过这是她小时候的事，那时玛伦是她的奶奶。她们那时彼此都喜爱;她们现在仍然是这样。

每年圣诞节,总有些冬天的粮食从地主的公馆送到裁缝的家里来;一桶牛奶,一只猪,两只鹅,十多磅黄油,干奶酪和苹果。这大大地改善了他们的伙食情况。依瓦尔·奥尔塞那时感到非常满意,不过他的那套老格言马上又来了:"这有什么用呢?"

他屋子里的一切东西,窗帘、荷兰石竹和凤仙花,都是很干净和整齐的。画框里镶着一幅绣着名字的刺绣,它的旁边是一篇有韵的"情诗"。这是玛伦·奥尔塞自己写的。她知道诗应该怎样押韵。她对于自己的名字感到很骄傲,因为在丹麦文里,它和"包尔塞"(香肠)这个字是同韵的。"与众不同一些总是好的!"她说,同时大笑起来,她的心情老是很好,她从来不像她的丈夫那样,说:"有什么用呢?"她的格言是:"依靠自己,依靠上帝!"她照这个信念办事,把家庭维系在一起。孩子们长得很大,很健康,旅行到遥远的地方去,发展也不坏。拉斯木斯是最小的一个孩子。他是那么可爱,城里一个最伟大的艺术家曾经有一次请他去当模特儿。他那时什么衣服也没有穿,像他初生到这个世界上来的时候一样。这幅画现在挂在国王的宫殿里。地主的太太曾经在那儿看到过,而且还认得出小小的拉斯木斯,虽然他没有穿衣服。

可是现在困难的日子到来了。裁缝的两只手生了关节炎,而且长出了很大的瘤。医生一点办法也没有,甚至会"治病"的那位"半仙"斯娣妮也想不出办法来。

"不要害怕!"玛伦说,"垂头丧气是没有用的!现在爸爸的一双手既然没有用,那么我就要多使用我的一双手了。小拉斯木斯也可以使针了!"

他已经坐在案板旁边工作,一面吹着口哨,一面唱着歌。他是一个快乐的孩子。

妈妈说他不能老是整天坐着。这对于孩子是一桩罪过。他应该活动和玩耍。

他最好的玩伴是木鞋匠的那个小小的约翰妮。她家比拉斯木斯家更穷。她长得并不漂亮;她露着光脚,穿着破烂的衣服。没有谁来替她补,她自己也不会做。她是一个孩子,快乐得像我们上帝的阳光中的一只小鸟。

拉斯木斯和约翰妮在那个里程碑和大柳树旁边玩耍。

他有伟大的志向。他要做一个能干的裁缝,搬进城里去住——他听到爸爸说过,城里的老板能雇用十来个师傅。他想当一个伙计;将来再当一个老板。约翰妮可以来拜访他。如果她会做饭,她可以为大伙儿烧饭。他将给她一间大房间住。

约翰妮不敢相信这类事情。不过拉斯木斯相信这会成为事实。

他们这样坐在那棵老树底下,风在叶子和枝丫之间吹:风儿仿佛是在唱歌,树儿仿佛是在讲话。

在秋天,每片叶子都落下来了,雨点从光秃秃的枝子上滴下来。

"它会又变绿的!"奥尔塞妈妈说。

"有什么用呢?"丈夫说,"新的一年只会带来新的忧愁!"

"厨房里装满了食物呀!"妻子说,"为了这,我们要感谢我们的女主人。我很健康,精力旺盛。我们发牢骚是不对的!"

地主一家人住在乡下别墅里过圣诞节。可是在新年过后的那一周里,他们就搬进城里去了。他们在城里过冬,享受着愉快和幸福的生活:他们参加舞会,甚至还参加国王在场的宴会。

女主人从法国买来了两件华贵的时装。在质量、式样和缝制艺术方面讲,裁缝的妻子玛伦以前从来没有看到过这样漂亮的东西,她请求太太说,能不能把丈夫带到她家里来看看这两件衣服。她说,一个乡下裁缝从来没有机会看到这样的东西。

他看到了;在他回家以前,他什么意见也没有表示。他所说的只不过是老一套:"这有什么用呢?"这一次他说对了。

主人到了城里。跳舞和欢乐的季节已经开始了;不过在这种快乐的时候,老爷忽然死了。太太不能穿那样美丽的时装。她感到悲痛,她从头到脚都穿上了黑色的丧服;连一条白色的缎带都没有。所有的仆人也都穿上了黑衣。甚至他们的大马车也蒙上了黑色的细纱。

这是一个寒冷、冰冻的夜。雪发出晶莹的光,星星在眨眼。沉重的柩车装着尸体从城里开到家庭的教堂里来;尸体就要埋葬在家庭的墓窖里的。管家和教区的小吏骑在马上,拿着火把,在教堂门口守候。教堂的光照得很亮,牧师站在教堂敞开的门口迎接尸体。棺材被抬到唱诗班里去;所有的人都在后面跟着。牧师发表了一篇演说,大家唱了一首圣诗。太太也在教堂里;她是坐在蒙着黑纱的轿车里来的。它的里里外外全是一片黑色;人们在这个教区里从来没有看见过这样的情景。

整个冬天大家都在谈论着这位老爷的葬礼。“这才算得是一位老爷的入葬啊。”

“人们可以看出这个人是多么重要!”教区的人说,“他生出来很高贵,埋葬时也很高贵!”

“这又有什么用呢?”裁缝说,“他现在既没有了生命,也没有了财产。这两样东西中我们起码还有一样!”

“请不要这样讲吧!”玛伦说,“他在天国里永远是有生命的!”

“谁告诉你这话,玛伦?”裁缝说,“死尸只不过是很好的肥料罢了!不过这人太高贵了。连对泥土也没有什么用,所以只好让他躺在一个教堂的墓窖里!”

“不要说这种不信神的话吧!”玛伦说,“我再对你讲一次,他是会永生的!”

“谁告诉你这话,玛伦?”裁缝重复说。

玛伦把她的围裙包在小拉斯木斯头上,不让他听到这番话。

她哭起来,把他抱到柴草房里去。

“亲爱的拉斯木斯,你听到的话不是你爸爸讲的。那是一个魔鬼,在屋子里走过,借你爸爸的声音讲的!祷告上帝吧。我们一起来祷告吧!”她把这孩子的手合起来。

“现在我放心了!”她说,“要依靠你自己,要依靠我们的上帝!”

一年的丧期结束了。寡妇现在只戴着半孝。她的心里很快乐。

外面有些谣传,说她已经有了一个求婚者,并且想要结婚。玛伦知道一点线索,而牧师知道的更多。

在棕枝主日①那天,做完礼拜以后,寡妇和她的爱人的结婚预告就公布出来了。他是一个雕匠或一个刻匠,他的这行职业的名称还不大有人知道。

---

① 棕枝主日(Palme-Sondag)是基督教节日,在复活节前的一个礼拜日举行。据《圣经·新约全书·约翰福音》第十二章第十二至十五节记载,耶稣在受难前,曾骑驴最后一次来到耶路撒冷,受到群众手执棕枝踊跃欢迎。

在那个时候，多瓦尔生和他的艺术还不是每个人所谈论的话题。这个新的主人并不是出自望族，但他是一个非常高贵的人。大家说，他这个人不是一般人所能理解的。他雕刻出人像来，手艺非常巧；他是一个貌美的年轻人。

"这有什么用呢？"裁缝奥尔塞说。

在棕枝主日那天，结婚预告在牧师的讲道台上宣布出来了。接着大家就唱圣诗和领圣餐。裁缝、他的妻子和小拉斯木斯都在教堂里；爸爸和妈妈去领圣餐。拉斯木斯坐在座位上——他还没有受过坚信礼。裁缝的家里有一段时间没有衣服穿。他们所有的几件旧衣服已经被翻改过了好几次，补了又补。现在他们三个人都穿着新衣服，不过颜色都是黑的，好像他们要去送葬似的，因为这些衣服是用盖着柩车的那块黑布缝的。丈夫用它做了一件上衣和裤子，玛伦做了一件高领的袍子，拉斯木斯做了一套可以一直穿到受坚信礼时的衣服。柩车的盖布和里布他们全都利用了。谁也不知道，这布过去是做什么用的，不过人们很快就知道了。那个"半仙"斯娣妮和一些同样聪明、但不靠"道法"吃饭的人，都说这衣服给这一家人带来灾害和疾病。"一个人除非是要走进坟墓，决不能穿蒙柩车的布的。"

木鞋匠的女儿约翰妮听到这话就哭起来。事有凑巧，从那天起，那个裁缝的情况变得一天不如一天，人们不难看出谁会倒霉。

事情摆得很明白了。

在三一主日[①]后的那个礼拜天，裁缝奥尔塞死了。现在只有玛伦一个人来维持这个家庭了。她坚持要这样做；她依靠自己，依靠我们的上帝。

第二年拉斯木斯受了坚信礼。这时他到城里去，跟一个大裁缝当学徒。这个裁缝的案板上没有十二个伙计做活；他只有一个。而小小的拉斯木斯只算半个。他很高兴，很满意，不过小小的约翰妮哭起来了。她爱他的程度超过了她自己的想象。裁缝的未亡人留守在老家，继续做她的工作。

这时有一条新的公路开出来了。柳树后边和裁缝的房子旁边的那条公路，现在成了田埂；那个水池变成了一潭死水，长满了浮萍。那个里程碑也

---

① 三一主日是基督教节日，在圣灵降临节后的第一个礼拜日举行，以恭敬上帝的"三位一体"。

倒下来了——它现在什么也不能代表;不过那棵树还是活的,既强壮,又好看。风儿在它的叶子和枝丫中间发出萧萧声。

燕子飞走了,欧椋鸟也飞走了;不过它们在春天又飞回来了。当它们在第四次飞回来的时候,拉斯木斯也回来了。他的学徒期已结束了。他虽然很瘦削,但是却是一个漂亮的年轻人。他现在想背上背包,旅行到外国去。这就是他的心情。可是他的母亲留住他不放,家乡究竟是最好的地方呀,别的几个孩子都星散了,他是最年轻的,他应该待在家里。只要他留在这个区域里,他的工作一定会做不完。他可以成为一个流动的裁缝,在这个田庄里做两周,在那个田庄里留半个月就成。这也是旅行呀。拉斯木斯遵从了母亲的劝告。

他又在他故乡的屋子里睡觉了,他又坐在那棵老柳树底下,听它呼啸。

他是一个外貌很好看的人。他能够像一个鸟儿似的吹口哨,唱出新的和旧的歌。他在所有的大田庄上都受到欢迎,特别是在克劳斯·汉生的田庄上。这人是这个区域里第二个富有的农夫。

他的女儿爱尔茜像一朵最可爱的鲜花。她老是笑着。有些不怀好意的人说,她笑是为了要露出美丽的牙齿。她随时都会笑,而且随时有心情开玩笑。这是她的性格。

她爱上了拉斯木斯,他也爱上了她。但是他们没有用语言表达出来。

事情就是这样;他心中变得沉重起来。他的性格很像他父亲,而不大像母亲。只有当爱尔茜来的时候,他的心情才活跃起来。他们两人在一起笑,讲风趣话,开玩笑。不过,虽然适当的机会倒是不少,他却从来没有私下吐出一个字眼来表达他的爱情。"这有什么用呢?"他想,"她的父亲为她找有钱的人,而我没有钱。最好的办法是离开此地!"然而他不能从这个田庄离开,仿佛爱尔茜用一根线把他牵住了似的。在她面前他好像是一只受过训练的鸟儿:他为了她的快乐和遵照她的意志而唱歌,吹口哨。

木鞋匠的女儿约翰妮就在这个田庄上当用人,做一些普通的粗活。她赶着奶车到田野里去,和别的女孩子们一起挤奶。在必要的时候,她还要运粪呢。她从来不走到大厅里去,因此也就不常看到拉斯木斯或爱尔茜,不过她听到别人说过,他们两人的关系几乎说得上是恋人。

"拉斯木斯真是运气好,"她说,"我不能嫉妒他!"于是她的眼睛就湿润了，虽然她没有什么理由要哭。

这是城里赶集的日子。克劳斯·汉生驾着车子去赶集，拉斯木斯也跟他一道去。他坐在爱尔茜的身旁——去时和回来时都是一样。他深深地爱她，但是却一个字也不吐露出来。

"关于这件事，他可以对我表示一点意见呀！"这位姑娘想，而且她想得有道理。"如果他不开口的话，我就得吓他一下！"

不久农庄上就流传着一个谣言，说区里有一个最富有的农夫在向爱尔茜求爱。他的确表示过了，但是她对他作什么回答，暂时还没有谁知道。

拉斯木斯的思想里起了一阵波动。

有一天晚上，爱尔茜的手指上戴上了一个金戒指，同时问拉斯木斯这是什么意思。

"订了婚！"他说。

"你知道跟谁订了婚吗？"她问。

"是不是跟一个有钱的农夫？"他说。

"你猜对了！"她说，点了一下头，于是就溜走了。

但是他也溜走了。他回到妈妈的家里来，像一个疯子。他打好背包，要向茫茫的世界走去。母亲哭起来，但是也没有办法。

他从那棵老柳树上砍下一根手杖；他吹起口哨来，好像很高兴的样子。他要出去见见世面。

"这对于我是一件很难过的事情！"母亲说，"不过对于你说来，最好的办法当然是离开。所以我也只得听从你了。依靠你自己和我们的上帝吧，我希望再看到你的时候，你又是那样快乐和高兴！"

他沿着新的公路走。他在这儿看见约翰妮赶着一大车粪。她没有注意到他，而他也不愿意被她看见，因此他就坐在一个篱笆的后面，躲藏起来。约翰妮赶着车子走过去了。

他向茫茫的世界走去。谁也不知道他走向什么地方。他的母亲以为他在年终以前就会回来的："他现在有些新的东西要看，新的事情要考虑。但是他会回到旧路上来的，他不会把一切记忆都一笔勾销的。在气质方面，他太像他的父亲。可怜的孩子！我倒很希望他有我的性格呢。但是他会回家来的。他不会抛掉我和这间老屋子的。"

母亲等了许多年。爱尔茜只等了一个月。她偷偷地去拜访那个“半仙”——麦得的女儿斯娣妮。这个女人会“治病”，会用纸牌和咖啡算命，而且还会念《主祷文》和许多其他的东西。她还知道拉斯木斯在什么地方。这是她从咖啡的沉淀中看出来的。他住在一个外国的城市里，但是她研究不出它的名字。这个城市里有兵士和美丽的姑娘。他正在考虑去当兵或者娶一个姑娘。

爱尔茜听到这话，难过到极点。她愿意拿出她所有的储蓄，把他救出来，可是她不希望别人知道她在做这件事情。

老斯娣妮说，他一定会回来的。她可以做一套法事——一套对于有关的人说来很危险的法事，不过这是一个不得已的办法。她要为他熬一锅东西，使他不得不离开他所在的那个地方。锅在什么地方熬，他就得回到什么地方来——回到他最亲爱的人正在等着他的地方来。可能他要在好几个月以后才能回来，但是如果他还活着的话，他一定会回来的。

他一定是在日夜不停地、跋山涉水地旅行，不管天气是温和还是严寒，不管他是怎样劳累。他应该回家来，他一定要回家来。

月亮正是上弦。老斯娣妮说，这正是做法事的时候。这是暴风雨的天气，那棵老柳树裂开了：斯娣妮砍下一根枝条，把它挽成一个结——它可以把拉斯木斯引回到他母亲的家里来。她把屋顶上的青苔和石莲花都采下来，放进火上熬着的锅里去。这时爱尔茜得从《圣诗集》上扯下一页来。她偶然扯下了印着勘误表的最后一页。“这也同样有用！”斯娣妮说，于是便把它放进锅里去了。

汤里面必须有种种不同的东西，得不停地熬，一直熬到拉斯木斯回到家里来为止。斯娣妮房间里的那只黑公鸡的冠子也得割下来，放进汤里去。爱尔茜的那个大金戒指也得放进去，而且斯娣妮预先告诉她，放进去以后就永远不能收回。她，斯娣妮，真是聪明。许多我们不知其名的东西也被放进锅里去了。锅一直放在火上、发光的炭上或者滚热的炭上。只有她和爱尔茜知道这件事情。

月亮盈了，月亮亏了。爱尔茜常常跑来问：“你看到他回来没有？”

“我知道的事情很多！”斯娣妮说，“我看得见的事情很多！不过他走的那条路有多长，我却看不见。他一会儿在走过高山！一会儿在海上遇见恶劣的天气！穿过那个大森林的路是很长的，他的脚上起了泡，他的身体在发热，但是他得继续向前走！"

"不成！不成！"爱尔茜说，"这叫我感到难过！"

"他现在停不下来了！因为如果我们让他停下来的话，他就会倒在大路上死掉了！"

许多年又过去了！月亮又圆又大，风儿在那棵老树里呼啸，天上的月光中有一条长虹出现。

"这是一个证实的信号！"斯娣妮说，"拉斯木斯要回来了。"

可是他并没有回来。

"还需要等待很长的时间！"斯娣妮说。

"现在我等得腻了！"爱尔茜说。她不再常来看斯娣妮，也不再带礼物给她了。

她的心略微轻松了一些。在一个晴朗的早晨，区里的人都知道爱尔茜对那个最有钱的农夫表示了"同意"。

她去看了一下农庄和田地，家畜和器具。一切都布置好了。现在再也没有什么东西可以延迟他们的婚礼了。

盛大的庆祝一连举行了三天。大家跟着笛子和提琴的节拍跳舞。区里的人都被请来了。奥尔塞妈妈也到来了。这场欢乐结束的时候，客人都道了谢，乐师都离去了，她带了些宴会上剩下来的东西回到家来。

她出去前只是用了一根插销把门扣住。插销现在却被拉开了，门也开了，拉斯木斯坐在屋子里面。他回到家里来了，正在这个时候回到家里来了。天哪，请看他的那副样子！他只剩下一层皮包骨，又黄又瘦！

"拉斯木斯！"母亲说，"我看到的就是你吗？你的样子多么难看啊！但是我从心眼里感到高兴，你又回到我身边来了！"

她把她从那个宴会带回的好食物给他吃——一块牛排，一块结婚的果馅饼。

他说，他在最近一段时期里常常想起母亲、家园和那棵老柳树。说来也真奇怪，他还常常在梦中看见这棵树和光着腿的约翰妮。

至于爱尔茜，他连名字也没有提一下。他现在病了，非躺在床上不可。但是我们不相信，这是由于那锅汤的缘故，或者这锅汤在他身上产生了什么魔力。只有老斯娣妮和爱尔茜才相信这一套,但是她们对谁也不提起这事情。

拉斯木斯躺在床上发热。他的病是带有传染性的,因此除了那个木鞋匠的女儿约翰妮以外,谁也不到这个裁缝的家里来。她看到拉斯木斯这副可怜的样子时,就哭起来了。

医生为他开了一个药方。但是他不愿意吃药。他说:"这有什么用呢?"

"有用的,吃了药你就会好的!"母亲说,"依靠你自己和我们的上帝吧!如果我再能看到你身上长起肉来,再能听到你吹口哨和唱歌,叫我舍弃我自己的生命都可以!"

拉斯木斯渐渐克服了疾病;但是他的母亲却患病了。我们的上帝没有把他召去,却把她叫去了。

这个家是很寂寞的,而且越变越穷。"他已经拖垮了,"区里的人说,"可怜的拉斯木斯!"

他在旅行中所过的那种辛苦的生活——不是熬着汤的那口锅——耗尽了他的精力,拖垮了他的身体。他的头发变得稀薄和灰白了;什么事情他也没有心情好好地去做。"这又有什么用呢?"他说。他宁愿到酒店里去,而不愿上教堂。

在一个秋天的晚上,他走出酒店,在风吹雨打中,在一条泥泞的路上,摇摇摆摆地向家里走来。他的母亲早已经去世了,躺在坟墓里。那些忠诚的动物——燕子和欧椋鸟——也飞走了。只有木鞋匠的女儿约翰妮还没有走。她在路上赶上了他,陪着他走了一程。

"鼓起勇气来呀,拉斯木斯!"

"这有什么用呢?"他说。

"你说这句老话是没有出息啊!"她说,"请记住你母亲的话吧:'依靠你自己和我们的上帝!'拉斯木斯,你没有这样办!一个人应该这样办,一个人必须这样办呀。切不要说'有什么用呢?'这样,你就连做事的心情都没有了。"

她陪他走到他屋子的门口才离开。但他没有走进去;他走到那棵老柳树下,在那块倒下的里程碑上坐下来。

风儿在树枝间呼啸着，像是在唱歌；又像在讲话。拉斯木斯回答它。他高声地讲，但是除了树和呼啸的风儿之外，谁也听不见他。

"我感到冷极了！现在该是上床去睡的时候了。睡吧！睡吧！"

于是他就去睡了；他没有走进屋子，而是走向水池——他在那儿摇晃了一下，倒下了。雨在倾盆地下着，风吹得像冰一样冷，但是他没有去理它。当太阳升起的时候，乌鸦在水池的芦苇上飞。他醒过来已经是半死了。如果他的头倒到他的脚那边，他将永远不会起来了，浮萍将会成为他的尸衣。

这天约翰妮到这个裁缝的家里来。她是他的救星；她把他送到医院去。

"我们从小时候起就是朋友，"她说，"你的母亲给过我吃的和喝的，我永远也报答不完！你将会恢复健康的，你将会活下去！"

我们的上帝要他活下去，但是他的身体和心灵却受到许多折磨。

燕子和欧椋鸟飞来了，飞去了，又飞回来了。拉斯木斯已经是未老先衰。他孤独地坐在屋子里，而屋子却一天比一天残破了。他很穷，他现在比约翰妮还要穷。

"你没有信心，"她说，"如果我们没有了上帝，那么我们还会有什么呢？你应该去领取圣餐！"她说，"你自从受了坚信礼以后，就一直没有去过。"

"唔，这又有什么用呢？"他说。

"如果你要这样讲，而且相信这句话，那么就让它去吧！上帝是不愿意看到不乐意的客人坐在他的桌子旁的。不过请你想想你的母亲和你小时候的那些日子吧！你那时是一个虔诚的、可爱的孩子。我念一首圣诗给你听好吗？"

"这又有什么用呢？"他说。

"它给我安慰。"她说。

"约翰妮，你简直成了一个神圣的人！"他用沉重和困倦的眼睛望着她。

于是约翰妮念着圣诗。她不是从书本上念，因为她没有书，她是在背诵。

"这都是漂亮的话！"他说，"但是我不能全部听懂。我的头是那么沉重！"

拉斯木斯已经成了一个老人；但是爱尔茜也不年轻了，如果我们要提起她的话——拉斯木斯从来不提。她已经是一个祖母。她的孙女是一个顽皮的小女孩。这个小姑娘跟村子里别的孩子在一起玩耍，拉斯木斯拄着手杖走过去，站着不动，看着这些孩子玩耍，对他们微笑——于是过去的岁月就回到他的记忆中来了。爱尔茜的孙女指着他，大声说："可怜的拉斯木斯！"别的孩子也学着她的样儿，大声说："可怜的拉斯木斯！"同时跟在这个老头儿后面尖声叫喊。

那是灰色的、阴沉的一天；一连好几天都是这个样子。不过在灰色的、阴沉的日子后面跟着来的就是充满了阳光的日子。

这是一个美丽的圣灵降临节的早晨。教堂里装饰着绿色的赤杨枝，人们可以在里面闻到一种山林气息。阳光在教堂的座位上照着。祭台上的大蜡烛点起来了，大家在领圣餐。约翰妮跪在许多人中间，可是拉斯木斯却不在场。正在这天早晨，我们的上帝来召唤他了。

在上帝身边，他可以得到慈悲和怜悯。

自此以后，许多年过去了。裁缝的房子仍然在那儿，可是那里面没有任何人住着；只要夜里的暴风雨打来，它就会坍塌。水池上盖满了芦苇和蒲草。风儿在那棵古树里呼啸，听起来好像是在唱一支歌。风儿在唱着它的调子，树儿讲着它的故事。如果你不懂得，那么请你去问济贫院里的约翰妮吧。

她住在那儿，唱着圣诗——她曾经为拉斯木斯唱过那首诗。她在想他，她——虔诚的人——在我们的上帝面前为他祈祷。她能够讲出在那棵古树中吟唱着的过去的日子，过去的记忆。

看门人的儿子

将军的家住在第一层楼上;看门人的家住在地下室里。这两家的距离很远,整整相隔一层楼;而他们的地位也不同。不过他们是住在同一个屋顶下,面向着同一条街和同一个院子。院子里有一块草坪和一株开花的槐树——这就是说,当它开起花来的时候,在这树下面有时坐着一位穿得很漂亮的保姆和一位将军的穿得更漂亮的孩子"小小的爱米莉"。

在他们面前,那个有一对棕色大眼睛和一头黑发的看门人的孩子,在赤着脚跳舞。这位小姑娘对他大笑,同时把一双小手向他伸出来。将军在窗子里看到了这情景,就点点头,说:"好极了!"将军夫人很年轻,她几乎像他头一个太太生的女儿。她从来不朝院子里望,不过她下过一道命令说,住在地下室里的那家人家的孩子可以在她的女儿面前玩,但是不能碰她。保姆严格地执行太太的指示。

太阳照着住在第一层楼上的人,也照着住在地下室里的人。槐树开出花来了,而这些花又落了,第二年它们又开出来了。树儿开着花,看门人的小儿子也开着花——他的样子像一朵鲜艳的郁金香。

将军的女儿长得又嫩又白,像槐树花的粉红色花瓣。她现在很少到这株树底下来;她要呼吸新鲜空气时,就坐上马车;而且她出去时总是跟妈妈坐在一块。她一看到看门人的儿子乔治,就对他点点头,用手指飞一个吻,直到后来母亲告诉她说,她的年纪已经够大了,不能再做这类事儿。

有一天上午,他把门房里早晨收到的信件和报纸送给将军。当他爬上楼梯经过沙洞子的门①的时候，听到里面有一种唧唧喳喳的声音。他以为里面有一只小鸡在叫，但是这却是将军的那个穿着花边洋布衣的小女儿。

"你不要告诉爸爸和妈妈，他们知道就会生气的！"

"这是什么，小姐？"乔治问。

"什么都烧起来了！"她说，"火烧得真亮！"

乔治把小育儿室的门推开；窗帘几乎都快要烧光了；挂窗帘的杆子也烧红了，在冒出火焰，乔治向上一跳就把它拉了下来，同时大声呼喊。要不是他，恐怕整个房子也要烧起来了。

将军和太太追问小爱米莉。

"我只是划了一根火柴，"她说，"但是它马上就燃起来了，窗帏也马上烧起来了。我吐出唾沫来想把它压熄，但是怎样吐也吐得不够多，所以我就跑出来，躲开了，因为怕爸爸妈妈生气。"

"吐唾沫！"将军说，"这是一种什么字眼？你什么时候听到爸爸妈妈说过'吐唾沫'的？你一定是跟楼底下的那些人学来的。"

但是小小的乔治得到了一个铜板。他没有把这钱在面包店里花掉，却把它塞进储藏匣里去。过了不久，他就有了许多银毫，够买一盒颜料。他开始画起彩色画来，并且确实画得不少。它们好像是从他的铅管和指尖直接跳出来似的。他把他最初的几幅彩色画送给了小爱米莉。

"好极了！"将军说。将军夫人承认，人们一眼就可以看出这个小家伙的意图。"他有天才！"这就是看门人的妻子带到地下室来的一句话。

将军和他的夫人是有地位的人：他们的车子上绘着两个族徽——每一个代表一个家族。夫人的每件衣服上也有一个族徽，里里外外都是如此；便帽上也有，连睡衣袋上都有。她的族徽是非常昂贵的，是她的父亲用锃亮的现洋买来的②，因为他并不是一生下来就有它，她当然也不是一生下来就有它的：她生得太早，比族徽早七个年头。大多数的人都记得这件事情，但是这一家人却记不得。将军的族徽是又老又大：压在你的肩上可以压碎你的

---

① 在北欧的建筑物中，楼梯旁边总有一个放扫帚的和零星什物的小室。这个小室叫"沙洞子（Sand hullet）"。

② 在欧洲的封建社会里，只有贵族才可以有一个族徽。这儿的意思是说，这人的贵族头衔是用钱买来的，而不是继承来的。

骨头——两个这样的族徽当然更不用说了。当夫人摆出一副生硬和庄严的架子去参加宫廷舞会的时候,她的骨头就曾经碎过。

将军是一个年老的人,头发有些灰白,不过他骑马还不坏。这点他自己知道,所以他每天骑马到外面去,而且叫他的马夫在后面跟他保持着相当的距离。因此他去参加晚会时总好像是骑着一匹高大的马儿似的。他戴着勋章,而且很多,把许多人都弄得莫名其妙,但是这不能怪他。他年轻的时候在军队中服过役,而且还参加过一次盛大的秋季演习——军队在和平时期所举行的演习。从那时起,他有一个关于自己的小故事——他常常讲的唯一的故事:他部下的一位长官在中途截获了一位王公。王公和他几个被俘的兵士必须骑着马跟在将军后面一同进城,王公自己也是一个俘虏。这真是一件难忘的事件。多少年来,将军一直在讲它,而且老是用那几个同样值得纪念的字眼来讲它:这几个字是他把那把剑归还给王公的时候说的:“只有我的部下才会把阁下抓来,作为俘虏;我本人决不会的!”于是王公回答说:“您是盖世无双的!”

老实讲,将军并没有参加过战争。当这国家遭遇到战争的时候,他却改行去办外交了;他先后到三个国家去当过使节。他的法文讲得很好,弄得他几乎把本国的语言也忘掉了。他的舞也跳得很好,马也骑得很好;他上衣上挂的勋章多到不可想象的地步。警卫向他敬礼,一位非常漂亮的女子主动地要求做他的太太。他们生了一个很美丽的孩子。她好像是天上降下的一样,那么美丽。当她开始会玩的时候,看门人的孩子就在院子里跳舞给她看,还赠送许多彩色画给她。她把这些东西玩了一会儿,就把它们撕成碎片。她是那么美,那么可爱!

“我的玫瑰花瓣!”将军的夫人说,“你是为了一个王子而生下来的!”

那个王子已经站在他们的门口了,但是人们却不知道。人们的视线总是看不见自己门外的事情的。

“前天我们的孩子把黄油面包分给她吃,”看门人的妻子说,“那上面没有干奶酪,也没有肉,但是她吃得很香,好像那就是烤牛肉似的。将军家里的人如果看到这种食物一定会大闹的,但是他们没有看见。”

乔治把黄油面包分给小小的爱米莉吃。他连自己的心也愿意分给她呢,如果他这样就能使她高兴的话。他是一个好孩子,又聪明,又活泼。他现在到美术学院的夜校去学习绘画。小小的爱米莉在学习方面也有些进步。她跟保姆学讲法国话，还有一位老师教她跳舞。

“到了复活节的时候，乔治就应该受坚信礼了！”看门人的妻子说。乔治已经很大了。

“现在是叫他去学一门手艺的时候了，”爸爸说，“当然要学一个好手艺，这样我们也可以叫他独立生活了。”

“可是他晚间得回家睡，”妈妈说，“要找到一个有地方给他住的师傅是不容易的。我们还得做衣服给他穿；他吃的那点儿伙食还不太贵——他有一两个熟马铃薯吃就已经很高兴了；而且他读书也并不花钱。让他自己选择吧；你将来看吧，他会带给我们很大的安慰；那位教授也这样说过。”

受坚信礼穿的新衣已经做好了。那是妈妈亲手为他缝的，不过是由一个做零活的裁缝裁的，而且裁得很好。看门人的妻子说，如果她的境遇好一点，能有一个门面和伙计的话，她也有资格为宫廷里的人做衣服。

受坚信礼的衣服已经准备好了，坚信礼也准备好了。在受坚信礼的那天，乔治从他的干爸爸那里拿到了一只黄铜表。干爸爸是一个做麻生意的商人的伙计，在乔治的干爸爸中要算是富有的了。这只表很旧，经受过考验：它走得很快，不过这比走得慢要好得多了。这是一件很贵重的礼品。将军家里送来一本用鞣皮装订的《圣诗集》，是由那个小姑娘赠送的，正如乔治赠送过她图画一样。书的标题页上写着他的名字和她的名字，还写着“祝你万事如意”。这是由将军夫人亲口念出而由别人记下来的。将军仔细看了一次，说：“好极了！”

“这样一位高贵的绅士真算是瞧得起我们！”看门人的妻子说。乔治得穿上他受坚信礼的衣服，拿着那本《圣诗集》，亲自到楼上去答谢一番。

将军夫人穿着许多衣服，又害起恶性的头痛病来——当她对于生活感到腻味的时候，就老是患这种病。她对乔治的态度非常和蔼，祝他一切如意，同时也希望自己今后永远也不害头痛病。将军穿着睡衣，戴着一顶有缨子的帽子，穿着一双俄国式的红长筒靴。他怀着许多感想和回忆，来回走了三次，然后站着不动，说：

“小乔治现在成了一个基督徒！让他也成为一个诚实的、尊敬他长辈的人吧！将来你老了的时候，你可以说这句话是将军教给你的！”

这比他平时所作的演说要长得多！于是他又沉到他的默想中去，显出一副很庄严的样子。不过乔治在这儿听到和看到的一切东西之中，他记得最清楚的是爱米莉小姐。她是多么可爱，多么温柔，多么轻盈，多么娇嫩啊！如果要把她画下来，那么他就应该把她画在肥皂泡上才对，她的衣服，她金色的鬈发，都发出一阵香气，好像她是一棵开着鲜花的玫瑰树一样；而他却曾经把自己的黄油面包分给她吃过！她吃得那么津津有味，每吃一口就对他点点头。她现在是不是还能记得这事呢？是的，当然记得。她还送过他一本美丽的《圣诗集》"作为纪念"呢。因此在新年后新月第一次出现的时候，他就拿着面包和一枚银毫到外边去；他把这书打开，要看看他会翻到哪一首诗。他翻到一首赞美和感恩的诗；于是他又翻开，看小小的爱米莉会得到一首什么诗。他很当心不要翻到悼亡歌那一部分，但是他却翻到关于死和坟墓之间的那几页了。这类事儿当然是不值得相信的！但是他却害怕起来，因为那个柔嫩的小姑娘不久就倒在床上病了，医生的车子每天中午都停在她的门口。

"他们留不住她了！"看门人的妻子说，"我们的上帝知道他应该把什么人收回去！"

然而他们却把她留下来了。乔治画了些图画赠送给她：他画了沙皇的宫殿——莫斯科的古克里姆林宫——一点也不走样：有尖塔，也有圆塔，样子很像绿色和金色的大黄瓜——起码在乔治的画里是如此。小爱米莉非常喜欢它们，因此在一星期以内，乔治又送了几张画给她——它们全是建筑物，因为她可以对建筑物想象许多东西——门里和窗里的东西。

他画了一幢中国式的房子；它有十六层楼，每层楼上都有钟乐器。他画了两座希腊的庙宇，有细长的大理石圆柱，周围还有台阶；他画了一个挪威的教堂，你一眼就可以看出来，它完全是木头做的，雕着花，建筑得非常好，每层楼就好像是建筑在摇篮下面的弯杆上一样。但是最美丽的一张画是一个宫殿，它的标题是："小爱米莉之宫"。她将要住在这样的一座房子里。这完全是乔治的创见；他把一切别的建筑物中最美的东西都移到这座宫殿里来。它像那个挪威的教堂一样，有雕花的大梁；像那个希腊的庙宇一样，有大理石圆柱；每层楼上都有钟乐器，同时在最高一层的顶上有绿色和镀金的圆塔，像沙皇的克里姆林宫。这真是一个孩子的楼阁！每个窗子下面都注明了房间和厅堂的用处:“这是爱米莉睡的地方”,“这是爱米莉跳舞的地方”,“这是爱米莉玩耍和会客的地方”。它看起来很好玩,而大家也就真的来看它了。

“好极了!”将军说。

但是那位年老的伯爵一点也不表示意见。那一位伯爵比将军更有名望,而且还拥有一座宫殿和田庄。他听说它是由一个看门人的小儿子设计和画出来的。不过他现在既然受了坚信礼,就不应该再算是一个小孩子了。老伯爵把这些图画看了一眼,对它们有一套冷静的看法。

有一天天气非常阴沉、潮湿、可怕。对于小乔治说来,这要算是最明朗和最好的时候了。艺术学院的那位教授把他喊进去。

“请听着,我的朋友,”他说,“我们来谈一下吧! 上帝对你很客气,使你有些天资。他还对你很好,使你跟许多好人来往。住在街角的那位老伯爵跟我谈到过你;我也看到过你的图画。我们可以在那上面修几笔,因为它们有许多地方需要修正。请你每星期到我的绘图学校来两次;以后你就可以画得好一点。我相信,你可以成为一个好建筑师,而不是一个画家;你还有时间可以考虑这个问题。不过请你今天到住在街角的老伯爵那儿去,同时感谢我们的上帝,你居然碰到了这样一个人!”

街角的那幢房子是很大的;它的窗子上雕着大象和单峰骆驼——全是古代的手工艺。不过老伯爵最喜欢新时代和这个时代所带来的好处,不管这些好处是来自第一层楼、地下室,或者阁楼。

“我相信,”看门人的妻子说,“一个真正伟大的人是不会太骄傲的。那位老伯爵是多么可爱和直爽啊! 他讲起话来的态度跟你和我完全一样;将军家里的人做不到这一点! 你看,昨天乔治受到伯爵热情的接待,简直是高兴得不知怎样才好。今天我跟这个伟人谈过话,也有同样的感觉。我们没有让乔治去当学徒,不是一件很好的事吗? 他是一个有天资的人。”

“但是他需要外来的帮助。”父亲说。

“他现在已经得到帮助了,”妈妈说,“伯爵的话已经讲得很清楚了。”

“事情有这样的结果,跟将军家的关系是分不开的!”爸爸说,“我们也应该感谢他们。”

“自然啰!”妈妈说,“不过我觉得他们没有什么东西值得我们感谢,我应该感谢我们的上帝；我还有一件事应该感谢他：爱米莉现在懂事了！”

爱米莉在进步，乔治也在进步。在这一年中他得到一个小小的银奖章；后来没有多久又得到一个较大的奖章。

“如果我们把他送去学一门手艺倒也好了！”母亲说，同时哭起来。“那样我们倒还可以把他留下来！他跑到罗马去干什么呢？就是他回来了，我永远也不会再看到他的；但是他不会回来的，我可爱的孩子！”

“但是这是他的幸运和光荣啊！”爸爸说。

“是的，谢谢你，我的朋友！”妈妈说，“不过你没说出你心里的话！你跟我一样，也是很难过的！”

就想念和别离说来，这是真的。大家都说，这个年轻人真幸运。

乔治告别了，也到将军家里去告别了。不过将军夫人没有出来，因为她又在害她的重头痛病。作为临别赠言，将军把他那个唯一的故事又讲了一遍——他对那位王公所讲的话，和那位王公对他所讲的话：“你是盖世无双的！”于是他就把手伸向乔治——一只松软的手。

爱米莉也把手向乔治伸出来，她的样子几乎有些难过；不过乔治是最难过的。

当一个人在忙的时候，时间就过去了；当一个人在闲着的时候，时间也过去了。时间是同样地长，但不一定是同样有用。就乔治说来，时间很有用，而且除非他在想家的时候以外，也似乎不太长。住在楼上和楼下的人生活得好吗？嗯，信上也谈到过；而信上可写的东西也不少；可以写明朗的太阳光，也可以写阴沉的日子。他们的事情信上都有：爸爸已经死了，只有母亲还活着。爱米莉一直是一个会安慰人的安琪儿。妈妈在信中写道：她常常下楼来看她。信上还说，主人准许她仍旧保留着看门的这个位置。

将军夫人每天写日记。在她的日记里，她参加的每一个宴会，每一个舞会，接见的每一个客人，都记载下来了。日记本里还有些外交官和显贵人士的名片作为插图。她对于她的日记本感到骄傲。日子越长，篇幅就越多：她害过许多次重头痛病，参加过许多次热闹的晚会——这也就是说，参加过宫廷的舞会。

爱米莉第一次去参加宫廷舞会的时候,妈妈是穿着缀有黑花边的粉红色衣服。这是西班牙式的装束!女儿穿着白衣服,那么明朗,那么美丽!绿色的缎带在她戴着睡莲花冠的金黄鬈发上飘动着,像灯心草一样。她的眼睛是那么蓝,那么清亮;她的嘴是那么红,那么小;她的样子像一个小人鱼,美丽得超乎想象。三个王子跟她跳过舞,这也就是说,第一个跳了,接着第二个就来跳。将军夫人算是一整个星期没有害过头痛病了。

头一次的舞会并不就是最后的一次,不过爱米莉倒是累得吃不消了。幸而夏天到了;它带来休息和新鲜空气。这一家人被请到那位老伯爵的王府里去。

王府里有一个花园,值得一看。它有一部分布置得古色古香,有庄严的绿色篱笆,人们在它们之间走就好像置身于有窥孔的、绿色的屏风之间一样。黄杨树和水松被剪扎成为星星和金字塔的形状,水从嵌有贝壳的石洞里流出来。周围有许多巨大的石头雕成的人像——你从它们的衣服和面孔就可以认得出来;每一块花畦的形状不是一条鱼,一个盾牌,就是一个拼成的字。这是花园富有法国风味的一部分。从这儿你可以走到一个新鲜而开阔的树林里去。树在这儿可以自由地生长,因此它们是又大又好看。草是绿色的,可以在上面散步。它被剪过,压平过,保护得很好。这是这花园富有英国风味的一部分。

"旧的时代和新的时代,"伯爵说,"在这儿和谐地配合在一起!两年以后这房子就会有它一套独特的风格。它将会彻底地改变——变成一种更好、更美的东西。我把它设计给你看,同时还可以把那个建筑师介绍给你们。他今天来这儿吃午饭!"

"好极了!"将军说。

"这儿简直像一个天堂!"夫人说,"那儿你还有一个华丽的王府!"

"那是我的鸡屋。"伯爵说,"鸽子住在顶上,吐绶鸡住在第一层楼,不过老爱尔茜住在大厅里。她的四周还有客房:孵卵鸡单独住在一起,带着小鸡的母鸡又另外住在一起,鸭子有它们自己到水里去的出口!"

"好极了!"将军重复说。

于是他们就一起去看这豪华的布置。

老爱尔茜在大厅的中央,她旁边站着的是建筑师乔治。过了多少年以后,现在他和小爱米莉又在鸡屋里碰头了。

是的,他就站在这儿,他的风度很优雅;面孔是开朗的,有决断的;头发黑得发光;嘴唇上挂着微笑,好像是说:"我耳朵后面坐着一个调皮鬼,他对你的里里外外都知道得清清楚楚。"老爱尔茜为了要对贵客们表示尊敬,特地把她的木鞋脱掉,穿着袜子站着。母鸡咕咕地叫,公鸡喔喔地啼,鸭子一边蹒跚地走,一边嘎嘎地喊。不过那位苍白的、苗条的姑娘站在那儿——她就是他儿时的朋友,将军的女儿——她苍白的脸上发出一阵绯红,眼睛睁得很大,嘴唇虽然没透露出一句话,却表示出无穷尽的意思。如果他们不是一家人,或者从来没有在一起跳过舞,这要算一个年轻人从一个女子那里所能得到的最漂亮的敬礼了。她和这位建筑师却是从来没有在一起跳过舞的。

伯爵和他握手,介绍他说:"我们的年轻朋友乔治先生并不完全是一个生人。"

将军夫人行了礼。她的女儿正要向他伸出手来,忽然又缩回去了。

"我们亲爱的乔治先生!"将军说,"我们是住在一处的老朋友,好极了!"

"你简直成了一个意大利人了,"将军夫人说,"我想你的意大利话一定跟意大利人讲得一样好了。"

将军夫人会唱意大利歌,但是不会讲意大利话——将军这样说。

乔治坐在爱米莉的右首。将军陪着她,伯爵陪着将军夫人。

乔治先生讲了一些奇闻轶事,他讲得很好。他是这次宴会中的灵魂和生命,虽然老伯爵也可以充当这个角色。爱米莉坐着一声不响;她的耳朵听着,她的眼睛亮着。

但是她一句话也不说。

后来她和乔治一起在阳台上的花丛中间站着。玫瑰花的篱笆把他们遮住了。乔治又是第一个先讲话。

"我感谢你对我老母亲的厚意!"他说,"我知道,我母亲去世的那天晚上,你特别走下楼来陪着她,一直到她闭上眼睛为止。我感谢你!"他握着爱米莉的手,吻了它——在这种情形下他是可以这样做的。她脸上发出一阵绯红,不过她把他的手又捏了一下,同时用温柔的蓝眼睛盯了他一眼。

"你的母亲是一位慈爱的妈妈!她是多么疼爱你啊!她让我读你写给

她的信,我现在可说是很了解你了! 我小的时候,你对我是多么和气啊;你送给我许多图画——"

"而你却把它们撕成碎片!"乔治说。

"不,我仍然保存着我的那座楼阁——它的图画。"

"现在我要把楼阁建筑成为实物了!"乔治说,同时对自己的话感到兴奋起来。

将军和夫人在自己的房间里谈论着这个看门人的儿子。他的行为举止很好,谈吐也能表示出他的学问和聪明。"他可以做一个家庭教师!"将军说。

"简直是天才!"将军夫人说。她不再说别的话了。

在美丽的夏天,乔治到伯爵王府来的次数更多了。当他不来的时候,大家就想念他。

"上帝赐给你的东西比赐给我们这些可怜的人多得多!"爱米莉对他说,"你体会到这点没有?"

乔治感到很荣幸,这么一个漂亮的年轻女子居然瞧得起他。他也觉得她得天独厚。

将军渐渐深切地感觉到乔治不可能是地下室里长大的孩子。

"不过他的母亲是一个非常诚实的女人,"他说,"这点使我永远记得她。"

夏天过去了,冬天来了。人们更常常谈论起乔治先生来。他在高尚的场合中都受到重视和欢迎。将军在宫廷的舞会中碰见他。

现在家中要为小爱米莉开一个舞会了。是不是把乔治先生也请来呢?

"国王可以请的人,将军当然也可以请的!"将军说,同时他挺起腰来,整整高了一寸。

乔治先生得到了邀请,而他也就来了。王子和伯爵们也来了,他们跳起舞来一个比一个好;不过爱米莉只能跳头一次的舞。她在这个舞中扭了脚;不太厉害,但是使她感到很不舒服。因此她得很当心,不能再跳,只能望着别人跳。她坐在那儿望着,那位建筑师站在她身边。

"你真是把整个圣·彼得教堂①都给她了!"将军从旁边走过去的时候说。他笑得像一个慈爱的老人。

几天以后,他用同样慈爱的笑来接待乔治先生。这位年轻人是来感谢那次邀请他参加舞会的,他还能有什么别的话说呢?是的,这是一件最使人惊奇、最使人害怕的事情!他说了一些疯狂的话。将军简直不能相信自己的耳朵。"荒唐的建议"——一个不可想象的要求:乔治先生要求小爱米莉做他的妻子!

"客人!"将军说,他的脑袋气得要裂开了。"我一点也不懂得你的意思!你说的什么?你要求什么?先生,我不认识你!朋友!你居然带着这种念头到我家里来!我要不要住在这儿呢?"于是他就退到卧室里去,把门锁上,让乔治单独站在外面。他站了几分钟,然后就转身走出去。爱米莉站在走廊里。

"父亲答应了吗?——"她问,她的声音有些发抖。

乔治握着她的手。"他避开我了!——机会还有!"

爱米莉的眼睛里充满了眼泪;但是这个年轻人的眼睛里充满了勇气和信心。太阳照在他们两个人身上,为他们祝福。将军坐在自己的房间里,气得不得了。是的,他还在生气,而且用这样的喊声表示出来:"简直是发疯!看门人的发疯!"

不到一点钟,将军夫人就从将军口里听到这件事情。她把爱米莉喊来,单独和她坐在一起。

"你这个可怜的孩子!他这样地侮辱你!这样地侮辱我们!你的眼睛里也有眼泪,但是这与你很相称!你有眼泪倒显得更美了!你很像我在结婚那天的样子。痛哭吧,小爱米莉!"

"是的,我要哭一场!"爱米莉说,"假如你和爸爸不说一声'同意'的话!"

"孩子啊!"夫人大叫一声,"你病了!你在发呓语,我那个可怕的头痛病现在又发了!请想想你带给我家的苦痛吧!爱米莉,请你不要逼死你的母亲吧。爱米莉,你这样做就没有母亲了!"

---

① 这是罗马一个最大的教堂,也是世界上一个最大的教堂。

将军夫人的眼睛也变得潮湿了。她一想到她自己的死就非常难过。

人们在报纸上读到一批新的任命:“乔治先生被任命为第八类的五级教授。”

“真可惜,他的父母埋在坟墓里,读不到这个消息!”新的看门人一家子说。现在他们就住在将军楼下的地下室里。他们知道,教授就是在他们的四堵墙中间出世和长大的。

“现在他得付头衔税了。”丈夫说。

“是的,对于一个穷人家的孩子说来,这是一桩大事。”妻子说。

“一年得付十八块钱!”丈夫说,“这的确不是一笔很小的数目!”

“不,我是说他的升级!”妻子说,“你以为他还会为钱费脑筋!那点钱他可以赚不知多少倍!他还会讨一个有钱的太太呢。如果我们有孩子,他们也应该是建筑师和教授才对!”

住在地下室里的人对于乔治的印象都很好;住在第一层楼上的人对他的印象也很好;那位老伯爵也表示同样的看法。

这些话都是由于他儿时所画的那些图画所引起的。不过他们为什么要提起这些图画呢?他们在谈论着俄国,在谈论着莫斯科,因此他们也当然谈到克里姆林宫——小乔治曾经专为小爱米莉画过。他画过那么多的画,那位伯爵还特别能记起一张:“小爱米莉的宫殿——她在那里面睡觉,在那里面跳舞,在那里面做‘接待客人的游戏’。”这位教授有很大的能力;他一定会以当上一位老枢密顾问官而告终的。这并不是不可能的事。他从前既然可以为现在这样一位年轻的小姐建筑一座宫殿,为什么不可能呢?

“这真是一个滑稽的玩笑!”将军夫人在伯爵离去以后说。将军若有所思地摇摇头,骑着马走了——他的马夫跟在后面保持相当的距离;他坐在他那匹高头大马上显得比平时要神气不知多少倍。

现在是小爱米莉的生日;人们送给她许多花和书籍、信和名片。将军夫人吻着她的嘴,将军吻着她的额;他们是一对慈爱的父母;她和他们都有很名贵的客人——两位王子——来拜访。他们谈论着舞会和戏剧,谈论着外交使节的事情,谈论着许多国家和政府。他们谈论着有才能的人和本国的优秀人物;那位年轻的教授和建筑师也在这些谈话中被提到了。

“他为了要使自己永垂不朽而建筑着!”大家说,“他也为将来和一个望族拉上关系而建筑着!”

“一个望族?”将军后来对夫人重复了这句话,“哪一个望族?”

“我知道大家所指的是谁!”将军夫人说,“不过我对此事不表示意见!我连想都不要想它！上帝决定一切！不过我倒觉得很奇怪!”

“让我也奇怪一下吧!”将军说,“我脑子里一点概念也没有。”于是他就浸入沉思里去了。

恩宠的源泉,不管它是来自宫廷,或者来自上帝,都会产生一种力量,一种说不出的力量——这些恩宠,小小的乔治都有了。不过我们却把生日忘记了。

爱米莉的房间被男朋友和女朋友送来的花熏得喷香;桌子上摆着许多美丽的贺礼和纪念品,可是乔治的礼品一件也没有。礼品来不了,但是也没有这个必要,因为整个房子就是他的一种纪念品。甚至楼梯下面那个沙洞子里也有一朵纪念的花冒出来:爱米莉曾经在这里朝外望过,窗帘子在这里烧起来过,而乔治那时也作为第一架救火机开到这里来过。她只须朝窗子外望一眼,那棵槐树就可以使她回忆起儿童时代。花和叶子都谢了,但是树仍在寒霜中立着,像一棵奇怪的珊瑚树。月亮挂在树枝中间,又大又圆,像在移动,又像没有移动,正如乔治分黄油面包给小爱米莉吃的那个时候一样。

她从抽屉里取出那张绘着沙皇宫殿和她自己的宫殿的画——这都是乔治的纪念品。她看着,思索着,心中起了许多感想。她记得有一天,在爸爸妈妈没有注意的时候,她走到楼下看门人的妻子那儿去——她正躺在床上,快要断气了。她坐在她旁边,握着她的手,听到她最后的话:“祝福你——乔治!”母亲在想着自己的儿子。现在爱米莉懂得了她这话的意思。是的,是的,在她的生日这天,乔治是陪她在一起,的确在一起!

第二天碰巧这家又有一个生日——将军的生日。他比他的女儿生得晚一天——当然他出生的年份是要早一些的,要早许多年。人们又送许多礼品来了;在这些礼品之中有一个马鞍,它的样子很特殊,坐起来很舒服,价钱很贵。只有王子有类似这样的马鞍。这是谁送来的呢？将军非常高兴。它上面有一张小纸条。如果纸条上写着“谢谢你过去对我的好意”,我们可能猜到是谁送来的;可是它上面却写着:“将军所不认识的一个人敬赠!”

“世界上有哪一个人我不认识呢?”将军说。

“每个人我都认识!”这时他便想起社交界中的许多人士;他每个人都认识。“这是我的太太送的!”他最后说,“她在跟我开玩笑!好极了!”

但是她并没有跟他开玩笑;那个时候已经过去了。

现在又有一个庆祝会,但不是在将军家里开的。这是在一位王子家里开的一个例行的舞会。人们可以戴假面具参加舞会。

将军穿着西班牙式的小皱领的服装,挂着剑,庄严地打扮成一位鲁本斯①先生去参加。夫人则打扮成一位鲁本斯夫人。她穿着黑天鹅绒的、高领的、热得可怕的礼服;她的头颈上还挂着一块磨石——这也就是说,一个很大的皱领,完全像将军所有的那幅荷兰画上的画像——画里面的手特别受人赞赏:完全跟夫人的手一样。

爱米莉打扮成一个穿缀着花边的细棉布衣的素琪②。她很像一根浮着的天鹅羽毛。她不需要翅膀。她装上翅膀只是作为素琪的一个表征。这儿是一派富丽堂皇而雅致的景象,充满着光明和花朵。这儿的东西真是看不完,因此人们也就没有注意到鲁本斯夫人的一双美丽的手了。

一位穿黑色化装外衣的人③的帽子上插着槐花,跟素琪在一起跳舞。

“他是谁呢?”夫人问。

“王子殿下!”将军说,“我一点也不怀疑;和他一握手,我马上就知道是他。”

夫人有点儿怀疑。

鲁本斯将军一点疑心也没有;他走到这位穿化装外衣的人身边去,在他身上写出王子姓名的第一个字母。这个人否认,但是给了他一个暗示:

“请想想马鞍上的那句话!将军所不认识的那个人!”

“那么我就认识您了!”将军说,“原来是您送给我那个马鞍的!”

这个人摆脱自己的手,在人群中不见了。

---

① 鲁本斯(Rubens)是荷兰最普通的一个姓。

② 古希腊神话中代表灵魂的女神,请参看安徒生童话《素琪》。

③ 原文是 Domino,是一种带有黑帽子的黑披肩。原先是意大利牧师穿的一种御寒的衣服。后来参加化装舞会而不扮演任何特殊角色的人,都是这种装束。

“爱米莉，跟你一起跳舞的那位黑衣人是谁呀？”将军夫人问。

“我没有问过他的姓名。”她回答说。

“因为你认识他呀！他就是那位教授呀！”她把头掉向站在旁边的伯爵，继续说，“伯爵，您的那位教授就在这儿。黑衣人，戴着槐树花！”

“亲爱的夫人，这很可能，”他回答说，“不过有一位王子也是穿着这样的衣服呀。”

“我认识他握手的姿势！”将军说，“这位王子送过我一个马鞍！我一点也不怀疑，我要请他吃饭。”

“请你这样办吧！如果他是王子的话，他一定会来的。”伯爵说。

“假如他是别人，那么他就不会来了！”将军说。同时向那位正在跟国王谈话的黑衣人身边走去。将军恭敬地邀请他——为的是想彼此交交朋友。将军满怀信心地微笑着；他相信他知道他请的是什么人。他大声地、清楚地表示他的邀请。

穿化装外衣的人把他的假面具揭开来：原来是乔治。

“将军能否把这次邀请重说一次呢？”他问。

将军马上长了一寸来高，显出一副傲慢的神气，向后倒退两步，又向前进了一步，像在小步舞①中一样。一个将军的面孔所能做出的那种庄严的表情，现在全都摆出来了。

“我从来是不食言的；教授先生，我请您！”他鞠了一躬，向听到了这全部话语的国王斜视了一眼。

这么着，将军家里就举行了一个午宴。被请的客人只有老伯爵和他的年轻朋友。

“脚一伸到桌子底下，”乔治想，“奠基石就算是安下来了！”的确，奠基石是庄严地安下来了，而且是在将军和他的夫人面前安的。

客人到来了。正如将军所知道和承认的，他的谈吐很像一位上流社会人士，而且他非常有趣。将军有许多次不得不说：“好极了！”将军夫人常常谈起这次午宴——她甚至还跟宫廷的一位夫人谈过。这位夫人也是一个天

---

① 原文是 minuet，是欧洲中世纪流行的一种舞蹈。

赋独厚的人:她要求下次教授来的时候,也把她请来。因此他得以又受到一次邀请。他终于被请来了,而且仍然那么可爱。他甚至还下棋呢。

“他不是在地下室里出生的那种人!”将军说,“他一定是一个望族的少爷!像这样出自名门的少爷很多,这完全不能怪那个年轻人。”

这位教授既然可以到国王的宫殿里去,当然也可以走进将军的家。不过要在那里生下根来——那是绝对不可能的。他只能在整个的城市里生下根。

他在发展。恩惠的露水从上面降到他身上来。

因此,不用奇怪,当这位教授成了枢密顾问的时候,爱米莉就成了枢密顾问夫人。

“人生不是一个悲剧,就是一个喜剧,”将军说,“人们在悲剧中灭亡,但在喜剧中结为眷属。”

目前的这种情形,是结为眷属。他们还生了三个健壮的孩子,当然不是一次生的。

这些可爱的孩子来看外公外婆的时候,就在房间和堂屋里骑着木马乱跑。将军也在他们后面骑着木马,“作为这些小枢密顾问的马夫”。

将军夫人坐在沙发上看;即使她又害起很严重的头痛病来,她还是微笑着。

乔治的发展就是这样的,而且还在发展;不然的话,这个看门人的儿子的故事也就不值得一讲了。

小鬼和小商人

从前有一个名副其实的学生：他住在一间顶楼①里，什么也没有；同时有一个名副其实的小商人，住在第一层楼上，拥有整幢房子。一个小鬼就跟这个小商人住在一起，因为在这儿，在每个圣诞节的前夕，他总能得到一盘麦片粥吃，里面还有一大块黄油！这个小商人能够供给这点东西，所以小鬼就住在他的店里，而这件事是富有教育意义的。

有一天晚上，学生从后门走进来，给自己买点蜡烛和干奶酪。他没有人为他跑腿，因此才亲自来买。他买到了他所需要的东西，也付了钱。小商人和他的太太对他点点头，表示祝他晚安。这位太太能做的事情并不止点头这一项——她还有会讲话的天才！

学生也点了点头。接着他忽然站着不动，读起包干奶酪的那张纸上的字来了。这是从一本旧书上撕下的一页纸。这页纸本来是不应该撕掉的，因为这是一部很旧的诗集。

"这样的书多的是！"小商人说，"我用几粒咖啡豆从一个老太婆那儿换来的。你只要给我三个铜板，就可以把剩下的全部拿去。"

"谢谢，"学生说，"请你给我这本书，把干奶酪收回去吧；我只吃黄油面包就够了。把一整本书撕得乱七八糟，真是一桩罪过。你是一个能干的人，一个讲究实际的人，不过就诗说来，你不会比那个盆子懂得更多。"

---

① 顶楼（Qvist）即屋顶下的一层楼。在欧洲的建筑物中，它一般用来堆破烂的东西。只有穷人或穷学生才住在顶楼里。

这句话说得很没有礼貌，特别是用那个盆子作比喻；但是小商人大笑起来，学生也大笑起来，因为这句话不过是开开玩笑罢了。但是那个小鬼却生了气：居然有人敢对一个卖最好的黄油的商人兼房东说出这样的话来。

黑夜到来了，店铺关上了门；除了学生以外，所有的人都上床去睡了。这时小鬼就走进来，拿起小商人的太太的舌头，因为她在睡觉的时候并不需要它。只要他把这舌头放在屋子里的任何物件上，这物件就能发出声音，讲起话来，而且还可以像太太一样，表示出它的思想和感情。不过一次只能有一件东西利用这舌头，而这倒也是一桩幸事，否则它们就要彼此打断话头了。

小鬼把舌头放在那个装报纸的盆里。“有人说你不懂得诗是什么东西，”他问，“这话是真的吗？”

“我当然懂得，”盆子说，“诗是一种印在报纸上补白的东西，可以随便剪掉不要。我相信，我身体里的诗要比那个学生多得多；但是对小商人说来，我不过是一个没有价值的盆子罢了。”

于是小鬼再把舌头放在一个咖啡磨上。哎哟！咖啡磨简直成了一个话匣子了！于是他又把舌头放在一个黄油桶上，然后又放到钱匣子上——它们的意见都跟盆子的意见一样，而多数人的意见是必须尊重的。

“好吧，我要把这意见告诉那个学生！”

于是小鬼就静悄悄地从一个后楼梯走上学生所住的那间顶楼。房里还点着蜡烛。小鬼从门锁孔里朝里面偷看。他瞧见学生正在读他从楼下拿去的那本破书。

但是这房间里是多么亮啊！那本书里冒出一根亮晶晶的光柱。它扩大成为一根树干，变成了一株大树。它长得非常高，而且它的枝丫还在学生的头上向四周伸展开来。每片叶子都很新鲜，每朵花儿都是一个美女的面孔：脸上的眼睛有的乌黑发亮，有的蓝得分外晶莹。每一个果子都是一颗明亮的星；此外，房里还有美妙的歌声和音乐。

嗨！这样华丽的景象是小鬼从没有想到过的，更谈不上看见过或听到过了。他踮着脚尖站在那儿，望了又望，直到房里的光灭掉为止。学生把灯吹熄，上床睡觉去了。但是小鬼仍旧站在那儿，因为音乐还没有停止，声音既柔和，又美丽；对于躺着休息的学生说来，它真算得是一支美妙的催眠曲。

"这真是美丽极了!"小鬼说,"这真是出乎我的想象! 我倒很想跟这学生住在一起哩。"

接着他很有理智地考虑了一下,叹了一口气:"这学生可没有粥给我吃!"所以他仍然走下楼来,回到那个小商人家里去了。他回来得正是时候,因为那个盆子几乎把太太的舌头用烂了:它已经把身子这一面所装的东西全都讲完了,现在它正打算翻转身来把另一面再讲一通。正在这时候,小鬼来到了,把这舌头拿走,还给了太太。不过从这时候起,整个的店——从钱匣一直到木柴——都随声附和盆子了。它们尊敬它,五体投地地佩服它,弄得后来店老板晚间在报纸上读到艺术和戏剧批评文章时,它们都相信这是盆子的意见。

但是小鬼再也没有办法安安静静地坐着,听它们卖弄智慧和学问了。不成,只要顶楼上一有灯光射出来,他就觉得这些光线好像就是锚索,硬要把他拉上去。他不得不爬上去,把眼睛贴着那个小钥匙孔朝里面望。它胸中起了一种豪迈的感觉,就像我们站在波涛汹涌的、正受暴风雨袭击的大海旁边一样。他不禁潸然泪下! 他自己也不知道他为什么要流眼泪,不过他在流泪的时候却有一种幸福之感:跟学生一起坐在那株树下该是多么幸福啊! 然而这是做不到的事情——他能在小孔里看一下也就很满足了。

他站在寒冷的楼梯上;秋风从阁楼的圆窗吹进来。天气变得非常冷了。不过,只有当顶楼上的灯灭了和音乐停止了的时候,这个小矮子才开始感觉到冷。嗨! 这时他就颤抖起来,爬下楼梯,回到他那个温暖的角落里去了。那儿很舒服和安适!

圣诞节的粥和一大块黄油来了——的确,这时他体会到小商人是他的主人。

不过半夜的时候,小鬼被窗扉上一阵可怕的敲击声惊醒了。外面有人在大喊大叫。守夜人在吹号角,因为发生了火灾——整条街上都是一片火焰。火是在自己家里烧起来的呢,还是在隔壁房里烧起来的呢? 究竟是在什么地方烧起来的呢? 大家都陷入恐慌中。

小商人的太太给弄糊涂了,连忙扯下耳朵上的金耳环,塞进衣袋,以为这样总算救出了一点东西。小商人则忙着去找他的股票,女用人跑去找她的黑绸披风——因为她没有钱再买这样一件衣服。每个人都想救出自己最好的东西。小鬼当然也是这样。他几步就跑到楼上，一直跑进学生的房里。学生正泰然自若地站在一个开着的窗子面前，眺望着对面那幢房子里的火焰。小鬼把放在桌上的那本奇书抢过来，塞进自己的小红帽里，同时用双手捧着帽子。现在这一家的最好的宝物总算救出来了！所以他就赶快逃跑，一直跑到屋顶上，跑到烟囱上去。他坐在那儿，对面那幢房子的火光照着他——他双手抱着那顶藏有宝贝的帽子。现在他知道他心里的真正感情，知道他的心真正向着谁了。不过等到火被救熄以后，等到他的头脑冷静下来以后——嗨……

"我得把我分给两个人，"他说，"为了那碗粥，我不能舍弃那个小商人！"

这话说得很近人情！我们大家也到小商人那儿去——为了我们的粥。

柳树下的梦

却格附近是一片荒凉的地区。这个小城市是在海岸的近旁——这永远要算是一个美丽的位置。要不是因为周围全是平淡无奇的田野，而且离开森林很远，它可能还要更可爱一点。但是，当你在一个地方真正住惯了的时候，你总会发现某些可爱的东西，你就是住在世界上别的最可爱的地方，你也会怀恋它的。我们还得承认：在这个小城的外围，在一条流向大海的小溪的两岸，有几个简陋的小花园，这儿，夏天的风景是很美丽的。两个小邻居，克努得和约翰妮，尤其有这样的感觉。他们在那儿一起玩耍；他们穿过醋栗丛来彼此相会。

在这样的一个小花园里，长着一棵接骨木树；在另一个小花园里长着一棵老柳树。这两个小孩子特别喜欢在这株柳树下面玩耍；他们也得到了许可到这儿来玩耍。尽管这树长在溪流的近旁，很容易使他们落到水里去。不过上帝的眼睛在留神着他们，否则他们就可能出乱子。此外，他们自己是非常谨慎的。事实上，那个男孩子是一个非常怕水的懦夫，在夏天谁也没有办法劝他走下海去，虽然别的孩子很喜欢到浪花上去嬉戏。因此他成了一个被别人讥笑的对象；他也只好忍受。不过有一次邻家的那个小小的约翰妮做了一个梦，梦见她自己驾着一只船在却格湾行驶。克努得涉水向她走来，水淹到他的颈上，最后淹没了他的头顶。自从克努得听到了这个梦的时候起，他就再也不能忍受别人把他称为怕水的懦夫。他常常提起约翰妮所做的那个梦——这是他的一件很得意的事情，但是他却不走下水去。

他们的父母都是穷苦的人，经常互相拜访。克努得和约翰妮在花园里和公路上玩耍。公路上沿着水沟长着一排柳树。柳树并不漂亮,因为它们的顶都剪秃了;不过它们栽在那儿并不是为了装饰,而是为了实际的用处。花园里的那棵老柳树要漂亮很多,因此他们常常喜欢坐在它的下面。

却格城里有一个大市场。有市集的日子,整条街都布满了篷摊,出售缎带、靴子和人们所想要买的一切东西。来的人总是拥挤不堪,天气经常总是在下雨。这时你就可以闻到农人衣服上所发出来的一股气味,但是你也可以闻到姜饼的香气——有一个篷摊子摆满了这些东西。最可爱的事情是:每年在市集的季节,卖这些蜜糕的那个人就来寄住在小克努得的父亲家里。因此,他们自然能尝得到一点姜饼。当然小约翰妮也能分吃到一点。不过最妙的事情是,那个卖姜饼的人还会讲故事:他可以讲关于任何一件东西的故事,甚至于关于他的姜饼的故事。有一天晚上他就讲了一个关于姜饼的故事。这故事给了孩子们一个很深刻的印象,他们永远忘记不了。因为这个缘故,我想我们最好也听听它,尤其是因为这个故事并不太长。

他说:"柜台上放着两块姜饼。有一块是一个男子的形状,戴一顶礼帽;另一块是一个小姑娘,没有戴帽子,但是戴着一片金叶子。他们的脸都是在饼子朝上的那一面,好使人们一眼就能看清楚,不至于弄错。的确,谁也不会从反面去看他们的。男子的左边有一颗味苦的杏仁——这就是他的心;相反地,姑娘的全身都是姜饼。他们被放在柜台上作为样品。他们在那上面待了很久,最后他们两个人之间就产生了爱情,但是谁也不说出口来。如果他们想得到一个什么结果的话,他们就应该说出来才是。

"'他是一个男子,他应该先开口。'她想。

"不过她仍然感到很满意,因为她知道他是同样地爱她。

"他的想法却是有点过分——男子一般都是这样。他梦想着自己是一个真正有生命的街头孩子,身边带着四枚铜板,把这姑娘买过来,一口吃掉了。

"他们就这样在柜台上躺了许多天和许多星期,终于变得干了。她的思想却越变越温柔和越女子气。

"'我能跟他在柜台上躺在一起,已经很满意了!'她想。于是——砰——她裂为两半。

"'如果她知道我的爱情,她也许可以活得更久一点!'他想。

“这就是那个故事。他们两个人现在都在这儿!”糕饼老板说,“就他们的历史和他们没有结果的沉默爱情说来,他们真是了不起!现在我就把他们送给你们吧!”于是他就把那个还是完整的男子送给约翰妮,把那个碎裂了的姑娘送给克努得。不过这个故事感动了他们,他们鼓不起勇气来把这对恋人吃掉。

第二天他们带着姜饼到却格公墓去。教堂的墙上长满了最茂盛的常春藤;它冬天和夏天悬在墙上,简直像是一张华丽的地毯。他们把姜饼放在太阳光中的绿叶里,然后把这个没有结果的、沉默的爱情的故事讲给一群小孩子听。这叫做“爱”,因为这故事很可爱——在这一点上大家都同意。不过,当他们再看看这对姜饼恋人的时候,哎呀,一个存心拆烂污的大孩子已经把那个碎裂的姑娘吃掉了。孩子们大哭了一通,然后——大概是为了不让那个男恋人在这世界上感到寂寞——他们也把他吃掉了。但是他们一直没有忘掉这个故事。

孩子们经常在接骨木树旁和柳树底下玩耍。那个小女孩用银铃一样的声音唱着最美丽的歌。可是克努得没有唱歌的天赋;他只是知道歌中的词句——不过这也不坏。当约翰妮在唱着的时候,却格的居民,甚至铁匠铺的老板娘,都静静地站着听。“那个小姑娘有一个甜蜜的声音!”她说。

这是人生最美丽的时节,但不能永远是这样。邻居已经搬走了。小姑娘的妈妈已经去世了;她的爸爸打算迁到京城里去,重新讨一个太太,因为他在那儿可以找到一份职业——他要在一个机关里当个送信人,这是一个收入颇丰的差使。因此两个邻居就流着眼泪分手了,孩子们特别痛哭了一阵;不过两家的老人都答应一年最少通信一次。

克努得当一个鞋匠的学徒,因为一个大孩子不能再把日子荒废下去;此外他已经受过了坚信礼!

啊,他多么希望能在一个节日到哥本哈根去看看约翰妮啊!但他没有去,他从来没有到那儿去过,虽然它离却格只不过七十多里地的路程。不过当天气晴朗的时候,克努得从海湾望去,可以遥遥看到塔顶;在他受坚信礼的那天,他还清楚地看见圣母院教堂上的发着闪光的十字架呢。

啊,他多么怀念约翰妮啊!也许她也记得他吧?是的,在圣诞节的时候,她的父亲寄了一封信给克努得的爸爸和妈妈。信上说,他们在哥本哈根生活得很好，尤其是约翰妮，因为她有美丽的声音，她可以希望有一个光明的前途。她已经跟她常去演出的一个歌剧院订了合同，而且已经开始赚些钱了。她现在从她的收入中省下一块大洋，寄给她住在却格的亲爱的邻居过这个快乐的圣诞节。在“附言”中她亲自加了一笔，请他们喝一杯祝她健康的酒；同时还有：“向克努得亲切地致意。”

一家人全哭起来了，然而这是很愉快的——他们所流出来的是愉快的眼泪。克努得的思想每天萦绕在约翰妮的身上；现在他知道她也在想念他。当他快要学完手艺的时候，他就更清楚地觉得他爱约翰妮。她一定得成为他的亲爱的妻子。当他想到这点的时候，他的嘴唇边就飘出一丝微笑；于是他做鞋的速度也就加快了两倍，用脚紧扣着膝盖上的皮垫子。他的锥子刺进了他的手指，但是他也不在意。他下了决心不要像那对姜饼一样，扮演一个哑巴恋人的角色；他从那个故事里得到了一个很好的教训。

现在他成了一个皮鞋师傅。他打好他的背包；他算是有生第一次终于要去哥本哈根了。他已经在那儿接洽好了一个主人。嗨，约翰妮一定是非常奇怪和高兴的！她现在是十七岁了，而他已经十九岁了。

当他还在却格的时候，他就想为她买一个金戒指。不过他想，他可以在哥本哈根买到更漂亮的戒指。因此他就向他的父母告别了。这是一个晚秋下雨的天气，他在微微的细雨中动身了。树上的叶子在簌簌地下落；当他到达哥本哈根新主人家里的时候，他已经全身湿透了。

在接着的一个星期日里，他就去拜望约翰妮的父亲。他穿上了一套手艺人的新衣服，戴上一顶却格的礼帽。这装束与现在的克努得很相称，从前他只戴一顶小便帽。

他找到了他所要拜访的那座房子。他爬了好几层楼，他的头都几乎要晕了。在这个人烟稠密的城市里，人们一层堆上一层地住在一起。

房间里是一种幸福的样子；约翰妮的父亲对他非常客气。他的新太太对他说来，是一个生人，不过她仍跟他握手，请他喝咖啡。

“约翰妮看到你一定会很高兴的！”父亲说，“你现在长成一个很漂亮的年轻人了……你马上就可以看到她！她是一个使我快乐的孩子，上帝保佑，我希望她更快乐。她自己住一间小房，而且还付给我们房租！”

于是父亲就在一扇门上非常客气地敲了一下，好像他是一个客人似的。

然后他们走进去了。嗨,这房间是多么漂亮啊!这样的房间在整个的却格都找不到的;就是皇后也不会有比这可爱的房间!它地上铺有地毡,窗帘一直垂到地上;还有天鹅绒的椅子;四周全是花和画,还有一面镜子——它大得像一扇门,人们一不留心就很容易朝它走进去。

克努得一眼就看见了这些东西;不过他眼中只有约翰妮。她现在已经是一个成年的小姐了。她跟克努得所想象的完全不同,但是更美丽。她不再是一个却格的姑娘了,她是多么文雅啊!她朝克努得看了一眼,她的视线显得多么奇怪和生疏啊!不过这情形只持续了片刻;不一会儿她向他跑过来,好像想要吻他一下似的。事实上她没有这样做,但是她几乎这样做了。是的,她看到她儿时的朋友,心中感到非常高兴!她的眼睛里亮着泪珠。她有许多话要说,她有许多事情要问——从克努得的父母一直问到接骨木树和柳树——她把它们叫做接骨木树妈妈和柳树爸爸,好像它们就像人一样。的确,像姜饼一样,它们也可以被当做人看。她也谈起姜饼,谈起他们的沉默的爱情,他们怎样躺在柜台上,然后裂为两半——这时她就哈哈大笑起来。不过克努得的血却涌到脸上来了,他的心跳得比什么时候都快。不,她一点也没有变得骄傲!他注意到,她的父母请他来玩一晚上,完全是由于她的示意。她亲手倒茶,把杯子递给他,后来她取出一本书,大声地念给他听。克努得似乎觉得她所念的是关于他自己的爱情,因为那跟他的思想恰恰相吻合。于是她又唱了一支简单的歌;在她的歌声中,这支歌好像是一段历史,好像是从她的心里倾倒出来的话语。是的,她一定是喜欢克努得的。眼泪从他的脸上流下来了——他抑制不住,他也说不出半个字来。他觉得自己很傻;但是她紧握着他的手,说:

"你有一颗善良的心,克努得——我希望你永远是这样!"

这是克努得的无比地幸福的一晚。要想睡是不可能的;实际上克努得也没有睡。

在告别的时候,约翰妮的父亲曾经说过:"唔,你不会马上就忘记我们吧!我们看吧!你不会让这整个的冬天过去,而不再来看我们一次吧!"因此他下个礼拜天又可以再去,而他也就决定去了。

每天晚上,工作完了以后——他们在烛光下做活——克努得就穿过这城市,走过街道,到约翰妮住的地方去。他抬起头来朝她的窗子望,窗子差不多总是亮着的。有一天晚上他清楚地看到她的面孔映在窗帘上——这真是最可爱的一晚！他的老板娘不喜欢他每晚在外面"冶游"——引用她的话——所以她常常摇头。不过老板只是笑笑。

"他是一个年轻小伙子呀！"他说。

"我们在礼拜天要见面。我要告诉她，说我整个的思想中只有她，她一定要做我亲爱的妻子才成。我知道我不过是一个卖长工的鞋匠，但是我可以成为一个师傅，最低限度成为一个独立的师傅。我要工作和斗争下去——是的，我要把这告诉她。沉默的爱情是不会有什么结果的：我从那两块姜饼已经得到了教训了。"

星期天到来了。克努得大步地走去。不过，很不幸！他们一家人都要出去，而且不得不当面告诉他。约翰妮握着他的手，问道：

"你到戏院去过没有？你应该去一次。星期三我将要上台去唱歌，如果你那天晚上有时间的话，我将送你一张票。我父亲知道你的老板的住址。"

她的用意是多好啊！星期三中午，他收到了一个封好了的纸套，上面一个字也没有写，但是里面却有一张票。晚间，克努得有生第一次到戏院里去。他看到了什么呢？他看到了约翰妮——她是那么美丽，那么可爱！她跟一个生人结了婚，不过那是在做戏——克努得知道得很清楚，这不过是扮演而已，否则她决不会有那么大的勇气送他一张票，让他去看她结婚的！观众都在喝彩，鼓掌。克努得喊："好！"

连国王也对约翰妮微笑起来，好像他也喜欢她似的。上帝啊！克努得感到自己多么藐小啊！不过他是那么热烈地爱她，而她也喜欢他。但是男子应该先开口——那个姜饼姑娘就是这样想的。这个故事的意义是深长的。

当星期天一到来的时候，克努得又去了。他的心情跟去领圣餐的时候差不多。约翰妮一个人单独在家。她接待他——世界上再没有比这更幸运的事情。

"你来得正好！"她说，"我原来想叫我的父亲去告诉你，不过我有一个预感，觉得你今晚会来。我要告诉你，星期五我就要到法国去：如果我想要有一点成就的话，我非得这样做不可。"

克努得觉得整个的房间在打转,他的心好像要爆裂。不过他的眼睛里却没有涌出眼泪来,人们可以很清楚地看出,他感到多么悲哀。

约翰妮看到了这个情景,也几乎要哭出来。

“你这老实的、忠诚的人啊!”她说。

她的这句话使克努得敢于开口了。他告诉她说,他怎样热烈地爱她,她一定要做他亲爱的妻子才成。当他说这话的时候,他看到约翰妮的面孔变得惨白。她放松了手,同时严肃地、悲哀地回答说:

“克努得,请不要把你自己和我弄得痛苦吧。我将永远是你的一个好妹妹——你可以相信我。不过除此以外,我什么也办不到!”

于是她把她柔嫩的手贴到他灼热的额上。“上帝会给我们勇气应付一切,只要人有这个志愿。”

这时候她的继母走到房间里来了。

“克努得难过得很,因为我要离去!”她说,“拿出男子气概来吧!”她把手搭在他的肩上,好像他们在谈论着关于旅行的事情而没有谈别的东西似的。“你还是一个孩子!”她说,“不过现在你必须要听话,要有理智,像我们小时在那棵柳树底下一样。”

克努得觉得世界似乎有一块已经塌下去了。他的思想像一根无所归依的线,在风中飘荡。他待下没有走,他不知道他们有没有留他坐下来,但是他们一家人都是很和气和善良的。约翰妮倒茶给他喝,对他唱歌。她的歌调跟以前不同,但是听起来是分外美丽,使得他的心要裂成碎片。然后他们就告别了。克努得没有向她伸出手来。但是她握着他的手,说:

“我小时一起玩的兄弟,你一定会握一下你的妹妹的手,作为告别吧!”

她微笑着,眼泪从她的脸上流下来。她又重复地说一次:“哥哥”——是的,这应该产生很好的效果——这就是他们的告别。

她坐船到法国去了,克努得在满地泥泞的哥本哈根走着。皮鞋店里别的人问他为什么老是这样心事重重地走来走去,他应该跟大伙儿一块去玩玩才对,因为他究竟还是一个年轻人。

他们带着他到跳舞的地方去。那儿有许多漂亮的女子,但是没有一个像约翰妮。他想在这些地方把她忘记掉,而她却更生动地在他的思想中显现出来了。“上帝会给我们勇气应付一切,只要人有这个志愿!”她曾经这样说过。这时他有一种虔诚的感觉,他叠着手什么也不玩。提琴在奏出音乐,年轻的姑娘在围成圆圈跳舞。他怔了一下,因为他似乎觉得他不应该把约翰妮带到这地方来——因为她是活在他的心里。所以他就走出去了。他跑过许多街道,经过他所住的那个屋子。那儿是阴暗的——处处都是阴暗、空洞和孤寂。世界走着自己的道路,克努得也走着自己的道路。

冬天来了。水都结了冰。一切东西似乎都在准备入葬。

不过当春天到来的时候,当第一艘轮船开航的时候,他就有了一种远行的渴望,远行到辽远的世界里去,但是他不愿意走进法国。因此他把他的背包打好,流浪到德国去。他从这个城走到那个城,一点也不休息和安静下来,只有当他来到那个美丽的古老的城市纽伦堡的时候,他的不安的情绪才算稳定下来。他决定住下来。

纽伦堡是一个稀有的古城。它好像是从画册里剪下来的一样。它的街道随意地伸展开来;它的房屋不是排成死板的直行。那些有小塔、蔓藤花纹和雕像装饰着的吊窗悬在人行道上;从奇形的尖屋顶上伸出来的水笕嘴,以飞龙或长腰犬的形式,高高地俯视着下边的街道。

克努得背着背包站在这儿的一个市场上。他立在一个古老的喷泉塔旁边。《圣经》时代的、历史性的庄严铜像立在两股喷水的中间。一个漂亮的女用人正在用桶汲水。她给克努得一口新鲜的水喝。因为她手中满满地握着一束玫瑰花,所以她也给他一朵。他把它当做一个好的预兆。

风琴的声音从邻近的一个教堂里飘到他的耳边来;它的调子,对他说来,是跟他故乡却格风琴的调子一样地亲切。他走进一个大礼拜堂里去。日光透过绘有彩色画的窗玻璃,照在高而细长的圆柱之间。他的心中有一种虔诚的感觉,他的灵魂变得安静起来。

他在纽伦堡找到了一个很好的老板;于是他便安住下来,同时学习这个国家的语言。

城周围的古老的堑壕已经变成了许多小块的菜园,不过高大的城墙和它上面的高塔仍然是存留着的。在城墙里边,搓绳子的人正在一个木走廊或行人道上搓绳子。接骨木树丛从城墙的缝隙里生长出来,把它们的绿枝伸展到它们下面的那些低矮的小屋上。克努得的老板就住在这样的一座小屋里。在他睡觉的那个顶楼上——接骨木树就在他的床前垂下枝子。

他在这儿住过了一个夏天和冬天。不过当夏天到来的时候，他再也忍受不了了。接骨木树在开着花，而这花香使他记起了故乡。他似乎回到了却格的花园里。因此克努得就离开了他的主人，搬到住在离城墙较远的一个老板家去工作；这个屋子上面没有接骨木树。

他的作坊离一座古老的石桥很近，面对着一个老是发出嗡嗡声的水推磨坊。外边有一条激流在许多房子之间冲过去。这些房子上挂着许多腐朽的阳台；它们好像随时要倒进水里去似的。这儿没有接骨木树——连栽着一点小绿植物的花钵子也没有。不过这儿有一株高大的老柳树。它紧紧地贴着那儿的一幢房子，生怕被水冲走。它像却格河边花园里的那棵柳树一样，也把它的枝子在激流上展开来。

是的，他从"接骨木树妈妈"那儿搬到"柳树爸爸"的近旁来了。这棵树引起了某种触动，尤其是在有月光的晚上。

这种丹麦的心情，在月光下面流露了出来。但是使他感触的不是月光。不，是那棵老柳树。

他住不下去。为什么住不下去呢？请你去问那棵柳树，去问那棵开着花的接骨木树吧！因此他跟主人告别，跟纽伦堡告别，走到更远的地方去。

他对谁也不提起约翰妮——他只是把自己的忧愁秘密地藏在心里。那两块姜饼的故事对他有特别深刻的意义。现在他懂得了那个男子为什么胸口上有一颗苦味的杏仁——他现在自己尝到这苦味了。约翰妮永远是那么温柔和微笑着的，但她只是一块姜饼。

他背包的带子似乎在紧紧束缚着他，使他感到呼吸困难。他把它松开，但是仍然不感到舒畅。他的周围只有半个世界；另外的一半压在他的心里，这就是他的处境！

只有当他看到了一群高山的时候，世界才似乎对他扩大了一点。这时他的思想才向外面流露；他的眼中涌出了泪水。

阿尔卑斯山，对他说来，似乎是地球的一双敛着的翅膀。假如这双翅膀展开了，显示出一片涌泉、云块和积雪的种种景色所组成的羽毛，那又会怎样呢？

在世界的末日那天，地球将会展开它庞大的翅膀，向上帝飞去，同时在它的明朗的光中将会像水泡似的爆裂！啊，唯愿现在就是最后的末日！

他静静地走过这块土地。在他看来,这块土地像一个长满了草的果木园。从许多屋子的木阳台上,忙着织丝带的女孩子们在对他点头。许多山峰在落日的晚霞中发出红光。当他看到深树林中的绿湖的时候,他就想起了却格湾的海岸。这时他感到一阵凄凉,但是他心中却没有痛苦。

莱茵河像一股很长的巨浪在滚流,在翻腾,在冲撞,在变成雪白的云雾,好像云块就是在这儿制造出来的。虹在它上面飘着,像一条解开了的缎带。他现在不禁想起了却格湾的水推磨坊和冲撞着的发出喧闹声的流水。

他倒是很愿意在这个安静的、莱茵河畔的城市里住下来的,可惜这儿的接骨木树和杨柳太多。因此他又继续向前走。他爬过巨大的高山,越过石峡,走过像燕子窠似的、贴在山边的山路。水在山峡里潺潺地流着,云块在他的下面飞着。在温暖夏天的太阳光下,他在光亮的蓟草上、石楠属植物上和雪上走着。他告别了北方的国家,来到了葡萄园和玉蜀黍田之间的栗树的荫下。这些山是他和他的回忆之间的一座墙——也应该是如此。

现在他面前出现了一座美丽的、雄伟的城市——人们把它叫做米兰。他在这儿找到了一个德国籍的老板,同时也找到了工作。他们是一对和善的老年夫妇;他现在就在他们的作坊里工作着。这对老人很喜欢这个安静的工人。他的话讲得很少,但工作得很努力,表现出一种虔诚的、基督徒的性格。就他自己说来,他也仿佛觉得上帝取去了他心中的一个重担子。

他最心爱的消遣是不时去参观那个巍峨的大理石教堂。在他看来,这教堂似乎是用他故国的雪所造的,用雕像、尖塔和华丽的大厅所组合起来的。雪白的大理石雕像似乎在从每一个角落里、从每一个尖端、从每一个拱门上对他微笑。他上面是蔚蓝的天空,他下面是这个城市和广阔的龙巴得平原。再朝北一点就是终年盖着雪的高山。他不禁想起了却格的教堂和布满了红色常春藤的红墙。不过他并不怀恋它们,他希望他被埋葬在这些高山的后面。

他在这儿住了一年。自从他离开家以后,三年已经过去了。有一天他的老板带他到城里去——不是到马戏场去看骑师的表演,不是的,而是去看一个大歌剧院。这是一个大建筑物,值得一看。它有七层大楼,每层楼上都悬着丝织的帘子。从第一层楼到那使人一看就头晕的顶楼都坐满了华贵的仕女。她们的手中拿着花束,好像她们是在参加一个舞会似的。绅士们都穿着礼服,有许多还戴着金质或银质勋章。这地方非常亮,如同在最明朗的太阳光下一样。响亮而悦耳的音乐奏起来了。这的确要比哥本哈根的剧院华丽得多,但是那却是约翰妮住着的地方;而这儿呢——是的,这真是像魔术一样——幕向两边分开了,约翰妮穿着丝绸,戴着金饰和皇冠也出现了。她的歌声只有上帝的安琪儿可以和她相比。她尽量走到舞台前面来,同时发出只有约翰妮才能发出的微笑。她的眼睛望着克努得。

可怜的克努得紧握着他主人的手,高声地喊出来:“约翰妮!”不过谁也听不见。乐师在奏着响亮的音乐。老板只点点头,说:“是的,是的,她的名字是叫做约翰妮!”

于是他拿出一张说明书来,他指着她的名字——她的全名。

不,这不是一个梦!所有的人都在为她鼓掌,在对她抛掷着花朵和花环。每次她回到后台的时候,喝彩声就又把她叫出来,所以她不停地在走出走进。

在街上,人们围着她的车子,拉着她。克努得站在最前面,也是最高兴的。当大家来到她那光耀夺目的房子面前的时候,克努得紧紧地挤到她车子的门口。车门开了;她走了出来。灯光正照在她幸福的脸上,她微笑着,她温柔地向大家表示谢意,她非常受感动。克努得朝她的脸上望,但是她不认识。一位胸前戴有勋章的绅士伸出他的手臂来扶她——大家都说,他们已经订婚了。

克努得回到家来,收拾好他的背包,他决定回到他的老家去,回到接骨木树和柳树那儿去——啊,回到那棵柳树下面去!

那对老年夫妇请他住下来,但是什么话也留不住他。他们告诉他,说是冬天快要到来了。山上已经快要下雪。但是他背着背包,拄着拐杖,只能在慢慢前进的马车后面的车辙里走——因为这是唯一可走的路。

这样他就向山上走去,一会儿上爬,一会儿下坡。他的气力没有了,但是他还看不见一个村子或一间房屋。他不停地向北方走去。星星在他的头上出现了,他的脚在摇摆,他的头在发晕。在深深的山谷里,也有星星在闪耀着;天空也好像伸展到他的下面去似的。他觉得他病了。他下面的星星越来越多,越闪越亮,而且还在前后摆动。这原来是一个小小的城市;家家都点上了灯火。当他了解到这情况以后,他就鼓起他残留的一点气力,最后到达了一个简陋的客栈。

他在那儿待了一天一夜，因为他的身体需要休息和恢复。山谷里是融雪和冻霜。上午有一个奏手风琴的人来了，他奏起一支丹麦的家乡曲子，弄得克努得又住不下去了。他走了几天，走了许多天，他匆忙地走着，好像他想要在家里的人没有死完以前，赶回去似的。不过他没有对任何人说出他心中的渴望，谁也不会相信他心中的悲哀——一个人的心中所能感觉到的最深的悲哀。这种悲哀是不需要世人了解的，因为它并不是有趣；也不需要朋友了解——而且他根本就没有朋友。他是一个陌生人，在一些陌生的国度里旅行，向家乡，向北国走去。他在许多年以前，从他父母接到的唯一的一封信里，有这样的话语："你和我们家里的人不一样，你不是一个纯粹的丹麦人。我们是太丹麦化了！你只喜欢陌生的国家！"这是他父母亲手写的——是的，他们最了解他！

现在是黄昏了。他在荒野的公路上向前走。天开始冷起来了。这地方渐渐变得很平坦，是一片田野和草原。路旁有一棵很大的柳树。一切景物是那么亲切，那么富有丹麦风味！他在柳树下坐下来。他感到困倦，他的头向下垂，他的眼睛闭起来休息。但是他在冥冥中感到，柳树在向他垂下枝子。这树像一个威严的老人，一个"柳树爸爸"，它把它的困累了的儿子抱进怀里，把他送回到那有广阔的白色海岸的丹麦祖国去，送到却格去，送到他儿时的花园里去。

是的，这就是却格的那棵柳树。这老树正在世界各处奔走来寻找他，现在居然找到他了，把他带回到小溪旁边的那个小花园里来——约翰妮在这儿出现了；她穿着漂亮的衣服，头上戴着金冠，正如他上次见到她的那个样子。她对他喊道："欢迎你！"

他面前立着两个奇怪的人形，不过比起他在儿时所看到的那个样子来，他们似乎是更近人情了。他们也有些改变，但是他们仍然是两块姜饼，一男一女。他们现在是正面朝上，显出很快乐的样子。

"我们感谢你！"他们两人对克努得说，"你使我们有勇气讲出话来；你教导我们：一个人必须把心里想的事情自由地讲出来，否则什么结果也不会有！现在总算是有一个结果了——我们已经订了婚。"

于是他们就手挽着手在却格的街上走过去；他们的反面甚至都很像个

样子;你在他们身上找不出一点儿毛病!他们一直向却格的教堂走去。克努得和约翰妮跟在他们后面;他们也是手挽着手的。教堂仍然像过去一样,墙壁是红的,墙上布满了绿色的常春藤。教堂大门向两边分开,风琴奏起来了。男的和女的双双地在教堂的通道上走进去。

"主人请先进去!"那对姜饼恋人说。同时退向两边,让克努得和约翰妮先进去。

他们跪下来。约翰妮向克努得低下头来;冰冷的泪珠从她的眼里滚滚地往外流。这是冰;他的热烈的爱情现在把它在她的心里融化了;它现在滴到他灼热的脸上。于是他醒来了。他原来是在一个严冬的晚上,坐在一棵异国的老柳树下。一阵冰雹正在从云中打下来,打到他的脸上。

"这是我生命中最甜美的一个时刻!"他说,"而这却是一个梦!上帝啊,让我再梦下去吧!"

于是他又把他的眼睛闭起来,睡过去了,做起梦来。

天明的时候,落了一场雪。雪花卷到他的脚边,他睡着了。村人到教堂去做礼拜,发现路旁坐着一个手艺人。他已经死了,在这棵柳树下冻死了。

园丁和他的贵族主人

离京城十四五里地的地方，有一幢古老的房子。它的墙壁很厚，并有塔楼和尖尖的山形墙。

每年夏天，有一个富有的贵族家庭搬到这里来住。这是他们所有的产业中最好和最漂亮的一幢房子。从外表上看，它好像是最近才盖的；但是它的内部却是非常舒适和安静。门上有一块石头刻着他们的族徽；这族徽的周围和门上的扇形窗上盘着许多美丽的玫瑰花。房子前面是一片整齐的草场。这儿有红山楂和白山楂，还有名贵的花——至于温室外面，那当然更不用说了。

这家还有一个很能干的园丁。看了这些花圃、果树园和菜园，真叫人感到愉快。老花园的本来面目还有一部分没有改动，这包括那剪成王冠和金字塔形状的黄杨树篱笆。篱笆后面有两棵庄严的古树。它们几乎一年四季都是光秃秃的。你很可能以为有一阵暴风或者海龙卷[①]曾经卷起许多垃圾撒到它们身上去。不过每堆垃圾却是一个鸟雀窠。

从古代起，一群喧闹的乌鸦和白嘴雀就在这儿做窠。这地方简直像一个鸟村子。鸟就是这儿的主人，这儿最古的家族，这屋子的所有者。在它们眼中，下面住着的人是算不了什么的。它们容忍这些步行动物存在，虽然他们有时放放枪，把它们吓得发抖和乱飞乱叫："呱！呱！"

园丁常常对主人建议把这些老树砍掉，因为它们并不好看；假如没有它

---

① 海龙卷，龙卷风卷起的水柱。

们，这些喧闹的鸟儿也可能会不来——它们可能迁到别的地方去。但是主人既不愿意砍掉树，也不愿意赶走这群鸟儿。这些东西是古时遗留下来的，跟房子有密切关系，不能随便去掉。

“亲爱的拉尔森，这些树是鸟儿继承的遗产，让它们住下来吧！”

园丁的名字叫拉尔森，不过这跟故事没有什么关系。

“拉尔森，你还嫌工作的空间不够多么？整个的花圃、温室、果树园和菜园，够你忙的呀！”

这就是他忙的几块地方。他热情地、内行地保养它们，爱护它们和照顾它们。主人都知道他勤快。但是有一件事他们却不瞒他：他们在别人家里看到的花儿和尝到的果子，全都比自己花园里的好。园丁听到非常难过，因为他总是想尽一切办法把事情做好的，而事实上他也尽了最大的努力。他是一个好心肠的人，也是一个工作认真的人。

有一天主人把他喊去，温和而严肃地对他说：前天他们去看过一位有名的朋友；朋友拿出来待客的几种苹果和梨子是那么香，那么甜，所有的客人都啧啧称赞，羡慕得不得了。这些水果当然不是本地产的，不过假如我们的气候准许的话，那么就应该设法移植过来，让它们在此地开花结果。大家知道，这些水果是在城里一家最好的水果店里买来的，因此园丁应该骑马去打听一下，这些苹果和梨子是什么地方的产品，同时设法弄几根插枝来栽培。

园丁跟水果商非常熟，因为园里种着果树，每逢主人吃不完果子，他就拿去卖给这个商人。

园丁到城里去，向水果商打听这些第一流苹果和梨子的来历。

“从你的园子里弄来的！”水果商说，同时把苹果和梨子拿给他看。他马上就认出来了。

嗨，园丁才高兴呢！他赶快回来，告诉主人说，苹果和梨子都是他们园子里的产品。

主人不相信。

“拉尔森，这是不可能的！你能叫水果商给你一个书面证明吗？”

这倒不难，他取来了一个书面证明。

“这真出乎意料！”主人说。

他们的桌子上每天摆着大盘的自己园子里产的这种鲜美的水果。他们有时还把这种水果整筐整桶送给城里城外的朋友,甚至装运到外国去。这真是一件非常愉快的事情!不过有一点必须说明:最近两年的夏天是特别适宜于水果生长的;全国各地的收成都很好。

过了一些时候,有一天主人参加宫廷里的宴会。他们在宴会中吃到了皇家温室里生长的西瓜——又甜又香的西瓜。第二天主人把园丁喊进来。

"亲爱的拉尔森,请你跟皇家园丁说,替我们弄点这种鲜美的西瓜的种子来吧!"

"但是皇家园丁的瓜子是向我们要去的呀!"园丁高兴地说。

"那么皇家园丁一定知道怎样用最好的方法培植出最好的瓜了!"主人回答说,"他的瓜好吃极了!"

"这样说来,我倒要感到骄傲呢!"园丁说,"我可以告诉您老人家,皇家园丁去年的瓜种得并不太好。他看到我们的瓜长得好,尝了几个以后,就订了三个,叫我送到宫里去。"

"拉尔森,千万不要以为这就是我们园里产的瓜啦!"

"我有根据!"园丁说。

于是他向皇家园丁要来一张字据,证明皇家餐桌上的西瓜是这位贵族园子里的产品。

这在主人看来真是一桩惊人的事情。他们并不保守秘密。他们把字据给大家看,把西瓜子到处分送,正如他们从前分送插枝一样。

关于这些树枝,他们后来听说成绩非常好,都结出了鲜美的果子,而且还用他们的园子命名。这名字现在在英文、德文和法文里都可以读到。

这是谁也没有料到的事情。

"我们只希望园丁不要自以为了不起就得了。"主人说。

不过园丁有另一种看法:他要让大家都知道他的名字——全国一个最好的园丁。他每年设法在园艺方面创造出一点特别好的东西来,而且事实上他也做到了。不过他常常听别人说,他最先培养出的一批果子,比如苹果和梨子,的确是最好的;但以后的品种就差得远了。西瓜确确实实是非常好的,不过这是另外一回事。草莓也可以说是很鲜美的,但并不比别的园子里产的好多少。有一年他种萝卜失败了,这时人们只谈论着这倒霉的萝卜,而对别的好东西却一字不提。

看样子，主人说这样的话的时候，心里似乎倒感到很舒服："亲爱的拉尔森，今年的运气可不好啊！"

他们似乎觉得能说出"今年的运气可不好啊！"这句话，是一桩愉快的事情。

园丁每星期到各个房间里去换两次鲜花；他把这些花布置得非常有艺术性，使它们的颜色互相辉映，以衬托出它们的鲜艳。

"拉尔森，你这个人得懂得艺术，"主人说，"这是我们的上帝给你的一种天赋，不是你本身就有的！"

有一天园丁拿着一个大水晶杯子进来，里面浮着一片睡莲的叶子。叶子上有一朵像向日葵一样的鲜艳的蓝色的花——它的又粗又长的梗子浸在水里。

"印度的莲花！"主人不禁发出一个惊奇的叫声。

他们从来没有看见过这样的花。白天它被放在阳光里，晚间它得到人造的阳光。凡是看到的人都认为它是出奇地美丽和珍贵，甚至这国家里最高贵的一位小姐都这样说。她就是公主——一个聪明和善的人。

主人荣幸地把这朵花献给她。于是这花便和她一道到宫里去了。

现在主人要亲自到花园里去摘一朵同样的花——如果他找得到的话。但他找不到，因此就把园丁喊来，问他在什么地方弄到这朵蓝色的莲花的。

"我们怎么也找不到！"主人说，"我们到温室里去过，到花园里的每一个角落都去过！"

"唔，在这些地方你当然找不到的！"园丁说，"它是菜园里的一种普通的花！不过，老实讲，它不是够美的么？它看起来像仙人掌，事实上它不过是朝鲜蓟①开的一朵花。"

"你早就该把实情告诉我们！"主人说，"我们以为它是一种稀有的外国花。你在公主面前拿我们开了一个大玩笑！她一看到这花就觉得很美，但是却不认识它。她对于植物学很有研究，不过科学和蔬菜是联系不上来的。拉尔森，你怎么会想起把这种花送到房间里来呢？我们现在成了一个

---

① 朝鲜蓟，一种多年生草本植物，夏季开深紫色的管状花，花苞供食用。原产地中海沿岸，我国少有栽培。

笑柄!”

于是这朵从菜园里采来的美丽的蓝色的花,就被从客厅里拿走了,因为它不是客厅里的花。主人对公主道歉了一番,同时告诉她说,那不过是一朵菜花,园丁一时心血来潮,把它献上,他已经把园丁痛骂了一顿。

“这样做是不对的!”公主说,“他叫我们睁开眼睛看一朵我们从来不注意的、美丽的花。他把我们想不到的美指给我们看! 只要朝鲜蓟开花,御花园的园丁每天就得送一朵到我房间里来!”

事情就这样照办了。

主人告诉园丁说,他现在可以继续送新鲜的朝鲜蓟到房间里来。

“那的确是美丽的花!”男主人和女主人齐声说,“非常珍贵!”

园丁受到了称赞。

“拉尔森喜欢这一套!”主人说,“他简直是一个惯坏了的孩子!”

秋天里,有一天起了一阵可怕的暴风。暴风吹得非常厉害,一夜就把树林边上的许多树连根吹倒了。一件使主人感到悲哀——是的,他们把这叫做悲哀——但使园丁感到快乐的事情是:那两棵布满了鸟雀窠的大树被吹倒了。人们可以听到乌鸦和白嘴雀在暴风中哀鸣。屋子里的人说,它们曾经用翅膀扑打过窗子。

“拉尔森,现在你可高兴了!”主人说,“暴风把树吹倒了,鸟儿都迁到树林里去了,古时的遗迹全都没有了,所有的痕迹和纪念都不见了! 我们感到非常难过!”

园丁什么话也不说,但是他心里在盘算着他早就想要做的一件事情:怎样利用他从前没有办法处理的这块美丽的、充满了阳光的土地。他要使它变成花园的骄傲和主人的快乐。

大树在倒下的时候把老黄杨树篱笆编成的图案全都毁掉了。他在这儿种出一片浓密的植物——全都是从田野和树林里移来的本乡本土的植物。

别的园丁认为不能在一个府邸花园里大量种植的东西,他却种植了。他把每种植物种在适宜的土壤里,同时根据各种植物的特点种在阴处或有阳光的地方。他用深厚的感情去培育它们,因此它们长得非常茂盛。

从西兰荒地上移来的杜松,在形状和颜色方面长得跟意大利柏树没有什么分别;平滑的、多刺的冬青,不论在寒冷的冬天或炎热的夏天里,总是青翠可爱。前面一排长着的是各色的凤尾草;有的像棕榈树的孩子,有的像我们叫做“维纳斯①的头发”的那种又细又美的植物的父母。这儿还有人们瞧不起的牛蒡;它是那么新鲜美丽,人们简直可以把它扎进花束中去。牛蒡是种在干燥的高地上的;在较低的潮地上则种着款冬。这也是一种被人瞧不起的植物,但它纤秀的梗子和宽大的叶子使它显得非常雅致。五六尺高的毛蕊花,开着一层一层的花朵,昂然地立着,像一座有许多枝干的大烛台。这儿还有车叶草、樱草花、铃兰花、野水芋和长着三片叶子的、美丽的酢浆草。它们真是好看。

从法国土地上移植过来的小梨树,支在铁丝架上,成行地立在前排。它们得到充分的阳光和培养,因此很快就结出了水汪汪的大果子,好像是本国产的一样。

在原来是两棵老树的地方,现在竖起了一根很高的旗杆,上边飘着丹麦国旗。旗杆旁边另外有一根杆子,在夏天和收获的季节,它上面悬着啤酒花藤和它的香甜的一簇簇花朵。但是在冬天,根据古老的习惯,它上面挂着一束燕麦,好使天空的飞鸟在欢乐的圣诞节能够饱吃一餐。

“拉尔森越老越感情用事起来,”主人说,“不过他对我们是真诚和忠心的。”

新年的时候,城里有一个画刊登载了一幅关于这幢老房子的画片。人们可以在画上看到旗杆和为鸟雀过欢乐的圣诞节而挂起来的那一束燕麦。画刊上说,尊重一个古老的风俗是一种美好的行为,而且这对于一个古老的府邸说来,是很相称的。

“这全是拉尔森的成绩,”主人说,“人们为他大吹大擂。他是一个幸运的人!我们因为有了他,也几乎要感到骄傲了!”

但是他们却不感到骄傲!他们觉得自己是主人,他们可以随时把拉尔森解雇。不过他们没有这样做,因为他们是好人——而他们这个阶级里也有许多好人——这对于像拉尔森这样的人说来也算是一桩幸事。

是的,这就是“园丁和主人”的故事。

你现在可以好好地想一想。

---

① 维纳斯:希腊神话中爱和美的女神。

拇指姑娘

从前有一个女人,她非常希望有一个丁点儿小的孩子。但是她不知道从什么地方可以得到。因此她就去请教一位巫婆。她对巫婆说:

“我非常想要有一个小小的孩子!你能告诉我什么地方可以得到一个吗?”

“嗨!这容易得很!”巫婆说,“你把这颗大麦粒拿去吧。它可不是乡下人的田里长的那种大麦粒,也不是鸡吃的那种大麦粒啦。你把它埋在一个花盆里。不久你就可以看到你所要看的东西了。”

“谢谢您。”女人说。她给了巫婆三个银币。于是她就回到家来,种下那颗大麦粒。不久以后,一朵美丽的大红花就长出来了。它看起来很像一朵郁金香,不过它的叶子紧紧地包在一起,好像仍旧是一个花苞似的。

“这是一朵很美的花。”女人说,同时在那美丽的、黄而带红的花瓣上吻了一下。不过,当她正在吻的时候,花儿忽然噼啪一声,开放了。人们现在可以看出,这是一朵真正的郁金香。但是在这朵花的正中央,在那根绿色的雌蕊上面,坐着一位娇小的姑娘,她看起来又白嫩,又可爱。她还没有大拇指的一半长,因此人们就将她叫做拇指姑娘。

拇指姑娘的摇篮是一个光得发亮的漂亮胡桃壳,她的垫子是蓝色紫罗兰的花瓣,她的被子是玫瑰的花瓣。这就是她晚上睡觉的地方。但是白天她在桌子上玩耍——在这桌子上,那个女人放了一个盘子,上面又放了一圈花儿,花的枝干浸在水里。水上浮着一片很大的郁金香花瓣。拇指姑娘可以坐在这花瓣上,用两根白马尾作桨,从盘子这一边划到那一边。这样儿真是美丽啊！她还能唱歌，而且唱得那么温柔和甜蜜，从前没有任何人听到过。

一天晚上，当她正在她漂亮的床上睡觉的时候，一个难看的癞蛤蟆从窗子外面跳进来了，因为窗子上有一块玻璃已经破了。这癞蛤蟆又丑又大，而且黏糊糊的。她一直跳到桌子上。拇指姑娘正睡在桌子上鲜红的玫瑰花瓣下面。

"这姑娘倒可以做我儿子的漂亮妻子哩。"癞蛤蟆说。于是她一把抓住拇指姑娘正睡着的那个胡桃壳，背着它跳出了窗子，一直跳到花园里去。

花园里有一条很宽的小溪在流着。但是它的两岸又低又潮湿。癞蛤蟆和她的儿子就住在这儿。哎呀！他跟他的妈妈简直是一个模子铸出来的，也长得奇丑不堪。"阁阁！阁阁！呱！呱！呱！"当他看到胡桃壳里的这位美丽小姑娘时，他只能讲出这样的话来。

"讲话不要那么大声啦，要不你就把她吵醒了，"老癞蛤蟆说，"她还可以从我们这儿逃走，因为她轻得像一片天鹅的羽毛！我们得把她放在溪水里睡莲的一片宽叶子上面。她既然是这么娇小和轻巧，那片叶子对她说来可以算做是一个岛了。她在那上面是没有办法逃走的。在这期间我们就可以把泥巴底下的那间房子修理好——你们俩以后就可以在那儿住下来过日子。"

小溪里长着许多叶子宽大的绿色睡莲。它们好像是浮在水面上似的。浮在最远的那片叶子也就是最大的一片叶子。老癞蛤蟆向它游过去，把胡桃壳和睡在里面的拇指姑娘放在它上面。

这个可怜的、丁点小的姑娘大清早就醒来了。当她看见自己现在在什么地方的时候，就不禁伤心地哭起来，因为这片宽大的绿叶子的周围全都是水，她一点也没有办法回到陆地上去。

老癞蛤蟆坐在泥里，用灯心草和黄睡莲把房间装饰了一番——有新媳妇住在里面，当然应该收拾得漂亮一点才对。随后她就和她的丑儿子向那片托着拇指姑娘的叶子游去。他们要在她没有来以前，先把她的那张美丽的床搬走，安放在洞房里面。这个老癞蛤蟆在水里向她深深地鞠了一躬，同时说：

"这是我的儿子；他就是你未来的丈夫。你们俩在泥巴里将会生活得很幸福的。”

“阁！阁！呱！呱！呱！”这位少爷所能讲出的话，就只有这一点。

他们搬着这张漂亮的小床，在水里游走了。拇指姑娘独自坐在绿叶上，不禁大哭起来，因为她不喜欢跟一个讨厌的癞蛤蟆住在一起，也不喜欢有那么一个丑少爷做自己的丈夫。在水里游着的一些小鱼曾经看到过癞蛤蟆，同时也听到过她所说的话。因此它们都伸出头来，想瞧瞧这个小小的姑娘。它们一眼看到她，就觉得她非常美丽，因而它们非常不满意，觉得这样一个人儿却要下嫁给一个丑癞蛤蟆，那可不成！这样的事情决不能让它发生！它们在水里一齐集合到托着那片绿叶的梗子的周围——小姑娘就住在那上面。它们用牙齿把叶梗子咬断了，使得这片叶子顺着水流走了，带着拇指姑娘流走了，流得非常远，流到癞蛤蟆完全没有办法达到的地方去。

拇指姑娘流过了许许多多的地方。住在一些灌木林里的小鸟儿看到她，都唱道：“多么美丽的一位小姑娘啊！”

叶子托着她漂流，越流越远；最后拇指姑娘就漂流到外国去了。

一只很可爱的白蝴蝶不停地环绕着她飞，最后就落到叶子上来，因为它是那么喜欢拇指姑娘；而她呢，她也非常高兴，因为癞蛤蟆现在再也找不着她了。同时她现在所流过的这个地带是那么美丽——太阳照在水上，正像最亮的金子。她解下腰带，把一端系在蝴蝶身上，把另一端紧紧地系在叶子上。叶子带着拇指姑娘一起很快地在水上流走了，因为她就站在叶子的上面。

这时有一只很大的金龟子飞来了。他看到了她。他立刻用他的爪子抓住她纤细的腰，带着她一起飞到树上去了。但是那片绿叶继续顺着溪流流去，那只蝴蝶也跟着在一起流，因为他是系在叶子上的，没有办法飞开。

天啦！当金龟子带着她飞进树林里去的时候，可怜的拇指姑娘该是多么害怕啊！不过她更为那只美丽的白蝴蝶难过。她已经把他紧紧地系在那片叶子上，如果他没有办法摆脱的话，就一定会饿死的。但是金龟子一点也不理会这情况，他和她一块儿坐在树上最大的一张绿叶子上，把花里的蜜糖拿出来给她吃，同时说她是多么漂亮，虽然她一点也不像金龟子。不多久，住在树林里的那些金龟子全都来拜访了。他们打量着拇指姑娘。金龟子小姐们耸了耸触须，说：

"嗨,她不过只有两条腿罢了！这是怪难看的。"

"她连触须都没有!"她们说。

"她的腰太细了——呸！她完全像一个人——她是多么丑啊!"所有的女金龟子们齐声说。

然而拇指姑娘确是非常美丽的。甚至劫持她的那只金龟子也不免要这样想。不过当大家都说她很难看的时候,他最后也只好相信这话了,他也不愿意要她了！她现在可以随便到什么地方去。他们带着她从树上一起飞下来,把她放在一朵雏菊上面。她在那上面哭得怪伤心的,因为她长得那么丑,连金龟子也不要她了。可是她仍然是人们所想象不到的一个最美丽的人儿,那么娇嫩,那么明朗,像一片最纯洁的玫瑰花瓣。

整个夏天,可怜的拇指姑娘单独住在这个巨大的树林里。她用草叶为自己编了一张小床,把它挂在一片大牛蒡叶底下,好使得雨不致淋到她身上。她从花里取出蜜来作为食物,她的饮料是每天早晨凝结在叶子上的露珠。夏天和秋天就这么过了。现在,冬天——那又冷又长的冬天——来了。那些为她唱着甜蜜的歌的鸟儿现在都飞走了。树和花凋零了。那片大的牛蒡叶——她一直是在它下面住着的——也卷起来了,只剩下一根枯黄的梗子。她感到十分寒冷。因为她的衣服都破了,而她的身体又是那么瘦削和纤细——可怜的拇指姑娘啊！她一定会冻死的。雪也开始落下,每朵雪花落到她身上,就好像一个人把满铲子的雪块打到我们身上一样,因为我们高大,而她不过只有一寸来长。她只好把自己裹在一片干枯的叶子里,可是这并不温暖——她冻得发抖。

在她现在来到的这个树林的附近,有一块很大的麦田;不过田里的麦子早已经收割了。冻结的地上只留下一些光赤的麦茬儿。对她说来,在它们中间走过去,简直等于穿过一片广大的森林。啊！她冻得发抖,抖得多厉害啊！最后她来到了一只田鼠的门口。这就是一棵麦茬下面的一个小洞。田鼠住在那里面,又温暖,又舒服。她藏有整整一房间的麦子,她还有一间漂亮的厨房和一个饭厅。可怜的拇指姑娘站在门里,像一个讨饭的穷苦女孩子。她请求施舍一颗大麦粒给她,因为她已经两天没有吃过一丁点儿东西。

"你这个可怜的小人儿,"田鼠说——因为她本来是一个好心肠的老田鼠——“到我温暖的房子里来，和我一起吃点东西吧。”

因为她现在很喜欢拇指姑娘，所以她说：“你可以跟我住在一块，度过这个冬天，不过你得把我的房间弄得干净整齐，同时讲些故事给我听，因为我就是喜欢听故事。”

这个和善的老田鼠所要求的事情，拇指姑娘都一一答应了。她在那儿住得非常快乐。

“不久我们就要有一个客人来，”田鼠说，“我的这位邻居经常每个星期来看我一次，他住的比我舒服得多，他有宽大的房间，他穿着非常美丽的黑天鹅绒袍子。只要你能够得到他做你的丈夫，那么你一辈子可就享用不尽了。不过他的眼睛看不见东西。你得讲一些你所知道的、最美的故事给他听。”

拇指姑娘对于这事没有什么兴趣。她不愿意跟这位邻居结婚，因为他是一只鼹鼠。他穿着黑天鹅绒袍子来拜访了。田鼠说，他是怎样有钱和有学问，他的家也要比田鼠的大二十倍；他有很高深的学问，不过他不喜欢太阳和美丽的花儿；而且他还喜欢说这些东西的坏话，因为他自己从来没有看见过它们。

拇指姑娘得为他唱一曲歌儿。她唱了《金龟子呀，飞走吧！》，又唱了《牧师走上草原》。因为她的声音是那么美丽，鼹鼠就不禁爱上她了。不过他没有表示出来，因为他是一个很谨慎的人。

最近他从自己房子里挖了一条长长的地道，通到她们的这座房子里来。他请田鼠和拇指姑娘到这条地道里来散步，而且只要她们愿意，随时都可以来。不过他忠告她们不要害怕一只躺在地道里的死鸟。他是一只完整的鸟儿，有翅膀，也有嘴。没有疑问，他是不久以前、在冬天开始的时候死去的。他现在被埋葬的这块地方，恰恰被鼹鼠打穿了成为地道。

鼹鼠嘴里衔着一块引火柴——它在黑暗中可以发出闪光。他走在前面，为她们把这条又长又黑的地道照明。当她们来到那只死鸟躺着的地方时，鼹鼠就用他的大鼻子顶着天花板，朝上面拱着土，拱出一个大洞来。阳光就通过这洞口射进来。在地上的正中央躺着一只死了的燕子，他的美丽的翅膀紧紧地贴着身体，小腿和头缩到羽毛里面：这只可怜的鸟儿无疑地是冻死了。这使得拇指姑娘感到非常难过，因为她非常喜爱一切鸟儿。的确，他们整个夏天对她唱着美妙的歌，对她喃喃地讲着话。不过鼹鼠用他的短腿一推，说："他现在再也不能唱什么了！生来就是一只小鸟——这该是一件多么可怜的事儿！谢天谢地，我的孩子们将不会是这样。像这样的一只鸟儿，什么事也不能做，只会唧唧喳喳地叫，到了冬天就不得不饿死了！"

"是的，你是一个聪明人，说得有道理，"田鼠说，"冬天一到，这些'唧唧喳喳'的歌声对于一只雀子有什么用呢？他只有挨饿和受冻的一条路。不过我想这就是大家所谓的了不起的事情吧！"

拇指姑娘一句话也不说。不过当他们两个人把背调向这燕子的时候，她就弯下腰来，把盖在他头上的那一簇羽毛温柔地向旁边拂了几下，同时在他闭着的双眼上轻轻地吻了一下。

"在夏天对我唱出那么美丽的歌的人也许就是他了，"她想，"他不知给了我多少快乐——他，这只亲爱的、美丽的鸟儿！"

鼹鼠现在把那个透进阳光的洞口又封闭住了；然后他就陪着这两位小姐回家。但是这天晚上拇指姑娘一忽儿也睡不着。她爬起床来，用草编成了一张宽大的、美丽的毯子。她拿着它到那只死了的燕子的身边去，把他的全身盖好。她同时还把她在田鼠的房间里所寻到的一些软棉花裹在燕子的身上，好使他在这寒冷的地上能够睡得温暖。

"再会吧，你这美丽的小鸟儿！"她说，"再会吧！在夏天，当所有的树儿都变绿了的时候，当太阳光温暖地照着我们的时候，你唱出美丽的歌——我要为这感谢你！"于是她把头贴在这鸟儿的胸膛上。她马上惊恐起来，因为他身体里面好像有件什么东西在跳动，这就是鸟儿的一颗心。这鸟儿并没有死，他只不过是躺在那儿冻得失去了知觉罢了。现在他得到了温暖，所以又活了过来。

在秋天，所有的燕子都向温暖的国度飞去。不过，假如有一只掉了队，他就会遇到寒冷，于是他就会冻得落下来，像死了一样；他只有躺在他落下的那块地上，让冰冻的雪花把他全身盖满。

拇指姑娘真是抖得厉害，因为她是那么惊恐；这鸟儿，跟只有寸把高的她比起来，真是太庞大了。可是她鼓起勇气来。她把棉花紧紧地裹在这只可怜的鸟儿的身上；同时她把自己常常当作被盖的那张薄荷叶拿来，覆在这鸟儿的头上。

第二天夜里,她又偷偷地去看他。他现在已经活了,不过还是有点昏迷。他只能把眼睛微微地睁开一忽儿,望了拇指姑娘一下。拇指姑娘手里拿着一块引火柴站着,因为她没有别的灯盏。

"我感谢你——你,可爱的小宝宝!"这只身体不太好的燕子对她说,"我现在真是舒服和温暖!不久就可以恢复体力,又可以飞了,在暖和的阳光中飞了。"

"啊,"她说,"外面是多么冷啊。雪花在飞舞,遍地都在结冰。还是请你睡在你温暖的床上吧。我可以来照料你呀。"

她用花瓣盛着水送给燕子。燕子喝了水以后,就告诉她说,他有一个翅膀曾经在一个多刺的灌木林上擦伤了,因此不能跟别的燕子们飞得一样快;那时他们正在远行,飞到那辽远的、温暖的国度里去。最后他落到地上来了,可是其余的事情他现在就记不起来了。他完全不知道自己怎样来到了这块地方的。

燕子在这儿住了一整个冬天。拇指姑娘待他很好,非常喜欢他,鼹鼠和田鼠一点儿也不知道这事,因为他们不喜欢这只可怜的、孤独的燕子。

当春天一到来、太阳把大地照得很温暖的时候,燕子就向拇指姑娘告别了。她把鼹鼠在顶上挖的那个洞打开。太阳非常明亮地照着他们。于是燕子就问拇指姑娘愿意不愿意跟他一起离开:她可以骑在他的背上,这样他们就可以远远地飞走,飞向绿色的树林里去。不过拇指姑娘知道,如果她这样离开的话,田鼠就会感到痛苦的。

"不成,我不能离开!"拇指姑娘说。

"那么再会吧,再会吧,你这善良的、可爱的姑娘!"燕子说。于是他就向太阳飞去。拇指姑娘在后面望着他,她的两眼里闪着泪花,因为她是那么喜爱这只可怜的燕子。

"滴哩!滴哩!"燕子唱着歌,向一个绿色的森林飞去。

拇指姑娘感到非常难过。田鼠不许她走到温暖的太阳光中去。在田鼠屋顶上的田野里,麦子已经长得很高了。对于这个可怜的小女孩子说来,这麦子简直是一片浓密的森林,因为她究竟不过只有一寸来高呀。

"在这个夏天,你得把你的新嫁衣缝好!"田鼠对她说。因为她的那个讨厌的邻居——那个穿着黑天鹅绒袍子的鼹鼠——已经向她求婚了。"你得准备好毛衣和棉衣。当你做了鼹鼠太太以后,你应该有坐着穿的衣服和睡着穿的衣服呀。”

拇指姑娘现在得摇起纺车来。鼹鼠聘请了四只蜘蛛,日夜为她纺纱和织布。每天晚上鼹鼠来拜访她一次。鼹鼠老是在咕噜地说:等到夏天快要完的时候,太阳就不会这么热了;现在太阳把地面烤得像石头一样硬。是的,等夏天过去以后,他就要跟拇指姑娘结婚了。不过她一点也不感到高兴。因为她的确不喜欢这位讨厌的鼹鼠。每天早晨,当太阳升起的时候,每天黄昏,当太阳落下的时候,她就偷偷地走到门那儿去。当风儿把麦穗吹向两边、使得她能够看到蔚蓝色的天空的时候,她就想象外面是非常光明和美丽的,于是她就热烈地希望再见到她的亲爱的燕子。可是这燕子不再回来了。无疑地,他已经飞向很远很远的、美丽的、青翠的树林里去了。

现在是秋天了,拇指姑娘的全部嫁衣也准备好了。

“四个星期以后,你的婚礼就要举行了。”田鼠对她说。但是拇指姑娘哭了起来,说她不愿意和这讨厌的鼹鼠结婚。

“胡说!”田鼠说,“你不要固执;不然的话,我就要用我的白牙齿来咬你!他是一个很可爱的人,你得和他结婚!就是皇后也没有他那样好的黑天鹅绒袍子哩!他的厨房和储藏室里都藏满了东西。你得到这样一个丈夫,应该感谢上帝!”

现在婚礼要举行了。鼹鼠已经来了,他亲自来迎接拇指姑娘。她得跟他生活在一起,住在深深的地底下,永远也不能到温暖的太阳光中来,因为他不喜欢太阳。这个可怜的小姑娘现在感到非常难过,因为她现在不得不向那光耀的太阳告别——这太阳,当她跟田鼠住在一起的时候,她还能得到许可在门口望一眼。

“再会吧,您,光明的太阳!”她说着,同时向空中伸出双手,并且向田鼠的屋子外面走了几步——因为现在大麦已经收割完了,这儿只剩下干枯的茬子。“再会吧,再会吧!”她又重复地说,同时用双臂抱住一朵还在开着的小红花。“假如你看到了那只小燕子的话,我请求你代我向他问候一声。”

“滴哩!滴哩!”在这时候,一个声音忽然在她的头上叫起来。她抬头一看,这正是那只小燕子刚刚在飞过。他一看到拇指姑娘,就显得非常高兴。她告诉他说,她多么不愿意要那个丑恶的鼹鼠做她的丈夫啊!她还说,她得住在深深的地底下,太阳将永远照不进来。一想到这点,她就忍不住哭起来了。

“寒冷的冬天现在要到来了,”小燕子说,“我要飞得很远,飞到温暖的国度里去。你愿意跟我一块儿去吗?你可以骑在我的背上!你用腰带紧紧地把你自己系牢。这样我们就可以离开这丑恶的鼹鼠,从他黑暗的房子飞走——远远地、远远地飞过高山,飞到温暖的国度里去:那儿的太阳光比这儿更美丽,那儿永远只有夏天,那儿永远开着美丽的花朵。跟我一起飞吧,你,甜蜜的小拇指姑娘;当我在那个阴惨的地洞里冻得僵直的时候,你救了我的生命!”

“是的,我将和你一块儿去!”拇指姑娘说。她坐在这鸟儿的背上,把脚搁在他展开的双翼上,同时把自己用腰带紧紧地系在他最结实的一根羽毛上。这么着,燕子就飞向空中,飞过森林,飞过大海,高高地飞过常年积雪的大山。在这寒冷的高空中,拇指姑娘冻得抖起来。这时她就钻进这鸟儿温暖的羽毛里去。她只是把她的小脑袋伸出来,欣赏下面的美丽的风景。

最后他们来到了温暖的国度,那儿的太阳比在我们这里照得光耀多了,天似乎也是加倍地高。田沟里,篱笆上,都生满了最美丽的绿葡萄和蓝葡萄。树林里处处悬挂着柠檬和橙子。空气里飘着桃金娘和麝香的香气;许多非常可爱的小孩子在路上跑来跑去,跟一些颜色鲜艳的大蝴蝶儿一块儿嬉戏。可是燕子越飞越远,而风景也越来越美丽。在一个碧蓝色的湖旁有一丛最可爱的绿树,它们里面有一幢白得放亮的、大理石砌成的、古代的宫殿。葡萄藤围着许多高大的圆柱丛生着。它们的顶上有许多燕子窠。其中有一个窠就是现在带着拇指姑娘飞行的这只燕子的住所。

“这儿就是我的房子,”燕子说,“不过,下面长着许多美丽的花,你可以选择其中的一朵;我可以把你放在它上面。那么你要想住得怎样舒服,就可以怎样舒服了。”

“那好极了。”她说,拍着她的一双小手。

那儿有一根巨大的大理石柱。它已经倒在地上,并且跌成了三段。不过在它们中间生出一朵最美丽的白色鲜花。燕子带着拇指姑娘飞下来,把她放在它的一片宽阔的花瓣上面。这个小姑娘感到多么惊奇啊!在那朵花的中央坐着一个小小的男子!——他是那么白皙和透明,好像是玻璃做成的。他头上戴着一顶最华丽的金制王冠,他肩上生着一双发亮的翅膀,而他本身并不比拇指姑娘高大。他就是花中的安琪儿①,每一朵花里都住着这么一个小小的男子或妇人。不过这一位却是他们大家的国王。

"我的天啦!他是多么美啊!"拇指姑娘对燕子低声说。

这位小小的王子非常害怕这只燕子,因为他是那么细小和柔嫩,对他说来,燕子简直是一只庞大的鸟儿。不过当他看到拇指姑娘的时候,他马上就变得高兴起来:她是他一生中所看到的最美丽的一位姑娘。因此他从头上取下金王冠,把它戴到她的头上。他问了她的姓名,问她愿不愿意做他的夫人——这样她就可以做一切花儿的皇后了。这位王子才真配称为她的丈夫呢,他比起癞蛤蟆的儿子和那只穿大黑天鹅绒袍子的鼹鼠来,完全不同!因此她就对这位逗她喜欢的王子说:"我愿意。"这时每一朵花里走出一位小姐或一位男子来。他们是那么可爱,就是看他们一眼也是幸福的。他们每人送了拇指姑娘一件礼物,但是其中最好的礼物是从一只大白蝇身上取下的一对翅膀。他们把这对翅膀安到拇指姑娘的背上,这么着,她现在就可以在花朵之间飞来飞去了。这时大家都欢乐起来。燕子坐在上面自己的窠里,为他们唱出他最好的歌曲。然后在他的心里,他感到有些悲哀,因为他是那么喜欢拇指姑娘,他的确希望永远不要和她分开。

"你现在不应该再叫拇指姑娘了!"花的安琪儿对她说,"这是一个很丑的名字,而你是那么美丽!从今以后,我们要叫你玛娅②。"

"再会吧!再会吧!"那只小燕子说。他又从这温暖的国度飞走了,飞回到很远很远的丹麦去。在丹麦,他在一个会写童话的人的窗子上筑了一个小窠。他对这个人唱:"滴哩!滴哩!"我们这整个故事就是从他那儿听来的。

---

① 安琪儿就是天使。在西方文艺中,天使的形象一般是长着一对翅膀的小孩子。

② 在希腊神话里,玛娅(Maja)是顶天的巨神阿特拉斯(Atlas)和普勒俄涅(Pleione)所生的七个女儿中最大的一个,也是最美的一个。这七个姊妹和她们的父母一起代表金牛宫(Taurus)中九颗最明亮的星星。它们在五月间(收获时期)出现,在十月间(第二次播种时期)隐藏起来。

安妮·莉斯贝

安妮·莉斯贝像牛奶和血，又年轻，又快乐，样子真是可爱。她的牙齿白得放光，她的眼睛非常明亮，她的脚跳起舞来非常轻松，而她的性情也很轻松。这一切会结出怎样的果子呢？……“一个讨厌的孩子！……”的确，孩子一点也不好看，因此他被送到一个挖沟工人的老婆家里去抚养。

安妮·莉斯贝本人则搬进一位伯爵的公馆里去住。她穿着丝绸和天鹅绒做的衣服，坐在华贵的房间里，一丝儿风也不能吹到她身上，谁也不能对她说一句不客气的话，因为这会使她难过，而难过是她所受不了的。她抚养伯爵的孩子。这孩子清秀得像一个王子，美丽得像一个安琪儿。她是多么爱这孩子啊！

至于她自己的孩子呢，是的，他在家里，在那个挖沟工人的家里。在这家里，锅开的时候少，嘴开的时候多。此外，家里常常没人。孩子哭起来。不过，既然没有人听到他哭，因此也就没有人为他难过。他哭得慢慢地睡着了。在睡梦中，他既不觉得饿，也不觉得渴。睡眠是一种多么好的发明啊！

许多年过去了。是的，正如俗话说的，时间一久，野草也就长起来了。安妮·莉斯贝的孩子也长大了。大家都说他发育不全，但是他现在已经完全成为他所寄住的这一家的成员。这一家得到了一笔抚养他的钱，安妮·莉斯贝也就算从此把他脱手了。她自己成了一个都市妇人，住得非常舒服；当她出门的时候，她还戴一顶帽子呢。但是她却从来不到那个挖沟工人家里去，因为那儿离城太远。事实上，她去也没有什么事情可做。孩子是别人的；而且他们说，孩子现在自己可以找饭吃了。他应该找个职业来糊口，因此他就为马兹·演生看一头红毛母牛。他可以牧牛,做点有用的事情了。

在一个贵族公馆的洗衣池旁边,有一只看家狗坐在狗屋顶上晒太阳。随便什么人走过去,它都要叫几声。如果天下雨,它就钻进它的屋子里去,在干燥和舒服的地上睡觉。安妮·莉斯贝的孩子坐在沟沿上一面晒太阳,一面削着拴牛的木桩子。在春天他看见三棵草莓开花了;他唯一高兴的想头是:这些花将会结出果子,可是果子却没有结出来。他坐在风雨之中,全身给淋得透湿,后来强劲的风又把他的衣服吹干。当他回到家里来的时候,一些男人和女人不是推他,就是拉他,因为他丑得出奇。谁也不爱他——他已经习惯于这类事情了!

安妮·莉斯贝的孩子怎样活下去呢?他怎么能活下去呢?他的命运是:谁也不爱他。

他从陆地上被推到船上去。他乘着一条破烂的船去航海。当船老板在喝酒的时候,他就坐着掌舵。他是既寒冷,又饥饿。人们可能以为他从来没有吃过饱饭呢。事实上也是如此。

这正是晚秋的天气:寒冷,多风,多雨。冷风甚至能透进最厚的衣服——特别是在海上。这条破烂的船正在海上航行;船上只有两个人——事实上也可以说只有一个半人:船老板和他的助手。整天都是阴沉沉的,现在变得更黑了。天气是刺人地寒冷。船老板喝了一德兰的酒,可以把他的身体温暖一下。酒瓶是很旧的,酒杯更是如此——它的上半部分是完整的,但它的下半部分已经碎了,因此现在是搁在一块上了漆的蓝色木座子上。船老板说:"一德兰的酒使我感到舒服,两德兰使我感到更愉快。"这孩子坐在舵旁,用他一双油污的手紧紧地握着舷。他是丑陋的,他的头发挺直,他的样子衰老,显得发育不全。他是一个劳动人家的孩子——虽然在教堂的出生登记簿上他是安妮·莉斯贝的儿子。

风吹着船,船破着浪!船帆鼓满了风,船在向前挺进。前后左右,上上下下,都是暴风雨;但是更糟糕的事情还未到来。停住!什么?什么裂开了?什么碰到了船?船在急转!难道这是龙吸水吗?难道海在沸腾吗?坐在舵旁的这个孩子高声地喊:"上帝啊,救我吧!"船触到了海底上的一个巨大的石礁,接着它就像池塘里的一只破鞋似的沉到水下面去了——正如俗话所说的,"连人带耗子都沉下去了"。是的,船上有的是耗子,不过人只有一个半:船主人和这个挖沟人的孩子。

只有尖叫的海鸥看到了这情景;此外还有下面的一些鱼,不过它们也没有看清楚,因为当水涌进船里和船在下沉的时候,它们已经吓得跑开了。船沉到水底将近有一尺深,于是他们两个人就完了。他们死了,也被遗忘了!只有那个安在蓝色木座子上的酒杯没有沉,因为木座子把它托起来了。它顺水漂流,随时可以撞碎,漂到岸上去。但是漂到哪边的岸上去呢?什么时候呢?是的,这并没有什么了不起的重要!它已经完成了它的任务,它已经被人爱过——但是安妮·莉斯贝的孩子却没有被人爱过!然而在天国里,任何灵魂都不能说:“没有被人爱!”

安妮·莉斯贝住在城市里已经有许多年了。人们把她称为“太太”。当她谈起旧时的记忆,谈起跟伯爵在一起的时候,她特别感到骄傲。那时她坐在马车里,可以跟伯爵夫人和男爵夫人交谈。她那位甜蜜的小伯爵是上帝的最美丽的安琪儿,是一个最亲爱的人物。他喜欢她,她也喜欢他。他们彼此吻着,彼此拥抱着。他是她的幸福,她的半个生命。现在他已经长得很高大了。他十四岁了,有学问,有好看的外表。自从她把他抱在怀里的那个时候起,她已经有很久没有看见过他了。她已经有好多年没有到伯爵的公馆里去了,因为到那儿去的旅程的确不简单。

“我一定要设法去一趟!”安妮·莉斯贝说,“我要去看看我的宝贝,我的亲爱的小伯爵。是的,他一定也很想看到我的;他一定也很想念我,爱我,像他从前用他安琪儿的手臂搂着我的脖子时一样。那时他总是喊:‘安·莉斯!’那声音简直像提琴!我一定要想办法再去看他一次。”

她坐着一辆牛车走了一阵子,然后又步行了一阵子,最后她来到了伯爵的公馆。公馆像从前一样,仍然是很庄严和华丽的;它外面的花园也是像从前一样。不过屋子里面的人却完全是陌生的。谁也不认识安妮·莉斯贝。他们不知道她有什么了不起的事情要到这儿来。当然。伯爵夫人会告诉他们的,她亲爱的孩子也会告诉他们的。她是多么想念他们啊!

安妮·莉斯贝在等着。她等了很久,而且时间似乎越等越长!她在主人用饭以前被喊进去了。主人跟她很客气地应酬了几句。至于她的亲爱的孩子,她只有吃完了饭以后才能见到——那时她将会再一次被喊进去。

他长得多么大,多么高,多么瘦啊！但是他仍然有美丽的眼睛和安琪儿般的嘴！他望着她,但是一句话也不讲。显然他不认识她。他掉转身,想要走开,但是她捧住他的手,把它贴到自己的嘴上。

"好吧,这已经够了!"他说。接着他就从房间里走开了——他是她心中念念不忘的人;是她最爱的人;是她在人世间一提起就感到骄傲的人。

安妮·莉斯贝走出了这个公馆,来到广阔的大路上。她感到非常伤心。他对她是那么冷漠,一点也不想她,连一句感谢的话也不说。曾经有个时候,她日夜都抱着他——她现在在梦里还抱着他。

一只大黑乌鸦飞下来,落在她面前的路上,不停地发出尖锐的叫声。

"哎呀!"她说,"你是一只多么不吉利的鸟儿啊!"

她在那个挖沟工人的茅屋旁边走过。茅屋的女主人正站在门口。她们交谈起来。

"你真是一个有福气的样子!"挖沟工人的老婆说,"你长得又肥又胖,是一副发财相!"

"还不坏!"安妮·莉斯贝说。

"船带着他们一起沉了!"挖沟工人的老婆说,"船老板和助手都淹死了。一切都完了。我起初还以为这孩子将来会赚几块钱,补贴我的家用。安妮·莉斯贝,他再也不会要你费钱了。"

"他们淹死了?"安妮·莉斯贝问。她们没有再在这个问题上谈下去。

安妮·莉斯贝感到非常难过,因为她的小伯爵不喜欢和她讲话。她曾经是那样爱他,现在她还特别走这么远的路来看他——这段旅程也费钱呀,虽然她并没有从中得到什么快乐。不过关于这事她一个字也不提,因为把这事讲给挖沟工人的老婆听也不会使她的心情好转。这只会引起后者猜疑她在伯爵家里不受欢迎。这时那只黑乌鸦又在她头上尖叫了几声。

"这个黑鬼,"安妮·莉斯贝说,"它今天使我害怕起来!"

她带来了一点咖啡豆和菊苣[1]。她觉得这对于挖沟工人的老婆说来是一种施舍,可以使她煮一杯咖啡喝;同时她自己也可以喝一杯。挖沟工人的老妻子煮咖啡去了;这时安妮·莉斯贝就坐在椅子上睡着了。她做了一个

① 菊苣(cichoric)是一种植物,它的根可以当咖啡代用品。

从来没有做过的梦。说来也很奇怪,她梦见了自己的孩子:他在这个工人的茅屋里饿得哭叫,谁也不管他;现在他躺在海底——只有上帝知道他在什么地方,她梦见自己坐在这茅屋里,挖沟工人的老婆在煮咖啡,她可以闻到咖啡豆的香味,这时门口出现了一个可爱的人形——这人形跟那位小伯爵一样好看。他说:

"世界快要灭亡了!紧跟着我来吧,因为你是我的妈妈呀!你有一个安琪儿在天国里呀!紧跟着我来吧。"

他伸出手来拉她,不过这时有一个可怕的爆裂声响起来了。这无疑是世界在爆裂,这时安琪儿升上来,紧紧地抓住她的衬衫袖子;她似乎觉得自己从地上被托起来了。不过她的脚上似乎系着一件沉重的东西,把她向下拖,好像有几百个女人在紧抓住她,说:

"假使你要得救,我们也要得救!抓紧!抓紧!"

她们都一起抓着她;她们的人数真多。"嘶!嘶!"她的衬衫袖子被撕碎了,安妮·莉斯贝在恐怖中跌落下来了,同时也醒了。的确,她几乎跟她坐着的那把椅子一齐倒下来,她吓得头脑发晕,她甚至记不清楚自己梦见了什么东西。不过她知道那是一个噩梦。

她们一起喝咖啡,聊聊天。然后她就走到附近的一个镇上去,因为她要到那儿去找到那个赶车的人,以便在天黑以前能够回到家里去。不过当她碰到这个赶车人的时候,他说他们要等到第二天天黑以前才能动身,她开始考虑住下来的费用,同时也把里程考虑了一下。她想,如果沿着海岸走,可以比坐车子少走八九里路。这时天气晴朗,月亮正圆,因此安妮·莉斯贝决计步行;她第二天就可以回到家里了。

太阳已经下沉;暮钟仍然在敲着。不过,这不是钟声,而是贝得尔·奥克斯的青蛙在沼泽地里的叫声①。现在它们静下来了,四周是一片沉寂,连一声鸟叫也没有,因为它们都睡着了,甚至猫头鹰都不见了。树林里和她正在走着的海岸上一点声音也没有。她听到自己在沙上走着的脚步声。海上

---

① 安徒生写到这里,大概是想到了他同时代的丹麦诗人蒂勒(J. M. Thiele)的两句诗:
如果贝得尔·奥克斯的青蛙晚上在沼泽地里叫,
第二天的太阳会很明朗,对着玫瑰花微笑。

也没有浪花在冲击;遥远的深水里也是鸦雀无声。水底有生命和无生命的东西,都是默默地没有声响。

安妮·莉斯贝只顾向前走,像俗话所说的,什么也不想。不过思想并没有离开她,因为思想是永远不会离开我们的。它只不过是在睡觉罢了。那些活跃着,但现在正在休息着的思想,和那些还没有被掀动起来的思想,都是这个样子。不过思想会冒出头来,有时在心里活动,有时在我们的脑袋里活动,或者从上面向我们袭来。

"善有善报,"书上这样写着,"罪过里藏着死机!"书上也这样写着。书上写着的东西不少,讲过的东西也不少,但是人们却不知道,也想不起。安妮·莉斯贝就是这个样子。不过有时人们心里会露出一线光明——这完全是可能的!

一切罪恶和一切美德都藏在我们的心里——藏在你的心里和我的心里!它们像看不见的小种子似的藏着。一丝太阳光从外面射进来,一只罪恶的手摸触一下,你在街角向左边拐或向右边拐——是的,这就够决定问题了。于是这颗小小的种子就活跃起来,开始胀大和冒出新芽。它把它的汁液散布到你的血管里去,这样你的行动就开始受到影响。一个人在迷糊地走着路的时候,是不会感觉到那种使人苦恼的思想的,但是这种思想却在心里酝酿。安妮·莉斯贝就是这样半睡似的走着路,但是她的思想正要开始活动。

从头年的圣烛节①到第二年的圣烛节,心里记着的事情可是不少——一年所发生的事情,有许多已经被忘记了,比如对上帝、对我们的邻居和对我们自己的良心,在言语上和思想上所做过的罪恶行为。我们想不到这些事情,安妮·莉斯贝也没有想到这些事情。她知道,她并没有做出任何不良的事情来破坏这国家的法律,她是一个善良、诚实和被人看得起的人,她自己知道这一点。

现在她沿着海边走。那里有一件什么东西呢?她停下来。那是一件什么东西漂上来了呢?那是一顶男子的旧帽子。它是从什么地方漂来的呢?

---

① 圣烛节(Kyndelmisse)是在二月二日,即圣母玛利亚产后四十天带着耶稣往耶路撒冷去祈祷的纪念日,又称"圣母行洁净礼日""献主节"等。

她走过去,停下来仔细看了一眼。哎呀!这是一件什么东西呢?她害怕起来。但是这并不值得害怕:这不过是些海草和灯心草罢了,它缠在一块长长的石头上,样子像一个人的身躯。这只是些灯心草和海草,但是她却害怕起来。她继续向前走,心中想起儿时所听到的更多的迷信故事:"海鬼"——漂到荒凉的海滩上没有人埋葬的尸体。尸体本身是不伤害任何人的,不过它的魂魄——"海鬼"——会追着孤独的旅人,紧抓着他,要求他把它送进教堂,埋在基督徒的墓地里。

"抓紧!抓紧!"有一个声音这样喊。当安妮·莉斯贝想起这几句话的时候,她做过的梦马上又生动地回到记忆中来了——那些母亲们怎样抓着她,喊着:"抓紧!抓紧!"她脚底下的地面怎样向下沉,她的衣袖怎样被撕碎,在这最后审判的时刻,她的孩子怎样托着她,她又怎样从孩子的手中掉下来。她的孩子,她自己亲生的孩子,她从来没有爱过他,也从来没有想过他。这个孩子现在正躺在海底。他永远也不会像一个海鬼似的爬起来,叫着:"抓紧!抓紧!把我送到基督徒的墓地上去呀!"当她想着这事情的时候,恐惧刺激着她的脚,使她加快了步子。

恐怖像一只冰冷潮湿的手,按在她的心上;她几乎要昏过去了。当她朝海上望的时候,海上正慢慢地变得昏暗。一层浓雾从海上升起来,弥漫到灌木林和树上,形成各种各样的奇形怪状。她掉转身向背后的月亮望了一眼。月亮像一面没有光辉的、淡白色的圆镜。她的四肢似乎被某种沉重的东西压住了:抓紧!抓紧!她这样想。当她再掉转身看看月亮的时候,似乎觉得月亮的白面孔就贴着她的身子,而浓雾就像一件尸衣似的披在她的肩上。"抓紧!把我抬到基督徒的墓地里去吧!"她听到这样一个空洞的声音。这不是沼泽地上的青蛙,或大渡乌和乌鸦发出来的,因为她并没有看到这些东西。"把我埋葬掉吧,把我埋葬掉吧!"这声音说。

是的,这是"海鬼"——躺在海底的她的孩子的魂魄。这魂魄是不会安息的,除非有人把它送到教堂的墓地里去,除非有人在基督教的土地上为它砌一个坟墓。她得向那儿走去,她得到那儿去挖一个坟墓。她朝教堂的那个方向走去,于是她就觉得她的负担轻了许多——甚至变得没有了。这时她又打算掉转身,沿着那条最短的路走回家去,立刻那个担子又压到她身上来了:抓紧!抓紧!这好像青蛙的叫声,又好像鸟儿的哀鸣,她听得非常清楚。“为我挖一个坟墓吧！为我挖一个坟墓吧！”

雾是又冷又潮湿;她的手和面孔也是由于恐怖而变得又冷又潮湿。周围的压力向她压过来,但是她心里的思想却在无限地膨胀。这是她从来没有经验过的一种感觉。

在北国,山毛榉可以在一个春天的晚上就冒出芽,第二天一见到太阳就现出它幸福的青春美。同样,在我们的心里,藏在我们过去生活中的罪恶种子,也会在一瞬间通过思想、言语和行动冒出芽来。当良心一觉醒来的时候,这种子只需一瞬间的工夫就会长大和发育。这是上帝在我们最想不到的时刻使它起这样的变化的。什么辩解都不需要了,因为事实摆在面前,作为见证。思想变成了语言,而语言是在世界什么地方都可以听见的。我们一想到我们身中藏着的东西,一想到我们还没有能消灭我们在无意和骄傲中种下的种子,我们就不禁要恐怖起来。心中可以藏着一切美德,也可以藏着罪恶。它们甚至在最贫瘠的土地上也可以繁殖起来。

安妮·莉斯贝的心里深深地体会到我们刚才所讲的这些话。她感到极度地不安,她倒到地上,只能向前爬几步。一个声音说:“请埋葬我吧！请埋葬我吧！”只要能在坟墓里把一切都忘记,她倒很想把自己埋葬掉。这是她充满恐惧和惊惶的、醒觉的时刻。迷信使她的血一会儿变冷,一会儿变热。有许多她不愿意讲的事情,现在都集中到她的心里来了。

一个她从前听人讲过的幻象,像明朗的月光下面的云彩,静寂地在她面前出现:四匹嘶鸣的马儿在她身边驰过去了。它们的眼睛里和鼻孔里射出火花,拉着一辆火红的车子,里面坐着一个在这地区横行了一百多年的坏人。据说他每天半夜要跑进自己的家里去一次,然后再跑出来。他的外貌并不像一般人所描述的死人那样,惨白得毫无血色,而是像熄灭了的炭一样漆黑。他对安妮·莉斯贝点点头,招招手:

“抓紧！抓紧！你可以在伯爵的车子上再坐一次,把你的孩子忘掉！”

她急忙避开,走进教堂的墓地里去。但是黑十字架和大渡乌在她的眼前混作一团。大渡乌在叫——像她白天所看到的那样叫。不过现在她懂得它们所叫的是什么东西。它们说:“我是大渡乌妈妈！我是大渡乌妈妈！”每一只都这样说。安妮·莉斯贝知道,她也会变成这样的一只黑鸟。如果她不挖出一个坟墓来,她将永远也要像它们那样叫。

她伏到地上,用手在坚硬的土上挖一个坟墓,她的手指流出血来。

"把我埋葬掉吧! 把我埋葬掉吧!"这声音在喊。她害怕在她的工作没有做完以前鸡会叫起来,东方会放出彩霞,因为如果这样,她就没有希望了。

鸡终于叫了,东方也现出亮光。她还要挖的坟墓只完成了一半。一只冰冷的手从她的手上和脸上一直摸到她的心窝。"只挖出半个坟墓!"一个声音哀叹着,接着就渐渐地沉到海底。是的,这就是"海鬼"! 安妮·莉斯贝昏倒在地上。她不能思想,失去了知觉。

她醒过来的时候,已经是明朗的白天了。有两个人把她扶起来。她并没有躺在教堂的墓地里,而是躺在海滩上。她在沙上挖了一个深洞。她的手指被一个破玻璃杯划开了,流出血来。这杯子底端的脚是安在一个涂了蓝漆的木座子上的。

安妮·莉斯贝病了。良心和迷信纠缠在一起,她也分辨不清,结果她相信她现在只有半个灵魂,另外半个灵魂被她的孩子带到海里去了。她将永远也不能飞上天国,接受慈悲,除非她能收回深藏在水底的另一半灵魂。

安妮·莉斯贝回到家里去,她已经不再是原来的那个样子了。她的思想像一团乱麻一样。她只能抽出一根线索来,那就是她得把这个"海鬼"运到教堂的墓地里去,为他挖一个坟墓——这样她才能招回她整个的灵魂。

有许多晚上她不在家里。人们老是看见她在海滩上等待那个"海鬼"。这样的日子她挨过了一整年。于是有一天晚上她又不见了,人们再也找不到她。第二天大家找了一整天,也没有结果。

黄昏的时候,牧师到教堂里来敲晚钟。这时他看见安妮·莉斯贝跪在祭坛的脚下。她从大清早起就在这儿,她已经没有一点气力了,但是她的眼睛仍然射出光彩,脸上仍然现出红光。太阳的最后的晚霞照着她,射在摊开在祭坛上的《圣经》的银扣子上①。《圣经》摊开的地方显露出先知约珥的几句话:"你们要撕裂心肠,不撕裂衣服,归向上帝!②"

"这完全是碰巧,"人们说,"有许多事情就是偶然发生的。"

---

① 古时的《圣经》像一个小匣子,不念时可以用扣子扣上。

② 见《圣经·旧约全书·约珥书》第二章第十三节。最后"归向上帝"这句话应该是"归向耶和华你们的神",和安徒生在这里引用的略有不同。

安妮·莉斯贝的脸上,在太阳光中,露出一种和平和安静的表情。她说她感到非常愉快。她现在重新获得了灵魂。昨天晚上那个“海鬼”——她的儿子——是和她在一道。这幽灵对她说:

“你只为我挖好了半个坟墓,但是在整整一年中你却在你的心中为我砌好了一个完整的坟墓。这是一个妈妈能埋葬她的孩子的最好的地方。”

于是他把她失去了的那半个灵魂还给她,同时把她领到这个教堂里来。

“现在我是在上帝的屋子里,”她说,“在这个屋子里我们全都感到快乐!”

太阳落下去的时候,安妮·莉斯贝的灵魂就升到另一个境界去了。当人们在人世间作过一番斗争以后,来到这个境界是不会感到痛苦的;而安妮·莉斯贝是作过一番斗争的。

小意达的花儿

“我的可怜的花儿都已经死了!”小意达说,“昨天晚上它们还是那么美丽,现在它们的叶子却都垂下来了,枯萎了。它们为什么要这样呢?”她问一个坐在沙发上的学生,因为她很喜欢他。他会讲一些非常美丽的故事,会剪出一些很有趣的图案:小姑娘在一颗心房里跳舞的图案,花朵的图案,还有门可以自动开启的一个大宫殿的图案。他是一个快乐的学生。

“为什么花儿今天显得这样没有精神呢?”她又问,同时把一束已经枯萎了的花指给他看。

“你可知道它们做了什么事情!”学生说,“这些花儿昨夜去参加过一个舞会啦,因此它们今天就把头垂下来了。”

“可是花儿并不会跳舞呀。”小意达说。

“嗨,它们可会跳啦,”学生说,“天一黑,我们去睡了以后,它们就兴高采烈地围着跳起来。差不多每天晚上它们都有一个舞会。”

“小孩子可不可以去参加这个舞会呢?”

“当然可以的,”学生说,“小小的雏菊和铃兰花都可以的。”

“这些顶美丽的花儿在什么地方跳舞呢?”小意达问。

“你到城门外的那座大宫殿里去过吗?国王在夏天就搬到那儿去住,那儿有最美丽的花园,里面有各种颜色的花。你看到过那些天鹅吗?当你要抛给它们面包屑的时候,它们就向你游来。美丽的舞会就是在那儿举行的,你相信我的话吧。”

“我昨天就和我的妈妈到那个花园里去过,”小意达说,“可是那儿树上的叶子全都落光了，而且一朵花儿也没有！它们到什么地方去了呀？我在夏天看到过那么多的花。”

“它们都搬进宫里去了呀，”学生说，“你要知道，等到国王和他的臣仆们迁到城里去了以后，这些花儿就马上从花园跑进宫里去，在那儿欢乐地玩起来。你应该看看它们的那副样儿！那两朵顶美丽的玫瑰花自己坐上王位，做起花王和花后来。所有的红鸡冠花都排在两边站着，弯着腰行礼。它们就是花王的侍从。各种好看的花儿都来了，于是一个盛大的舞会就开始了。蓝色的紫罗兰就是小小的海军学生：它们把风信子和番红花称为小姐，跟她们一起跳起舞来。郁金香和高大的卷丹花就是老太太。她们在旁监督，要求舞会开得好，要求大家都守规矩。”

“不过，”小意达问，“这些花儿在国王的宫里跳起舞来，难道就没有人来干涉它们吗？”

“因为没有谁真正知道这件事情呀，”学生说，“当然喽，有时那位年老的宫殿管理人夜间到那里去，因为他得在那里守夜。他带着一大把钥匙。可是当花儿一听到钥匙响，它们马上就静下来，躲到那些长窗帘后面去，只是把头偷偷地伸出来。那位老管理人只是说，‘我闻到这儿有点花香’；但是他却看不见它们。”

“这真是滑稽得很！”小意达说，拍着双手，“不过我可不可以瞧瞧这些花儿呢？”

“可以的，”学生说，“你再出去的时候，只消记住偷偷地朝窗子看一眼，就可以瞧见它们。今天我就是这样做的。有一朵长长的黄水仙花懒洋洋地躺在沙发上。她满以为自己是一位宫廷的贵妇人呢！”

“植物园的花儿也可以到那儿去么？它们能走那么远的路么？”

“能的，这点你可以放心，”学生说，“假如它们愿意的话；它们还可以飞呢。你看见过那些红的、黄的、白的蝴蝶吗？它们看起来差不多像花朵一样。它们本来就是花朵嘛。它们曾经从花枝上高高地跳向空中，拍着它们的花瓣，好像那就是小小的翅膀似的。这么着，它们就飞起来啦。因为它们很有礼貌，所以得到许可也能在白天飞。它们不必再回到家里去，死死地待在花枝上了。这样，它们的花瓣最后也就变成真正的翅膀了。这些东西你已经亲眼见过。很可能植物园的花儿从来没有到国王的宫里去过，而且很可能它们完全不知道那儿晚间是多么有趣。唔,我现在可以教你一件事,准叫那位住在这附近的植物学教授感到非常惊奇。你认识他,不是么?下次你走到他的花园里去的时候,请你带一个信给一朵花,说是宫里有人在开一个盛大的舞会。那么这朵花就会转告所有别的花儿,于是它们就会全部飞走。等那位教授来到花园里的时候,他将一朵花也看不见。他决不会猜到花儿都跑到什么地方去了。"

"不过,花儿怎么会互相传话呢?花儿是不会讲话的呀。"

"当然喽,它们是不会讲话的,"学生回答说,"不过它们会做表情呀。你一定注意到,当风在微微吹动着的时候,花儿就点起头来,把它们所有的绿叶子全都晃动着。这些姿势它们都明白,跟讲话一样。"

"那位教授能懂得它们的表情么?"小意达问。

"当然懂得。有一天早晨他走进他的花园,看到一棵有刺的大荨麻正在那儿用它的叶子对美丽的红荷兰石竹花打着手势。它是在说:'你是那么美丽,我多么爱你呀!'可是老教授看不惯这类事儿,所以马上在荨麻的叶子上打了一巴掌,因为叶子就是它的手指。不过这样他就刺痛了自己,从此以后他再也不敢碰一下荨麻了。"

"这倒很滑稽。"小意达说,同时大笑起来。

"居然把这类的事儿灌进一个孩子的脑子里去!"一位怪讨厌的枢密顾问官说。他这时恰好来拜访,坐在一个沙发上。他不太喜欢这个学生。当他一看到这个学生剪出一些滑稽好笑的图案时,他就要发牢骚。这些图案有时代表一个人吊在绞架上,手中捧着一颗心,表示他曾偷过许多人的心;有时代表一个老巫婆,把自己的丈夫放在鼻梁上,骑着一把扫帚飞行。这位枢密顾问官看不惯这类东西,所以常常喜欢说刚才那样的话:"居然把这样的怪想法灌进一个孩子的脑子里去,全是些没有道理的幻想!"

不过,学生所讲的关于她的花儿的事情,小意达感到非常有趣。她在这个问题上想了很久。花儿垂下了头,因为它们跳了通宵的舞,很疲倦了。无疑,它们是病倒了。所以她就把它们带到她的一些别的玩具那儿去。这些玩具是放在一个很好看的小桌子上的,抽屉里面装的全是她心爱的东西。她的玩具苏菲亚正睡在玩偶的床里,不过小意达对她说:"苏菲亚啊,你真应该起来了。今晚你应该设法在抽屉里睡才好。可怜的花儿全都病了,它们应该睡在你的床上。这样它们也许就可以好起来。”于是她就把这玩偶移开。可是苏菲亚显出很不高兴的样子，一句话也不说。她因为不能睡在自己的床上，就生起气来了。

小意达把花儿放到玩偶的床上，用小被子把它们盖好。她还告诉它们说，现在必须安安静静地睡觉，她自己得去为它们泡一壶茶来喝，使得它们的身体可以复原，明天可以起床。同时她把窗帘拉拢，严严地遮住它们的床，免得太阳射着它们的眼睛。

这一整夜她老是想着那个学生告诉她的事情。当她自己要上床去睡的时候，她不得不先在拉拢了的窗帘后面瞧瞧。沿着窗子陈列着她母亲的一些美丽的花儿——有风信子，也有番红花。她低声地对它们偷偷地说：“我知道，今晚你们要去参加一个舞会的。”不过这些花儿装做一句话也听不懂，连一片叶儿也不动一下。可是小意达自己心里有数。

她上了床以后，静静地躺了很久。她想，要是能够看到这些可爱的花儿在国王的宫殿里跳舞，那该是多么有趣啊！“我不知道我的花儿真的到那儿去过没有？”于是她就睡着了。夜里她又醒来；她梦见了那些花儿和那个学生——那位枢密顾问官常常责备他，说他把一些无聊的想法灌进她的脑子里去。小意达睡的房间是很静的。灯还在桌子上亮着；爸爸和妈妈已经睡着了。

“我不知道我的花儿现在是不是仍旧睡在苏菲亚的床上？”她对自己说，“我多么希望知道啊！”她把头稍微抬起一点，对那半掩着的房门看了一眼。她的花儿和她的一切玩具都放在门外。她静静地听着。她这时好像听到了外面房间里有个人在弹钢琴，弹得很美，很轻柔，她从来没有听过这样的琴声。

“现在花儿一定在那儿跳起舞来了！”她说，“哦，上帝，我是多么想瞧瞧它们啊！”可是她不敢起床，因为她怕惊醒了她的爸爸和妈妈。

“我只希望它们到这儿来！”她说。可是花儿并不走进来。音乐还是继续在演奏着，非常悦耳。她再也忍不住了，因为这一切是太美了。她爬出小床，静静地走到门那儿去，朝着外边那个房间偷偷地望。啊，她所瞧见的那幅景象是多么有趣啊！

那个房间里没有点灯，但是仍然很亮，因为月光射进窗子，正照在地板的中央。房间里亮得差不多像白天一样。所有的风信子和番红花排成两行在地板上站着。窗槛上现在一朵花儿也没有了，只有一些空空的花盆。各种花儿在地板上团团地起舞，它们是那么娇美。它们形成一条整齐的、长长的舞链；它们把绿色的长叶子连接起来，扭动着腰肢；钢琴旁边坐着一朵高大的黄百合花。无疑，小意达在夏天看到过它一次，她记得很清楚，那个学生曾经说过："这朵花儿多么像莉妮小姐啊！"那时大家都笑他。不过现在小意达的确觉得这朵高大的黄花像那位小姐。她弹钢琴的样子跟她一模一样——把她那鹅蛋形的黄脸庞一忽儿偏向这边，一忽儿又偏向那边，同时还不时点点头，和着这美妙音乐打拍子！

任何花也没有注意到小意达。她看到一朵很大的蓝色早春花跳到桌子的中央来。玩具就放在那上面。它一直走到那个玩偶的床旁边去，把窗帘向两边拉开。那些生病的花儿正躺在床上，但是它们马上站起来，向一些别的花儿点着头，表示它们也想参加跳舞。那个年老的扫烟囱的玩偶站了起来，它的下嘴唇有一个缺口，它对这些美丽的花儿鞠了一个躬。这些花儿一点也不像害病的样子。它们跳下床来，跟其他的花儿混在一起，非常快乐。

这时好像有一件什么东西从桌上落了下来。小意达朝那儿望去。那原来是别人送给她过狂欢节的一根桦木条①。它从桌子上跳了下来！它也以为它是这些花儿中的一员。它的样子也是很可爱的。一个小小的蜡人骑在它的身上。他头上戴着一顶宽大的帽子，跟枢密顾问官所戴的那顶差不多。这根桦木条用它的三条红腿径直跳到花群中去，重重地在地板上跺着脚，因为它在跳波兰的玛祖卡舞②啦。可是别的花儿没有办法跳这种舞，因为它们的身段很轻，不能够那样跺脚。

骑在桦木条上的那个蜡人忽然变得又高又大了。他像一阵旋风似的扑向纸花那儿去，说："居然把这样的怪念头灌进一个孩子的脑子里去！全是些没有道理的幻想！"这蜡人跟那位戴宽帽子的枢密顾问官一模一样，而且他的那副面孔也是跟顾问官的一样发黄和生气。可是那些纸花在他的瘦腿

---

① 狂欢节的桦木条(Fastelasns-Riset)是一根涂着彩色的桦木棍子，丹麦的小孩子把它拿来当作马骑。

② 玛祖卡舞是一种轻快活泼的波兰舞。

上打了一下，于是他缩作一团，又变成了一个渺小的蜡人。瞧他这副神气倒是满有趣的！小意达忍不住要大笑起来了。桦木条继续跳它的舞，弄得这位枢密顾问官也不得不跳了。现在不管他变得粗大也好，瘦长也好，或者仍然是一个戴大黑帽子的黄蜡人也好，完全没有关系。这时一些别的花儿，尤其是曾经在玩偶的床上睡过一阵子的那几朵花儿，就对他说了句恭维话，于是那根桦木条也就停下让他休息了。

这时抽屉里忽然起了一阵很大的敲击声——小意达的玩偶苏菲亚跟其他许多玩具都睡在里面。那个扫烟囱的人赶快跑到桌子旁边去，直直地趴在地上，拱起腰把抽屉顶出了一点。这时苏菲亚坐起来，向四周望了一眼，非常惊奇。

“这儿一定有一个舞会，”她说，“为什么没有人告诉我呢？”

“你愿意跟我跳舞么？”扫烟囱的人说。

“你倒是一个蛮漂亮的舞伴啦！”她回答说，把背调向他。

于是她在抽屉上坐下来；她以为一定会有一朵花儿来请她跳舞的。可是什么花儿也没有来。因此她就故意咳嗽了一声：“哼！哼！哼！”然而还是没有花儿来请她。扫烟囱的人这时独自个儿在跳，而且跳得还不坏哩。

现在既然没有什么花儿来理苏菲亚，她就故意从抽屉上倒下来了，一直落到地板上，弄出一个很大的响声。所有的花儿现在都跑过来，围绕着她，问她是不是跌伤了。这些花儿——尤其是曾经在她床上睡过的花儿——对她都非常亲切。可是她一点也没有跌伤。小意达的花儿都因为那张很舒服的床而对她表示谢意。它们把她捧得很高，请她到月亮正照着的地板的中央来，和她一起跳舞。所有其余的花儿在她周围形成一个圆圈。现在苏菲亚可高兴了！她告诉它们可以随便用她的床，她自己睡在抽屉里也不碍事。

可是花儿说：“我们从心里感谢你，不过我们活不了多久。明天我们就要死了。但是请你告诉小意达，叫她把我们埋葬在花园里——那个金丝雀也是躺在那儿的。到明年的夏天，我们就又可以醒转来，长得更美丽了。”

“不成，你们决不能死去！”苏菲亚说。她把这些花吻了一下。

这时客厅的门忽然开了。一大群美丽的花儿跳着舞走进来。小意达想象不到它们是从什么地方来的。它们一定是国王宫殿里的那些花儿。最先进来的是两朵鲜艳的玫瑰花。它们每朵都戴着一顶金皇冠——原来它们就是花王和花后啦。随后就跟进来了一群美丽的紫罗兰花和荷兰石竹花。它们向各方面致敬。它们还带来了一个乐队。大朵的罂粟花和牡丹花使劲地吹着豆荚,把脸都吹红了。蓝色的风信子和小小的白色雪形花发出叮当叮当的响声,好像它们身上挂着铃铛似的。这音乐真有些滑稽!不一会儿,许多别的花儿也来了,它们一起跳着舞:蓝色的堇菜花、粉红的樱草花、雏菊花、铃兰花都来了。这些花儿互相接着吻。它们看上去真是美极了!

最后这些花儿互相道着晚安。于是小意达也钻到床上去了;她所见到过的这一切情景,又在她的梦里出现了。

当她第二天起来的时候,她急忙跑到小桌子那儿去,看看花儿是不是仍然还在。她把遮着小床的幔帐向两边拉开。是的,花儿全在,可是比起昨天来,它们显得更憔悴了。苏菲亚仍然躺在抽屉里——是小意达把她送上床的。她的样子好像还没有睡醒似的。

"你还记得你要和我说的话么?"小意达问。不过苏菲亚的样子显得很傻。她一句话也不说。

"你太不好了!"小意达说,"但是他们还是跟你一起跳了舞啦。"

于是她取出一个小小的纸盒子,上面绘了一些美丽的鸟儿。她把这盒子打开,把死了的花儿都装了进去。

"这就是你们的漂亮的棺材!"她说,"当我那两位住在挪威的表兄弟来看我的时候,他们就会帮助我把你们葬在花园里的,好叫你们在来年夏天再长出来,成为更美丽的花朵。"

挪威的表兄弟是两个活泼的孩子。一个叫约那斯,一个叫亚多尔夫。他们的父亲送给了他们两张弓。他们把这东西也一起带来给小意达看。她把那些已经死去了的可怜的花儿的故事全都讲给他们听。他们也就因此可以来为这些花儿举行葬礼。这两个孩子肩上背着弓,走在前面。小意达手上托着那装着死去的花儿的美丽匣子,走在后面。他们在花园里掘了一个小小的坟墓。小意达先吻了吻这些花儿,然后就把它们连匣子一起葬在土里。约那斯和亚多尔夫在坟上射着箭,作为敬礼,因为他们既没有枪,又没有炮。

甲　虫

皇帝的马儿钉得有金马掌[1];每只脚上有一个金马掌。为什么他有金马掌呢?

他是一个很漂亮的动物,有细长的腿,聪明的眼睛;他的鬃毛悬在颈上,像一片丝织的面纱。他背过他的主人在枪林弹雨中驰骋,听到过子弹飒飒地呼啸。当敌人逼近的时候,他踢过和咬过周围的人,与他们作过战。他背过他的主人在敌人倒下的马身上跳过去,救过赤金制的皇冠,救过皇帝的生命——比赤金还要贵重的生命。因此皇帝的马儿钉得有金马掌,每只脚上有一个金马掌。

甲虫这时就爬过来了。

“大的先来,然后小的也来,”他说,“问题不是在于身体的大小。”他这样说的时候就伸出他的瘦小的腿来。

“你要什么呢?”铁匠问。

“要金马掌。”甲虫回答说。

“乖乖!你的脑筋一定是有问题,”铁匠说,“你也想要有金马掌吗?”

“我要金马掌!”甲虫说,“难道我跟那个大家伙有什么两样不成?他被人伺候,被人梳刷,被人看护,有吃的,也有喝的。难道我不是皇家马厩里的一员么?”

“但是马儿为什么要有金马掌呢?”铁匠问,“难道你还不懂得吗?”

---

① 原文是 guldskoe,直译即“金鞋”的意思。这儿因为牵涉到马,所以一律译为马掌。

"懂得？我懂得这话对我是一种侮辱，"甲虫说，"这简直是瞧不起人。——好吧，我现在要走了，到外面广大的世界里去。"

"请便！"铁匠说。

"你简直是一个无礼的家伙！"甲虫说。

于是他走出去了。他飞了一小段路程，不久他就到了一个美丽的小花园里，这儿玫瑰花和薰衣草开得喷香。

"你看这儿的花开得美丽不美丽？"一只在附近飞来飞去的小瓢虫问。他那红色的、像盾牌一样硬的红翅膀上亮着许多的黑点子。"这儿是多么香啊！这儿是多么美啊！"

"我是看惯了比这还好的东西的，"甲虫说，"你认为这就是美吗？咳，这儿连一个粪堆都没有。"

于是他更向前走，走到一棵大紫罗兰花荫里去。这儿有一只毛虫正在爬行。

"这世界是多么美丽啊！"毛虫说，"太阳是那么温暖，一切东西是那么快乐！我睡了一觉——他就是大家所谓'死'了一次——以后，我醒转来就变成了一只蝴蝶。"

"你真自高自大！"甲虫说，"乖乖，你原来是一只飞来飞去的蝴蝶！我是从皇帝的马厩里出来的呢。在那儿，没有任何人，连皇帝那匹心爱的、穿着我不要的金马掌的马儿，也没有这么一个想法。长了一双翅膀能够飞儿下！咳，我们来飞吧。"

于是甲虫就飞走了。"我真不愿意生些闲气，可是我却生了闲气了。"

不一会儿，他落到一大块草地上来了。他在这里躺了一会儿，接着就睡去了。

我的天，多么大的一阵急雨啊！雨声把甲虫吵醒了。他倒很想马上就钻进土里去的，但是没有办法。他栽了好几个跟头，一会儿用他的肚皮，一会儿用他的背拍着水，至于说到起飞，那简直是不可能了。无疑地，他再也不能从这地方逃出他的生命。他只好在原来的地方躺下，不声不响地躺下。

天气略微有点好转。甲虫把他眼里的水挤出来。他迷糊地看到了一件白色的东西。这是晾在那儿的一床被单。他费了一番气力爬过去，然后钻进这潮湿被单子的褶纹里。当然，比起那马厩里的温暖土堆来，躺在这地方是并不太舒服的。可是更好的地方也不容易找到,因此他也只好在那儿躺了一整天和一整夜。雨一直是在不停地下着。到天亮的时分,甲虫才爬了出来。他对这天气颇有一点脾气。

被单上坐着两只青蛙。他们明亮的眼睛射出极端愉快的光芒。

"天气真是好极了!"他们之中一位说,"多么使人精神爽快啊! 被单把水兜住,真是再好也没有! 我的后腿有些发痒,像是要去尝一下游泳的味儿。"

"我倒很想知道,"第二位说,"那些飞向遥远的外国去的燕子,在他们无数次的航程中,是不是会碰到比这更好的天气。这样的暴风! 这样的雨水! 这叫人觉得像是待在一条潮湿的沟里一样。凡是不能欣赏这点的人,也真算得是不爱国的人了。"

"你们大概从来没有到皇帝的马厩里去过吧?"甲虫问,"那儿的潮湿是既温暖而又新鲜。那正是我所住惯了的环境;那正是合我胃口的气候。不过我在旅途中没有办法把它带来。难道在这个花园里找不到一个垃圾堆,使我这样有身份的人能够暂住进去,舒服一下子么?"

不过这两只青蛙不懂得他的意思,或者还是不愿意懂得他的意思。

"我从来不问第二次的!"甲虫说。但是他已经把这问题问了三次了,而且都没有得到回答。

于是他又向前走了一段路。他碰到了一块花盆的碎片。这东西的确不应该躺在这地方;但是他既然躺在这儿,他也就成了一个可以躲避风雨的窝棚了。在他下面,住着好几家蠼螋。他们不需要广大的空间,但却需要许多朋友。他们的女性是特别富于母爱的,因此每个母亲就认为自己的孩子是世上最美丽、最聪明的人。

"我的儿子已经订婚了,"一位母亲说,"我天真可爱的宝贝! 他最伟大的希望是想有一天能够爬到牧师的耳朵里去。他真是可爱和天真。现在他既订了婚,大概可以稳定下来了。对一个母亲说来,这真算是一件喜事!"

"我们的儿子刚一爬出卵子就马上顽皮起来了,"另外一位母亲说,"他真是生气勃勃。他简直可以把他的角都跑掉了! 对于一个母亲说来,这是多么愉快啊! 你说对不对,甲虫先生?"她们根据这位陌生客人的形状,已经认出他是谁了。

“你们两个人都是对的。”甲虫说。这样他就被请进她们的屋子里去——也就是说，他在这花盆的碎片下面能钻进多少就钻进多少。

“现在也请你瞧瞧我的小蠼螋吧，”第三位和第四位母亲齐声说，“他们都是非常可爱的小东西，而且也非常有趣。他们从来不捣蛋，除非他们感到肚皮不舒服。不过在他们这样的年纪，这是常有的事。”

这样，每个母亲都谈到了自己的孩子。孩子们也在谈论着，同时用他们尾巴上的小钳子来夹甲虫的胡须。

“他们老是闲不住的，这些小流氓！”母亲们说。她们的脸上射出母爱之光。可是甲虫对于这些事儿感到非常无聊；因此他就问起最近的垃圾堆离此有多远。

“在世界很辽远的地方——在沟的另一边，”一只蠼螋回答说，“我希望我的孩子们没有谁跑得那么远，因为那样就会把我急死了。”

“但是我倒想走那么远哩。”甲虫说。于是他没有正式告别就走了；这是一种很漂亮的行为。

他在沟旁碰见好几个族人——都是甲虫之流。

“我们就住在这儿，”他们说，“我们在这儿住得很舒服。请准许我们邀您光临这块肥沃的土地好吗？你走了这么远的路，一定是很疲倦了。”

“一点也不错，”甲虫回答说，“我在雨中的湿被单里躺了一阵子。清洁这种东西特别使我吃不消。我翅膀的骨节里还得了风湿病，因为我在一块花盆碎片下的阴风中站过。回到自己的族人中来，真是轻松愉快。”

“可能你是从一个垃圾堆上来的吧？”他们之中最年长的一位说。

“比那还高一点，”甲虫说，“我是从皇帝的马厩里来的。我在那儿一生下来，脚上就有金马掌。我是负有一个秘密使命来旅行的。请你们不要问什么问题，因为我不会回答的。”

于是甲虫就走到这堆肥沃的泥巴上来。这儿坐着三位年轻的甲虫姑娘。她们在格格地憨笑，因为她们不知道讲什么好。

“她们谁也不曾订过婚。”她们的母亲说。

这几位甲虫又格格地憨笑起来，这次是因为她们感到难为情。

“我在皇家的马厩里，从来没有看到过比这还漂亮的美人儿。”这位旅行的甲虫说。

"请不要惯坏了我的女孩子;也请您不要跟她们谈话,除非您的意图是严肃的。——不过,您的意图当然是严肃的,因此我祝福您。"

"恭喜!"别的甲虫都齐声地说。

我们的甲虫就这样订婚了。订完婚以后接踵而来的就是结婚,因为拖下去是没有道理的。

婚后的一天非常愉快;第二天也勉强称得上舒服;不过在第三天,太太的、可能还有小宝宝的吃饭问题就需要考虑了。

"我让我自己上了钩,"他说,"那么我也要让她们上一下钩,作为报复。——"

他这样说了,也就这样办了。他开小差溜了。他走了一整天,也走了一整夜。——他的妻子成了一个活寡妇。

别的甲虫说,他们请到他们家里来住的这位仁兄,原来是一个不折不扣的流浪汉;现在他却把养老婆的这个担子送到他们手里了。

"唔,那么让她离婚,仍然回到我的女儿中间来吧,"母亲说,"那个恶棍真该死,遗弃了她!"

在这期间,甲虫继续他的旅行。他在一片白菜叶上渡过了那条沟。在快要天亮的时候,有两个人走过来了。他们看到了甲虫,把他捡起来,于是把他翻转来,覆过去。他们两人是很有学问的。尤其是他们中的一位——一个男孩子。

"安拉[①]在黑山石的黑石头里发现黑色的甲虫,《古兰经》上不是这样写着的吗?"他问;于是他就把甲虫的名字译成拉丁文,并且把这动物的种类和特性叙述了一番。这位年轻的学者反对把他带回家。他说他们已经有了同样好的标本。甲虫觉得这话说得有点不太礼貌,所以他就忽然从这人的手里飞走了。现在他的翅膀已经干了,他可以飞得很远。他飞到一个温室里去。这儿屋顶有一部分是开着的,所以他轻轻地溜进去,钻进新鲜的粪土里。

"这儿真是很舒服。"他说。

不一会他就睡去了。他梦见皇帝的马死了,梦见甲虫先生得到了马儿

---

① 安拉(Allah)即真主。

的金马掌，而且人们还答应将来再造一双给他。

这都是很美妙的事情。于是甲虫醒来了。他爬出来，向四周看了一眼。温室里面真是可爱之至！巨大的棕榈树高高地向空中伸去；太阳把它们照得透明。在它们下面展开一片丰茂的绿叶，一片光彩夺目、红得像火、黄得像琥珀、白得像新雪的花朵！

“这要算是一个空前绝后的展览了，”甲虫说，“当它们腐烂了以后；它们的味道将会是多美啊！这真是一个食物储藏室！我一定有些亲戚住在这儿。我要跟踪而去，看看能不能找到一位可以值得跟我来往的人物。当然我是很骄傲的，同时我也正因为这而感到骄傲。”

这样，他就高视阔步地走起来。他想着刚才关于那只死马和他获得的那双金马掌的梦。

忽然一只手抓住了甲虫，掐着他，同时把他翻来翻去。

原来园丁的小儿子和他的玩伴正在这个温室里。他们瞧见了这只甲虫，想跟他开开玩笑。他们先把他裹在一片葡萄叶子里，然后把他塞进一个温暖的裤袋里。他爬着，挣扎着，不过孩子的手紧紧地捏住了他。后来这孩子跑向小花园尽头的一个湖那边去。在这儿，甲虫就被放进一个破旧的、失去了鞋面的木鞋里。这里面插着一根小棍子，作为桅杆。甲虫就被一根毛线绑在这桅杆上面。所以现在他成为一个船长了；他得驾着船航行。

这是一个很大的湖；对甲虫说来。它简直是一个大洋。他害怕得非常厉害，所以他只有仰躺着，乱弹着他的腿。

这只木鞋浮走了。它被卷入水流中。不过当船一漂得离岸太远的时候，便有一个孩子扎起裤脚，在后面追上，把它又拉回来。不过，当它又漂出去的时候，这两个孩子忽然被喊走了，而且被喊得很急迫。所以他们就匆忙地离去了，让那只木鞋顺水漂流。这样，它就离开了岸，越漂越远。甲虫吓得全身发抖，因为他被绑在桅杆上，没有办法飞走。

这时有一只苍蝇来访问他。

“天气是多好啊！”苍蝇说，“我想在这儿休息一下，在这儿晒晒太阳。你已经享受得够久了。”

“你只是凭你的理解胡扯！难道你没有看到我是被绑着的吗？”

“啊，但我并没有被绑着呀。”苍蝇说。接着他就飞走了。

“我现在可认识这个世界了，”甲虫说，“这是一个卑鄙的世界！而我却是它里面唯一的老实人。第一，他们不让我得到那只金马掌；我得躺在湿被单里，站在阴风里；最后他们硬送给我一个太太。于是我得采取紧急措施，逃到这个大世界里来。我发现了人们是在怎样生活，同时我自己应该怎样生活。这时人间的一个小顽童来了，把我绑起，让那些狂暴的波涛来对付我，而皇帝的那匹马这时却穿着金马掌散着步。这简直要把我气死了。不过你在这个世界里不能希望得到什么同情的！我的事业一直是很有意义的；不过，如果没有任何人知道它的话，那又有什么用呢？世人也不配知道它，否则，当皇帝那匹爱马在马厩里伸出它的腿来让人钉上马掌的时候，大家就应该让我得到金马掌了。如果我得到金马掌的话，我也可以算做那马厩的一种光荣。现在马厩对我说来，算是完了。这世界也算是完了。一切都完了！”

不过一切倒还没有完了。有一条船到来了，里面坐着几个年轻的女子。

“看！有一只木鞋在漂流着。”一位说。

“还有一个小生物绑在上面。”另外一位说。

这只船驶近了木鞋。她们把它从水里捞起来。她们之中有一位取出一把剪刀，把那根毛线剪断，而没有伤害到甲虫。当她们走上岸的时候，她就把他放到草上。

“爬吧，爬吧！飞吧，飞吧！如果你可能的话！”她说，“自由是一种美丽的东西。”

甲虫飞起来，一直飞到一个巨大建筑物的窗子里去。然后他就又累又困地落下来，恰恰落到国王那匹爱马的又细又长的鬃毛上去。马儿正是立在它和甲虫同住一起的那个马厩里面。甲虫紧紧地抓住马鬃，坐了一会儿，恢复恢复自己的精神。

“我现在坐在皇帝爱马的身上——作为骑他的人坐着！我刚才说的什么呢？现在我懂得了。这个想法很对，很正确。马儿为什么要有金马掌呢？那个铁匠问过我这句话。现在我可懂得他的意思了。马儿得到金马掌完全是为了我的缘故。”

现在甲虫又变得心满意足了。

“一个人只有旅行一番以后，头脑才会变得清醒一些。”他说。

这时太阳照在他身上,而且照得很美丽。

“这个世界仍然不能说是太坏,”甲虫说,“一个人只须知道怎样应付它就成。”

这个世界是很美的,因为皇帝的马儿钉上金马掌,而他钉上金马掌完全是因为甲虫要骑他的缘故。

“现在我将下马去告诉别的甲虫,说大家把我伺候得如何周到。我将告诉他们我在国外的旅行中所得到的一切愉快。我还要告诉他们,说从今以后,我要待在家里,一直到马儿把他的金马掌穿破了为止。”

野　天　鹅

当我们的冬天到来的时候，燕子就向一个辽远的地方飞去。在这块辽远的地方住着一个国王。他有十一个儿子和一个女儿艾丽莎。这十一个弟兄都是王子。他们上学校的时候，胸前佩戴着心形的徽章，身边挂着宝剑。他们用钻石笔在金板上写字。他们能够把书从头背到尾，从尾背到头。人们一听就知道他们是王子。他们的妹妹艾丽莎坐在一个镜子做的小凳上。她有一本画册，那需要半个王国的代价才能买得到。

啊，这些孩子是非常幸福的；然而他们并不是永远这样。

他们的父亲是这整个国家的国王。他和一个恶毒的女人结了婚。她对这些可怜的孩子非常不好。他们在头一天就已经看出来了。整个宫殿里在举行盛大的庆祝，孩子们都在做招待客人的游戏。可是他们却没有得到那些多余的点心和烤苹果吃，她只给他们一茶杯的沙子；而且对他们说，这就算是好吃的东西。

一个星期以后，她把小妹妹艾丽莎送到一个乡下农人家里去寄住。过了不久，她在国王面前说了许多关于那些可怜的王子的坏话，弄得他再也不愿意理他们了。

"你们飞到野外去吧，你们自己去谋生吧，"恶毒的王后说，"你们像那些没有声音的巨鸟一样飞走吧。"可是她想做的坏事情并没有完全实现。他们变成了十一只美丽的野天鹅。他们发出了一阵奇异的叫声，便从宫殿的窗子飞出去了，远远地飞过公园，飞向森林里去了。

他们的妹妹还没有起来，正睡在农人的屋子里面。当他们在这儿经过的时候，天还没有亮多久。他们在屋顶上盘旋着，把长脖颈一下掉向这边，一下掉向那边，同时拍着翅膀。可是谁也没有听到或看到他们。他们得继续向前飞，高高地飞进云层，远远地飞向茫茫的世界。他们一直飞进伸向海岸的一个大黑森林里去。

可怜的小艾丽莎待在农人的屋子里，玩着一片绿叶，因为她没有别的玩具。她在叶子上穿了一个小洞，通过这个小洞她可以朝着太阳望，这时她似乎看到了她许多哥哥的明亮的眼睛。每当太阳照在她脸上的时候，她就想起哥哥们给她的吻。

日子一天接着一天地过去了。风儿吹过屋外玫瑰花组成的篱笆；它对这些玫瑰花儿低声说："还有谁比你们更美丽呢？"可是玫瑰花儿摇摇头，回答说："还有艾丽莎！"星期天，当老农妇在门前坐着，正在读《圣诗集》的时候，风儿就吹起书页，对这书说："还有谁比你更好呢？"《圣诗集》就说："还有艾丽莎！"玫瑰花和《圣诗集》所说的话都是纯粹的真理。

当她到了十五岁的时候，她得回家去。王后一眼看到她是那样美丽，心中不禁恼怒起来，充满了憎恨。她倒很想把她变成一只野天鹅，像她的哥哥们一样，但是她还不敢马上这样做，因为国王想要看看自己的女儿。

一天大清早，王后走到浴室里去。浴室是用白大理石砌的，里面陈设着柔软的坐垫和最华丽的地毯。她拿起三只癞蛤蟆，把每只都吻了一下，于是对第一只说：

"当艾丽莎走进浴池的时候，你就坐在她的头上，好使她变得像你一样呆笨。"她对第二只说："请你坐在她的前额上，好使她变得像你一样丑恶，叫她的父亲认不出她来。"她对第三只低声地说："请你躺在她的心上，好使她有一颗罪恶的心，叫她因此而感到痛苦。"

她于是把这几只癞蛤蟆放进清水里；它们马上就变成了绿色。她把艾丽莎喊进来，替她脱了衣服，叫她走进水里。当她一跳进水里去的时候，头一只癞蛤蟆就坐到她的头发上，第二只就坐到她的前额上，第三只就坐到她的胸口上。可是艾丽莎一点也没有注意到这些事儿。当她一站起来的时候，水上浮起了三朵罂粟花。如果这几只动物不是有毒的话，如果它们没有被这巫婆吻过的话，它们就会变成几朵红色的玫瑰。但是无论怎样，它们都得变成花，因为它们在她的头上和心上躺过。她是太善良、太天真了，魔力没有办法在她身上发生效力。

当这恶毒的王后看到这情景时,就把艾丽莎全身都擦了核桃汁,使这女孩子变得棕黑。她又在这女孩子美丽的脸上涂上一层发臭的油膏,并且使她漂亮的头发乱糟糟地纠作一团。美丽的艾丽莎,现在谁也没有办法认出她来了。

当她的父亲看到她的时候,不禁大吃一惊,说这不是他的女儿。除了看家狗和燕子以外,谁也不认识她了。但是他们都是可怜的动物,什么话也说不出来。

可怜的艾丽莎哭起来了。她想起了她远别了的十一个哥哥。她悲哀地偷偷走出宫殿,在田野和沼泽地上走了一整天,一直走到一个大黑森林里去。她不知道自己要到什么地方去,只是觉得非常悲哀;她想念她的哥哥们:他们一定也会像自己一样,被赶进这个茫茫的世界里来了。她得寻找他们,找到他们。

她到这个森林不久,夜幕就落下来了。她迷失了方向,离开大路和小径很远;所以她就在柔软的青苔上躺下来。她做完了晚祷以后,就把头枕在一个树根上休息。周围非常静寂,空气是温和的;在花丛中,在青苔里,闪着无数萤火虫的亮光,像绿色的火星一样。当她把第一根树枝轻轻地用手摇动一下的时候,这些闪着亮光的小虫就向她身上飘来,像落下来的星星。

她一整夜梦着她的几个哥哥:他们又是在一起玩耍的一群孩子了,他们用钻石笔在金板上写着字,读着那价值半个王国的、美丽的画册。不过,跟往时不一样,他们在金板上写的不是零和线:不是的,而是他们做过的一些勇敢的事迹——他们亲身体验过和看过的事迹。于是那本画册里面的一切东西也都有了生命——鸟儿在唱,人从画册里走出来,跟艾丽莎和她的哥哥们谈着话。不过,当她一翻开书页的时候,他们马上就又跳进去了,为的是怕把图画的位置弄乱了。

当她醒来的时候,太阳已经升得很高了。事实上她看不见它,因为高大的树儿展开一片浓密的枝叶。不过太阳光在那上面摇晃着,像一朵金子做的花。这些青枝绿叶散发出一阵香气,鸟儿几乎要落到她的肩上。她听到了一阵潺潺的水声。这是几股很大的泉水奔向一个湖泊时发出来的。这湖有非常美丽的沙底。它的周围长着一圈浓密的灌木林,不过有一处被一些雄鹿打开了一个很宽的缺口——艾丽莎就从这个缺口向湖水那儿走去。水是非常地清亮。假如风儿没有把这些树枝和灌木林吹得晃动起来的话,她就会以为它们是绘在湖的底上的东西,因为每片叶子,不管被太阳照着的还是深藏在荫处,全都很清楚地映在湖上。

当她一看到自己的面孔的时候,马上就感到非常惊恐:她是那么棕黑和丑陋。不过当她把小手儿打湿了、把眼睛和前额揉了一会以后,她雪白的皮肤就又显露出来了。于是她脱下衣服,走到清凉的水里去:人们在这个世界上再也找不到比她更美丽的公主了。

当她重新穿好了衣服、扎好了长头发以后,就走到一股奔流的泉水那儿去,用手捧着水喝。随后她继续向森林的深处前进,但是她不知道自己究竟会到什么地方去。她想念亲爱的哥哥们,她想着仁慈的上帝——他决不会遗弃她的。上帝叫野苹果生长出来,使饥饿的人有得吃。他现在就指引她到这样的一株树旁去。它的枝丫全被果子压弯了。她就在这儿吃午饭。她在这些枝子下面安放了一些支柱;然后就朝森林最阴深的地方走去。

四周是那么静寂,她可以听出自己的脚步声,听出在她脚下碎裂的每一片干枯的叶子。这儿一只鸟儿也看不见了,一丝阳光也透不进这些浓密的树枝。那些高大的树干排得那么紧密,当她向前一望的时候,就觉得好像看见一排木栅栏,密密地围在她的四周。啊,她一生都没有体验过这样的孤独!

夜是漆黑的。青苔里连一点萤火虫的亮光都没有。她躺下来睡觉的时候,心情非常沉重。不一会她好像觉得头上的树枝分开了,我们的上帝正在以温柔的眼光凝望着她。许多许多安琪儿,在上帝的头上和臂下偷偷地向下窥看。

当她早晨醒来的时候,她不知道自己是在做梦呢,还是真正看见了这些东西。

她向前走了几步,遇见一个老太婆提着一篮浆果。老太婆给了她几个果子。艾丽莎问她有没有看到十一个王子骑着马儿走过这片森林。

"没有,"老太婆说,"不过昨天我看到十一只戴着金冠的天鹅在附近的河里游过去了。"

她领着艾丽莎向前走了一段路,走上一个山坡。在这山坡的脚下有一条蜿蜒的小河。生长在两岸的树木,把长满绿叶的长树枝伸过去,彼此交叉起来。有些树天生没有办法把枝子伸向对岸;在这种情形下,它们就让树根从土里穿出来,以便伸到水面之上,与它们的枝叶交织在一起。

艾丽莎对这老太婆说了一声再会,然后就沿着河向前走,一直走到这条河流入广阔的海口的那块地方。

现在在这年轻女孩子面前展开来的是一个美丽的大海,可是海上却见不到一片船帆,也见不到一只船。她怎样再向前进呢?她望着海滩上那些数不尽的小石子:海水已经把它们洗圆了。玻璃铁片、石块——所有被冲到这儿来的东西,都给海水磨出了新的面貌——它们显得比她细嫩的手还要柔和。

水在不倦地流动,因此坚硬的东西也被它改变成为柔和的东西了。我也应该有这样不倦的精神!多谢您的教诲,您——清亮的、流动的水波。我的心告诉我,有一天您会引导我见到我亲爱的哥哥的。

在浪涛上漂来的海草上有十一根白色的天鹅羽毛。她拾起它们,扎成一束。它们上面还带有水滴——究竟这是露珠呢,还是眼泪,谁也说不出来。海滨是孤寂的。但是她一点也不觉得,因为海时时刻刻地在变幻——它在几点钟以内所起的变化,比那些美丽的湖泊在一年中所起的变化还要多。当一大块乌云飘过来的时候,那就好像海在说:“我也可以显得很阴暗呢。”随后风也吹起来了,浪也翻起了白花。不过当云块发出了霞光、风儿静下来的时候,海看起来就像一片玫瑰的花瓣:它一忽儿变绿,一忽儿变白。但是不管它变得怎样地安静,海滨一带还是有轻微的波动。海水这时在轻轻地向上升,像一个睡着了的婴孩的胸脯。

当太阳快要落下来的时候,艾丽莎看见十一只戴着金冠的野天鹅向着陆地飞行。它们一只接着一只地掠过去,看起来像一条长长的白色带子。这时艾丽莎走上山坡,藏到一个灌木林的后边去。天鹅们拍着它们白色的大翅膀,徐徐地在她的附近落了下来。

太阳一落到水下面去了以后,这些天鹅的羽毛就马上脱落了,变成了十一位美貌的王子——艾丽莎的哥哥。她发出一声惊叫。虽然他们已经有了很大的改变,可是她知道这就是他们,一定是他们。所以她倒到他们的怀里,喊出他们的名字。当他们看到、同时认出自己的小妹妹的时候,他们感到非常快乐。她现在长得那么高大,那么美丽。他们一会儿笑,一会儿哭。他们立刻知道了彼此的遭遇,知道了后母对他们是多么不好。

最大的哥哥说:“只要太阳还悬在天上,我们弟兄们就得变成野天鹅,不停地飞行。不过当它一落下去的时候,我们就恢复了人的原形。因此我们得时刻注意,在太阳落下去的时候,要找到一个立脚的处所。如果这时还向云层里飞,我们一定会变成人坠落到深海里去。我们并不住在这儿。在海的另一边有一个跟这同样美丽的国度。不过去那儿的路程是很遥远的。我们得飞过这片汪洋大海,而且在我们的旅程中,没有任何海岛可以让我们过夜;中途只有一块礁石冒出水面。它的面积只够我们几个人紧紧地在上面挤在一起休息。当海浪涌起来的时候,泡沫就向我们身上打来。不过,我们应该感谢上帝给了我们这块礁石,在它上面我们变成人来度过黑夜。要是没有它,我们永远也不能看见亲爱的祖国了,因为我们飞行过去要花费一年中最长的两天。

“一年之中,我们只有一次可以拜访父亲的家。不过只能在那儿停留十一天。我们可以在大森林的上空盘旋,从那里望望宫殿,望望这块我们所出生和父亲所居住的地方,望望教堂的塔楼。这教堂里埋葬着我们的母亲。在这儿,灌木林和树木就好像是我们的亲属;在这儿,野马像我们儿时常见的一样,在原野上奔跑;在这儿,烧炭人唱着古老的歌曲,我们儿时踏着它的调子跳舞;这儿是我们的祖国;有一种力量把我们吸引到这儿来;在这儿我们寻到了你,亲爱的小妹妹!我们还可以在这儿居留两天,以后就得横飞过海,到那个美丽的国度里去,然而那可不是我们的祖国。有什么办法把你带去呢?我们既没有大船,也没有小舟。”

“我怎样可以救你们呢?”妹妹问。

他们差不多谈了一整夜的话;他们只小睡了一两个钟头。

艾丽莎醒来了,因为她头上响起一阵天鹅的拍翅声。哥哥们又变了样子。他们在绕着大圈子盘旋;最后就向远方飞去。不过他们当中有一只——那最年轻的一只——掉队了。他把头藏在她的怀里。她抚摸着他的白色的翅膀。他们整天偎在一起。黄昏的时候,其他的天鹅又都飞回来了。当太阳落下来以后,他们又恢复了原形。

“明天我们就要从这儿飞走,大概整整一年的时间里,我们不能够回到这儿来。不过我们不能就这么地离开你呀！你有勇气跟我们一块儿去么？我们的手臂既有足够的气力抱着你走过森林，难道我们的翅膀就没有足够的气力共同背着你越过大海么？"

"是的，把我一同带去吧。"艾丽莎说。

他们花了一整夜工夫用柔软的柳枝皮和坚韧的芦苇织成了一个又大又结实的网子。艾丽莎在网里躺着。当太阳升起来、她的哥哥又变成了野天鹅的时候，他们用嘴衔起这个网。于是他们带着还在熟睡着的亲爱的妹妹，高高地向云层里飞去。阳光正射到她的脸上，因此就有一只天鹅在她的上空飞，用他宽阔的翅膀来为她挡住太阳。

当艾丽莎醒来的时候，他们已经离开陆地很远了。她以为自己仍然在做着梦；在她看来，被托在海上高高地飞过天空，真是非常奇异。她身旁有一根结着美丽的熟浆果的枝条和一束甜味的草根。这是那个最小的哥哥为她采来并放在她身旁的。她感谢地向他微笑，因为她已经认出这就是他。他在她的头上飞，用翅膀为她遮着太阳。

他们飞得那么高，他们第一次发现下面浮着一条船；它看起来就像浮在水上的一只白色的海鸥。在他们的后面耸立着一大块乌云——这就是一座完整的山。艾丽莎在那上面看到她自己和十一只天鹅倒映下来的影子。他们飞行的行列是非常庞大的。这好像是一幅图画，比他们从前看到的任何东西还要美丽。可是太阳越升越高，在他们后面的云块也越离越远了。那些浮动着的形象也消逝了。

他们整天像呼啸着的箭头一样，在空中向前飞。不过，因为他们得带着妹妹同行，他们的速度比起平时来要低得多了。天气变坏了，黄昏逼近了。艾丽莎怀着焦急的心情看到太阳徐徐地下沉，然而大海中那座孤独的礁石至今还没有在眼前出现。她似乎觉得这些天鹅现在正以更大的气力来拍着翅膀。咳！他们飞不快，完全是因为她的缘故。在太阳落下去以后，他们就得恢复人的原形，掉到海里淹死。这时她在心的深处向我们的主祈祷了一番，但是她还是看不见任何礁石。大块乌云越逼越近，狂风预示着暴风雨就要到来。乌云结成一片。汹涌的、带有威胁性的狂涛在向前推进，像一大堆铅块。闪电掣动起来，一忽儿也不停。

现在太阳已经接近海岸线了。艾丽莎的心颤抖起来。这时天鹅就向下疾飞，飞得那么快，她相信自己一定会坠落下来。不过他们马上就稳住了。太阳已经有一半沉到水里去。这时她才第一次看到她下面有一座小小的礁石——它看起来比冒出水面的海豹的头大不了多少。太阳在很快地下沉，最后变得只有一颗星星那么大了。这时她的脚踏上了坚实的陆地。太阳像纸烧过后的残余的火星，一忽儿就消逝了。她看到她的哥哥们手挽着手站在她的周围，不过除了仅够他们和她自己站着的空间以外，再也没有多余的地方了。海涛打着这块礁石，像阵雨似的向他们袭来。天空不停地闪着燃烧的火焰，雷声一阵接着一阵地在隆隆作响。可是兄妹们紧紧地手挽着手，同时唱起圣诗来——这使他们得到安慰和勇气。

在晨曦中，空气是纯洁和沉静的。太阳一出来的时候，天鹅们就带着艾丽莎从这小岛上起飞。海浪仍然很汹涌。不过当他们飞上高空以后，下边白色的泡沫看起来就像浮在水上的无数的天鹅。

太阳升得更高了，艾丽莎看到前面有一个多山的国度，浮在空中。那些山上盖着发光的冰层；在这地方的中间耸立着一个有两三里路长的宫殿，里面竖着一排一排的庄严的圆柱。在这下面展开一片起伏不平的棕榈树林和许多像水车轮那么大的鲜艳的花朵。她问这是不是她所要去的那个国度。但是天鹅们都摇着头，因为她看到的只不过是仙女莫尔甘娜[①]的华丽的、永远变幻的云中宫殿罢了，他们不敢把凡人带进里面去。艾丽莎凝视着它。忽然间，山岳森林和宫殿都一齐消逝了，而代替它们的是二十所壮丽的教堂。它们全都是一个样子：高塔，尖顶窗子。她在幻想中以为听到了教堂风琴的声音，事实上她所听到的是海的呼啸。

她现在快要飞进这些教堂，但是它们都变成了一行帆船，浮在她的下面。她向下面望。那原来不过是铺在水上的一层海雾。的确，这是一连串的、无穷尽的变幻，她不得不看。但是现在她已看到她所要去的那个真正的国度。这儿有壮丽的青山、杉木林、城市和王宫。在太阳还没有落下去以前，她早已落到一个大山洞的前面了。洞口生满了细嫩的、绿色的藤蔓植物，看起来很像锦绣的地毯。

---

① 这是关于亚瑟国王一系列传说中的一个仙女。据说她能在空中变出海市蜃楼（Morganas Skyslot）。

“我们要看看你今晚会在这儿做些什么梦!”她最小的哥哥说,同时把她的卧室指给她看。

“我希望梦见怎样才能把你们解救出来!”她说。

她的心中一直鲜明地存在着这样的想法,这使她热忱地向上帝祈祷,请求他帮助。是的,就是在梦里,她也在不断地祈祷。于是她觉得自己好像已经高高地飞到空中去了,飞到莫尔甘娜的那座云中宫殿里去了。这位仙女来迎接她。她是非常美丽的,全身发出光辉。虽然如此,但她却很像那个老太婆——那个老太婆曾经在森林中给她吃浆果,并且告诉她那些头戴金冠的天鹅的行踪。

“你的哥哥们可以得救的!”她说,“不过你有勇气和毅力么?海水比你细嫩的手要柔和得多,可是它能把生硬的石头改变成别的形状。不过它没有痛的感觉,而你的手指却会感到痛的。它没有一颗心,因此它不会感到你所忍受的那种苦恼和痛楚。请看我手中这些有刺的荨麻!在你睡觉的那个洞子的周围,就长着许多这样的荨麻。只有它——那些生在教堂墓地里的荨麻——才能发生效力。请你记住这一点。你得采集它们,虽然它们可以把你的手烧得起泡。你得用脚把这些荨麻踩碎,于是你就可以得出麻来。你可以把它搓成线,织出十一件长袖的披甲来。你把它们披到那十一只野天鹅的身上,那么他们身上的魔力就可以解除。不过要记住,从你开始工作的那个时刻起,一直到你完成的时候止,即使这全部工作需要一年的光阴,你也不可以说一句话。你说出一个字,就会像一把锋利的短剑刺进你哥哥的胸脯。他们的生命是悬在你的舌尖上的。请记住这一点。”

于是仙女让她把荨麻摸了一下。它像燃烧着的火。艾丽莎一接触到它就醒转来了。天已经大亮。紧贴着她睡觉的这块地方就有一根荨麻——它跟她在梦中所见的一模一样。她跪在地上,感谢我们的主。随后她就走出了洞,开始工作。

她用她柔嫩的手拿着这些可怕的荨麻。这植物像火一样地刺人。她的手上和臂上烧出了许多泡来。不过只要能救出亲爱的哥哥,她乐意忍受这些苦痛。于是她赤着脚把每一根荨麻踏碎,开始编织从中取出的、绿色的麻。

当太阳下沉以后,她的哥哥们都回来了。他们看到她一句话也不讲,就非常惊恐起来。他们相信这又是他们恶毒的后母在要什么新的妖术。不过，他们一看到她的手，就知道她是在为他们而受难。那个最年轻的哥哥这时就不禁哭起来。他的泪珠滴到的地方，她就不感到痛楚，连那些灼热的水泡也不见了。

她整夜在工作着，因为在亲爱的哥哥得救以前，她是不会休息的。第二天一整天，当天鹅飞走了以后，她一个人孤独地坐着，但是时间从来没有过得像现在这样快。一件披甲织完了，她马上又开始织第二件。

这时山间响起了一阵打猎的号声。她害怕起来。声音越来越近。她听到猎狗的叫声，她惊慌地躲进洞子里去。她把她采集到的和梳理好的荨麻扎成一小捆，自己在那上面坐着。

在这同时，一只很大的猎狗从灌木林里跳出来了；接着第二只、第三只也跳出来了。它们狂吠着，跑过去，又跑了回来。不到几分钟的光景，猎人都到洞口来了；他们之中最好看的一位就是这个国家的国王。他向艾丽莎走来。他从来没有看到过比她更美丽的姑娘。

“你怎样到这地方来了呢，可爱的孩子？”他问。

艾丽莎摇着头。她不敢讲话——因为这会影响到她哥哥们的得救和生命。她把她的手藏到围裙下面，使国王看不见她所忍受的痛苦。

“跟我一块儿来吧！”他说，“你不能老在这儿。假如你的善良能比得上你的美貌，我将使你穿起丝绸和天鹅绒的衣服，在你头上戴起金制的王冠，把我最华贵的宫殿送给你作为你的家。”

于是他把她扶到马上。她哭起来，同时痛苦地扭着双手。可是国王说：“我只是希望你得到幸福，有一天你会感谢我的。”

这样他就在山间骑着马走了。他让她坐在他的前面，其余的猎人都在他们后面跟着。

当太阳落下去的时候，他们面前出现了一座美丽的、有许多教堂和圆顶的都城。国王把她领进宫殿里去——这儿巨大的喷泉在高阔的、大理石砌的厅堂里喷出泉水，这儿所有的墙壁和天花板上都绘着辉煌的壁画。但是她没有心情看这些东西。她流着眼泪，感到悲哀。她让宫女们随意地在她身上穿上宫廷的衣服，在她的发里插上一些珍珠，在她起了泡的手上戴上精致的手套。

她站在那儿，盛装华服，美丽得炫人的眼睛。整个宫廷的人在她面前都深深地弯下腰来。国王把她选为自己的新娘，虽然大主教一直在摇头，低声私语，说这位美丽的林中姑娘是一个巫婆，蒙住了大家的眼睛，迷住了国王的心。

可是国王不理这些谣传。他叫把音乐奏起来，把最华贵的酒席摆出来；他叫最美丽的宫女们在她的周围跳起舞来。艾丽莎被领着走过芬芳的花园，到华丽的大厅里去；可是她嘴唇上没有露出一丝笑容，眼睛里没有发出一点光彩。它们是悲愁的化身。现在国王推开旁边一间卧室的门——这就是她睡觉的地方。房间里装饰着贵重的绿色花毡，形状跟她住过的那个洞子完全一样。她抽出的那一捆荨麻仍旧搁在地上，天花板下面悬着她已经织好了的那件披甲。这些东西是那些猎人作为稀奇的物件带回来的。

"你在这儿可以从梦中回到你的老家去，"国王说，"这是你在那儿忙着做的工作。现在住在这华丽的环境里，你可以回忆一下那段过去的日子，作为消遣吧。"

当艾丽莎看到这些心爱的物件的时候，她嘴上飘出一丝微笑，同时一阵红晕回到脸上来。她想起了她要解救她的哥哥，于是吻了一下国王的手。他把她抱得贴近他的心，同时命令所有的教堂敲起钟来，宣布他举行婚礼。这位来自森林的美丽的哑姑娘，现在成了这个国家的王后。

大主教在国王的耳边偷偷地讲了许多坏话，不过这些话并没有打动国王的心。婚礼终于举行了。大主教必须亲自把王冠戴到她的头上。他以恶毒藐视的心情把这个狭窄的帽箍紧紧地按到她的额上，使她感到痛楚。不过她的心上还有一个更重的箍子——她为哥哥们而起的悲愁。肉体上的痛苦她完全感觉不到。她的嘴是不说话的，因为她说出一个字就可以使她的哥哥们丧失生命。不过，对于这位和善的、美貌的、想尽一切方法要使她快乐的国王，她的眼睛露出一种深沉的爱情。她全心全意地爱他，而且这爱情是一天一天地在增长。啊，她多么希望能够信任他，能够把自己的痛苦全部告诉他啊！然而她必须沉默，在沉默中完成她的工作。因此夜里她就偷偷地从他的身边走开，走到那间装饰得像洞子的小屋子里去，一件一件地织着披甲。不过当她织到第七件的时候，她的麻用完了。

她知道教堂的墓地里生长着她所需要的荨麻。不过她得亲自去采摘。

可是她怎样能够走到那儿去呢?

“啊,比起我心里所要忍受的痛苦来,我手上的一点痛楚又算得什么呢?”她想,“我得去冒一下险!我们的主不会不帮助我的。”

她怀着恐惧的心情,好像正在计划做一桩罪恶的事儿似的,偷偷地在这月明的夜里走到花园里去。她走过长长的林荫夹道,穿过无人的街路,一直到教堂的墓地里去。她看到一群吸血鬼[①],围成一个小圈,坐在一块宽大的墓石上。这些奇丑的怪物脱掉了破烂衣服,好像要去洗澡似的。他们用又长又细的手指挖掘新埋的坟,拖出尸体,然后吃掉这些人肉。艾丽莎不得不紧紧地走过他们的身旁。他们用可怕的眼睛死死地盯着她。但是她念着祷告,采集着那些刺手的荨麻。最后她把它带回到宫里去。

只有一个人看见了她——那位大主教。当别人正在睡觉的时候,他却起来了。他所猜想的事情现在完全得到了证实:这位王后并不是一个真正的王后——她是一个巫婆,因此她迷住了国王和全国的人民。

他在忏悔室里把他所看到的和疑虑的事情都告诉了国王。当这些苛刻的字句从他的舌尖上流露出来的时候,众神的雕像都摇起头来,好像想要说:“事实完全不是这样!艾丽莎是没有罪的!”不过大主教对这作了另一种解释——他认为神仙们看到过她犯罪,因此对她的罪孽摇头。这时两行沉重的眼泪沿着国王的双颊流下来了。他怀着一颗疑虑的心回到家里去。他在夜里假装睡着了,可是他的双眼一点睡意也没有。他看到艾丽莎怎样爬起来。她每天晚上都这样做;每一次他总是在后面跟着她,看见她怎样走到她那个单独的小房间里不见了。

他的面孔显得一天比一天阴暗起来。艾丽莎注意到这情形,可是她不懂得其中的道理。但这使她不安起来——而同时她心中还要为她的哥哥忍受着痛苦!她的眼泪滴到她王后的天鹅绒和紫色的衣服上面。这些泪珠停在那儿像发亮的钻石。凡是看到这种豪华富贵的情形的人,也一定希望自己能成为一个王后。在此期间,她的工作差不多快要完成,只缺一件披甲要织。可是她再也没有麻了——连一根荨麻也没有。因此她得到教堂的墓地

① 原文是 Lamier,这是古代北欧神话中的一种怪物,头和胸像女人,身体像蛇,专门诱骗小孩,吸吮他们的血液。

里最后去一趟，再去采几把荨麻来。她一想起这孤寂的路途和那些可怕的吸血鬼，就不禁害怕起来。可是她的意志是坚定的，正如她对我们的上帝的信任一样。

艾丽莎去了，但是国王和大主教却跟在她后面。他们看到她穿过铁格子门到教堂的墓地里不见了。当他们走近时，墓石上正坐着那群吸血鬼，样子跟艾丽莎所看见过的完全一样。国王马上就把身子掉过去，因为他认为她也是他们中间的一员。这天晚上，她还把头在他的怀里躺过。

“让众人来裁判她吧！”他说。

众人裁判了她：应该用通红的火把她烧死①。

人们把她从那华丽的深宫大殿带到一个阴湿的地窖里去——这儿风从格子窗呼呼地吹进来。人们不再让她穿天鹅绒的丝制的衣服，却给她一捆她自己采集来的荨麻。她可以把头枕在这荨麻上面，把她亲手织的、粗硬的披甲当做被盖。不过再也没有什么别的东西比这更能使她喜爱的了。她继续工作着，同时向上帝祈祷。在外面，街上的孩子们唱着讥笑她的歌曲。没有任何人说一句好话来安慰她。

在黄昏的时候，有一只天鹅的拍翅声在格子窗外响起来了——这就是她最小的一位哥哥，他现在找到了他的妹妹。她快乐得不禁高声地呜咽起来，虽然她知道快要到来的这一晚可能就是她所能活过的最后一晚。但是她的工作也只差一点就快要全部完成了，而且她的哥哥们也已经到场。

现在大主教也来了，和她一起度过这最后的时刻——因为他答应过国王要这么办。不过她摇着头，用眼光和表情来请求他离去，因为在这最后的一晚，她必须完成她的工作，否则她全部的努力，她的一切，她的眼泪，她的痛苦，她的失眠之夜，都会变成徒劳。大主教对她说了些恶意的话，终于离去了。不过可怜的艾丽莎知道自己是无罪的。她继续做她的工作。

小耗子在地上忙来忙去，把荨麻拖到她的脚跟前来，多少帮助她做点事情。画眉鸟栖在窗子的铁栏杆上，整夜对她唱出它最好听的歌，使她不要失掉勇气。

天还没有大亮。太阳还有一个钟头才出来。这时，她的十一位哥哥站

① 这是欧洲中世纪对巫婆的惩罚。

在皇宫的门口，要求进去朝见国王。人们回答他们说，这事不能照办，因为现在还是夜间，国王正在睡觉，不能把他叫醒。他们恳求着，他们威胁着，最后警卫来了，是的，连国王也亲自走出来了。他问这究竟是怎么一回事。这时候太阳出来了，那些兄弟们忽然都不见了，只剩下十一只白天鹅，在王宫上空盘旋。

所有的市民像潮水似的从城门口向外奔去，要看看这个巫婆被火烧死。一匹又老又瘦的马拖着一辆囚车，她就坐在里面。人们已经给她穿上了一件粗布的丧服。她可爱的头发在她美丽的头上蓬松地飘着；她的两颊像死一样的没有血色；嘴唇在微微地颤动，手指在忙着编织绿色的荨麻。她就是在死亡的路途上也不中断她已经开始了的工作。她的脚旁放着十件披甲，现在她正在完成第十一件。众人都在笑骂她。

“瞧这个巫婆吧！瞧她又在喃喃地念什么东西！她手中并没有《圣诗集》；不，她还在忙着弄她那可憎的妖物——把它从她手中夺过来，撕成一千块碎片吧！”

大家都向她拥过去，要把她手中的东西撕成碎片。这时有十一只白天鹅飞来了，落到车上，围着她站着，拍着宽大的翅膀。众人于是惊恐地退到两边。

“这是从天上降下来的一个信号！她一定是无罪的！”许多人互相私语着，但是他们不敢大声地说出来。

这时刽子手紧紧地抓住她的手。她急忙把这十一件衣服抛向天鹅，马上十一个美丽的王子就出现了，可是最年幼的那位王子还留着一只天鹅的翅膀作为手臂，因为他的那件披甲还缺少一只袖子——她还没有完全织好。

“现在我可以开口讲话了！”她说，“我是无罪的！”

众人看见这件事情，就不禁在她面前弯下腰来，好像是在一位圣徒面前一样。可是她倒到她哥哥们的怀里，失掉了知觉，因为激动、焦虑、痛楚都一起涌到她心上来了。

“是的，她是无罪的。”最年长的那个哥哥说。

他现在把一切经过情形都讲出来了。当他说话的时候，有一阵香气在徐徐地散发开来，好像有几百朵玫瑰花正在开放，因为柴火堆上的每根木头已经生出了根，冒出了枝子——现在竖在这儿的是一道香气扑鼻的篱笆，又高又大,长满了红色的玫瑰,在这上面,一朵又白又亮的鲜花,射出光辉,像一颗星星。国王摘下这朵花,把它插在艾丽莎的胸前。她苏醒过来,心中有一种和平与幸福的感觉。

所有教堂的钟都自动地响起来了,鸟儿成群结队地飞来。回到宫里去的这个新婚的行列,的确是从前任何王国都没有看到过的。

雪　人

“天气真是冷得可爱极了，我身体里要发出清脆的裂声来！”雪人说，“风可以把你吹得精神饱满。请看那儿一个发亮的东西吧，她在死死地盯着我。”他的意思是指那个正在下落的太阳。“她想要叫我对她挤眼是不可能的——我决不会在她面前软下来的。”

他的头上有两大块三角形的瓦片作为眼睛。他的嘴巴是一个旧耙做的，因此他也算是有牙齿了。

他是在一群男孩子的欢乐声中出生的；雪橇的铃声和鞭子的呼呼声欢迎他的出现。

太阳下山了。一轮明月升上来了；她在蔚蓝色的天空中显得又圆，又大，又干净，又美丽。

“她又从另一边冒出来了。”雪人说。他以为这又是太阳在露出她的头面。“啊！我算把她的瞪眼病治好了。现在让她高高地挂在上面照着吧，我可以仔细把自己瞧一下，我真希望有什么办法可以叫我自己动起来。我多么希望动一下啊！如果我能动的话，我真想在冰上滑它几下，像我所看到的那些男孩子一样。不过我不知道怎样跑。”

“完了！完了[①]！”那只守院子的老狗儿说。他的声音有点哑——他以前住在屋子里、躺在火炉旁边时就是这样。“太阳会教给你怎样跑的！去

① 在原文里这是一个双关语“Voek”。它字面的意思是：“完了！”或“去吧！”但同时它的发音也像犬吠声：“汪！汪！”

年冬天我看到你的祖先就是这样;在那以前,你祖先的祖先也是这样。完了!完了!他们一起都完了。"

"朋友,我不懂你的意思,"雪人说,"那东西能教会我跑吗?"他的意思是指的月亮。"是的,刚才当我在仔细瞧她的时候,我看到她在跑。现在她又从另一边偷偷地冒出来了。"

"你什么也不懂,"守院子的狗说,"可是你也不过是刚刚才被人修起来的。你看到的那东西就是月亮呀,而刚才落下的那东西就是太阳啦。她明天又会冒出来的。而且她会教你怎样跑到墙边的那条沟里去。天气不久就要变,这一点我在左后腿里就能感觉得到,因为它有点酸痛。天气要变了。"

"我不懂他的意思,"雪人说,"不过我有一种感觉,他在讲一件不愉快的事情。刚才盯着看我、后来又落下去的那东西——他把她叫做'太阳'——决不是我的朋友。这一点我能够感觉得到。"

"完了!完了!"守院子的狗儿叫着。他兜了三个圈子,然后他就钻进他的小屋里躺下来了。

天气真的变了。天亮的时候,一层浓厚的雾盖满了这整个的地方。到了早晨,就有一阵风吹来——一阵冰冷的风。寒霜紧紧地盖着一切;但是太阳一升起,那是一幅多么美丽的景象啊!树木和灌木丛盖上一层白霜,看起来像一座完整的白珊瑚林。所有的枝子上似乎开满了亮晶晶的白花。许多细嫩的小靶,在夏天全被叶簇盖得看不见,现在都露出面来了——每一根都现出来了。这像一幅刺绣,白得放亮,每一根小枝似乎在放射出一种雪白晶莹的光芒。赤杨在风中摇动,精神饱满,像夏天的树儿一样。这是分外的美丽。太阳一出来,处处是一片闪光,好像一切都撒上了钻石的粉末似的;而雪铺的地上简直像盖满了大颗的钻石!一个人几乎可以幻想地上点着无数比白雪还要白的小亮。

"这真是出奇的美丽。"一位年轻的姑娘跟一个年轻的男子走进这花园的时候说。他们两人恰恰站在雪人的身旁,望着那些发光的树。"连夏天都不会给我们比这还美丽的风景!"她说;于是她的眼睛也射出光彩。

"而且在夏天我们也不会有这样的一位朋友,"年轻人说,指着那个雪人,"他真是漂亮!"

这姑娘格格地大笑起来,向雪人点了点头,然后就和她的朋友蹦蹦跳跳地在雪上舞过去了——雪在她的步子下发出疏疏的碎裂声，好像他们是在面粉上走路似的。

“这两个人是谁?”雪人问守院子的狗儿，“你在这院子里比我住得久，你认识他们吗?”

“我当然认识他们的，”看院子的狗说，“她抚摸过我，他扔过一根骨头给我吃。我从来不咬这两个人。”

“不过他们是什么人呐?”雪人问。

“一对恋人——恋人!”守院子的狗说，“他们将要搬进一间共同的狗屋里去住，啃着一根共同的骨头。完了！完了!”

“他们是像你和我那样重要吗?”雪人问。

“他们属于同一个主人，”看院子的狗说，“昨天才生下来的人，所知道的事情当然是很少很少的，我在你身上一眼就看得出来。我上了年纪，而且知识广博。我知道院子里的一切事情。有一个时期我并不是用链子锁着，在这儿的寒冷中站着的。完了！完了!”

“寒冷是可爱的，”雪人说，“你说吧，你说吧。不过请你不要把链子弄得响起来——当你这样弄的时候，我就觉得要裂开似的。”

“完了！完了!”看院子的狗儿叫着，“我曾经是一个好看的小伙子。人们说，我又小又好看，那时我常常躺在屋子里天鹅绒的凳子上，有时还坐在女主人的膝上。他们常常吻我的鼻子，用绣花的手帕擦我的脚掌。我被叫做最美丽的哈巴哈巴小宝贝。不过后来他们觉得我长得太大了。他们把我交到管家的手上。此后我就住在地下室里。你现在可以望见那块地方;你可以望见那个房间。我就是它的主人，因为我跟那个管家的关系就是这样。比起楼上来，那的确是一个很小的地方，不过我在那儿住得很舒服，不再是像在楼上一样，常常被小孩子捉住或揪着。我同样得到好的食物，像以前一样，而且分量多。我有我自己的垫子，而且那儿还有一个炉子——这是在这个季节中世界上最好的东西。我爬到那个炉子底下，可以在那儿睡一觉。啊！我还在梦想着那个炉子哩。完了！完了!”

“那个炉子是很美丽的吗?”雪人问，“它像我一样吗?”

“它跟你恰恰相反。它是黑得像炭一样，有一个长颈和一个黄铜做的大肚子。它吞下木柴，所以它的嘴里喷出火来。你必须站在它旁边，或者躺在它底下——那儿是很舒服的,你可以从你站着的这地方穿过窗子望见它。"

雪人瞧了瞧,看见一个有黄铜肚子的、擦得发亮的黑东西。火在它的下半身熊熊地烧着。雪人觉得有些儿奇怪;他感觉到身上生出一种情感,他说不出一个理由来。他身上发生了一种变化,他一点也不了解;但是所有别的人,只要不是雪做的,都会了解的。

"那么为什么你离开了她呢?"雪人问。因为他觉得这火炉一定是一个女性。"你为什么要离开这样一个舒服的地方呢?"

"我是被迫离开的呀,"守院子的狗说,"他们把我赶出门外,用一根链子把我套在这儿。我把那个小主人的腿咬过一口,因为他把我正在啃着的骨头踢开了。'骨头换骨头',我想。他们不喜欢这种做法。从那时起,我就被套在一根链子上,同时我也失去了我响亮的声音。你没有听到我声音是多么哑吗? 完了! 完了! 事情就这样完了。"

不过雪人不再听下去了,而且在朝着管家住的那个地下室望;他在望着那房间里站在四只腿上的、跟雪人差不多一样大的火炉!

"我身上有一种痒痒的奇怪的感觉!"他说,"我能不能到那儿去一趟呢? 这是一种天真的愿望,而我们天真的愿望一定会得到满足的。这也是我最高的愿望,我唯一的愿望。如果这愿望得不到满足的话,那也真是太不公平了。我一定要到那儿去,在她身边偎一会儿,就是打破窗子进去也管不了。"

"你永远也不能到那儿去,"看院子的狗说,"如果你走近火炉的话,那么你就完了! 完了!"

"我也几乎等于是完了,"雪人说,"我想我全身要碎裂了。"

这一整天雪人站着朝窗子里面望。在黄昏的时候,这个房间变得更逗人喜爱;一种温和的火焰,既不像太阳,也不像月亮,从炉子里射出来;不,这是一个炉子加上了柴火以后所能发出的那种亮光。每次房门一开,火焰就从它的嘴里燎出来——这是炉子的一种习惯。火焰明朗地照在雪人洁白的面上,射出红光,一直把他的上半身都照红了。

"我真是吃不消了,"他说,"当她伸出舌头的时候,她是多么美啊!"

夜是很长的。但是对雪人说来,可一点也不长。他站在那儿,沉浸在他美丽的想象中;他在寒冷中起了一种痒酥酥的感觉。

在早晨,地下室的窗玻璃上盖满了一层冰。冰形成了雪人所喜爱的、最美丽的冰花,不过它们却把那个火炉遮掩住了。它们在窗玻璃上融不掉;他也就不能再看到她了。他的身体里里外外都有一种痒酥酥的感觉。这正是一个雪人所最欣赏的寒冷天气。但是他却不能享受这种天气。的确,他可以、而且应该感到幸福的,但当他正在害火炉相思病的时候,他怎样能幸福起来呢?

“这种病对于雪人说来,是很可怕的,”守院子的狗儿说,“我自己也吃过这种苦头,不过我已经渡过了难关。完了!完了!现在天气快要变了。”

天气的确变了。雪开始在融化。

雪融化得越多,雪人也就越变得衰弱起来。他什么也不说,什么牢骚也不发——这正说明相思病的严重。

有一天早晨,他忽然倒下来了。看哪,在他站过的那块地方,有一根扫帚把直直地插在地上。这就是孩子们做雪人时用作支柱的那根棍子。

“现在我可懂得了他的相思病为什么害得那样苦,”守院子的狗儿说,“原来雪人的身体里面有一个火钩,它在他的心里搅动。他现在算是渡过难关了。完了!完了!”

不久冬天就要过去了。

“完了!完了!”守院子的狗儿叫着。不过那屋子里的小女孩们唱起歌来:

快出芽哟,绿色的车叶草,新鲜而又美丽;
啊,杨柳啊,请你垂下羊毛一样软的新衣。
来吧,来唱歌啊,百灵鸟和杜鹃,
二月过去,紧接着的就是春天。
我也来唱:滴哩!滴哩!玎珰!
来吧,快些出来吧,亲爱的太阳。

于是谁也就不再想起那个雪人了。

一枚银毫

从前有一枚毫子；当他从造币厂里走出来的时候，他容光焕发，又跳又叫："万岁！我现在要到广大的世界上去了！"于是他就走到这个广大的世界上来了。

孩子用温暖的手捏着他，守财奴用又黏又冷的手抓着他。老年人翻来覆去地看他，年轻人一把他拿到手里就花掉。这枚毫子是银子做的，身上铜的成分很少；他来到这个世界上已经有一年的光阴了——这就是说，在铸造他的这个国家里。但是有一天他要出国旅行去了。他是他旅行的主人的钱袋中最后一枚本国钱。这位绅士只有当这钱来到手上时才知道有他。

"我手中居然还剩下一枚本国钱！"他说，"那么他可以跟我一块去旅行了。"

当他把这枚毫子仍旧放进钱袋里去的时候，毫子就发出当啷的响声，高兴得跳起来。他现在跟一些陌生的朋友在一起；这些朋友来了又去，留下空位子给后来的人填。不过这枚本国毫子老是待在钱袋里；这是一种光荣。

好几个星期过去了。毫子在这世界上已经跑得很远，弄得连他自己也不知道究竟到了什么地方。他只是从别的钱币那里听说，他们不是法国造的，就是意大利造的。一个说，他们到了某某城市；另一个说，他们是在某某地方。不过毫子对于这些说法完全摸不着头脑。一个人如果老是待在袋子里，当然是什么也看不见的。毫子的情形正是这样。

不过有一天，当他正躺在钱袋里的时候，他发现袋子没有扣上。因此他就偷偷地爬到袋口，朝外面望了几眼。他不应该这样做，不过他很好奇——

人们常常要为这种好奇心付出代价的。他轻轻地溜到裤袋里去；这天晚上，当钱袋被取出的时候，毫子却在他原来的地方留下来了。他和其他的衣服一道，被送到走廊上去了。他在这儿滚到地上来，谁也没有听到他，谁也没有看到他。

第二天早晨，这些衣服又被送回房里来了。那位绅士穿上了，继续他的旅行，而这枚毫子却被留在后面。他被发现了，所以就不得不又出来为人们服务。他跟另外三块钱一起被用出去了。

"看看周围的事物是一桩愉快的事情，"毫子想，"认识许多人和知道许多风俗习惯，也是一桩愉快的事情。"

"这是一枚什么毫子？"这时有一个人说，"它不是这国家的钱，它是一枚假钱，一点用也没有。"

毫子的故事，根据他自己所讲的，就从这儿开始了。

"假货——一点用也没有！这话真叫我伤心！"毫子说，"我知道我是上好的银子铸成的，敲起来响亮，官印是真的。这些人一定是弄错了。他们决不是指我！不过，是的，他们是指我。他们特地把我叫做假货，说我没有一点用。'我得偷偷地把这家伙使用出去！'得到我的那个人说；于是我就在黑夜里被人转手，在白天被人咒骂。——'假货——没有用！我得赶快把它使用出去。'"

每次当银毫被偷偷地当作一枚本国钱币转手的时候，他就在人家的手中发抖。

"我是一枚多么可怜的毫子啊！如果我的银子、我的价值、我的官印都没有用处，那么它们对于我又有什么意义呢？在世人的眼中，人们认为你有价值才算有价值。我本来是没有罪的；因为我的外表对我不利，就显得有罪，于是我就不得不在罪恶的道路上偷偷摸摸地爬来爬去。我因此而感到心中不安；这真是可怕！——每次当我被拿出来的时候，一想起世人望着我的那些眼睛，我就战栗起来，因为我知道我将会被当做一个骗子和假货退回去，扔到桌子上的。

"有一次我落到一个穷苦的老太婆的手里，作为她一天辛苦劳动的工资。她完全没有办法把我扔掉。谁也不要我，结果我成了她的一件沉重的心事。

"'我不得不用这毫子去骗一个什么人,'她说,'因为我没有力量收藏一枚假钱。那个有钱的面包师应该得到它,他有力量吃这点亏——不过,虽然如此,我干这件事究竟还是不对的。'

"那么我也只好成了这老太婆良心上的一个负担了,"银毫叹了一口气,"难道我到了晚年真的要改变得这么多吗?"

"于是老太婆就到有钱的面包师那儿去。这人非常熟悉市上一般流行的毫子;我没有办法使他接受。他当面就把我扔回给那个老太婆。她因此也就没有用我买到面包。我感到万分难过,觉得我居然成了别人苦痛的源泉——而我在年轻的时候却是那么快乐、那么自信:我认识到我的价值和我的官印。我真是忧郁得很;一枚人家不要的毫子所能有的苦痛,我全有了。不过那个老太婆又把我带回家去。她以一种友爱和温和的态度热情地看着我。'不,我将不用你去欺骗任何人,'她说,'我将在你身上打一个眼,好使人们一看就知道你是假货。不过——而且,而且我刚才想到——你可能是一枚吉祥的毫子。我相信这是真的。这个想法在我脑子里的印象很深。我将在这毫子上打一个洞,穿一根线,把它作为一枚吉祥的毫子挂在邻居家一个小孩的脖子上。'

"因此她就在我身上打了一个洞。被人敲出一个洞来当然不是一桩很痛快的事情;不过,只要人们的用意是善良的,许多苦痛也就可以忍受得下了。我身上穿进了一根线,于是我就变成了一枚徽章,挂在一个小孩子的脖子上。这孩子对着我微笑,吻着我;我整夜躺在他温暖的、天真的胸脯上。

"早晨到来的时候,孩子的母亲就把我拿到手上,研究我。她对我有她自己的一套想法——这一点我马上就能感觉出来。她取出一把剪刀来,把这根线剪断了。

"'一枚吉祥的毫子!'她说,'唔,我们马上就可以看得出来。'

"她把我放进醋里,使我变得全身发绿。然后她把这洞塞住,把我擦了一会儿;接着在傍晚的黄昏中,把我带到一个卖彩票的人那儿去,用我买了一张使她发财的彩票。

"我是多么苦痛啊!我内心有一种刺痛的感觉,好像我要破裂似的。我知道,我将会被人叫做假货,被人扔掉——而且在一大堆别的毫子和钱币面前扔掉。他们的脸上都刻着字和人像,可以因此觉得了不起。但是我溜走了。卖彩票的人的房间里有许多人;他忙得很,所以我当啷一声就跟许多其他的钱币滚进匣子里去了。究竟我的那张彩票中了奖没有,我一点也不知道。不过有一点我是知道的,那就是:第二天早晨人们将会认出我是一个假货,而把我拿去继续不断地欺骗人。这是一件令人非常难受的事情,特别是你自己的品行本来很好——我自己不能否认我这一点的。

"有好长一段时间,我就是从这只手里转到那只手里,从这一家跑到那一家,我老是被人咒骂,老是被人瞧不起。谁也不相信我;我对于自己和世人都失去了信心。这真是一种很不好过的日子。

"最后有一天一个旅客来了。我当然被转到他的手中去,他这人也天真得很,居然接受了我,把我当做一枚通用的货币。不过他也想把我用出去。于是我又听到一个叫声:'没有用——假货!'

"'我是把它作为真货接受过来的呀。'这人说。然后他仔细地看了我一下,忽然满脸露出笑容——我以前从没有看到,任何面孔在看到我的时候会露出这样的表情。'嗨,这是什么?'他说,'这原来是我本国的一枚钱,一个从我家乡来的、诚实的、老好的毫子;而人们却把它敲出一个洞,还要把它当做假货。嗯,这倒是一件妙事!我要把它留下来,一起带回家去。'

"我一听到我被叫做老好的、诚实的毫子,我全身都感到快乐。现在我将要被带回家去。在那儿每个人将会认得我,会知道我是用真正的银子铸出来的,并且盖着官印,我高兴得几乎要冒出火星来;然而我究竟没有冒出火星的性能,因为那是钢铁的特性,而不是银子的特性。

"我被包在一张干净的白纸里,好使得我不要跟别的钱币混在一起而被用出去。只有在喜庆的场合、当许多本国人聚集在一起的时候,我才被拿出来给大家看。大家都称赞我,他们说我很有趣——说来很妙,一个人可以不说一句话而仍然会显得有趣。

"最后我总算是回到家里来了。我的一切烦恼都告结束。我的快乐又开始了,因为我是好银子制的,而且盖有真正的官印。我再也没有苦恼的事儿要忍受了,虽然我像一枚假钱币一样,身上已经穿了一个孔。但是假如一个人实际上并不是一件假货,那又有什么关系呢?一个人应该等到最后一刻,他的冤屈总会被申雪的——这是我的信仰。"毫子说。

沙丘的故事

这是尤兰岛许多沙丘上的一个故事，不过它不是在那里开始的，唉，是在遥远的、南方的西班牙发生的。海是国与国之间的公路——请你想象你已经到了那里，到了西班牙吧！那儿是温暖的，那儿是美丽的；那儿火红的石榴花在浓密的月桂树之间开着。一股清凉的风从山上吹下来，吹到橙子园里，吹到摩尔人的有金色圆顶和彩色墙壁的辉煌的大殿上①。孩子们举着蜡烛和飘荡的旗帜，在街道上游行；高阔的青天在他们的头上闪着明亮的星星。处处升起一片歌声和响板声，年轻的男女在槐花盛开的槐树下跳舞，而乞丐则坐在雕花的大理石上吃着水汪汪的西瓜，然后在昏睡中把日子打发过去。这一切就像一个美丽的梦一样！日子就是这样地过去了……是的，一对新婚夫妇就是这样；此外，他们享受着人世间一切美好的东西：健康和愉快的心情、财富和尊荣。

"我们快乐得不能再快乐了！"他们的心的深处这样说。不过他们的幸福还可以再前进一步，而这也是可能的，只要上帝能赐给他们一个孩子——在精神和外貌上像他们的一个孩子。

他们将会以最大的愉快来迎接这个幸福的孩子，用最大的关怀和爱来抚养他；他将能享受到一个有声望、有财富的家族所能供给的一切好处。

日子一天一天地过去，像一个节日。

"生活像一件充满了爱的、大得不可想象的礼物！"年轻的妻子说，"圆

① 指清真寺，因为非洲信仰伊斯兰教的摩尔人在8世纪曾经征服过西班牙。

满的幸福只有在死后的生活中才能不断地发展！我不理解这种思想。”

“这无疑地也是人类的一种狂妄的表现！”丈夫说，“有人相信人可以像上帝那样永恒地活下去——这种思想，归根结底，是一种自大狂。这也就是那条蛇①——谎骗的祖宗——说的话！”

“你对于死后的生活不会有什么怀疑的吧？”年轻的妻子说。看样子，在她光明的思想领域中，现在第一次飘来了一个阴影。

“牧师们说过，只有信心能保证死后的生活！”年轻人回答说，“不过在我的幸福之中，我觉得，同时也认识到，如果我们还要求有死后的生活——永恒的幸福——那么我们就未免太大胆，太狂妄了。我们在此生中所得到的东西还少么？我们对于此生应当，而且必须感到满意。”

“是的，我们得到了许多东西，”年轻的妻子说，“但是对于成千成万的人说来，此生不是一个很艰苦的考验吗？多少人生到这个世界上来，不就是专门为了得到穷困、羞辱、疾病和不幸么？不，如果此生以后再没有生活，那么世界上的一切东西就分配得太不平均，上天也就太不公正了。”

“街上的那个乞丐有他自己的快乐；他的快乐对他说来，并不亚于住在华丽的皇宫里的国王，”年轻的丈夫说，“难道你觉得那劳苦的牲口，天天挨打挨饿，一直累到死，它能够感觉到自己生命的痛苦么？难道它也会要求一个未来的生活，也会说上帝的安排不公平，没有把它列入高等动物之中吗？”

“基督说过，天国里有许多房间，”年轻的妻子回答说，“天国是没有边际的，上帝的爱也是没有边际的！哑巴动物也是一种生物呀！我相信，没有什么生命会被忘记：每个生命都会得到自己可以享受的、适宜于自己的一份幸福。”

“不过我觉得，这世界已经足够使我感到满意了！”丈夫说。于是他就伸出双臂来，拥抱着他美丽的、温柔的妻子。于是他就在这开朗的阳台上抽一支香烟。这儿凉爽的空气中充满了橙子和石竹花的香味。音乐声和响板声从街上飘来；星星在上面照着。一对充满了爱情的眼睛——他的妻子的

① 据希伯来人的神话，人类的始祖亚当和夏娃在天国里过着快乐的生活。因为受了蛇的教唆，夏娃和亚当吃了知识之果，以为这样就可以跟神一样聪明。结果两人都被上帝驱出了天国。见《圣经·旧约全书·创世记》第三章。

眼睛——带着一种不灭的爱情的光,在凝视着他。

"这样的一忽间,"他说,"使得生命的出世、生命的享受和它的灭亡都有价值。"于是他就微笑起来。妻子举起手,做出一个温和的责备的姿势。那阵阴影又不见了;他们是太幸福了。

一切都似乎是为他们而安排的,使他们能享受荣誉、幸福和快乐。后来生活有了一点变动,但这只不过是地点的变动罢了,丝毫也不影响他们享受生活的幸福和快乐。年轻人被国王派到俄罗斯的宫廷去当大使。这是一个光荣的职位,与他的出身和学问都相称。他有巨大的资财,他的妻子更带来了与他同样多的财富,因为她是一个富有的、有地位的商人的女儿。这一年,这位商人恰巧有一条最大最美的船要开到斯德哥尔摩去;这条船将要把这对亲爱的年轻人——女儿和女婿——送到圣彼得堡去。船上布置得非常华丽——脚下铺的是柔软的地毯,四周是丝织物和奢侈品。

每个丹麦人都会唱一支很古老的战歌,叫做《英国的王子》。王子也是乘着一条华丽的船:它的锚镶着赤金,每根缆索里夹着生丝。当你看到这条从西班牙开出的船的时候,你一定也会想到那条船,因为那条船同样豪华,也充满了同样的离愁别绪:

愿上帝祝福我们在快乐中团聚。

顺风轻快地从西班牙的海岸吹过来,别离只不过是暂时的事情,因为几个星期以后,他们就会到达目的地。不过当他们来到海面上的时候,风就停了。海是平静而光滑的,水在发出亮光,天上的星星也在发出亮光。华贵的船舱里每晚都充满了宴乐的气氛。

最后,旅人们开始盼望有风吹来,盼望有一股清凉的顺风。但是风却没有吹来。当它吹起来的时候,却朝着相反的方向吹。许多星期这样过去了,甚至两个月也过去了。最后,好风算是吹起来了,它是从西南方吹来的。他们是在苏格兰和尤兰之间航行着。正如在《英国的王子》那支古老的歌中说的一样,风越吹越大:

它吹起一阵暴风雨,云块非常阴暗,

陆地和隐蔽处所都无法找到，
于是他们只好抛出他们的锚，
但是风向西吹，直吹到丹麦的海岸。

从此以后，好长一段时间过去了。国王克利斯蒂安七世坐上了丹麦的王位；他那时还是一个年轻人。从那时起，有许多事情发生了，有许多东西改变了，或者已经改变过了。海和沼泽地变成了茂盛的草原；荒地变成了耕地。在西尤兰的那些茅屋的掩蔽下，苹果树和玫瑰花生出来了。自然，你得仔细看才能发现它们，因为它们为了避免刺骨的东西，都藏起来了。

在这个地方人们很可能以为回到了远古时代——比克利斯蒂安七世统治的时代还要远。现在的尤兰仍然和那时一样，它深黄色的荒地，它的古冢，它的海市蜃楼和它的一些交叉的、多沙的、高低不平的道路，向天际展开去。朝西走，许多河流向海湾流去，扩展成为沼泽地和草原。环绕着它们的一片沙丘，像峰峦起伏的阿尔卑斯山脉一样，耸立在海的周围，只有那些黏土形成的高高的海岸线才把它们切断。浪涛每年在这儿咬去几口，使得那些悬崖绝壁下塌，好像被地震摇撼过一次似的。它现在是这样；在许多年以前，当那幸福的一对乘着华丽的船在它沿岸航行的时候，它也是这样。

那是九月的最后的一天——一个星期天，一个阳光很好的一天。教堂的钟声，像一连串音乐似的，向尼松湾沿岸飘来。这儿所有的教堂全像整齐的巨石，而每一个教堂就是一个石块。西海可以在它们上面滚过来，但它们仍然可以屹立不动。这些教堂大多数都没有尖塔；钟总是悬在空中的两根横木之间。礼拜做完以后，信徒们就走出上帝的屋子，到教堂的墓地里去。在那个时候，正像现在一样，一棵树，一个灌木林也没有。这儿没有人种过一株花；坟墓上也没有人放过一个花圈。粗陋的土丘就说明是埋葬死人的处所。整个墓地上只有被风吹得零乱的荒草。各处偶尔有一个纪念物从墓里露出来：它是一块半朽的木头，曾经做成一个类似棺材的东西。这块木头是从西部的森林——大海——里运来的。大海为这些沿岸的居民生长出大梁和板子，把它们像柴火一样漂到岸上来；风和浪涛很快就腐蚀掉这些木块。一个小孩子的墓上就有这样一个木块；从教堂里走出的女人中有一位就向它走去。她站着不动，呆呆地望着这块半朽的纪念物。不一会儿，她的丈夫也来了。他们一句话也没有讲。他挽着她的手，离开这座坟墓，一同走过那深黄色的荒地，走过沼泽地，走过那些沙丘。他们沉默地走了很久。

“今天牧师的讲道很不错，”丈夫说，“如果我们没有上帝，我们就什么也没有了。”

“是的，”妻子回答说，“他给我们快乐，也给我们悲愁，而他是有这种权力给我们的！到明天，我们亲爱的孩子就有五周岁了——如果上帝准许我们保留住他的话。”

“不要这样苦痛吧，那不会有什么好处的，”丈夫说，“他现在一切都好！他现在所在的地方，正是我们希望去的地方。”

他们没有再说什么别的话，只是继续向前走，回到他们在沙丘之间的屋子里去。忽然间，在一个沙丘旁，在一个没有海水挡住的流沙的地带，升起了一股浓烟。这是一阵吹进沙丘的狂风，向空中卷起了许多细沙。接着又扫过来另一阵风，它使挂在绳子上的鱼乱打着屋子的墙。于是一切又变得沉寂，太阳射出炽热的光。

丈夫和妻子走进屋子里去，立刻换下星期日穿的整齐的衣服，然后他们急忙向那沙丘走去。这些沙丘像忽然停止了波动的浪涛。海草的淡蓝色的梗子和沙草把白沙染成种种颜色。有好几个邻居来一同把许多船只拖到沙上更高的地方。风吹得更厉害。天气冷得刺骨；当他们再回到沙丘间来的时候，沙和小尖石子向他们的脸上打来。浪涛卷起白色的泡沫，而风却把浪头截断，使泡沫向四周飞溅。

黑夜到来了。空中充满了一种时刻在扩大的呼啸。它哀鸣着，号叫着，好像一群失望的精灵要淹没一切浪涛的声音——虽然渔人的茅屋就紧贴在近旁。沙子在窗玻璃上敲打。忽然，一股暴风袭来，把整个房子都撼动了。天是黑的，但是到半夜的时候，月亮就要升起来了。

空中很晴朗，但是风暴仍然来势汹汹，扫着这深沉的大海。渔人们早已上床了，但在这样的天气中，要合上眼睛是不可能的。不一会儿，他们就听到有人在窗子上敲。门打开了，一个声音说：

“有一条大船在最远的那个沙滩上搁浅了！”

渔人们立刻跳下床来，穿好衣服。

月亮已经升起来了。月光亮得足够使人看见东西——只要他们能在风沙中睁开眼睛。风真是够猛烈的;人们简直可以被它刮起来。人们得费很大的气力才能在阵风的间歇间爬过那些沙丘。咸味的浪花像羽毛似的从海里向空中飞舞,而海里的波涛则像喧闹的瀑布似的向海滩上冲击。只有富有经验的眼睛才能看出海面上的那只船。这是一只漂亮的二桅船。巨浪把它簸出了平时航道的半海里以外,把它送到一个沙滩上去。它在向陆地行驶,但马上又撞着第二个沙滩,搁了浅,不能移动。要救它是不可能的了。海水非常狂暴,打着船身,扫着甲板。岸上的人似乎听到了痛苦的叫声,临死时的呼喊。人们可以看到船员们的忙碌而无益的努力。这时有一股巨浪袭来;它像一块毁灭性的石头,向牙樯打去,接着就把它折断,于是船尾就高高地翘在水上。两个人同时跳进海里,不见了——这只不过是一眨眼的工夫。一股巨浪向沙丘滚来,把一个尸体卷到岸上。这是一个女人,看样子已经死了;不过有几个妇女翻动她时觉得她还有生命的气息,因此就把她抬过沙丘,送到一个渔人的屋子里去。她是多么美丽啊!她一定是一个高贵的妇人。

大家把她放在一张简陋的床上,上面连一寸被单都没有,只有一条足够裹着她的身躯的毛毯。这已经很温暖了。

生命又回到她身上来了,但是她在发烧;她一点也不知道发生了什么事情,也不知道自己现在在什么地方。这样倒也很好,因为她喜欢的东西现在都被埋葬在海底了。正如《英国的王子》中的那支歌一样,这条船也是:

这情景真使人感到悲哀,
这条船全部都成了碎片。

船的某些残骸和碎片漂到岸上来;她算是它们中间唯一的生物。风仍然在岸上呼啸。她休息了不到几分钟就开始痛苦地叫喊起来。她睁开一对美丽的眼睛,讲了几句话——但是谁也无法听懂。

作为她所受的苦痛和悲哀的报偿,现在她怀里抱着一个新生的婴儿——一个应该在豪华的公馆里、睡在绸帐子围着的华美的床上的婴儿。他应该到欢乐中去,到拥有世界上一切美好东西的生活中去。但是上帝却叫他生在一个卑微的角落里;他甚至于还没有得到母亲的一吻。

渔人的妻子把孩子放到他母亲的怀里。他躺在一颗停止了搏动的心上,因为她已经死了。这孩子本来应该在幸福和豪华中长大的,但是却来到了这个被海水冲洗着的、位置在沙丘之间的人世,分担着穷人的命运和艰难的日子。

这时我们不禁又要记起那支古老的歌:

眼泪在王子的脸上滚滚地流,
我来到波乌堡,愿上帝保佑!
但现在我来得恰好不是时候;
假如我来到布格老爷的领地,
我就不会为男子或骑士所欺。

船搁浅的地方是在尼松湾南边,在布格老爷曾经宣称为自己的领地的那个海滩上。据传说,沿岸的居民常常对遭难船上的人做出坏事,不过这样艰难和黑暗的日子早已经过去了。遭难的人现在可以得到温暖、同情和帮助,我们的这个时代也应该有这种高尚的行为。这位垂死的母亲和不幸的孩子,不管"风把他们吹到什么地方",总会得到保护和救助的。不过,在任何别的地方,他们不会得到比在这渔妇的家里更热忱的照顾。这个渔妇昨天还带着一颗沉重的心,站在埋葬着她儿子的墓旁。如果上帝把这孩子留给她的话,那么他现在就应该有五岁了。

谁也不知道这位死去的少妇是谁,或是从什么地方来的。那只破船的残骸和碎片在这点上说明不了任何问题。

在西班牙的那个豪富之家,一直没有收到关于他们女儿和女婿的信件或消息。这两个人没有到达他们的目的地;过去几星期一直起着猛烈的风暴。大家等了好几个月:"沉入海里——全部牺牲。"他们知道这一点。

可是在胡斯埠的沙丘旁边,在渔人的茅屋里,他们现在有了一个小小的男孩。

当上天给两个人粮食吃的时候,第三个人也可以吃到一点。海所能供给饥饿的人吃的鱼并不是只有一碗。这孩子有了一个名字:雨尔根。

"他一定是一个犹太人的孩子,"人们说,"他长得那么黑!"

“他可能是一个意大利人或西班牙人![1]”牧师说。

不过,对那个渔妇说来,这三个民族都是一样的。这个孩子能受到基督教的洗礼,已经够使她高兴了。孩子长得很好。他的贵族的血液是温暖的;家常的饮食把他养成为一个强壮的人。他在这个卑微的茅屋里长得很快。西岸的人所讲的丹麦方言成了他的语言。西班牙土地上一棵石榴树的种子,成了西尤兰海岸上的一棵耐寒的植物。一个人的命运可能就是这样!他整个生命的根深深地扎在这个家里。他将会体验到寒冷和饥饿,体验到那些卑微的人们的不幸和痛苦,但是他也会尝到穷人们的快乐。

童年时代对任何人都有它快乐的一面;这个阶段的记忆永远会在生活中发出光辉。他的童年该是充满了多少快乐和玩耍啊!许多英里长的海岸上全都是可以玩耍的东西:卵石拼成的一片图案——像珊瑚一样红,像琥珀一样黄,像鸟蛋一样白,五光十色,由海水送来,又由海水磨光。还有漂白了的鱼骨;风吹干了的水生植物,白色的、发光的、在石头之间漂动着的、像布条般的海草——这一切都使眼睛和心神得到愉快和娱乐。潜藏在这孩子身上的非凡的才智,现在都活跃起来了。他能记住的故事和诗歌真是不少!他的手脚也非常灵巧:他可以用石子和贝壳拼成完整的图画和船;他用这些东西来装饰房间。他的养母说,他可以把他的思想在一根木棍上奇妙地刻绘出来,虽然他的年纪还是那么小!他的声音很悦耳;他的嘴一动就能唱出各种不同的歌调。他的心里张着许多琴弦:如果他生在别的地方、而不是生在北海旁一个渔人家的话,这些歌调可能流传到整个世界。

有一天,另外一条船在这儿遇了难。一个装着许多稀有的花根的匣子漂到岸上来了。有人取出几根,放在菜罐里,因为人们以为这是可以吃的东西;另外有些则被扔在沙上,枯萎了。它们没有完成它们的任务,没有把藏在身上的那些美丽的色彩开放出来。雨尔根的命运会比这好一些吗?花根的生命很快就完结了,但是他的还不过是刚开始。

他和他的一些朋友从来没有想到日子过得多么孤独和单调,因为他们要玩的东西、要听的东西和要看的东西是那么多。海就像一本大的教科书。它每天翻开新的一页:一忽儿平静,一忽儿涨潮,一忽儿清凉,一忽儿狂暴,

---

① 意大利人和西班牙人住在较热的南欧,皮肤较一般北欧人黑。

它的顶点是船只的遇难。做礼拜是欢乐拜访的场合。不过,在渔人的家里,有一种拜访是特别受欢迎的。这种拜访一年只有两次:那就是雨尔根养母的弟弟的拜访。他住在波乌堡附近的菲亚尔特令,是一个养鳝鱼的人。他来时总是坐着一辆涂了红漆的马车,里面装满了鳝鱼。车子像一只箱子似的锁得很紧;它上面绘满了蓝色和白色的郁金香。它是由两匹暗褐色的马拉着的。雨尔根有权来赶着它们。

这个养鳝鱼的人是一个滑稽的人物,一个愉快的客人。他总是带来一点儿烧酒。每个人可以喝到一杯——如果酒杯不够的话,可以喝到一茶杯。雨尔根年纪虽小,也能喝到一丁点儿,为的是要帮助消化那肥美的鳝鱼——这位养鳝鱼的人老是喜欢讲这套理论。当听的人笑起来的时候,他马上又对同样的听众再讲一次。——喜欢扯淡的人总是这样的!雨尔根长大了以后,以及成年时期,常常喜欢引用养鳝鱼人的故事的许多句子和说法。我们也不妨听听:

> 湖里的鳝鱼走出家门。鳝鱼妈妈的女儿要求跑到离岸不远的地方去,所以妈妈对她们说:"不要跑得太远!那个丑恶的叉鳝鱼的人可能来了,把你们统统都捉去!"但是她们走得太远。在八个女儿之中,只有三个回到鳝鱼妈妈身边来。她们哭诉着说:"我们并没有离家门走多远,那个可恶的叉鳝鱼的人马上就来了,把我们的五个姐妹都刺死了!"……"她们会回来的。"鳝鱼妈妈说。"不会!"女儿们说,"因为他剥了她们的皮,把她们切成两半,烤熟了。"……"她们会回来的!"鳝鱼妈妈说。"不会的,因为他把她们吃掉了!"……"她们会回来的!"鳝鱼妈妈说。"不过他吃了她们以后还喝了烧酒。"女儿们说。"噢!噢!那么她们就永远不会回来了!"鳝鱼妈妈号叫一声,"烧酒把她们埋葬了!"

"因此吃了鳝鱼后喝几口烧酒总是对的!"养鳝鱼的人说。

这个故事是一根光辉的牵线,贯穿着雨尔根整个的一生。他也想走出大门,"到海上去走一下",这也就是说,乘船去看看世界。他的养母,像鳝鱼妈妈一样,曾经说过:"坏人可多啦——全是叉鳝鱼的人!"不过他总得离开沙丘到内地去走走；而他也就走了。四天愉快的日子——这要算是他儿时最快乐的几天——在他面前展开了；整个尤兰的美、内地的快乐和阳光，都要在这几天集中地表现出来；他要去参加一个宴会——虽然是一个出丧的宴会。

一个富有的渔家亲戚去世了，这位亲戚住在内地，“向东，略为偏北”，正如俗话所说的。养父养母都要到那儿去；雨尔根也要跟着去。他们从沙丘走过荒地和沼泽地，来到绿色的草原。这儿流着斯加龙河——河里有许多鳝鱼，鳝鱼妈妈和那些被坏人捉去、砍成几段的女儿。不过人类对自己同胞的行为比这也好不了多少。那支古老的歌中所提到的骑士布格爵士不就是被坏人谋害了的么？而他自己，虽然人们总说他好，不也是想杀掉那位为他建筑有厚墙和尖塔的堡寨的建筑师么？雨尔根和他的养父养母现在就正站在这儿；斯加龙河也从这儿流到尼松湾里去。

护堤墙现在还存留着；红色崩颓的碎砖散在四周。在这块地方，骑士布格在建筑师离去以后，对他的一个下人说：“快去追上他，对他说：‘师傅，那个塔儿有点歪。’如果他掉转头，你就把他杀掉，把我付给他的钱拿回来。不过，如果他不掉转头，那么就放他走吧。”这人服从了他的指示。那位建筑师回答说：“塔并不歪呀，不过有一天会有一个穿蓝大衣的人从西方来；他会叫这个塔倾斜！”一百年以后，这样的事情果然发生了；西海打进来，塔就倒了。那时堡寨的主人叫做卜里边·古尔登斯卡纳。他在草原尽头的地方建立起一个更高的新堡寨。它现在仍然存在，叫做北佛斯堡。

雨尔根和他的养父养母走过这座堡寨。在这一带，在漫长的冬夜里，人们曾把这个故事讲给他听过。现在他亲眼看到了这座堡寨、它的双道堑壕、树和灌木林。长满了凤尾草的城墙从堑壕里冒出来。不过最好看的还是那些高大的菩提树。它们长到屋顶那样高，在空气中散发出一种清香。花园的西北角有一个开满了花的大灌木林。它像夏绿中的一片冬雪。像这样的一个接骨木树林，雨尔根还是有生以来第一次看到。他永远也忘记不了它和那些菩提树、丹麦的美和香——这些东西在他稚弱的灵魂中为“老年而保存下来”。

更向前走，到那开满了接骨木树花的北佛斯堡，路就好走得多了。他们碰到许多乘着牛车去参加葬礼的人。他们也坐上牛车。是的，他们得坐在后面的一个钉着铁皮的小车厢里，但这当然要比步行好得多。他们就这样在崎岖不平的荒地上继续前进。拉着这车子的那几头公牛，在石楠植物中间长着青草的地方，不时总要停一下。太阳在温暖地照着；远处升起一股烟雾，在空中翻腾。但是它比空气还要清，而且是透明的，看起来像是在荒地上跳着和滚着的光线。

"那就是赶着羊群的洛奇①。"人们说。这话足够刺激雨尔根的幻想。他觉得他现在正在走向一个神话的国度，虽然一切还是现实的。这儿是多么寂静啊！

荒地向四周展开出去，像一张贵重的地毯。石楠开满了花，深绿的杜松和细嫩的小栎树像地上长出来的花束。要不是这里有许多毒蛇，这块地方倒真是叫人想留下来玩耍一番。可是旅客们常常提到这些毒蛇，而且谈到在此为害的狼群——因此这地方仍旧叫做"多狼地带"。赶着牛的老头说，在他父亲活着的时候，马儿常常要跟野兽打恶仗——这些野兽现在已经不存在了。他还说，有一天早晨，他亲眼看见他的马踩着一只被它踢死了的狼，不过这匹马儿腿上的肉也都被咬掉了。

在崎岖的荒地和沙子上的旅行，很快就告一段落。他们在停尸所前面停下来：屋里屋外都挤满了客人。车子一辆接着一辆地并排停着，马儿和牛儿到贫瘠的草场上去吃草。像在西海滨的故乡一样，巨大的沙丘耸立在屋子的后面，并且向四周绵延地伸展开去。它们怎样扩展到这个伸进内地几十里路远，又宽又高，像海岸一样空旷的地方呢？是风把它们吹到这儿来的；它们的到来产生了一段历史。

大家唱着赞美诗。有几个老年人在流着眼泪。除此以外，在雨尔根看来，大家倒是很高兴的；酒菜也很丰盛。鳝鱼是又肥又鲜，吃完以后再喝几口烧酒，像那个养鳝鱼的人说的一样，"把它们埋葬掉"。他的名言在这儿无疑地成了事实。

雨尔根一会儿待在屋里，一会儿跑到外面去。到了第三天，他就在这儿住熟了；这儿就好像他曾在那里度过童年的、沙丘上那座渔人的屋子一样。这片荒地上有另外一种丰富的东西：这儿长满了石楠花、黑莓和覆盆子。它

① 这是北欧神话中的一种神仙。

们是又大又甜;行人的脚一踩着它们,红色的汁液就像雨点似的朝下滴。

这儿有一个古坟;那儿也有一个古坟。一根一根的烟柱升向沉静的天空:人们说这是荒地上的野花。它在黑夜里放出美丽的光彩。

现在是第四天了。入葬的宴会结束了。他们要从这土丘的地带回到沙丘的地带去。

"我们的地方最好,"雨尔根的养父说,"这些土丘没有气魄。"

于是他们就谈起沙丘是怎样形成的。事情似乎非常容易理解。海岸上出现了一具尸体;农人们就把它埋在教堂的墓地里面,于是沙子开始飞起来,海开始疯狂地打进内地。教区的一个聪明人叫大家赶快把坟挖开,看看那里面的死者是否躺着舔自己的拇指;如果他是在舔,那么他们埋葬掉的就是一个"海人"了;海在没有收回他以前,决不会安静的。所以这座坟就被挖开了,"海人"躺在那里面舔大拇指。他们立刻把他放进一辆牛车里,拖着牛车的那两头牛好像是被牛虻刺着似的,拉着这个"海人",越过荒地和沼泽地,一直向大海走去。这时沙子就停止飞舞,可是沙丘依旧停在原地没有动。这些他在儿时最快乐的日子里、在一个入葬的宴会期间所听来的故事,雨尔根都在他的记忆中保存下来了。

出门去走走、看看新的地方和新的人,这全都是愉快的事情!他还要走得更远。他不到十四岁,还是一个孩子。他乘着一条船出去看看这世界所能给他看的东西:他体验过恶劣的天气、阴沉的海、人间的恶意和硬心肠的人。他成了船上的一个侍役。他得忍受粗劣的伙食和寒冷的夜、拳打和脚踢。这时他高贵的西班牙血统里有某种东西在沸腾着,毒辣的字眼爬到他嘴唇边上,但是最聪明的办法还是把这些字眼吞下去为好。这种感觉和鳝鱼被剥了皮、切成片、放在锅里炒的时候完全一样。

"我要回去了!"他身体里有一个声音说。

他看到了西班牙的海岸——他父母的祖国,甚至还看到了他们曾经在幸福和快乐中生活过的那个城市。不过他对于他的故乡和族人什么也不知道,而关于他的事情,他的族人更不知道。

这个可怜的小侍役没有得到上岸的许可;不过在他们停泊的最后一天,总算上岸去了一次,因为有人买了许多东西。他得去拿到船上来。

雨尔根穿着褴褛的衣服。这些衣服像是在沟里洗过、在烟囱上晒干的;

他——一个住在沙丘里的人——算是第一次看到了一个大城市。房子是多么高大，街道是多么窄，人是多么挤啊！有的人朝这边挤，有的人朝那边挤——简直像是市民和农人、僧侣和兵士所形成的一个大蜂窝——叫声和喊声、驴子和骡子的铃声、教堂的钟声混做一团；歌声和鼓声、砍柴声和敲打声，形成乱嘈嘈的一片，因为每个行业手艺人的工场就在自己的门口或阶前。太阳照得那么热，空气是那么闷，人们好像是走进一个挤满了嗡嗡叫的甲虫、金龟子、蜜蜂和苍蝇的炉子。雨尔根不知道自己在什么地方，在走哪一条路。这时他看到前面一座主教堂的威严的大门。灯光在阴暗的教堂走廊上照着，一股香烟向他飘来。甚至最穷苦的衣衫褴褛的乞丐也爬上石级，到教堂里去。雨尔根跟着一个水手走进去，站在这神圣的屋子里。彩色的画像从金色的底上射出光来。圣母抱着幼小的耶稣立在祭坛上，四周是一片灯光和鲜花。牧师穿着节日的衣服在唱圣诗，歌咏队的孩子穿着漂亮的服装，在摇晃着银香炉。这儿是一片华丽和庄严的景象。这情景渗进雨尔根的灵魂，使他神往。他的养父养母的教诲和信心感动了他，触动了他的灵魂，他的眼睛里闪出泪珠。

大家走出教堂，到市场上去。人们买了一些厨房用具和食品，要他送回船上。到船上去的路并不短，他很疲倦，便在一幢有大理石圆柱、雕像和宽台阶的华丽的房子面前休息了一会儿。他把背着的东西靠墙放着。这时有一个穿制服的仆人走出来，举起一根包着银头的手杖，把他赶走了。他本来是这家的一个孙子。可是谁也不知道，他自己当然更不知道。

他回到船上来。这儿有的是咒骂和鞭打，睡眠不足和沉重的工作——他得忍受这样的生活！人们说，青年时代受些苦只有好处——是的，如果年老能够得到一点幸福的话。

他的雇佣合同满期了。船又在林却平海峡停下来。他走上岸，回到胡斯埠沙丘上的家里去。不过，在他航行的时候，养母已经去世了。

接着就是一个严寒的冬天。暴风雪扫过陆地和海上；出门是很困难的。世界上的事情安排得多么不平均啊！当这儿正是寒冷刺骨和刮暴风雪的时候，西班牙的天空上正照着炽热的太阳——是的，太热了。然而在这儿的家乡，只要晴朗的下霜天一出现，雨尔根就可以看到大群的天鹅在海上飞来，越过尼松湾向北佛斯堡飞去。他觉得这儿可以呼吸到最好的空气，这儿将会有一个美丽的夏天！他在想象中看到了石楠植物开花，结满了成熟的、甜蜜的浆果；看到了北佛斯堡的接骨木树和菩提树开满了花朵。他决定再回到北佛斯堡去一次。

春天来了，捕鱼的季节又开始了。雨尔根也参加这项工作。他在过去一年中已经变成了一个成年人，做起活来非常敏捷。他充满了生命力，他能游水，踩水，在水里自由翻腾。人们常常警告他要当心大群的青花鱼：就是最能干的游泳家也不免被它们捉住，被它们拖下去和吃掉，因而也就此完结。但是雨尔根的命运却不是这样。

沙丘上的邻居家里有一个名叫莫尔登的男子。雨尔根和他非常要好。他们在开到挪威去的同一条船上工作，他们还要一同到荷兰去，他们两人从来没有闹过别扭，不过这种事也并非是不可能的。因为如果一个人的脾气急躁，他是很容易采取激烈的行动的。有一天雨尔根就做出了这样的事情：他们两人在船上无缘无故地吵起来了。他们在一个船舱口后边坐着，正在吃放在他们之间的、用一个土盘子盛着的食物。雨尔根拿着一把小刀，当着莫尔登的面把它举起来。在这同时，他脸上变得像灰一样白，双眼现出难看的神色。莫尔登只是说：

"嗨，你也是那种喜欢耍刀子的人啦！"

这话还没有说完，雨尔根的手就垂下来了。他一句话也不说，只是继续吃下去。后来他走开了，去做他的工作。他做完工作回来，就到莫尔登那儿去说：

"请你打我的耳光吧！我应该受到这种惩罚。我的肚皮真像有一个锅在沸腾。"

"不要再提这事吧。"莫尔登说。于是他们成了更要好的朋友。当他们后来回到尤兰的沙丘之间去，讲到他们航海的经历时，这件事也同时被提到了。雨尔根的确可以沸腾起来，但他仍然是一个诚实的锅。

"他的确不是一个尤兰人！人们不能把他当做一个尤兰人！"莫尔登的这句话说得很幽默。

他们两人都是年轻和健壮的。但雨尔根却是最活泼。

在挪威，农人爬到山上去，在高地上寻找放牧牲畜的牧场。在尤兰西岸一带，人们在沙丘之间建造茅屋。茅屋是用破船的材料搭起来的，顶上盖的是草皮和石楠植物。屋子四周沿墙的地方就是睡觉的地方;初春的时候,渔人也在这儿生活和睡觉。每个渔人有一个所谓“女助手”。她的工作是:替渔人把鱼饵安在钩子上,当渔人回到岸上来的时候,准备热啤酒来迎接他们;当他们回到茅屋里来,觉得疲倦的时候,拿饭给他们吃。此外,她们还要把鱼运到岸上来,把鱼剖开,以及做许多其他的工作。

雨尔根和他的养父养母以及其他几个渔人和“女助手”都住在一间茅屋里。莫尔登则住在隔壁的一间屋子里。

“女助手”之中有一个叫做爱尔茜的姑娘。她从小就认识雨尔根。他们的交情很好,而且性格在各方面都差不多。不过在表面上,他们彼此都不相像:他的皮肤是棕色的,而她则是雪白的;她的头发是亚麻色的,她的眼睛蓝得像太阳光里的海水。

有一天他们在一起散步,雨尔根紧紧地、热烈地握着她的手,她对他说:

“雨尔根,我心里有一件事情!请让我做你的‘女助手’吧,因为你简直像我的一个弟兄。莫尔登只不过和我订过婚——他和我只不过是爱人罢了。但是这话不值得对别人讲!”

雨尔根似乎觉得他脚下的一堆沙在向下沉。他一句话也说不出来,只是点着头,等于说:“好吧。”别的话用不着再说了。不过他心里忽然觉得,他瞧不起莫尔登。他越往这方面想——因为他从前从来没想到过爱尔茜——他就越明白:他认为莫尔登把他唯一心爱的人偷走了。现在他懂得了,爱尔茜就是他所爱的人。

海上掀起了一股不大不小的波浪,渔人们都驾着船回来;他们克服重重暗礁的技术,真是值得一看:一个人笔直地立在船头,别的人则紧握着桨坐着,注意地看着他。他们在礁石的外面,朝着海倒划,直到船头上的那个人打出一个手势,预告有一股巨浪到来时为止。浪就把船托起来,使它越过暗礁。船升得那么高,岸上的人可以看得见船身;接着整个的船就在海浪后面不见了——船桅、船身、船上的人都看不见了,好像海已经把他们吞噬了似的。可是不一会儿,他们像一个庞大的海洋动物,又爬到浪头上来了。桨在划动着,像是这动物的灵活肢体。他们于是像第一次一样,又越过第二道和第三道暗礁。这时渔人们就跳到水里去,把船拖到岸边来。每一股浪帮助他们把船向前推进一步,直到最后他们把船拖到海滩上为止。

如果号令在暗礁面前略有错误——略有迟疑——船儿就会撞碎。

“那么我和莫尔登也就完了!”雨尔根来到海上的时候,心中忽然起了这样一个想法。他的养父这时在海上病得很厉害,全身烧得发抖。他们离开礁石只有数桨之遥。雨尔根跳到船头上去。

“爸爸,让我来吧!”他说。他向莫尔登和浪花看了一眼。不过当每一个人都在使出最大的气力划桨、当一股最大的海浪向他们袭来的时候,他看到了养父的惨白的面孔,于是他心里那种不良的动机也就不能再控制住他了。船安全地越过了暗礁,到达了岸边,但是那种不良的思想仍然留在他的血液里。在他的记忆中,自从跟莫尔登做朋友时起,他就怀着一股怨气。现在这种不良的思想就把怨恨的纤维都掀动起来了。但是他不能把这些纤维织到一起,所以也就只好让它去。莫尔登毁掉了他,他已经感觉到了这一点,而这已足够使他憎恨。有好几个渔人已经注意到了这一点,但是莫尔登没有注意到。他仍然像从前一样,喜欢帮助,喜欢聊天——的确,他太喜欢聊天了。

雨尔根的养父只能躺在床上。而这张床也成了送他终的床,因为他在下个星期就死去了。现在雨尔根成为这些沙丘后面那座小屋子的继承人。的确,这不过是一座简陋的屋子,但它究竟还有点价值,而莫尔登却连这点东西都没有。

“你不必再到海上去找工作吧,雨尔根?你现在可以永远地跟我们住在一起了。”一位年老的渔人说。

雨尔根却没有这种想法。他还想看一看世界。菲亚尔特令的那位年老的养鳝鱼的人在老斯卡根有一个舅父,也是一个渔人。不过他同时还是一个富有的商人,拥有一条船。他是一个非常可爱的老头儿,帮他做事倒是很不坏的。老斯卡根是在尤兰的极北部,离胡斯埠的沙丘很远——远得不能再远。但是这正合雨尔根的意思,因为他不愿看见莫尔登和爱尔茜结婚:他们在几个星期内就要举行婚礼了。

那个老渔人说,现在要离开这地方是一件傻事,因为雨尔根现在有了一个家,而且爱尔茜无疑是愿意和他结婚的。

雨尔根胡乱地回答了他几句话;他的话里究竟有什么意思,谁也弄不清楚。不过老头儿把爱尔茜带来看他。她没有说多少话,只说了这一句:

“你现在有一个家了，你应该仔细考虑考虑。”

于是雨尔根就考虑了很久。

海里的浪涛很大，而人心里的浪涛却更大。许多思想——坚强的和脆弱的思想——都集中到雨尔根的脑子里来。他问爱尔茜：

“如果莫尔登也有我这样的一座屋子，你情愿要谁呢？”

“可是莫尔登没有一座屋子呀，而且也不会有。”

“不过我们假设他有一座屋子吧！”

“嗯，那么我当然就会跟莫尔登结婚了，因为我现在的心情就是这样！不过人们不能只靠这生活呀。”

雨尔根把这件事想了一整夜。他心上压着一件东西——他自己也说不出一个道理来；但是他有一个想法，一个比喜爱爱尔茜还要强烈的想法。因此他就去找莫尔登。他所说的和所做的事情都是经过仔细考虑的。他以最优惠的条件把他的屋子租给了莫尔登。他自己则到海上去找工作，因为这是他的志愿。爱尔茜听到这事情的时候，就吻了他的嘴，因为她是最爱莫尔登的。

大清早，雨尔根就动身走了。在他离开的头一天晚上，夜深的时候，他想再去看莫尔登一次。于是他就去了。在沙丘上他碰到了那个老渔夫：他对他的远行颇不以为然。老头儿说，“莫尔登的裤子里一定缝有一个鸭嘴”①，因为所有的女孩子都爱他。雨尔根没有注意这句话，只是说了声再会，就直接到莫尔登所住的那座茅屋里去了。他听到里面有人在大声讲话。莫尔登并非只是一个人在家。雨尔根犹豫了一会儿，因为他不愿意再碰到爱尔茜。考虑了一番以后，他觉得最好还是不要听到莫尔登再一次对他表示感谢，因此转身就走了。

第二天天还没亮，他就捆好背包，拿着饭盒子，沿着沙丘向海岸走去。这条路比那沉重的沙路容易走些，而且要短得多。他先到波乌堡附近的菲亚尔特令去一次，因为那个养鳝鱼的人就住在那儿——他曾经答应要去拜访他一次。

海是干净和蔚蓝的；地上铺满了黑蚌壳和卵石——儿时的这些玩物在

① 这句话不知源出何处，大概是与丹麦的民间故事有关。

他脚下发出响声。当他这样向前走的时候，他的鼻孔里忽然流出血来：这不过是一件意外的小事，然而小事可能有重大的意义。有好几大滴血落到他的袖子上。他把血揩掉了，并且止住了流血。于是他觉得这点血流出来以后倒使头脑舒服多了，清醒多了。沙子里面开的矢车菊花，他折了一根梗子，把它插在帽子上。他要显得快乐一点，因为他现在正要走到广大的世界去。——“走出大门，到海上去走一下！”正如那些小鳍鱼说的，“当心坏人啦。他们叉住你们，剥掉你们的皮，把你们切成碎片，放在锅里炒！”他心里一再想起这几句话，不禁笑起来，因为他觉得他在这个世界上决不会吃亏——勇气是一件很强的武器呀。

他从西海走到尼松湾那个狭小的入口的时候，太阳已经升得很高了。他掉转头来，远远地看到两个人骑着马——后面还有许多人跟着——在匆忙地赶路。不过这不关他的事。

渡船停在海的另一边。雨尔根把它喊过来，于是他就登上去。不过他和船夫还没有渡过一半路的时候，那些在后面赶路的人就大声喊起来。他们以法律的名义在威胁着船夫。雨尔根不懂得其中的意义，不过他知道最好的办法还是把船划回去。因此他就拿起一支桨，把船划回来。船一靠岸，这几个人就跳上来了。在他还没有发觉以前，他们已经用绳子把他的手绑住了。

“你得用命来抵偿你的罪恶，”他们说，“幸而我们把你抓住了。”

他是一个谋杀犯！这就是他所得到的罪名。人们发现莫尔登死了；他的脖子上插着一把刀子。头天晚上很晚的时候，有一个渔人遇见雨尔根向莫尔登的屋子走去。人们知道，雨尔根在莫尔登面前举起刀子，这并不是第一次。因此他一定就是谋杀犯；现在必须把他关起来。关人的地方是在林却平，但是路很远，而西风又正在向相反的方向吹。不过渡过这道海湾向斯卡龙去要不了半个钟头；从那儿到北佛斯堡去，只有几里路。这儿有一座大建筑物，外面有围墙和壕沟。船上有一个人就是这幢房子的看守人的兄弟。这人说，他们可以暂时把雨尔根监禁在这房子的地窖里。吉卜赛人朗·玛加利曾经在这里被囚禁过，一直到执行死刑的时候为止。

雨尔根的辩白谁也不理。他衬衫上的几滴血成了对他不利的证据。不过雨尔根知道自己是无罪的。他既然现在没有机会来洗清自己，也就只好听天由命了。

这一行人马上岸的地方,正是骑士布格的堡寨所在的处所。雨尔根在儿时最幸福的那四天里,曾经和他的养父养母去参加宴会——入葬的宴会,途中在这儿经过。他现在又被牵着在草场上向北佛斯堡的那条老路走去。这儿的接骨木树又开花了,高大的菩提树在发出香气。他觉得他离开这地方不过是昨天的事情。

在这幢坚固的楼房的西厢,在高大的楼梯间的下面,有一条地道通到一个很低的、拱形圆顶的地窖。朗·玛加利就是从这儿被押到刑场上去的。她曾经吃过五个小孩子的心:她有一种错觉,认为如果她再多吃两颗心的话,就可以隐身飞行,任何人都看不见她。地窖的墙上有一个狭小的通风眼,但是没有玻璃。鲜花盛开的菩提树无法把香气送进来安慰他;这儿是阴暗的,充满了霉味。这个囚牢里只有一张木板床;但是"清白的良心是一个温柔的枕头",因此雨尔根睡得很好。

粗厚的木板门锁上了,并且插上了铁插销。不过迷信中的小鬼可以从一个钥匙孔钻进高楼大厦,也能钻进渔夫的茅屋,更能钻进这儿来——雨尔根正在这儿坐着,想着朗·玛加利和她的罪过。在她被处决的头天晚上,她临终的思想充满了这整个的房间。雨尔根心中记起那些魔法——在古代,斯万魏得尔老爷住在这儿的时候,有人曾经使用过它。大家都知道,吊桥上的看门狗,每天早晨总有人发现它被自己的链子吊在栏杆的外面。雨尔根一想起这些事,心里就变得冰冷。不过这里有一丝阳光射进他的心:这就是他对于盛开的接骨木树和芬芳的菩提树的记忆。

他在这儿没有囚禁多久,人们便把他移送到林却平。在这儿,监禁的生活也是同样艰苦。

那个时代跟我们的时代不同。平民的日子非常艰苦。农人的房子和村庄都被贵族们拿去作为自己的新庄园,当时还没有办法制止这种行为。在这种制度下,贵族的马车夫和仆人成了地方官。他们有权可以因一点小事而判一个穷人的罪,使他丧失财产,戴着枷,受鞭打。这一类法官现在还能找得到几位。在离京城和开明的、善意的政府较远的尤兰,法律仍然是常常被人滥用的。雨尔根的案子被拖下去了——这还算是不坏的呢。

他在监牢里是非常凄凉的——这在什么时候才能结束呢?他没有犯罪

而却受到损害的痛苦——这就是他的命运！在这个世界上为什么他该是这样呢？他现在有时间来思索这个问题了。为什么他有这样的遭遇呢？“这只有在等待着我的那个‘来生’里才可以弄清楚。”当他住在那个穷苦渔人的茅屋里的时候，这个信念就在他的心里生了根。在西班牙的豪华生活和太阳光中，这个信念从来没有在他父亲的心里照耀过；而现在在寒冷和黑暗中，却成了他的一丝安慰之光——上帝的慈悲的一个标记，而这是永远不会欺人的。

春天的风暴开始了。只要风暴略微平静一点，西海的呼啸在内地许多英里路以外都可以听到：它像几百辆载重车子，在崎岖不平的路上奔腾。雨尔根在监牢里听到这声音——这对于他说来也算是寂寞生活中的一点变化。什么古老的音乐也比不上这声音可以直接引起他心里的共鸣——这个呼啸的、自由的海。你可以在它上面到世界各地去，乘风飞翔；你可以带着你自己的房子，像蜗牛背着自己的壳一样，又走到它上面去。即使在生疏的国家里，一个人也永远是在自己的家乡。

他静听着这深沉的呼啸，他心中泛起了许多回忆——“自由！自由！哪怕你没有鞋穿，哪怕你的衣服破烂，有自由你就是幸福的！”有时这种思想在他的心里闪过，于是他就握着拳头，向墙上打去。

好几个星期，好几个月，一整年过去了。有一个恶棍——小偷尼尔斯，别名叫“马贩子”——也被抓进来了。这时情况才开始好转；人们可以看出，雨尔根蒙受了多么大的冤屈。

那桩谋杀事件是在雨尔根离家后发生的。在头一天的下午，小偷尼尔斯在林却平湾附近一个农人开的啤酒店里遇见了莫尔登。他们喝了几杯酒——还不足以使任何人头脑发昏，但却足够使莫尔登的舌头放肆。他开始吹嘘起来，说他得到了一幢房子，打算结婚。当尼尔斯问他打算到哪里去弄钱的时候，莫尔登骄傲地拍拍衣袋。

“钱在它应该在的地方，就在这儿。”他回答说。

这种吹嘘使他丧失了生命。他回到家里来的时候，尼尔斯就在后面跟着他，用一把刀子刺进他的咽喉里去，然后劫走了他身边所有的钱。

这件事情的详细经过后来总算是水落石出了。就我们说来，我们只须知道雨尔根获得了自由就够了。不过他在牢狱和寒冷中整整受了一年罪，与所有的人断绝来往，有什么可以赔偿他这种损失呢？是的，人们告诉他，说他能被宣告无罪已经是很幸运的了，他应该离去。市长给了他十个马克。作为旅费，许多市民给他食物和啤酒——世界上总算还有些好人！并非所有的人都是把你“叉住、剥皮、放在锅里炒”！不过最幸运的是：斯卡根的一个商人布洛涅——雨尔根一年以来就一直想去帮他工作——这时却为了一件生意到林却平来了。他听到了这整个案情。这人有一个好心肠，他知道雨尔根吃过了许多苦头，因此就想帮他一点忙，使他知道，世界上还有好人。

从监狱里走向自由，仿佛就是走向天国，走向同情和爱。他现在就要体验到这种心情了。生命的酒并不完全是苦的：没有一个好人会对他的同类倒出这么多的苦酒，代表“爱”的上帝又怎么会呢？

“把过去的一切埋葬掉和忘记掉吧！”商人布洛涅说，“把过去的一年划掉吧。我们可以把日历烧掉。两天以后，我们就可以到那亲爱的、友善的、平和的斯卡根去。人们把它叫做一个偏僻的角落，然而它是一个温暖的、有火炉的角落：它的窗子开向广阔的世界。”

这才算得是一次旅行呢！这等于又呼吸到新鲜的空气——从那阴冷的地牢中走向温暖的太阳光！荒地上长满了盛开的石楠和无数的花朵，牧羊的孩子坐在坟丘上吹着笛子——他自己用羊腿骨雕成的短笛。海市蜃楼，沙漠上的美丽的天空幻象，悬空的花园和摇动的森林都在他面前展露开来；空中奇异的气流——人们把它叫做“赶着羊群的湖人”——也同样地出现了。

他们走过温德尔①人的土地，越过林姆湾，向斯卡根进发。留着长胡子的人②——隆巴第人——就是从这儿迁移出去的。在那饥荒的岁月里，国王斯尼奥下命令，要把所有的小孩和老人都杀掉，但是拥有广大土地的那个贵族妇人甘巴鲁克提议让年轻的人离开这个国家。雨尔根是一个知识丰富的人，他知道这全部的故事。即使他没有到过在阿尔卑斯山后面的隆巴第

① 这是现在住在德国东部施普雷（Spree）流域的一个属于斯拉夫系的民族，人口约15万。在6世纪他们是一个强大的民族，占有德国和北欧广大的地区。

② 指龙哥巴尔第这个民族，在意大利文里是Longobardi，即“长胡子的人”的意思。他们原住在德国和北欧，在6世纪迁移到意大利。现在意大利的隆巴第省（Lombardia）就是他们过去的居留地。

人的国度[1],他起码也知道他们是个什么样子,因为他在童年时曾经到过西班牙的南部。他记起了那儿成堆的水果,鲜红的石榴花,蜂窝似的大城市里的嗡嗡声、叮当声和钟声。然而那究竟是最好的地方,而雨尔根的家乡是在丹麦。

最后他们到达了“温德尔斯卡加”——这是斯卡根在古挪威和冰岛文字中的名称。那时老斯卡根、微斯特埠和奥斯特埠在沙丘和耕地之间,绵延许多英里,一直到斯卡根湾的灯塔那儿。那时房屋和田庄和现在一样,零零落落地散布在被风吹到一起的沙丘之间。这是风和沙子在一起游戏的沙漠,一块充满了刺耳的海鸥、海燕和野天鹅的叫声的地方。在西南三十多英里的地方,就是“高地”或老斯卡根。商人布洛涅就住在这儿,雨尔根也将要住在这儿。大房子都涂上了柏油,小屋子都有一个翻过来的船作为屋顶;猪圈是由破船的碎片拼成的。这儿没有篱笆,因为这儿的确也没有什么东西可围。不过绳子上吊着长串的、剖开的鱼。它们挂得一层比一层高,在风中吹干。整个海滩上堆满了腐朽的鲱鱼。这种鱼在这儿是那么多,网一下到海里去就可以拖上成堆的鱼。这种鱼是太多了,渔人们得把它们扔回到海里去,或堆在那儿腐烂。

商人的妻子和女儿,甚至他的仆人,都兴高采烈地来欢迎父亲回来。大家握着手,闲谈着,讲许多事情,而那位女儿,她有多么可爱的面孔和一对多么美丽的眼睛啊!

房子是宽大和舒适的。桌上摆出了许多盘鱼——连国王都认为是美味的比目鱼。这儿还有斯卡根葡萄园产的酒——这也就是说:海所产的酒,因为葡萄从海里运到岸上来时,早就酿成酒了,并且也装进酒桶和瓶里去了。

母亲和女儿一知道雨尔根是什么人、他无辜地受过多少苦难,她们就以更和善的态度来接待他;而女儿——美丽的克拉娜——她的一双眼睛则是最和善的。雨尔根在老斯卡根算是找到了一个幸福的家。这对于他的心灵是有好处的——他已经受过苦痛的考验,饮过能使心肠变硬或变软的爱情的苦酒。雨尔根的一颗心还是软的——它还年轻,还有空闲。三星期以后,克拉娜要乘船到挪威的克利斯蒂安桑得去拜访一位姑母,要在那儿度过冬

① 指意大利。

天。大家都觉得这是一个很好的机会。

在她离开之前的那个星期天,大家都到教堂去参加圣餐礼。教堂是好宽大和壮丽的;它是苏格兰人和荷兰人在许多世纪以前建造的,离开城市不太远。当然它是有些颓败了,那条通向它的深深地陷在沙里的路是非常难走的。不过人们很愿意忍受困难,走到神的屋子里去,唱圣诗和听讲道。沙子沿着教堂的围墙堆积起来,但是人们还没有让教堂的坟墓被它淹没。

这是林姆湾以北的一座最大的教堂。祭坛上的圣母玛利亚,头上罩着一道金光,手中抱着年幼的耶稣,看起来真是栩栩如生。唱诗班所在的高坛上,刻着神圣的十二使徒的像。壁上挂着斯卡根过去一些老市长和市府委员们的肖像,以及他们的图章。宣讲台也雕着花。太阳光耀地照进教堂里来,照在发亮的铜蜡烛台上和圆屋顶下悬着的那个小船上。

雨尔根觉得有一种神圣的、天真的感觉在笼罩着他的全身,跟他小时候站在一个华丽的西班牙教堂里一样。不过在这儿他体会到他是信徒中的一员。

讲道完毕以后,接着就是领圣餐的仪式。他和别人一道去领取面包和酒。事情很凑巧,他恰恰是跪在克拉娜小姐的身边。不过他的心是深深地想着上帝和这神圣的礼拜;只有当他站起来的时候,才注意到旁边是什么人。他看到她脸上滚下了眼泪。

两天以后她就动身到挪威去了。雨尔根在家里做些杂活或出去捕鱼,而且那时的鱼多——比现在要多得多。鱼在夜里发出闪光,因此也就泄露出它们行动的方向。鲂𩾃在咆哮着,墨鱼被捉住的时候在发出哀鸣。鱼并不像人那样没有声音。雨尔根比一般人更要沉默,把心事闷在心里——但是有一天会爆发出来的。

每个礼拜天,当他坐在教堂里、望着祭坛上的圣母玛利亚的像的时候,他的视线也在克拉娜跪过的那块地方停留一会儿。于是他就想起了她对他曾经是多么温柔。

秋天带着冰雹和冰雪到来了。水漫到斯卡根的街道上来,因为沙不能把水全部吸收进去。人们得在水里走,甚至于还得坐船。风暴不断地把船只吹到那些危险的暗礁上撞坏。暴风和飞沙袭来,把房子都埋掉了,居民只有从烟囱里爬出来。但这并不是稀有的事情。屋子里是舒适和愉快的。泥炭和破船的木片烧得噼啪地响起来；商人布洛涅高声地朗读着一本旧的编年史。他读着丹麦王子哈姆雷特怎样从英国到来，怎样在波乌堡登陆作战。他的坟墓就在拉姆，离那个养鳝鱼的人所住的地方只不过几十英里路远。数以百计的古代战士的坟墓，散布在荒地上，像一个宽广的教堂墓地。商人布洛涅就亲自到哈姆雷特的墓地去看过。大家都谈论着关于那远古的时代、邻居们、英格兰和苏格兰的事情。雨尔根也唱着那支关于《英国的王子》的歌，关于那条华贵的船和它的装备：

金叶贴满了船头和船尾，
船身上写着上帝的教诲。
这是船头画幅里的情景：
王子在拥抱着他的恋人。

雨尔根唱这支歌的时候非常激动，眼睛里射出亮光，他的眼睛生下来就是乌黑的，因而显得特别明亮。

屋子里有人读书，有人歌唱，生活也很富裕，甚至家里的动物也过着这样的家庭生活。铁架上的白盘子发着亮光；天花板上挂着香肠、火腿和丰饶的冬天食物。这种情况，在尤兰西部海岸的许多富裕的田庄里现在还可以看到：丰富的食物、漂亮的房间、机智和聪明的幽默感。在我们这个时代，这一切都恢复过来了；像在阿拉伯人的帐篷里一样，人们都非常好客。

自从他儿时参加过那四天的入葬礼的宴会以后，雨尔根再也没有过过这样愉快的日子；然而克拉娜却不在这儿，她只有在思想和谈话中存在。

四月间有一条船要开到挪威去，雨尔根也得一同去。他的心情非常好，精神也愉快，所以布洛涅太太说，看到他一眼也是舒服的。

"看你一眼也是同样的高兴啦，"那个老商人说，"雨尔根使冬天的夜晚变得活泼，也使你变得活泼！你今年变得年轻了，你显得健康、美丽。不过你早就是微堡的一个最美丽的姑娘呀——这是一个极高的评价，因为我早就知道微堡的姑娘们是世界上最美的人儿。"

这话对雨尔根不适合，因此他不表示意见。他心中在想着一位斯卡根的姑娘。他现在要驾着船去看这位姑娘了。船将要在克利斯蒂安桑得港下锚。不到半天的时间，一阵顺风就要把他吹到那儿去了。

有一天早晨，商人布洛涅到离老斯卡根很远、在港汊附近的灯塔那儿去。信号火早已灭了；当他爬上灯塔的时候，太阳已经升得很高。沙滩伸到水里去有几十英里远。在沙滩外边，这天有许多船只出现。在这些船中他从望远镜里认出了他自己的船“加伦 · 布洛涅”号。是的，它正在开过来。雨尔根和克拉娜都在船上。就他们看来，斯卡根的教堂塔楼和灯塔就像蓝色的水上漂浮着的一只苍鹭和一只天鹅。克拉娜坐在甲板上，看到沙丘远远地露出地面：如果风向不变的话，她可能在一点钟以内就要到家。他们是这么接近家和快乐——但同时又是这么接近死和死的恐怖。

船上有一块板子松了，水在涌进来。他们忙着塞漏洞和抽水，收下帆，同时升起了求救的信号旗。但是他们离岸仍然有十多里路程。他们看得见一些渔船，但是仍然和它们相距很远。风正在向岸上吹，潮水也对他们有利；但是已经来不及了，船在向下沉。雨尔根伸出右手，抱着克拉娜。

当他喊着上帝的名字和她一起跳进水里去的时候，她是用怎样的视线在注视着他啊！她大叫了一声，但是仍然感到安全，因为他决不会让她沉下去的。

在这恐怖和危险的时刻，雨尔根体会到了那支古老的歌中的字句：

这是船头画幅里的情景：
王子在拥抱着他的恋人。

他是一个游泳的能手，现在这对他很有用了。他用一只手和双脚划着水，用另一只手紧紧地抱着这年轻的姑娘。他在浪涛上浮着，踩着水，使用他知道的一切技术，希望能保持足够的力量而到达岸边。他听到克拉娜发出一声叹息，觉着她身上起了一阵痉挛，于是他便更牢牢地抱住她。海水向他们身上打来，浪花把他们托起，水是那么深，那么透明，在转眼之间他似乎看见一群青花鱼在下面发出闪光——这也许就是“海有怪兽”①，要来吞噬

① 原文是 Leviathan。《圣经》中叙述为象征邪恶的海中怪兽。见《旧约全书 · 约伯记》第四十一章。

他们。云块在海上撒下阴影，然后耀眼的阳光又射出来了。惊叫着的鸟儿，成群地在他头上飞过去。在水上浮着的、昏睡的胖野鸭惶恐地在这位游泳家面前突然起飞。他觉得他的气力在慢慢地衰竭下来。他离岸还有好几锚链长的距离；这时有一只船影影绰绰驶近来救援他们。不过在水底下——他可以看得清清楚楚——有一个白色的动物在注视着他们；当一股浪花把他托起来的时候，这动物就更向他逼近来：他感到一阵压力，于是周围便变得漆黑，一切东西都从他的视线中消逝了。

沙滩上有一条被海浪冲上来的破船。那个白色的“破浪神”[①]倒在一个锚上，锚的铁钩微微地露出水面。雨尔根碰到它，而浪涛更以加倍的力量推着他向它撞去。他昏过去了，跟他的重负同时一起下沉。接着袭来第二股浪涛，他和这位年轻的姑娘又被托了起来。

渔人们捞起他们，把他们抬到船里去；血从雨尔根的脸上流下来，他好像是死了一样，但是他仍然紧紧地抱着这位姑娘，大家只有使出很大的气力才能把她从他的怀抱中拉开。克拉娜躺在船里，面色惨白，没有生命的气息。船现在正向岸边划去。

他们用尽一切办法来使克拉娜复苏；然而她已经死了！他一直是抱着一具死尸在水上游泳，为这个死人而把他自己弄得精疲力竭。

雨尔根仍然在呼吸。渔人们把他抬到沙丘上最近的一座屋子里去。这儿只有一位类似外科医生的人，虽然他同时还是一个铁匠和杂货商人。他把雨尔根的伤裹好，以便等到第二天到叔林镇上去找一个医生。

病人的脑子受了重伤。他在昏迷不醒中发出狂叫。但是在第三天，他倒下了，像昏睡过去了一样。他的生命好像是挂在一根线上，而这根线，据医生的说法，还不如让它断掉的好——这是人们对于雨尔根所能做出的最好的希望。

“我们祈求上帝赶快把他接去吧；他决不会再是一个正常的人！”

不过生命却不离开他——那根线并不断，可是他的记忆却断了：他的一切理智的联系都被切断了。最可怕的是：他仍然有一个活着的身体——一

---

① 这是一个木雕的人像，一般安在船头，古时的水手迷信它可以“破浪”，使船容易向前行驶。

个又要恢复健康的身体。

雨尔根住在商人布洛涅的家里。

“他是为了救我们的孩子才得了病的，”老头子说，“现在他要算是我们的儿子了。”

人们把雨尔根叫做白痴；然而这不是一个恰当的名词。他只是像一把松了弦的琴，再也发不出声音罢了。这些琴弦只偶然间紧张起来，发出一点声音：几支旧曲子，几个老调子；画面展开了，但马上又笼罩了烟雾；于是他又坐着呆呆地朝前面望，一点思想也没有。我们可以相信，他并没有感到痛苦，但是他乌黑的眼睛失去了光彩，看起来像模糊的黑色玻璃。

“可怜的白痴雨尔根！”大家说。

他，从他的母亲的怀里出生以后，本来是注定要享受丰富的幸福的人间生活的，因而对他说来，如果他还盼望或相信来世能有更好的生活，那么他简直是“傲慢，可怕地狂妄”了。难道他心灵中的一切力量都已经丧失了吗？他的命运现在只是一连串艰难的日子、痛苦和失望。他像一个美丽的花根，被人从土壤里拔出来，扔在沙子上，听凭它腐烂下去。不过，难道依着上帝的形象造成的人只能有这点价值吗？难道一切都是由命运在那儿作祟吗？不是的，对于他所受过的苦难和他所损失掉的东西，博爱的上帝一定会在来生给他报偿的。“上帝对一切人都好；他的工作充满了仁慈。”这是大卫《圣诗集》中的话语。这商人的年老而虔诚的妻子，以耐心和希望，把这句话念出来。她心中只祈求上帝早点把雨尔根召回去，使他能走进上帝的“慈悲世界”和永恒的生活中去。

教堂墓地的墙快要被沙子埋掉了；克拉娜就葬在这个墓地里。雨尔根似乎一点也不知道这件事情——这不属于他的思想范围，因为他的思想只包括过去的一些片断。每个礼拜天他和一家人去做礼拜，但他只静静地坐在教堂里发呆。有一天正在唱圣诗的时候，他深深地叹了一口气，他的眼睛闪着光，注视着那个祭坛，注视着他和死去的女朋友曾经多次在一起跪过的那块地方。他喊出她的名字来，他的面色惨白，眼泪沿着脸颊流下来。

人们把他扶出教堂。他对大家说，他的心情很好，他并不觉得有什么毛病。上帝所给予他的考验与遗弃，他全记不得了——而上帝，我们的造物主，是聪明、仁爱的，谁能对他怀疑呢？我们的心，我们的理智都承认这一点,《圣经》也证实这一点:“他的工作充满了仁慈。”

在西班牙,温暖的微风吹到摩尔人的清真寺圆顶上,吹过橙子树和月桂树;处处是歌声和响板声。就在这儿,有一位没有孩子的老人、一个最富有的商人,坐在一幢华丽的房子里。这时有许多孩子拿着火把和飘动着的旗子在街上游行过去了。这时老头子真愿意拿出大量财富再找回他的女儿:他的女儿,或者女儿的孩子——这孩子可能从来就没有见过这个世界的阳光,因而也不能走进永恒的天国。“可怜的孩子!”

是的,可怜的孩子!他的确是一个孩子,虽然他已经有三十岁了——这就是老斯卡根的雨尔根的年龄。

流沙把教堂墓地的坟墓全都盖满了,盖到墙顶那么高。虽然如此,死者还得在这儿和比他们先逝去的亲族或亲爱的人葬在一起。商人布洛涅和他的妻子,现在就跟他们的孩子一道,躺在这白沙的下面。

现在是春天了——是暴风雨的季节。沙上的沙丘粒飞到空中,形成烟雾;海上翻出汹涌的浪涛;鸟儿像暴风中的云块一样,成群地在沙丘上盘旋和尖叫。在沿着斯卡根港汊到胡斯埠沙丘的这条海岸线上,船只接二连三地触到礁上出了事。

有一天下午雨尔根单独地坐在房间里,他的头脑忽然似乎清醒起来;他有一种不安的感觉——这种感觉,在他小时候,常常驱使他走到荒地和沙丘之间去。

“回家啊!回家啊!”他说。谁也没有听到他。他走出屋子,向沙丘走去。沙子和石子吹到他的脸上来,在他的周围打旋。他向教堂走,沙子堆到墙上来,快要盖住窗子的一半了。可是门口的积沙被铲掉了,因此教堂的入口是敞开的。雨尔根走进去。

风暴在斯卡根镇上呼啸。这样的风暴,这样可怕的天气,人们记忆中从来不曾有过。但是雨尔根是在上帝的屋子里。当外面正是黑夜的时候,他的灵魂里就现出了一线光明——一线永远不灭的光明。他觉得,压在他头上的那块沉重的石头现在爆裂了。他仿佛听到了风琴的声音——不过这只是风暴和海的呼啸。他在一个座位上坐下来。看啊,蜡烛一根接着一根地点起来了。这儿现在出现了一种华丽的景象,像他在西班牙所看到的一样。市府老参议员们和市长们的肖像现在都有了生命。他们从挂过许多世纪的墙上走下来,坐到唱诗班的席位上去。教堂的大门和小门都自动打开了;所有的死人,穿着他们生前那个时代的节日衣服,在悦耳的音乐声中走进来了,在凳子上坐下来了。于是圣诗的歌声,像汹涌的浪涛一样,洪亮地唱起来了。住在胡斯埠的沙丘上的他的养父养母都来了;商人布洛涅和他的妻子也来了;在他们的旁边、紧贴着雨尔根,坐着他们和善的、美丽的女儿。她把手向雨尔根伸来,他们一齐走向祭坛:他们曾经在这儿一起跪过。牧师把他们的手拉到一起,把他们结为爱情的终身伴侣。于是喇叭声响起来了——悦耳得像一个充满了欢乐和期望的小孩子的声音。它扩大成为风琴声,最后变成充满了洪亮的高贵的音色所组成的暴风雨,使人听到非常愉快,然而它却是强烈得足够打碎坟上的石头。

挂在唱诗班席位顶上的那只小船,这时落到他们两人面前来了。它变得非常庞大和美丽;它有绸子做的帆和镀金的帆桁:它的锚是赤金的,每一根缆索,像那支古老的歌中所说的,是“掺杂着生丝”。这对新婚夫妇走上这条船,所有做礼拜的人也跟着他们一起走上来,因为大家在这儿都有自己的位置和快乐。教堂的墙壁和拱门,像接骨木树和芬芳的菩提树一样,都开出花来了;它们的枝叶在摇动着,散发出一种清凉的香气;于是它们弯下来,向两边分开;这时船就起锚,在中间开过去,开向大海,开向天空;教堂里的每一根蜡烛是一颗星,风吹出一首圣诗的调子,于是大家便跟着风一起唱:

“在爱情中走向快乐!——任何生命都不会灭亡!永远的幸福!哈利路亚!”

这也是雨尔根在这个世界里所说的最后的话。连接着不灭的灵魂的那根线现在断了;这个阴暗的教堂里现在只有一具死尸——风暴在它的周围呼啸,用散沙把它掩盖住。

第二天早晨是礼拜天;教徒和牧师都来做礼拜。到教堂去的那条路是很难走的,在沙子上几乎无法通过。当他们最后到来的时候,教堂的入口处已经高高地堆起了一座沙丘。牧师念了一个简短的祷告,说:上帝把自己的屋子的门封了,大家可以走开,到别的地方去建立一座新的教堂。

于是他们唱了一首圣诗,然后就都回到自己的家里去。

在斯卡根这个镇上,雨尔根已经不见了;即使在沙丘上人们也找不到他。据说滚到沙滩上来的汹涌的浪涛把他卷走了。

他的尸体被埋在一个最大的石棺——教堂——里面。在风暴中,上帝亲手用土把他的棺材盖住;大堆的沙子压到那上面,现在仍然压在那上面。

飞沙把那些拱形圆顶都盖住了。教堂上现在长满了山楂和玫瑰树;行人现在可以在那上面散步,一直走到冒出沙土的那座教堂塔楼。这座塔楼像一块巨大的墓碑,在附近十多里地都望得见。任何皇帝都不会有这样漂亮的墓碑! 谁也不来搅乱死者的安息,因为在此以前谁也不知道有这件事情:这个故事是沙丘间的风暴对我唱出来的。

荞　　麦

在一阵大雷雨以后，当你走过一块荞麦田的时候，你常常会发现这里的荞麦又黑又焦，好像火焰在它上面烧过一次似的。这时种田人就说："这是它从闪电得来的。"但为什么它会落得这个结果？我可以把麻雀告诉我的话告诉你。麻雀是从一棵老柳树那儿听来的。这树立在荞麦田的旁边，而且现在还立在那儿。它是一株非常值得尊敬的大柳树，不过它的年纪很老，皱纹很多。它身体的正中裂开了，草和荆棘就从裂口里长出来。这树向前弯，枝条一直垂到地上，像长长的绿头发一样。

周围的田都长着麦子，长着裸麦和大麦，也长着燕麦——是的，有可爱的燕麦，当成熟了的时候，它们看起来就像许多落在柔软的树枝上的黄色金丝鸟。麦子立在那儿，显得非常幸福。它的穗子越长得丰满，它就越显得虔诚、谦卑，把身子垂得很低。

可是另外有一块田，里面长满了荞麦。这块田恰恰是在那株老柳树的对面。荞麦不像别的麦子，它身子一点也不弯，却直挺挺地立着，摆出一副骄傲的样子。

"作为一根穗子，我真是长得丰满，"它说，"此外我还非常漂亮；我的花像苹果花一样美丽：谁看到我和我的花就会感到愉快。你这老柳树，你知道还有什么别的比我们更美丽的东西吗？"

柳树点点头，好像想说："我当然知道！"

不过荞麦骄傲地摆出一副架子来，说：

"愚蠢的树！它是那么老，连它的肚子都长出草来了。"

这时一阵可怕的暴风雨到来了：田野上所有的花儿，当暴风雨在它们身上经过的时候，都把自己的叶子卷起来，把自己细嫩的头儿垂下来，可是荞麦仍然骄傲地立着不动。

"像我们一样，把你的头低下来呀。"花儿们说。

"我不须这样做。"荞麦说。

"像我们一样，把你的头低下来呀，"麦子大声说，"暴风的安琪儿现在飞来了。他的翅膀从云块那儿一直伸到地面；你还来不及求情，他就已经把你砍成两截了。"

"对，但是我不愿意弯下来。"荞麦说。

"把你的花儿闭起来，把你的叶子垂下来呀，"老柳树说，"当云块正在裂开的时候，你无论如何不要望着闪电：连人都不敢这样做，因为人们在闪电中可以看到天，这一看就会把人的眼睛弄瞎的。假如我们敢于这样做，我们这些土生的植物会得到什么结果呢？——况且我们远不如他们。"

"远不如他们！"荞麦说，"我倒要瞧瞧天试试看。"它就这样傲慢而自大地做了。电光掣动得那么厉害，好像整个世界都烧起来了似的。

当恶劣的天气过去以后，花儿和麦子在这沉静和清洁的空气中站着，被雨洗得焕然一新。可是荞麦却被闪电烧得像炭一样焦黑。它现在成为田里没有用的死草。

那株老柳树在风中摇动着枝条；大颗的水滴从绿叶上落下来，好像这树在哭泣似的。于是麻雀便问："你为什么要哭呢？你看这儿一切是那么幸福，你看太阳照得多美，你看云块飘得多好。你没有闻到花儿和灌木林散发出来的香气吗？你为什么要哭呢，老柳树？"

于是柳树就把荞麦的骄傲、自大以及接踵而来的惩罚讲给它们听。

我现在讲的这个故事是从麻雀那儿听来的。有一天晚上我请求它们讲一个童话，它们就把这件事情讲给我听。

阳光的故事

“现在我要讲一个故事！”风儿说。

“不成，请原谅我，”雨儿说，“现在轮到我了！你在街头的一个角落里待得已经够久了，你已经拿出你最大的气力，大号大叫了一通！”

“这就是你对我的感谢吗？”风儿说，“为了你，我把伞吹得翻过来；是的，当人们不愿意跟你打交道的时候，我甚至还把它吹破呢！”

“我要讲话了！”阳光说，“大家请不要作声！”这话说得口气很大，因此风儿就乖乖地躺下来，但是雨儿却摇着风，同时说：“难道我们一定要忍受这吗？这位阳光太太老是插进来。我们不要听她的话！那不值得一听！”

于是阳光就讲了：

“有一只天鹅在波涛汹涌的大海上飞翔。它的每根羽毛像金子一样地发亮。有一根羽毛落到一条大商船上面。这船正挂着满帆在行驶。羽毛落到一个年轻人的鬈发上。他管理货物，因此人们把他叫‘货物长’。幸运之鸟的羽毛触到了他的前额，变成了他手中的一杆笔，于是他不久就成了一个富有的商人。他可以买到金马刺，用金盘改装成为贵族的纹章。我在它上面照过。”阳光说。

“这只天鹅在绿色的草原上飞。那儿有一棵孤独的老树；一个七岁的牧羊孩子躺在它下面的荫处休息。天鹅飞过的时候吻了这树上的一片叶子。叶子落到这孩子的手中；这一片叶子变成了三片叶子，然后十片，然后成了一整本书。他在这本书里面读到了自然的奇迹，祖国的语言、信仰和知识。在睡觉的时候，他把这本书枕在他的头下，以免忘记他所读到的东西。

这书把他领到学校的凳子和书桌那儿去。我在许多学者之中读到过他的名字!”阳光说。

“天鹅飞到孤寂的树林中去,在那儿沉静、阴暗的湖上停下来。睡莲在这儿生长着,野苹果在这儿生长着,杜鹃和斑鸠在这儿建立起它们的家。

“一个穷苦的女人在捡柴火,在捡落下的树枝。她把这些东西背在背上,把她的孩子抱在怀里,向家里走来。她看到一只金色的天鹅——幸运的天鹅——从长满了灯心草的岸上飞起来。那儿有什么东西在发着亮呢?有一个金蛋。她把它放在怀里,它仍然是很温暖的;无疑地蛋里面还有生命。是的,蛋壳里发出一个敲击的声音来;她听到了,而且以为这是她自己的心跳。

“在她家里简陋的房间里,她把金蛋取出来。‘嗒!嗒!’它说,好像它是一个很有价值的金表似的,但是它是一个有生命的蛋。这个蛋裂开了,一只小天鹅把它的头伸出来,它的羽毛黄得像真金子。它的颈上有四个环子。因为这个可怜的女人有四个孩子——三个留在家里,第四个她抱着一起到孤寂的森林里去——她马上就懂得了,她的每个孩子将有一个环子。当她一懂得这件事的时候,这只小小的金鸟就飞走了。

“她吻了每一个环子,同时让每一个孩子吻一个环子。她把它放在孩子的心上,戴在孩子的手指上。”

“我看到了!”阳光说,“我看到了随后发生的事情!

“头一个孩子坐在泥坑里,手里握着一把泥。他用指头捏它,它于是就变成了取得金羊毛的雅森①的像。

“第二个孩子跑到草原上去,这儿开着种种不同颜色的花。他摘下一把;他把它们捏得那么紧,甚至把它们里面的浆都挤出来了,射到他的眼睛里去,把那个环子打湿了,刺激着他的思想和手。几年以后,京城的人都把他称为伟大的画家。

“第三个孩子把这个环子牢牢地衔在嘴里,弄出响声——他心的深处

① 雅森(Jason)是希腊神话中的一个人物。他父亲的王国被他的异母兄弟贝立亚斯(Pelias)占领。他长大了去索取这个王国;贝立亚斯说,如果雅森能把被一条恶龙看守着的金羊的毛取来,他就可以交还王国。雅森终于把恶龙降服,取来了金羊毛。

的一个回音。思想和感情像音乐似的飞翔,然后又像天鹅似的俯冲到深沉的海里去——思想的深沉的海里去。他成了一个伟大的音乐家。每个国家现在都在想:'他是属于我的!'

"至于第四个孩子呢,咳,他是一个无人理的人。人们说他是个疯子。因此他应该像病鸡一样,吃些胡椒和黄油!'吃胡椒和黄油。'他们这么着重地说;他也就吃了。不过我给了他一个阳光的吻。"阳光说,"他一下子得到了我的十个吻。他有诗人的气质,因此他一方面挨了打,一方面又得到了吻。不过他从幸运的金天鹅那里得到了一个幸运的环子。他的思想像一只金蝴蝶似的飞出去了——这是'不朽'的象征!"

"这个故事太长!"风儿说。

"而且讨厌!"雨儿说,"请在我身上吹几下吧,好使得我的头脑清醒起来。"

于是风儿就吹起来。阳光继续说:

"幸运的天鹅在深沉的海湾上飞过去了。渔夫在这儿下了网。他们之中有一个最穷的渔人。他想要结婚,因此他就结婚了。

"天鹅带了一块琥珀给他;琥珀有吸引力,把心都吸到家里去了。琥珀是最可爱的香料。它发出一股香气,好像是从教堂里发出来的;它发出上帝的大自然的香气。他们感到真正的家庭幸福,满足于他们的简朴生活,因此他们的生活成了一个真正的阳光的故事。"

"我们停止好不好?"风儿说,"阳光已经讲得够长了。我听厌了!"

"我也听厌了!"雨儿说。

"我们听到这些故事的人怎么说呢?"

我们说:"现在它们讲完了!"

跳 高 者

有一次，跳蚤、蚱蜢和跳鹅[①]想要知道它们之中谁跳得最高。它们把所有的人和任何愿意来的人都请来参观这个伟大的场面。它们这三位著名的跳高者就在一个房间里集合起来。

"对啦，谁跳得最高，我就把我的女儿嫁给谁！"国王说，"因为，假如让这些朋友白白地跳一阵子，那就未免太不像话了！"

跳蚤第一个出场。它的态度非常可爱：它向四周的人敬礼，因为它身体中流着年轻小姐的血液，习惯于跟人类混在一起，而这一点是非常重要的。

接着蚱蜢就出场了，它的确很粗笨，但它的身材很好看。它穿着它那套天生的绿制服。此外，它的整个外表说明它是出身于埃及的一个古老的家庭，因此它在这儿非常受到人们的尊敬。人们把它从田野里弄过来，放在一个用纸牌做的三层楼的房子里——这些纸牌有画的一面都朝里。这房子有门也有窗，而且它们是从"美人"身中剪出来的。

"我唱得非常好，"它说，"甚至十六个本地产的蟋蟀从小时候开始唱起，到现在还没有获得一间纸屋哩。它们听到我的情形就嫉妒得要命，把身体弄得比以前还要瘦了。"

跳蚤和蚱蜢这两位毫不含糊地说明了它们是怎样的人物。它们认为它们有资格和一位公主结婚。

---

① 这是丹麦一种旧式的玩具，它是用一根鹅的胸骨做成的；加上一根木栓和一根线，再擦上一点蜡油，就可以使它跳跃。

跳鹅一句话也不说。不过据说它自己更觉得了不起。宫里的狗儿把它嗅了一下,很有把握地说,跳鹅是来自一个上等的家庭。那位因为从来不讲话而获得了三个勋章的老顾问官说,他知道跳鹅有预见的天才:人们只须看看它的背脊骨就能预知冬天是温和还是寒冷。这一点人们是没有办法从写历书的人的背脊骨上看出来的。

"好,我什么也不再讲了!"老国王说,"我只须在旁看看,我自己心中有数!"

现在它们要跳了。跳蚤跳得非常高,谁也看不见它,因此大家就说它完全没有跳。这种说法太不讲道理。

蚱蜢跳得没有跳蚤一半高。不过它是向国王的脸上跳过来,因此国王就说,这简直是可恶之至。

跳鹅站着沉思了好一会儿;最后大家就认为它完全不能跳。

"我希望它没有生病!"宫里的狗儿说。然后它又在跳鹅身上嗅了一下。

"嘘!"它笨拙地一跳,就跳到公主的膝上去了。她坐在一个矮矮的金凳子上。

国王说:"谁跳到我的女儿身上去,谁就要算是跳得最高的了,因为这就是跳高的目的。不过能想到这一点,倒是需要有点头脑呢——跳鹅已经显示出它有头脑。它的腿长到额上去了!"

所以它就得到了公主。

"不过我跳得最高!"跳蚤说,"但是这一点用处也没有! 不过尽管她得到一架带木栓和蜡油的鹅骨,我仍然要算跳得最高。但是在这个世界上,一个人如果想要使人看见的话,必须有身材才成。"

跳蚤于是便投效一个外国兵团。据说它在当兵时牺牲了。

那只蚱蜢坐在田沟里,把这世界上的事情仔细思索了一番,不禁也说:"身材是需要的! 身材是需要的!"

于是它便唱起了它自己的哀歌。我们从它的歌中得到了这个故事——这个故事可能不是真的,虽然它已经被印出来了。

蝴　蝶

一只蝴蝶想要找一个恋人。自然,他想要在群花中找到一位可爱的小恋人。因此他就把她们都看了一遍。每朵花都是安静地、端庄地坐在梗子上,正如一个姑娘在没有订婚时那样坐着。可是她们的数目非常多,选择很不容易。蝴蝶不愿意招来麻烦,因此就飞到雏菊那儿去。法国人把这种小花叫做"玛加丽特"[①]。他们知道,她能作出预言。她是这样作的:情人们把她的花瓣一片一片地摘下来,每摘一片情人就问一个关于他们恋人的事情:"热情吗?——痛苦吗?——非常爱我吗?只爱一点吗?——完全不爱吗?"以及诸如此类的问题。每个人可以用自己的语言问。蝴蝶也来问了;但是他不摘下花瓣,却吻起每片花瓣来。因为他认为只有善意才能得到最好的问答。

"亲爱的'玛加丽特'雏菊!"他说,"你是一切花中最聪明的女人。你会作出预言!我请求你告诉我,我应该娶这一位呢,还是娶那一位?我到底会得到哪一位呢?如果我知道的话,就可以直接向她飞去,向她求婚。"

可是"玛加丽特"不回答他。她很生气,因为她还不过是一个少女,而他却已把她称为"女人";这究竟有一个分别呀。他问了第二次,第三次。当他从她得不到半个字的回答的时候,就不再愿意问了。他飞走了,并且立刻开始他的求婚活动。

这正是初春的时候,番红花和雪形花正在盛开。

---

① 原文是"Margrethe",这个字是"雏菊"的意思;欧美有许多女子用这个字作为名字。

"她们非常好看，"蝴蝶说，"简直是一群情窦初开的可爱的小姑娘，但是太不懂世事。"他像所有的年轻小伙子一样，要寻找年纪较大一点的女子。

于是他就飞到秋牡丹那儿去。照他的胃口说来，这些姑娘未免苦味太浓了一点。紫罗兰有点太热情；郁金香太华丽；黄水仙太平民化；菩提树花太小，此外她们的亲戚也太多；苹果树花看起来倒很像玫瑰，但是她们今天开了，明天就谢了——只要风一吹就落下来了。他觉得跟她们结婚是不会长久的。豌豆花最逗人爱：她有红有白，既娴雅，又柔嫩。她是家庭观念很强的妇女，外表既漂亮，在厨房里也很能干。当他正打算向她求婚的时候，看到这花儿的近旁有一个豆荚——豆荚的尖端上挂着一朵枯萎了的花。

"这是谁？"他问。

"这是我的姐姐。"豌豆花说。

"乖乖！那么你将来也会像她一样了！"他说。

这使蝴蝶大吃一惊，于是他就飞走了。

金银花悬在篱笆上。像她这样的女子，数目还不少；她们都板起面孔，皮肤发黄。不成，他不喜欢这种类型的女子。

不过他究竟喜欢谁呢？你去问他吧！

春天过去了，夏天也快要结束了。现在是秋天了，但是他仍然犹豫不决。

现在花儿都穿上了她们最华丽的衣服，但是有什么用呢——她们已经失去了那种新鲜的、喷香的青春味儿。人上了年纪，心中喜欢的就是香味呀。特别是在天竺牡丹和干菊花中间，香味这东西可说是没有了。因此蝴蝶就飞向地上长着的薄荷那儿去。

"她可以说没有花，但是全身又都是花，从头到脚都有香气，连每一片叶子上都有花香。我要讨她！"

于是他就对她提出婚事。

薄荷端端正正地站着，一声不响。最后她说：

"交朋友是可以的，但是别的事情都谈不上。我老了，你也老了，我们可以彼此照顾，但是结婚——那可不成！像我们这样大的年纪，不要自己开自己的玩笑吧！"

这么一来，蝴蝶就没有找到太太的机会了。他挑选太久了，不是好办法。结果蝴蝶就成了大家所谓的老单身汉了。

这是晚秋季节,天气多雨而阴沉。风儿把寒气吹在老柳树的背上,弄得它们发出飕飕的响声来。如果这时还穿着夏天的衣服在外面寻花问柳,那是不好的,因为这样,正如大家说的一样,会受到批评的。的确,蝴蝶也没有在外面乱飞。他乘着一个偶然的机会溜到一个房间里去了。这儿火炉里面生着火,像夏天一样温暖。他满可以生活得很好的,不过,"只是活下去还不够!"他说,"一个人应该有自由、阳光和一朵小小的花儿!"

他撞着窗玻璃飞,被人观看和欣赏,然后就被穿在一根针上,藏在一个小古董匣子里面。这是人们最欣赏他的一种表示。

"现在我像花儿一样,栖在一根梗子上了,"蝴蝶说,"这的确是不太愉快的。这几乎跟结婚没有两样,因为我现在算是牢牢地固定下来了。"

他用这种思想来安慰自己。

"这是一种可怜的安慰。"房子里的栽在盆里的花儿说。

"可是,"蝴蝶想,"一个人不应该相信这些盆里的花儿的话。她们跟人类的来往太密切了。"

小克劳斯和大克劳斯

从前有两个人住在一个村子里。他们的名字是一样的——两个人都叫克劳斯。不过一个有四匹马，另一个只有一匹马。为了把他们两人分得清楚，大家就把有四匹马的那个叫大克劳斯，把只有一匹马的那个叫小克劳斯。现在我们可以听听他们每人做了些什么事情吧，因为这是一个真实的故事。

小克劳斯一星期中每天要替大克劳斯犁田，而且还要把自己仅有的一匹马借给他使用。大克劳斯用自己的四匹马来帮助他，可是每星期只帮助他一天，而且这还是在星期天。好呀！小克劳斯多么喜欢在那五匹牲口的上空啪嗒啪嗒地响着鞭子啊！在这一天，它们就好像全都已变成了他自己的财产。太阳在高高兴兴地照着，所有教堂尖塔上的钟都敲出做礼拜的钟声。大家都穿起了最漂亮的衣服，胳膊底下夹着《圣诗集》，走到教堂里去听牧师讲道。他们都看到了小克劳斯用他的五匹牲口在犁田。他是那么高兴，他把鞭子在这几匹牲口的上空抽得啪嗒啪嗒地响了又响，同时喊着："我的五匹马儿哟！使劲呀！"

"你可不能这么喊啦！"大克劳斯说，"因为你只有一匹马呀。"

不过，去做礼拜的人在旁边走过的时候，小克劳斯就忘记了他不应该说这样的话。他又喊起来："我的五匹马儿哟，使劲呀！"

"现在我得请求你不要喊这一套了，"大克劳斯说，"假如你再这样说的话，我可要砸碎你这匹牲口的脑袋，叫它当场倒下来死掉，那么它就完蛋了。"

“我决不再说那句话。”小克劳斯说。但是，当有人在旁边走过、对他点点头、道一声日安的时候，他又高兴起来，觉得自己有五匹牲口犁田，究竟是了不起的事。所以他又啪嗒啪嗒地挥起鞭子来，喊着：“我的五匹马儿哟，使劲呀！”

“我可要在你的马儿身上‘使劲’一下子。”大克劳斯说，于是他就拿起一个拴马桩，在小克劳斯唯一的马儿头上打了一下。这牲口倒下来，立刻就死了。

“哎，我现在连一匹马儿也没有了！”小克劳斯说，同时哭起来。

过了一会儿他剥下马儿的皮，把它放在风里吹干。然后把它装进一个袋子，背在背上，到城里去卖这张马皮。

他得走上好长的一段路，而且还得经过一个很大的黑森林。这时天气变得坏极了。他迷了路。他还没有找到正确的路，天就要黑了。在夜幕降临以前，要回家是太远了，但是到城里去也不近。

路旁有一个很大的农庄，它窗外的百叶窗已经放下来了，不过缝隙里还是有亮光透出来。

“也许人家会让我在这里过一夜吧。”小克劳斯想。于是他就走过去，敲了一下门。

那农夫的妻子开了门，不过，她一听到他这个请求，就叫他走开，并且说：她的丈夫不在家，她不能让任何陌生人进来。

“那么我只有睡在露天里了。”小克劳斯说。农夫的妻子就当着他的面把门关上了。

附近有一个大干草堆，在草堆和屋子中间有一个平顶的小茅屋。

“我可以睡在那上面！”小克劳斯抬头看见那屋顶的时候说，“这的确是一张很美妙的床。我想鹳鸟决不会飞下来啄我的腿的。”因为屋顶上就站着一只活生生的鹳鸟——它的窠就在那上面。

小克劳斯爬到茅屋顶上，在那上面躺下，翻了个身，把自己舒舒服服地安顿下来。窗外的百叶窗的上面一部分没有关好，所以他看得见屋子里的房间。

房间里有一个铺了台布的大桌子，桌上放着酒、烤肉和一条肥美的鱼。农夫的妻子和乡里的牧师在桌旁坐着，再没有别的人在场。她在为他斟酒，他把叉子叉进鱼里去,挑起来吃,因为这是他最心爱的一个菜。

“我希望也能让别人吃一点!”小克劳斯心中想,同时伸出头向那窗子望。天啊!那里面有多么美的一块糕啊!是的,这简直是一桌酒席!

这时他听到有一个人骑着马在大路上朝这屋子走来。原来是那女人的丈夫回家来了。

他倒是一个很善良的人,不过他有一个怪毛病——他怎么也看不惯牧师。只要遇见一个牧师,他立刻就要变得非常暴躁起来。因为这个缘故,所以这个牧师这时才来向这女人道“日安”,因为他知道她的丈夫不在家。这位贤惠的女人把她所有的好东西都搬出来给他吃。不过,当他们一听到她丈夫回来了,他们就非常害怕起来。这女人就请求牧师钻进墙角边的一个大空箱子里去。他也就只好照办了,因为他知道这个可怜的丈夫看不惯一个牧师。女人连忙把这些美味的酒菜藏进灶里去,因为假如丈夫看见这些东西,他一定要问问这是什么意思。

“咳,我的天啊!”茅屋上的小克劳斯看到这些好东西给搬走,不禁叹了口气。

“上面是什么人?”农夫问,同时也抬头望着小克劳斯。“你为什么睡在那儿?请你下来跟我一起到屋子里去吧。”

于是小克劳斯就告诉他,他怎样迷了路,同时请求农夫准许他在这儿过一夜。

“当然可以的,”农夫说,“不过我们得先吃点东西才行。”

女人很和善地迎接他们两个人。她在长桌上铺好台布,盛了一大碗稀饭给他们吃。农夫很饿,吃得津津有味。可是小克劳斯不禁想起了那些好吃的烤肉、鱼和糕来——他知道这些东西是藏在灶里的。

他早已把那个装着马皮的袋子放在桌子底下,放在自己脚边;因为我们记得,这就是他从家里带出来的东西,要送到城里去卖的。这一碗稀粥他实在吃得没有什么味道,所以他的一双脚就在袋子上踩,踩得那张马皮发出叽叽嘎嘎的声音来。

“不要叫!”他对袋子说,但同时他不禁又在上面踩,弄得它发出更大的声音来。

“怎的,你袋子里装的什么东西?”农夫问。

“咳,里面是一个魔法师,”小克劳斯回答说,“他说我们不必再吃稀粥了,他已经变出一炉子烤肉、鱼和点心来了。”

“好极了!”农夫说。他很快地就把炉子掀开,发现了他老婆藏在里面的那些好菜。不过,他却以为这些好东西是袋里的魔法师变出来的。他的女人什么话也不敢说,只好赶快把这些菜搬到桌上来。他们两人就把肉、鱼和糕饼吃了个痛快。现在小克劳斯又在袋子上踩了一下,弄得里面的皮又叫起来。

“他现在又在说什么呢?”农夫问。

小克劳斯回答说:“他说他还为我们变出了三瓶酒,这酒也在炉子里面哩。”

那女人就不得不把她所藏的酒也取出来,农夫把酒喝了,非常愉快。于是他自己也很想有一个像小克劳斯袋子里那样的魔法师。

“他能够变出魔鬼吗?”农夫问,“我倒很想看看魔鬼呢,因为我现在很愉快。”

“当然咯,”小克劳斯说,“我所要求的东西,我的魔法师都能变得出来——难道你不能吗,魔法师?”他一边说着,一边踩着这张皮,弄得它又叫起来。“你听到没有? 他说:‘能变得出来。’不过这个魔鬼的样子是很丑的:我看最好还是不要看他吧。”

“噢,我一点也不害怕。他会是一副什么样子呢?”

“嗯,他简直跟本乡的牧师一模一样。”

“哈!”农夫说,“那可真是太难看了! 你要知道,我真看不惯牧师的那副嘴脸。不过也没有什么关系,我只要知道他是个魔鬼,也就能忍受得了。现在我鼓起勇气来吧! 不过请别让他离我太近。”

“让我问一下我的魔法师吧。”小克劳斯说。于是他就在袋子上踩了一下,同时把耳朵偏过来听。

“他说什么?”

“他说你可以走过去,把墙角那儿的箱子掀开。你可以看见那个魔鬼就蹲在里面。不过你要把箱盖子好好抓紧,免得他溜走了。”

“我要请你帮助我抓住盖子!”农夫说。于是他走到箱子那儿。他的妻子早把那个真正的牧师在里面藏好了。现在他正坐在里面,非常害怕。

农夫把盖子略微掀开,朝里面偷偷地瞧了一下。

"嗬唷!"他喊出声来,朝后跳了一步,"是的,我现在看到他了,他跟我们的牧师是一模一样。啊,这真吓人!"

为了这件事,他们得喝几杯酒。所以他们坐下来,一直喝到夜深。

"你得把这位魔法师卖给我,"农夫说,"随便你要多少钱吧:我马上就可以给你一大斗钱。"

"不成,这个我可不干,"小克劳斯说,"你想想看吧,这位魔法师对我的用处该有多大呀!"

"啊,要是它属于我该多好啊!"农夫继续要求着说。

"好吧,"最后小克劳斯说,"今晚你让我在这儿过夜,实在对我太好了。就这样办吧。你拿一斗钱来,可以把这个魔法师买去,不过我要满满的一斗钱。"

"那不成问题,"农夫说,"可是你得把那儿的一个箱子带走。我一分钟也不愿意把它留在我的家里。谁也不知道,他是不是还待在里面。"

小克劳斯把他装着干马皮的那个袋子给了农夫,换得了一斗钱,而且这斗钱是装得满满的。农夫还另外给了他一辆大车,把钱和箱子运走。

"再会吧!"小克劳斯说,于是他就推着钱和那只大箱子走了,牧师还坐在箱子里面。

在树林的另一边有一条又宽又深的河,水流得非常急,谁也难以游过急流。不过那上面新建了一座大桥。小克劳斯在桥中央停下来,大声地讲了几句话,使箱子里的牧师能够听见:

"咳,这只笨箱子叫我怎么办呢?它是那么重,好像里面装得有石头似的。我已经够累,再也推不动了。我还是把它扔到河里去吧。如果它漂到我家里,那是再好也不过;如果它漂不到我家里,那也就只好让它去吧。"

于是他一只手把箱子略微提起一点,好像真要把它扔到水里去似的。

"干不得,请放下来吧!"箱子里的牧师大声说,"请让我出来吧!"

"哎哟!"小克劳斯装做害怕的样子说,"他原来还在里面!我得赶快把它扔进河里去,让他淹死。"

"哎呀!扔不得!扔不得!"牧师大声叫起来,"请你放了我,我可以给你一大斗钱。"

“呀,这倒可以考虑一下。”小克劳斯说。同时把箱子打开。

牧师马上就爬出来,把那只空箱子推到水里去。随后他就回到了家里,小克劳斯跟着他,得到了满满一斗钱。小克劳斯已经从农夫那里得到了一斗钱,所以现在他整个车子里都装了钱。

“你看我那匹马的代价倒真是不小呢。”当他回到家来走进自己的房间里去时,他对自己说,同时把钱倒在地上,堆成一大堆。“如果大克劳斯知道我靠了一匹马发了大财,他一定会生气的。不过我决不老老实实地告诉他。”

因此他派一个孩子到大克劳斯家里去借一个斗来。

“他要这东西干什么呢?”大克劳斯想。于是他在斗底上涂了一点焦油,好使它能粘住一点它所量过的东西。事实上也是这样,因为当他收回这斗的时候,发现那上面粘着三块崭新的银毫。

“这是什么呢?”大克劳斯说。他马上跑到小克劳斯那儿去。“你这些钱是从哪儿弄来的?”

“哦,那是从我那张马皮上赚来的。昨天晚上我把它卖掉了。”

“它的价钱倒是不小啦。”大克劳斯说。他急忙跑回家来,拿起一把斧头,把他的四匹马当头砍死了。他剥下皮来,送到城里去卖。

“卖皮哟!卖皮哟!谁要买皮?”他在街上喊。

所有的皮鞋匠和制革匠都跑过来,问他要多少价钱。

“每张卖一斗钱!”大克劳斯说。

“你发疯了吗?”他们说,“你以为我们的钱可以用斗量么?”

“卖皮哟!卖皮哟!谁要买皮?”他又喊起来。人家一问起他的皮的价钱,他老是回答:“一斗钱。”

“他简直是拿我们开玩笑。”大家都说。于是鞋匠拿起皮条,制革匠拿起围裙,都向大克劳斯打来。

“卖皮哟!卖皮哟!”他们讥笑着他。“我们叫你有一张像猪一样流着鲜血的皮。滚出城去吧!”他们喊着。大克劳斯拼命地跑,因为他从来没有像这次被打得那么厉害。

“嗯,”他回到家来时说,“小克劳斯得还这笔债,我要把他活活地打死。”

但是在小克劳斯的家里,他的祖母恰巧死掉了。她生前对他一直很厉害,很不客气。虽然如此,他还是觉得很难过,所以他抱起这死女人,放在自己温暖的床上,看她是不是还能复活。他要使她在那床上停一整夜,他自己坐在墙角里的一把椅子上睡——他过去常常是这样。

当他夜里正在那儿坐着的时候,门开了,大克劳斯拿着斧头进来了。他知道小克劳斯的床在什么地方。他直向床前走去,用斧头在他老祖母的头上砍了一下。因为他以为这就是小克劳斯。

"你要知道,"他说,"你不能再把我当做一个傻瓜来要了。"随后他也就回到家里去。

"这家伙真是一个坏蛋,"小克劳斯说,"他想把我打死。幸好我的老祖母已经死了,否则他会把她的一条命送掉。"

于是他给祖母穿上礼拜天的衣服,从邻人那儿借来一匹马,套在一辆车子上,同时把老太太放在最后边的座位上坐着。这样,当他赶着车子的时候,她就可以不至于倒下来。他们颠颠簸簸地走过树林。当太阳升起的时候,他们来到一个旅店的门口。小克劳斯在这儿停下来,走到店里去吃点东西。

店老板是一个有很多很多钱的人,他也是一个非常好的人,不过他的脾气很坏,好像他全身长满了胡椒和烟草。

"早安,"他对小克劳斯说,"你今天穿起漂亮衣服来啦。"

"不错,"小克劳斯说,"我今天是跟我的祖母上城里去呀:她正坐在外面的车子里,我不能把她带到这屋子里来。你能不能给她一杯蜜酒喝?不过请你把声音讲大一点,因为她的耳朵不太好。"

"好吧,这个我办得到。"店老板说,于是他倒了一大杯蜜酒,走到外边那个死了的祖母身边去。她僵直地坐在车子里。

"这是你孩子为你叫的一杯酒。"店老板说。不过这死妇人一句话也不讲,只是坐着不动。

"你听到没有?"店老板高声地喊出来,"这是你孩子为你叫的一杯酒呀!"

他又把这话喊了一遍,接着又喊了一遍。不过她还是一动也不动。最后他发起火来,把酒杯向她的脸上扔去。蜜酒沿着她的鼻子流下来,同时她向车子后边倒去,因为她只是放得很直,但没有绑得很紧。

“你看!”小克劳斯吵起来,并且向门外跑去,拦腰抱住店老板。“你把我的祖母打死了! 你瞧,她的额角上有一个大洞。”

“咳,真糟糕!”店老板也叫起来,难过地扭着自己的双手。“这完全怪我脾气太坏! 亲爱的小克劳斯,我给你一斗钱好吧,我也愿意安葬她,把她当做我自己的祖母一样。不过请你不要声张,否则我的脑袋就保不住了。那才不痛快呢!”

因此小克劳斯又得到了一斗钱。店老板还安葬了他的老祖母,像是安葬自己的亲人一样。

小克劳斯带着这许多钱回到家里,马上叫他的孩子去向大克劳斯借一个斗来。

“这是怎么一回事儿?”大克劳斯说,“难道我没有把他打死吗? 我得亲眼去看一下。”他就亲自拿着斗来见小克劳斯。

“你从哪里弄到这么多的钱?”他问。当他看到这么一大堆钱的时候,他的眼睛睁得非常大。

“你打死的是我的祖母,并不是我呀,”小克劳斯说,“我已经把她卖了,得到了一斗钱。”

“这个价钱倒是非常高。”大克劳斯说。于是他马上跑回家去,拿起一把斧头,把自己的老祖母砍死了。他把她装上车,赶进城去,在一位药剂师的门前停住,问他是不是愿意买一个死人。

“这是谁,你从什么地方弄到她的?”药剂师问。

“这是我的祖母,”大克劳斯说,“我把她砍死了,为的是想卖得一斗钱。”

“愿上帝救救我们!”药剂师说,“你简直在发疯! 再不要讲这样的话吧,再讲你就会掉脑袋了。”于是他就老老实实地告诉他,他做的这桩事情是多么要不得,他是一个多么坏的人,他应该受到怎样的惩罚。大克劳斯吓了一跳,赶快从药房里跑出来,跳进车里,抽起马鞭,奔回家来。不过药剂师和所有在场的人都以为他是一个疯子,所以也就随便让他逃走了。

“你得还这笔债!”大克劳斯把车子赶上了大路以后说,“是的,小克劳斯,你得还这笔债!”他一回到家来,就马上找到一个最大的口袋,一直走向小克劳斯家里，说："你又作弄了我一次！第一次我打死了我的马；这一次又打死了我的老祖母！这完全得由你负责。不过你别再想作弄我了。"于是他就把小克劳斯拦腰抱住，塞进那个大口袋里去，背在背上，大声对他说："现在我要走了，要把你活活地淹死！"

到河边，要走好长一段路。小克劳斯才够他背的呢。这条路挨近一座教堂：教堂内正在奏着风琴，人们正在唱着圣诗，唱得很好听。大克劳斯把装着小克劳斯的大口袋在教堂门口放下。他想：不妨进去先听一首圣诗，然后再向前走也不碍事：小克劳斯既跑不出来，而别的人又都在教堂里，因此他就走进去了。

"咳，我的天！咳，我的天！"袋子里的小克劳斯叹了一口气。他扭着，挣着，但是他没有办法把绳子弄脱。这时恰巧有一位赶牲口的白发老人走过来，手中拿着一根长棒；他正在赶着一群公牛和母牛。那群牛恰巧踢着那个装着小克劳斯的袋子，把它弄翻了。

"咳，我的天！"小克劳斯叹了一口气，"我年纪还这么轻，现在就已经要进天国了！"

"可是我这个可怜的人，"赶牲口的人说，"我的年纪已经这么老，到现在却还进不去呢！"

"那么请你把这袋子打开吧，"小克劳斯喊出声来，"你可以代替我钻进去，那么你就马上可以进天国了。"

"那很好，我愿意这样办！"赶牲口的人说。于是他就把袋子解开，小克劳斯就立刻爬出来了。

"你来看管这些牲口，好吗？"老人问。于是他就钻进袋子里去。小克劳斯把它系好，随后就赶着这群公牛和母牛走了。

过了不久，大克劳斯从教堂里走出来。他又把这袋子扛在肩上。他觉得袋子轻了一些；这是没有错的，因为赶牲口的老人只有小克劳斯一半重。

"现在背起他是多么轻啊！不错，这是因为我刚才听了一首圣诗的缘故。"

他走到那条又宽又深的河边，把那个装着赶牲口的老人的袋子扔到水里。他以为这就是小克劳斯了。所以他在后面喊："躺在那儿吧！你再也不能作弄我了！"

于是他回到家来。不过当他走到一个十字路口的时候,忽然碰到小克劳斯赶着一群牲口。

“这是怎么一回事儿?”大克劳斯说,“难道我没有淹死你吗?”

“不错,”小克劳斯说,“大约半个钟头以前,你把我扔进河里去了。”

“不过你从什么地方得到这样好的牲口呢?”大克劳斯问。

“它们都是海里的牲口,”小克劳斯说,“我把全部的经过告诉你吧,同时我也要感谢你把我淹死。我现在走起运来了。你可以相信我,我现在真正发财了!我待在袋子里的时候,真是害怕!当你把我从桥上扔进冷水里去的时候,风就在我耳朵旁边叫。我马上就沉到水底,不过我倒没有碰伤,因为那儿长着非常柔软的水草。我是落到草上的。马上这口袋自动地开了。一位非常漂亮的姑娘,身上穿着雪白的衣服,湿头发上戴着一个绿色的花环,走过来拉着我的手,对我说:‘你就是小克劳斯吗?你来了?我先送给你几头牲口吧。沿着这条路,再向前走十二里,你还可以看到一大群——我把它们都送给你好了。’我这时才知道河就是住在海里的人们的一条大道。他们在海底上走,从海那儿走向内地,直到这条河的尽头。这儿开着那么多美丽的花,长着那么多新鲜的草。游在水里的鱼儿在我的耳朵旁滑过去,像这儿的鸟在空中飞过一样。那儿的人是多么漂亮啊!在那儿的山丘上和田沟里吃着草的牲口是多么好看啊!”

“那么你为什么又马上回到我们这儿来了呢?”大克劳斯问,“水里面要是那么好,我决不会回来!”

“咳,”小克劳斯回答说,“这正是我聪明的地方。你记得我跟你讲过,那位海里的姑娘曾经说:‘沿着大路再向前走十二里,’——她所说的路无非是河罢了,因为她不能走别种的路——那儿还有一大群牲口在等着我啦。不过我知道河流是怎样一种弯弯曲曲的东西——它有时这样一弯,有时那样一弯;这全是弯路,只要你能做到,你可以回到陆地上来走一条直路,那就是穿过田野再回到河里去。这样就可以少走六里多路,因此我也就可以早点得到我的海牲口了!”

“啊,你真是一个幸运的人!”大克劳斯说,“你想,假如我也走向海底的话,我能不能也得到一些海牲口?”

“我想是能够的,”小克劳斯回答说,“不过我没有气力把你背在袋子里走到河边,你太重了! 但是假如你自己走到那儿、自己钻进袋子里去,我倒很愿意把你扔到水里去呢!”

“谢谢你!”大克劳斯说,“不过我走下去得不到海牲口的话,我可要结结实实地揍你一顿啦! 这点请你注意。”

“哦,不要这样,不要这样厉害吧!”于是他们就一起向河边走去。那些牲口已经很渴了,它们一看到水,就拼命冲过去喝。

“你看它们简直等都等不及了!”小克劳斯说,“它们急着要回到水底下去呀!”

“是的,不过你得先帮助我!”大克劳斯说,“不然我就要结结实实地揍你一顿!”

这样,他就钻进一个大口袋里去,那个口袋一直是由一头公牛驮在背上的。

“请放一块石头到里面去吧,不然我就怕沉不下去啦。”大克劳斯说。

“这个你放心。”小克劳斯回答说。于是他装了一块大石头到袋里去,用绳子把它系紧。接着他就把它一推:哗啦! 大克劳斯滚到河里去了,而且马上就沉到河底。

“我恐怕你找不到牲口了!”小克劳斯说。于是他就把他所有的牲口赶回家来。

牙痛姑妈

这个故事我们是从哪儿搜集来的呢?

你想知道吗?

我们是从一个装着许多旧纸的桶里搜集来的。有许多珍贵的好书都跑到熟菜店和杂货店里去了;它们不是作为读物,而是作为必需品待在那儿的。杂货店包淀粉和咖啡豆需要用纸,包咸青鱼、黄油和干酪也需要用纸。写着字的纸也是可以有用的。

有些不应该待在桶里的东西也都跑到桶里去了。

我认识一个杂货店里的学徒——他是一个熟菜店老板的儿子。他是一个从地下储藏室里升到店面上来的人。他阅读过许多东西——杂货纸包上印的和写的那类东西。他收藏了一大堆有趣的物件,其中包括一些忙碌和粗心大意的公务员扔到字纸篓里去的重要文件,这个女朋友写给那个女朋友的秘密信,造谣中伤的报告——这是不能流传、而且任何人也不能谈论的东西。他是一个活的废物收集机构;他收集的作品不能算少,而且他的工作范围也很广。他既管理他父母的店,也管理他主人的店。他收集了许多值得一读再读的书或书中的散页。

他曾经把他从桶里——大部分是熟菜店的桶里——收集得来的抄本和印刷物拿给我看。有两三张散页是从一个较大的作文本子上扯下来的。写在它们上面的那些非常美丽和清秀的字体立刻引起我的注意。

"这是一个大学生写的!"他说,"这个学生住在对面,是一个多月以前死去的。人们可以看出,他曾经害过很厉害的牙痛病。读读这篇文章倒是蛮有趣的！这里不过是他所写的一小部分。它原来是整整一本，还要多一点。那是我父母花了半磅绿肥皂的代价从这学生的房东太太那里换来的。这就是我救出来的几页。”

我把这几页借来读了一下。现在我把它发表出来。

它的标题是：

牙痛姑妈

1

小时候，姑妈给我糖果吃。我的牙齿应付得了，没有烂掉。现在我长大了，成为一个学生。她还用甜东西来惯坏我，并且说我是一个诗人。

我有点诗人气质，但是还不够。但我在街上走的时候，我常常觉得好像是在一个大图书馆里散步。房子就像是书架，每一层楼就好像放着书的格子。这儿有日常的故事，有一部好的老喜剧，关于各种学科的科学著作；那儿有黄色书刊和优良的读物。这些作品引起我的幻想，使我作富于哲学意味的沉思。

我有点诗人气质，但是还不够。许多人无疑也会像我一样，具有同等程度的诗人气质；但他们并没有戴上写着“诗人”这个称号的徽章或领带。

他们和我都得到了上帝的一件礼物——一个祝福。这对于自己是很够了，但是再要转送给别人却又不足。它来时像阳光，具有灵魂和思想。它来时像花香，像一支歌；我们知道和记得起它，但是却不知道它来自什么地方。

前天晚上，我坐在我的房间里，渴望读点什么东西，但是我既没有书，也没有报纸。这时有一片新鲜的绿叶从菩提树上落下来了。风把它从窗口吹到我身边来。我望着散布在那上面的许多叶脉。一只小虫在上面爬，好像要对这片叶子作深入的研究似的。这时我就不得不想起人类的智慧。我们也在叶子上爬，而且也只知道这叶子，但是却喜欢谈论整棵大树、根、树干、树顶。这整棵大树包括上帝、世界和永恒，而在这一切之中我们只知道这一小片叶子！

当我正在坐着的时候，米勒姑妈来看我。

我把这片叶子和上面的爬虫指给她看,同时把我的感想告诉她。她的眼睛马上就亮起来了。

“你是一个诗人!”她说,“可能是我们的一个最大的诗人！如果我能活着看到,我死也瞑目了。自从造酒人拉斯木生入葬以后,我老是被你的丰富的想象所震惊。”

米勒姑妈说完这话,就吻了我一下。

米勒姑妈是谁呢？造酒人拉斯木生是谁呢？

2

我们小孩子把妈妈的姑妈也叫做“姑妈”;我们没有别的称呼喊她。

她给我们果子酱和糖吃,虽然这对我们的牙齿是有害的。不过她说,在可爱的孩子面前,她的心是很软的。孩子是那么心爱糖果,一点也不给他们吃是很残酷的。

我们就为了这事喜欢姑妈。

她是一个老小姐;据我的记忆,她永远是那么老！她的年纪是不变的。

早年,她常常吃牙痛的苦头。她常常谈起这件事,因此她的朋友造酒人拉斯木生就幽默地把她叫做“牙痛姑妈”。

最后几年他没有酿酒;他靠利息过日子。他常常来看姑妈;他的年纪比她大一点。他没有牙齿,只有几根黑黑的牙根。

他对我们孩子说,他小时候吃糖太多,因此现在变成这个样子。

姑妈小时候倒是没有吃过糖,所以她有非常可爱的白牙齿。

她把这些牙齿保养得非常好。造酒人拉斯木生说,她从不把牙齿带着一起去睡觉①!

我们孩子们都知道,这话说得太不厚道;不过姑妈说他并没有什么别的用意。

有一天上午吃早饭的时候,她谈起晚上做的一个噩梦:她有一颗牙齿落了。

---

① 指假牙齿,因为假牙齿在睡觉前总是取出来的。

“这就是说,”她说,“我要失去一个真正的朋友。”

“那是不是一颗假牙齿?”造酒人说,同时微笑起来,“要是这样的话,那么这只能说你失去了一个假朋友!”

“你真是一个没有礼貌的老头儿!”姑妈生气地说——我以前没有看到过她像这样,以后也没有。

后来她说,这不过是她的老朋友开的一个玩笑罢了。他是世界上一个最高尚的人;他死去以后,一定会变成上帝的一个小安琪儿。

这种改变使我想了很久;我还想,他变成了安琪儿以后,我会不会再认识他。

那时姑妈很年轻,他也很年轻,他曾向她求过婚。她考虑得太久了,她坐着不动,坐得也太久了,结果她成了一个老小姐,不过她永远是一个忠实的朋友。

不久造酒人拉斯木生就死了。

他被装在一辆最华贵的柩车上运到墓地上去。有许多戴着徽章和穿着制服的人为他送葬。

姑妈和我们孩子们站在窗口哀悼,只有鹳鸟在一星期以前送来的那个小弟弟没有在场。[1]

柩车和送葬人已经走过去了,街道也空了,姑妈要走,但是我却不走。我等待造酒人拉斯木生变成安琪儿。他既然变成了上帝的一个有翅膀的孩子,他一定会现出来的。

“姑妈!”我说,“你想他现在会来吗?当鹳鸟再送给我们一个小弟弟的时候,它也许会把安琪儿拉斯木生带给我们吧?”

姑妈被我的幻想所震动;她说:“这个孩子将来要成为一个伟大的诗人!”当我在小学读书的整个期间,她重复地说这句话,甚至当我受了坚信礼以后,进了大学,她还说这句话。

过去和现在,无论在“诗痛”方面或在牙痛方面,她总是最同情我的朋友。这两种病我都有。

---

① 根据丹麦民间传说,新生的小孩子是鹳鸟送来的。

“你只须把你的思想写下来，”她说，“放在抽屉里。让·保尔①曾经这样做过；他成了一个伟大的诗人，虽然我并不怎样喜欢他，因为他并不使人感到兴奋！”

跟她作了一番谈话以后，有一天夜里，我在苦痛中和渴望中躺着，迫不及待地希望成为姑妈在我身上发现的那个伟大诗人。我现在躺着害“诗痛”病，不过比这更糟糕的是牙痛。它简直把我摧毁了。我成为一条痛得打滚的蠕虫，脸上贴着一包草药和一张芥子膏药。

“我知道这味道！”姑妈说。

她的嘴边上现出一个悲哀的微笑；她的牙齿白得发亮。

不过我要在姑妈和我的故事中开始新的一页。

3

我搬进一个新的住处，在那儿住了一个月。我跟姑妈谈起这事情。

“我是住在一个安静的人家里。即使我把铃按三次，他们也不理我。除此以外，这倒真是一个热闹的房子，充满了风雨声和人的闹声。我是住在门楼上的一个房间里。每次车子进来或者出去，墙上挂着的画就要震动起来。门也响起来，房子也摇起来，好像发生了地震似的。假如我是躺在床上的话，震动就透过我的四肢，不过据说这可以锻炼我的神经。当风吹起的时候——这地方老是有风的——窗钩就摆来摆去，在墙上敲打。风吹来一次，邻居的门铃就响一下。

“我们屋子里的人是分批回来的，而且总是晚间很晚的时候，直到夜深以后很久。住在这上面一层楼的一个房客白天在外面教低音管；他回来得最迟。他在睡觉以前总要作一次半夜的散步；他的步子很沉重，而且穿着一双有钉的靴子。

“这儿没有双层的窗子，但是却有破碎的窗玻璃，房东太太在它上面糊

① 让·保尔（Jean Paul）是德国作家 Jean Paul Fredrich Richter（1763—1825）的笔名，著作很多。他曾经想靠创作为生，结果背了一身债。为了逃避债主，他离开了故乡，过着极端贫困的生活。

一层纸。风从缝隙里吹进来,像牛虻的嗡嗡声一样。这是一首催眠曲。等我最后睡下了,马上一只公鸡就把我吵醒了。关在鸡埘里的公鸡和母鸡在喊:住在地下室里的人,天快要亮了。小矮马因为没有马厩,是系在楼梯底下的储藏室里的。它们一转动就碰着门和门玻璃。

"天亮了。门房跟他一家人一起睡在顶楼上;现在他咯噔咯噔走下楼梯来。他的木鞋发出呱达呱达的响声,门也在响,屋子在震动。这一切完了以后,楼上的房客就开始做早操。他每只手举起一个铁球,但是他又拿不稳。球一次又一次地滚下来。在这同时,屋子里的小家伙要出去上学校;他们又叫又跳地跑下楼来。我走到窗前,把窗子打开,希望呼吸到一点新鲜空气。当我能呼吸到一点的时候,当屋子里的少妇们没有在肥皂泡里洗手套的时候(她们靠这过生活),我是感到很愉快的。此外,这是一座可爱的房子,我是跟一个安静的家庭住在一起。"

这就是我对姑妈所作的关于我的住房的报告。我把它描写得比较生动;口头的叙述比书面的叙述能够产生更新鲜的效果。

"你是一个诗人!"姑妈大声说,"你只须把这话写下来,就会跟狄更斯一样有名:是的,你真使我感兴趣!你讲的话就像绘出来的画!你把房子描写得好像人们亲眼看见过似的!这叫人发抖!请把诗再写下去吧!请放一点有生命的东西进去吧——人,可爱的人,特别是不幸的人!"

我真的把这座房子描绘了出来,描绘出它的响声和闹声,不过文章里只有我一个人,而且没有任何行动——这一点到后来才有。

4

这正是冬天,夜戏散场以后。天气坏得可怕,大风雪使人几乎没有办法向前走一步。

姑妈在戏院里,我要把她送回家去。不过单独一人行路都很困难,当然更说不上来陪伴别人。出租马车大家一下就抢光了。姑妈住得离城很远,而我却住在戏院附近。要不是因为这个缘故,我们倒可以待在一个岗亭里,等等再说。

我们蹒跚地在深雪里前进,四周全是乱舞的雪花。我搀着她,扶着她,推着她前进。我们只跌下两次,每次都跌得很轻。

我们走进我屋子的大门。在门口我们把身上的雪拍了几下,到了楼梯上我们又拍了几下;不过我们身上还有足够的雪把前房的地板盖满。

我们脱下大衣和下衣以及一切可以脱掉的东西。房东太太借了一双干净的袜子和一件睡衣给姑妈穿。房东太太说这是必须的;她还说——而且说得很对——这天晚上姑妈不可能回到家里去,所以请她在客厅里住下来。她可以把沙发当做床睡觉。这沙发就在通向我的房间的门口,而这门是经常锁着的。

事情就这样办了。

我的炉子里烧着火,桌子上摆着茶具。这个小小的房间是很舒服的——虽然不像姑妈的房间那样舒服,因为在她的房间里,冬天门上总是挂着很厚的帘子,窗子上也挂着很厚的帘子,地毯是双层的,下面还垫着三层纸。人坐在这里面就好像坐在盛满了新鲜空气的、塞得紧紧的瓶子里一样。刚才说过了的,我的房间也很舒服。风在外面呼啸。

姑妈很健谈。关于青年时代、造酒人拉斯木生和一些旧时的记忆,现在都涌现出来了。

她还记得我什么时候长第一颗牙齿,家里的人是怎样的快乐。

第一颗牙齿!这是天真的牙齿,亮得像一滴白牛奶——它叫做乳齿。

一颗出来了,接着好几颗,最后一整排都出来了。一颗挨一颗,上下各一排——这是最可爱的童齿,但还不能算是前哨,还不是真正可以使用一生的牙齿。

它们都生出来了。接着智齿也生出来了——它们是守在两翼的人,而且是在痛苦和困难中出生的。

它们又落掉了,一颗一颗地落掉了!它们服务的期限没有满就落掉了,甚至最后一颗也落掉了。这并不是节日,而是悲哀的日子。

于是一个人老了——即使他在心情上还是年轻的。

这种思想和谈话是不愉快的,然而我们却还是谈论着这些事情,我们回到儿童时代,谈论着,谈论着……钟敲了十二下,姑妈还没有回到隔壁的那个房间里去睡觉。

"我的甜蜜的孩子,晚安!"她高声说,"我现在要去睡觉了,好像我是睡在我自己的床上一样!”

于是她就去休息了,但是屋里屋外却没有休息。狂风把窗子吹得乱摇乱动,打着垂下的长窗钩,接着邻家后院的门铃响起来了。楼上的房客也回来了。他来来回回地作了一番夜半的散步,然后扔下靴子,爬到床上去睡觉。不过他的鼾声很大,耳朵尖的人隔着楼板可以听见。

我没有办法睡着,我不能安静下来。风暴也不愿意安静下来:它是非常地活跃。风用它的那套老办法吹着和唱着;我的牙齿也开始活跃起来:它们也用它们的那套老办法吹着和唱着。这带来一阵牙痛。

一股阴风从窗子那儿飘进来。月光照在地板上。随着风暴中的云块一隐一现,月光也一隐一现。月光和阴影也是不安静的。不过最后阴影在地板上形成一个东西。我望着这个动着的东西,感到有一阵冰冷的风袭来。

地板上坐着一个瘦长的人形,很像小孩子用石笔在石板上画出的那种东西。一条瘦长的线代表身体;两条线代表两条手臂,每条腿也是一画,头是多角形的。

这形状马上就变得更清楚了。它穿着一件长礼服,很瘦,很秀气。不过这说明它是属于女性的。

我听到一种嘘嘘声。这是她呢,还是窗缝里发出嗡嗡声的牛虻呢?

不,这是她自己——牙痛太太——发出来的!她这位可怕的魔王皇后,愿上帝保佑,请她不要来拜访我们吧!

“这儿很好!”她发出嗡嗡声说,“这儿是一块很好的地方——潮湿的地带,长满了青苔的地带!蚊子长着有毒的针,在这儿嗡嗡地叫;现在我也有这针了。这种针需要拿人的牙齿来磨快。牙齿在床上睡着的这个人的嘴里发出白光。它们既不怕甜,也不怕酸;不怕热,也不怕冷;也不怕硬果壳和梅子核!但是我却要摇撼它们,用阴风灌进它们的根里去,叫它们得着脚冻病!”

这真是骇人听闻的话,这真是一个可怕的客人。

“哎,你是一个诗人!”她说,“我将用痛苦的节奏为你写出诗来!我将在你的身体里放进铁和钢,在你的神经里安上线!”

这好像是一根火热的锥子在向我的颧骨里钻进去。我痛得直打滚。

“一次杰出的牙痛!”她说,“简直像奏着乐的风琴,像堂皇的口琴合奏曲，其中有铜鼓、喇叭、高音笛和智齿里的低音大箫。伟大的诗人，伟大的音乐！”

她弹奏起来了，她的样子是可怕的——虽然人们只能看见她的手：阴暗和冰冷的手；它长着瘦长的指头，而每个指头是一件酷刑和器具。拇指和食指有一个刀片和螺丝刀；中指头上是一个尖锥子，无名指是一个钻子，小指上有蚊子的毒液。

“我教给你诗的韵律吧！”她说，“大诗人应该有大牙痛；小诗人应该有小牙痛！”

“啊，请让我做一个小诗人吧！”我要求着，“请让我什么也不是吧！而且我也不是一个诗人。我只不过是有作诗的阵痛，正如我有牙齿的阵痛一样。请走开吧！请走开吧！”

“我比诗、哲学、数学和所有的音乐都有力量，你知道吗？”她说，“比一切画出的形象和用大理石雕出的形象都有力量！我比这一切都古老。我是生在天国的外边——风在这儿吹，毒菌在这儿生长。我叫夏娃在天冷时替我穿衣服，亚当也是这样。你可以相信，最初的牙痛可是威力不小呀！”

“我什么都相信！”我说，“请走开吧！请走开吧！”

“可以的，只要你不再写诗，永远不要再写在纸上、石板上，或者任何可以写字的东西上，我就可以放过你。但是假如你再写诗，我就又会回来的。”

“我发誓！”我说，“请让我永远不要再看见你和想起你吧！”

“看是会看见我的，不过比我现在的样子更丰满、更亲热些罢了！你将看见我是米勒姑妈，而我一定说：‘可爱的孩子，作诗吧。你是一个伟大的诗人——也许是我们所有的诗人之中一个最伟大的诗人！’不过请相信我，假如你作诗，我将把你的诗配上音乐，同时在口琴上吹奏出来！你这个可爱的孩子，当你看见米勒姑妈的时候，请记住我！”

于是她就不见了。

在我们分手的时候，我的颧骨上挨了一锥，好像给一个火热的锥子钻了一下似的。不过这一忽儿就过去了。我好像是漂在柔和的水上；我看见长着宽大的绿叶子的白睡莲在我下面弯下去、沉下去了，萎谢和消逝了。我和它们一起下沉，在安静和平中消逝了。

“死去吧，像雪一样地融化吧！”水里发出歌声和响声，“蒸发成为云块，像云块一样地飘走吧!"

伟大和显赫的名字,飘扬着的胜利的旗子,写在蜉蝣翅上的不朽的专利证,都在水里映到我的眼前来。

昏沉的睡眠,没有梦的睡眠。我既没有听到呼啸的风,砰砰响的门声,邻居的铃声,也没有听见房客做重体操的声音。

多么幸福啊!

这时一阵风吹来了,姑妈没有上锁的房门敞开了。姑妈跳起来,穿上衣服,扣上鞋子,跑过来找我。

她说,我睡得像上帝的安琪儿,她不忍心把我喊醒。

我自动地醒,把眼睛睁开。我完全忘记了姑妈就在这屋子里。不过我马上就记起来了,我记起了牙痛的幽灵。梦境和现实混成一片。

"我们昨夜道别以后,你没有写一点什么东西吗?"她问,"我倒希望你写点呢!你是我的诗人——你永远是这样!"

我觉得她在暗暗地微笑。我不知道,这是爱我的那个好姑妈呢,还是那位在夜里得到了我的诺言的可怕的姑妈。

"亲爱的孩子,你写诗没有?"

"没有!没有!"我大声说,"你真是米勒姑妈吗?"

"还有什么别的姑妈呢?"她说。

这真是米勒姑妈。

她吻了我一下,坐进一辆马车,回家去了。

我把这儿所写的东西都写下来了,这不是用诗写的,而且这永远不能印出来……

稿子到这儿就中断了。

我的年轻朋友——这位未来的杂货店员——没有办法找到遗失的部分。它包着熏鲭鱼、黄油和绿肥皂在世界上失踪了。它已经完成了它的任务。

造酒人死了,姑妈也死了,学生也死了——他的才华都到桶里去了:这就是故事的结尾——关于牙痛姑妈的故事的结尾。

打　火　匣

公路上有一个兵在开步走——一,二！一,二！他背着一个行军袋,腰间挂着一把长剑,因为他已经参加过好几次战争,现在要回家去。他在路上碰见一个老巫婆;她是一个非常可憎的人物,她的下嘴唇垂到她的奶上。她说:"晚安,兵士！你的剑真好,你的行军袋真大,你真是一个不折不扣的兵士！现在你喜欢要有多少钱就可以有多少钱了。"

"谢谢你,老巫婆!"兵士说。

"你看见那棵大树了吗?"巫婆说,指着他们旁边的一棵树。"那里面是空的。如果你爬到它的顶上去,就可以看到一个洞口。你从那儿朝下一溜,就可以深深地钻进树身里去。我在你腰上系一根绳子,这样,你喊我的时候,便可以把你拉上来。"

"我到树底下去干什么呢?"兵士问。

"取钱呀,"巫婆回答说,"你将会知道,你一钻进树底下去,就会看到一条宽大的走廊。那儿很亮,因为那里点着一百多盏明灯。你会看到三个门,都可以打开,因为钥匙就在门锁上。你走进第一个房间,可以看到当中有一只大箱子,上面坐着一只狗,它的眼睛非常大,像一对茶杯。可是你不要管它！我可以把我蓝格子布的围裙给你。你把它铺在地上,然后赶快走过去,把那只狗抱起来,放在我的围裙上。你把箱子打开,你想要多少钱就取出多少钱。这些钱都是铜铸的。但是如果你想取得银铸的钱,就得走进第二个房间里去。不过那儿坐着一只狗,它的眼睛有水车轮那么大。可是你不要去理它。你把它放在我的围裙上,然后把钱取出来。可是,如果你想得到金子铸的钱，你也可以达到目的。你拿得动多少就可以拿多少——假如你到第三个房间里去的话。不过坐在那儿钱箱上的那只狗的一对眼睛，可有'圆塔'①那么大啦 。你要知道，它才算得是一只狗啦！可是你一点也不必害怕。你只消把它放在我的围裙上，它就不会伤害你了。你从那个箱子里能够取出多少金子来，就取出多少来吧。"

"这倒很不坏，"兵士说，"不过我拿什么东西来酬谢你呢，老巫婆？我想你不会什么也不要吧。"

"不要，"巫婆说，"我一个铜板也不要。我只要你替我把那个旧打火匣取出来。那是我祖母上次忘掉在那里面的。"

"好吧！请你把绳子系到我腰上吧。"兵士说。

"好吧，"巫婆说，"把我的蓝格子围裙拿去吧。"

兵士爬上树，一下子就溜进那个洞口里去了。正如老巫婆说的一样，他现在来到了一条点着几百盏灯的大走廊里。

他打开第一道门。哎呀！果然有一条狗坐在那儿。眼睛有茶杯那么大，直瞪着他。

"你这个好家伙！"兵士说。于是他就把它抱到巫婆的围裙上。然后他就取出了许多铜板，他的衣袋能装多少就装多少。他把箱子锁好，把狗儿又放到上面，于是他就走进第二个房间里去。哎呀！这儿坐着一只狗，眼睛大得简直像一对水车轮。

"你不应该这样死盯着我，"兵士说，"这样你就会弄坏你的眼睛啦。"他把狗儿抱到女巫的围裙上。当他看到箱子里有那么多的银币的时候，他就把他所有的铜板都扔掉，把自己的衣袋和行军袋全装满了银币。随后他就走进第三个房间——乖乖，这可真有点吓人！这儿的一只狗，两只眼睛真正有"圆塔"那么大！它们在脑袋里转动着，简直像轮子！

"晚安！"兵士说。他把手举到帽子边上行了个礼，因为他以前从来没有看见过这样的一只狗儿。不过，他对它瞧了一会儿以后，心里就想："现在差不多了。"他把它抱下来放到地上。于是他就打开箱子。老天爷呀！那里面的金子真够多！他可以用这金子把整个的哥本哈根买下来，他可以

---

① 这是指哥本哈根的有名的"圆塔"；它原先是一个天文台。

把卖糕饼女人[①]所有的糖猪都买下来，他可以把全世界的锡兵啦，马鞭啦，摇动的木马啦，全部都买下来。是的，钱可真是不少——兵士把他衣袋和行军袋里满装着的银币全都倒出来，把金子装进去。是的，他的衣袋，他的行军袋，他的帽子，他的皮靴全都装满了，他几乎连走也走不动了。现在他的确有钱了。他把狗儿又放到箱子上去，锁好了门，在树里朝上面喊一声："把我拉上来呀，老巫婆！"

"你取到打火匣没有？"巫婆问。

"一点也不错！"兵士说，"我把它忘记得一干二净。"于是他又走下去，把打火匣取来。巫婆把他拉了出来。所以他现在又站在大路上了。他的衣袋、皮靴、行军袋、帽子，全都盛满了钱。

"你要这打火匣有什么用呢？"兵士问。

"这与你没有什么相干，"巫婆反驳他说，"你已经得到钱——你只消把打火匣交给我好了。"

"废话！"兵士说，"你要它有什么用，请你马上告诉我。不然我就抽出剑来，把你的头砍掉。"

"我可不能告诉你！"巫婆说。

兵士一下子就把她的头砍掉了。她倒了下来！他把他所有的钱都包在她的围裙里，像一捆东西似的背在背上；然后把那个打火匣放在衣袋里，一直向城里走去。

这是一个顶漂亮的城市！他住进一个最好的旅馆里去，开了最舒服的房间，叫了他最喜欢的酒菜，因为他现在发了财，有的是钱。替他擦皮靴的那个茶房觉得，像他这样一位有钱的绅士，他的这双皮鞋真是旧得太滑稽了。但是新的他还来不及买。第二天他买到了合适的靴子和漂亮的衣服。现在我们的这位兵士成了一个焕然一新的绅士了。大家把城里所有的一切事情都告诉他，告诉他关于国王的事情，告诉他这国王的女儿是一位非常美丽的公主。

"在什么地方可以看到她呢？"兵士问。

---

① 这是指旧时丹麦卖零食和玩具的一种小贩。"糖猪"（Sukkergrise）是糖做的小猪，既可以当玩具，又可以吃掉。

“谁也不能见到她，”大家齐声说，“她住在一幢宽大的铜宫里，周围有好几道墙和好几座塔。只有国王本人才能在那儿自由进出，因为从前曾经有过一个预言，说她将会嫁给一个普通的士兵，这可叫国王忍受不了。”

“我倒想看看她呢。”兵士想。不过他得不到许可。

他现在生活得很愉快，常常到戏院去看戏，到国王的花园里去逛逛，送许多钱给穷苦的人们。这是一种良好的行为，因为他自己早已体会到，没有钱是多么可怕的事！现在他有钱了，有华美的衣服穿，交了很多朋友。这些朋友都说他是一个稀有的人物，一位豪侠之士。这类话使这个兵士听起来非常舒服。不过他每天只是把钱花出去，却赚不进一个来。所以最后他只剩下两个铜板了。因此他就不得不从那些漂亮房间里搬出来，住到顶层的一间阁楼里去。他也只好自己擦自己的皮鞋，自己用缝针补自己的皮鞋了。他的朋友谁也不来看他了，因为走上去要爬很高的梯子。

有一天晚上天很黑。他连一根蜡烛也买不起。这时他忽然记起，自己还有一根蜡烛头装在那个打火匣里——巫婆帮助他到那空树底下取出来的那个打火匣。他把那个打火匣和蜡烛头取出来。当他在火石上擦了一下、火星一冒出来的时候，房门忽然自动地开了，他在树底下所看到的那条眼睛有茶杯大的狗儿就在他面前出现了。它说：

“我的主人，有什么吩咐？”

“这是怎么一回事儿？”兵士说，“这真是一个滑稽的打火匣。如果我能这样得到我想要的东西才好呢！替我弄几个钱来吧！”他对狗儿说。于是“嘘”的一声，狗儿就不见了。一会儿，又是“嘘”的一声，狗儿嘴里衔着一大口袋的钱回来了。

现在士兵才知道这是一个多么美妙的打火匣。只要他把它擦一下，那只狗儿就来了，坐在盛有铜钱的箱子上。要是他擦它两下，那只有银子的狗儿就来了。要是他擦三下，那只有金子的狗儿就出现了。现在这个兵士又搬到那几间华美的房间里去住，又穿起漂亮的衣服来了。他所有的朋友马上又认得他了，并且还非常关心他起来。

有一次他心中想：“人们不能去看那位公主，也可算是一桩怪事。大家都说她很美；不过，假如她老是独住在那有许多塔楼的铜宫里，那有什么意思呢？难道我就看不到她一眼吗？——我的打火匣在什么地方？”他擦出火星,马上“嘘”的一声,那只眼睛像茶杯一样的狗儿就跳出来了。

“现在是半夜了,一点也不错,”兵士说,“不过我倒很想看一下那位公主哩,哪怕一忽儿也好。”

狗儿立刻就跑到门外去了。出乎这士兵的意料,它一会儿就领着公主回来了。她躺在狗的背上,已经睡着了。谁都可以看出她是一个真正的公主,因为她非常好看。这个兵士忍不住要吻她一下,因为他是一个不折不扣的丘八呀。

狗儿又带着公主回去了。但是天亮以后,当国王和王后正饮茶的时候,公主说她在晚上做了一个很奇怪的梦,梦见一只狗和一个兵,她自己骑在狗身上,那个兵吻了她一下。

“这倒是一个很好玩的故事呢!”王后说。

因此第二天夜里有一个老宫女就得守在公主的床边,来看看这究竟是梦呢,还是什么别的东西。

那个兵士非常想再一次看到这位可爱的公主。因此狗儿晚上又来了,背起她,尽快地跑走了。那个老宫女立刻穿上套鞋,以同样的速度在后面追赶。当她看到他们跑进一幢大房子里去的时候,她想:“我现在可知道这块地方了。”她就在这门上用白粉笔画了一个大十字。随后她就回去睡觉了,不久狗儿把公主送回来了。不过当它看见兵士住的那幢房子的门上画有一个十字的时候,它也取一支粉笔来,在城里所有的门上都画了一个十字。这件事做得很聪明,因为所有的门上都有了十字,那个老宫女就找不到正确的地方了。

早晨,国王、王后、那个老宫女以及所有的官员很早就都来了,要去看看公主所到过的地方。

当国王看到第一个画有十字的门的时候,他就说:“就在这儿!”

但是王后发现另一个门上也有个十字,所以她说:“亲爱的丈夫,不是在这儿呀?”

这时大家都齐声说:“那儿有一个! 那儿有一个!”因为他们无论朝什么地方看,都发现门上画有十字。所以他们觉得,如果再找下去,也不会得到什么结果。

不过王后是一个非常聪明的女人。她不仅只会坐四轮马车,而且还能做一些别的事情。她取出一把金剪刀，把一块绸子剪成几片，缝了一个很精致的小袋，在袋里装满了很细的荞麦粉。她把这小袋系在公主的背上。这样布置好了以后，她就在袋子上剪了一个小口，好叫公主走过的路上，都撒上细粉。

晚间狗儿又来了。它把公主背到背上，带着她跑到兵士那儿去。这个兵士现在非常爱她；他倒很想成为一位王子，和她结婚呢。

狗儿完全没有注意到，面粉已经从王宫那儿一直撒到兵士那间屋子的窗上——它就是在这儿背着公主沿着墙爬进去的。早晨，国王和王后已经看得很清楚，知道他们的女儿曾经到什么地方去过。他们把那个兵士抓来，关进牢里去。

他现在坐在牢里了。嗨，那里面可够黑暗和闷人啦！人们对他说："明天你就要上绞架了。"这句话听起来可真不是好玩的，而且他把打火匣也忘在旅馆里。第二天早晨，他从小窗的铁栏杆里望见许多人拥出城来看他上绞架。他听到鼓声，看到兵士们开步走。所有的人都在向外面跑。在这些人中间有一个鞋匠的学徒。他还穿着皮围裙和一双拖鞋。他跑得那么快，连他的一双拖鞋也飞走了，撞到一堵墙上。那个兵士就坐在那儿，在铁栏杆后面朝外望。

"喂，你这个鞋匠的小鬼！你不要这么急呀！"兵士对他说，"在我没有到场以前，没有什么好看的呀。不过，假如你跑到我住的那个地方去，把我的打火匣取来，我可以给你四块钱。但是你得使劲地跑一下才行。"这个鞋匠的学徒很想得到那四块钱，所以提起脚就跑，把那个打火匣取来，交给这兵士，同时——唔，我们马上就可以知道事情起了什么变化。

在城外面，一架高大的绞架已经竖起来了。它的周围站着许多兵士和成千成万的老百姓。国王和王后，面对着审判官和全部陪审的人员，坐在一个华丽的王座上面。

那个兵士已经站到梯子上来了。不过，当人们正要把绞索套到他脖子上的时候，他说，一个罪人在接受他的裁判以前，可以有一个无罪的要求，人们应该让他得到满足：他非常想抽一口烟，而且这可以说是他在这世界上最后抽的一口烟了。

对于这要求，国王不愿意说一个"不"字。所以兵士就取出了他的打火匣,擦了几下火。一——二——三!忽然三只狗儿都跳出来了——一只有茶杯那么大的眼睛,一只有水车轮那么大的眼睛,还有一只的眼睛简直有“圆塔”那么大。

“请帮助我,不要叫我被绞死吧!”兵士说。

这时这几只狗儿就向法官和全体审判的人员扑来,拖着这个人的腿,咬着那个人的鼻子,把他们扔向空中有好几丈高,他们落下来时都跌成了肉酱。

“不准这样对我!”国王说。不过最大的那只狗儿还是拖住他和他的王后,把他们跟其余的人一起乱扔,所有的士兵都害怕起来,老百姓也都叫起来:“小兵,你做咱们的国王吧!你跟那位美丽的公主结婚吧!”

这么着,大家就把这个兵士拥进国王的四轮马车里去。那三只狗儿就在他面前跳来跳去,同时高呼:“万岁!”小孩子用手指吹起口哨来;士兵们敬起礼来。那位公主走出她的铜宫,做了王后,感到非常满意。结婚典礼举行了足足八天。那三只狗儿也上桌子坐了,把眼睛睁得比什么时候都大。

蓟的遭遇

在一幢华贵的公馆旁边有一个美丽整齐的花园，里面有许多珍贵的树木和花草。公馆里的客人们对于这些东西都表示羡慕。附近城里和乡下的村民在星期日和节日都特地来要求参观这个花园。甚至于所有的学校也都来参观。

在花园外面，在一条田野小径旁的栅栏附近，长着一棵很大的蓟。它的根还分出许多枝丫来，因此它可以说是一个蓟丛。除了一只拖牛奶车的老驴子以外，谁也不理它。驴子把脖子伸向蓟这边来，说："你真可爱！我几乎想吃掉你！"但是它的脖子不够长，没法吃到。

公馆里的客人很多——有从京城里来的高贵的客人，有年轻漂亮的小姐。在这些人之中有一个来自远方的姑娘。她是从苏格兰来的，出身很高贵，拥有许多田地和金钱。她是一个值得争取的新嫁娘——不止一个年轻人说这样的话，许多母亲们也这样说过。

年轻人在草坪上玩耍和打"捶球"。他们在花园中散步。每位小姐摘下一朵花，插在年轻绅士的扣眼上。不过这位苏格兰来的小姐向四周瞧了很久，这一朵也看不起，那一朵也看不起。似乎没有一朵花可以讨到她的欢心。她只好掉头向栅栏外面望。那儿有一个开着大朵紫花的蓟丛。她看见了它，她微笑了一下，她要求这家的少爷为她摘下一朵这样的花来。

"这是苏格兰之花①！"她说，"她在苏格兰的国徽上射出光辉，请把它摘

① 蓟是苏格兰的国花。

给我吧!”

他摘下最美丽的一朵,他还拿它刺刺自己的手指,好像它是长在一棵多刺的玫瑰花丛上的花似的。

她把这朵蓟花插在这位年轻人的扣眼里。他觉得非常光荣。别的年轻人都愿意放弃自己美丽的花,而想戴上这位苏格兰小姐的美丽的小手所插上的那朵花。假如这家的少爷感到很光荣,难道这个蓟丛就感觉不到吗?它感到好像有露珠和阳光渗进了它身体里似的。

“我没有想到我是这样重要!”它在心里想,“我的地位应该是在栅栏里面,而不是在栅栏外面。一个人在这个世界里常常是处在一个很奇怪的位置上的! 不过我现在却有一朵花越过了栅栏,而且还插在扣眼里哩!”

它把这件事情对每个冒出的和开了的花苞都讲了一遍。过了没有多少天,它听到一个重要消息。它不是从路过的人那里听来的,也不是从鸟儿的叫声中听来的,而是从空气中听来的,因为空气收集声音——花园里阴深小径上的声音,公馆里最深的房间里的声音(只要门和窗户是开着的)——然后把它们播送到远近的地方去。它听说,那位从苏格兰小姐的手中得到一朵蓟花的年轻绅士,不仅得到了她的爱情,还赢得了她的心。这是漂亮的一对——一门好亲事。

“这完全是由我促成的!”蓟丛想,同时也想起那朵由它贡献出的、插在扣子洞上的花。每朵开出的花苞都听见了这个消息。

“我一定会被移植到花园里去的!”蓟想,“可能还被移植到一个缩手缩脚的花盆里去呢:这是最高的光荣!”

蓟对于这件事情想得非常殷切,因此它满怀信心地说:“我一定会被移植到花盆里去的!”

它答应每一朵开放了的花苞,说它们也会被移植进花盆里,也许被插进扣子洞里:这是一个人所能达到的最高的光荣。不过谁也没有到花盆里去,当然更不用说插上扣子洞了。它们饮着空气和阳光,白天吸收阳光,晚间喝露水。它们开出花朵;蜜蜂和大黄蜂来拜访它们,因为它们在到处寻找嫁妆——花蜜。它们采走了花蜜,剩下的只有花朵。

“这一群贼东西!”蓟说,“我希望我能刺到它们! 但是我不能!”

花儿都垂下头,凋谢了。但是新的花儿又开出来了。

"好像别人在请你们似的,你们都来了!"蓟说,"每一分钟我都等着走过栅栏。"

几棵天真的雏菊和尖叶子的车前草怀着非常羡慕的心情在旁边静听。它们都相信它所讲的每一句话。

套在牛奶车子上的那只老驴子从路旁朝蓟丛望着。但是它的脖子太短,可望而不可即。

这棵蓟老是在想苏格兰的蓟,因为它以为它也是属于这一家族的。最后它就真的相信它是从苏格兰来的,相信它的祖先曾经被绘在苏格兰的国徽上。这是一种伟大的想法;只有伟大的蓟才能有这样伟大的想法。

"有时一个人出身于这么一个高贵的家族,弄得它连想都不敢想一下!"旁边长着的一棵荨麻说。它也有一个想法,认为如果人们把它运用得当,它可以变成"麻布"。

于是夏天过去了,秋天也过去了。树上的叶子落掉了;花儿染上了更深的颜色,但是却失去了很多的香气。园丁的学徒在花园里朝着栅栏外面唱:

爬上了山又下山,
世事仍然没有变!

树林里年轻的枞树开始盼望圣诞节的到来,但是现在离圣诞节还远得很。

"我仍然待在这儿!"蓟想,"世界上似乎没有一个人想到我,但是我却促成他们结为夫妇。他们订了婚,而且八天以前就结了婚。是的,我动也没有动一下,因为我动不了。"

又有几个星期过去了。蓟只剩下最后的一朵花。这朵花又圆又大,是从根子那儿开出来的。冷风在它身上吹,它的颜色褪了,美也没有了;它的花萼有朝鲜蓟那么粗,看起来像一朵银色的向日葵。这时那年轻的一对——丈夫和妻子——到这花园里来了。他们沿着栅栏走,年轻的妻子朝外面望。

"那棵大蓟还在那儿!"她说,"它现在已经没有什么花了!"

"还有,还剩下最后一朵花的幽灵!"他说,同时指着那朵花儿的银色的残骸——它本身就是一朵花。

“它很可爱!”她说,“我们要在我们画像的框子上刻出这样一朵花!”

年轻人于是就越过栅栏,把蓟的花萼摘下来了。花萼把他的手指刺了一下——因为他曾经把它叫做“幽灵”。花萼被带进花园,带进屋子,带进客厅——这对“年轻夫妇”的画像就挂在这儿。新郎的扣子洞上画着一朵蓟花。他们谈论着这朵花,也谈论着他们现在带进来的这朵花——他们将要刻在相框子上的、这朵漂亮得像银子一般的最后的蓟花。

空气把他们所讲的话传播出去——传到很远的地方去。

“一个人的遭遇真想不到!”蓟丛说,“我的头一个孩子被插在扣子洞上,我的最后的一个孩子被刻在相框上!我自己到什么地方去呢?”

站在路旁的那只驴子斜着眼睛望了它一下。

“亲爱的,到我这儿来吧!我不能走到你跟前去,我的绳子不够长呀!”

但是蓟却不回答。它变得更沉思起来。它想了又想,一直想到圣诞节。最后它的思想开出了这样一朵花:

“只要孩子走进里面去了,妈妈站在栅栏外面也应该满足了!”

“这是一个很公正的想法!”阳光说,“你也应该得到一个好的位置!”

“在花盆里呢?还是在相框上呢?”蓟问。

“在一个童话里!”阳光说。

这就是那个童话!

瓶 颈

在一条狭窄、弯曲的街上，在许多穷苦的住屋中间，有一座非常狭小、但是很高的木房子。它四边都要塌了。这屋子里住着的全是穷人，而住在顶楼里的人最穷。在这房间的一个小窗子前面，挂着一个歪歪斜斜的鸟笼。它连一个适当的水盅也没有；只有一个倒转来的瓶颈，嘴上塞着一个塞子，盛满了水。一位老小姐站在这开着的窗子旁边，她刚刚用繁缕草把这鸟笼打扮了一番。一只小苍头燕雀从这根梁上跳到那根梁上，唱得非常起劲。

"是的，你倒可以唱歌！"瓶颈说——它当然不是像我们一样讲话，因为瓶颈是不会讲话的。不过它是在心里这样想，正如我们人静静地在内心里讲话一样。"是的，你倒可以唱歌！因为你的肢体是完整的呀。你应该体会一下这种情况：没有身体，只剩下一个颈项和一个嘴，而且像我一样嘴上还堵了一个塞子。这样你就不会唱歌了。但是能作作乐也是一桩好事，我没有任何理由来唱歌，而且我也不会唱。是的，当我是一个完整的瓶子的时候，如果有人用塞子在我身上擦几下的话，我也能唱一下的。人们把我叫做十全十美的百灵鸟，伟大的百灵鸟！啊，当我和毛皮商人一家人在树林里的时候！当他的女儿在订婚的时候！是的，我记得那情景，仿佛是昨天的事情似的。只要我回忆一下，我经历过的事情可真不少。我经历过火和水，在黑泥土里面待过，也曾经比大多数的东西爬得高。现在我却悬在这鸟笼的外面，悬在空气中，在太阳光里！我的故事值得听一听；但是我不把它大声讲出来，因为我不能大声讲。"

于是瓶颈就在心里讲这故事，也可以说是在心里想自己的故事。这是一个很奇怪的故事。那只小鸟愉快地唱着歌。街上的人有的乘车子，有的步行；各人想着各人的事，也许什么事也没有想。可是瓶颈在想。

它在想着工厂里那个火焰高蹿的熔炉。它就是在那儿被吹成瓶形的。它还记得那时它很热，它曾经向那个发出嗞嗞声的炉子——它的老家——望过一眼。它真想再跳回到里面去；不过它后来慢慢地变冷了，它觉得它当时的样子也蛮好。它是立在一大群兄弟姊妹的行列中间——都是从一个熔炉里生出来的。不过有的被吹成了香槟酒瓶，有的被吹成了啤酒瓶，而这是有区别的！在它们走进世界里去以后，一个啤酒瓶很可能会装最贵重的"拉克里麦·克利斯蒂"[①]，而一个香槟酒瓶可能只装黑鞋油。不过一个人天生是什么东西，他的样子总不会变的——贵族究竟是贵族，哪怕他满肚子装的是黑鞋油也罢。

所有的瓶子不久就被包装起来了，我们的这个瓶子也在其中。在那个时候，它没有想到自己会成为一个瓶颈，当做鸟儿的水盅——这究竟是一件光荣的事情，因为这说明它还有点用处！它再也没有办法见到天日，直到最后才跟别的朋友们一块儿从一个酒商的地窖里被取出箱子来，第一次在水里洗了一通——这是一种很滑稽的感觉。

它躺在那儿，空空的，没有瓶塞。它感到非常不愉快，它缺少一件什么东西——究竟是什么东西，它也讲不出来。最后它装满了贵重的美酒，安上一个塞子，并且封了口。它上面贴着一张纸条："上等。"它觉得好像在考试时得了优等一样。不过酒的确不坏，瓶也不坏。一个人的年轻时代是诗的时代！其中有它所不知道的优美的歌：绿色的、阳光照着山岳，那上面长着葡萄，还有快乐的女子和高兴的男子在歌唱，接吻。的确，生活是多么美好啊！这瓶子的身体里，现在就有这种优美的歌声，像在许多年轻诗人的心里一样——他们常常也不知道他们心里唱的是什么东西。

有一天早晨，瓶子被人买去了。毛皮商人的学徒被派去买一瓶最上等的酒。瓶子就跟火腿、干酪和香肠一起放进一个篮子里。那里面还有最好的黄油和最好的面包——这是毛皮商人的女儿亲手装进去的。她是那么年轻，那么美丽。她有一双笑眯眯的棕色眼睛，嘴唇上也老是飘着微笑——跟

---

① 这是一种酒名，原文是 Lacrymae Christi。

她的眼睛同样富有表情的微笑。她那双柔嫩的手白得可爱,而她的脖子和胸脯更白。人们一眼就可以看出,她是全城中最美的女子;而且她还没有订过婚。

当这一家人到森林里去野餐的时候,篮子就放在这位小姐的膝上。瓶颈从白餐巾的尖角里伸出来。塞子上封着红蜡,它一直向这姑娘的脸上望,它也朝着坐在这姑娘旁边的一个年轻的水手望。他是她儿时的朋友,一位肖像画家的儿子。最近他考试得到优等,成了大副;明天就要开一条船到一个遥远的国度去。当瓶子装进篮子里去的时候,他们正谈论着这次旅行的事情。那时,这位毛皮商人的漂亮女儿的一对眼睛和嘴唇的确没有露出什么愉快的表情。

这对年轻人在绿树之间漫步着,交谈着。他们在谈什么呢?是的,瓶子听不见,因为它是装在菜篮子里。过了一段意外的长时间以后,它才被取出来。不过当它被取出来的时候,大家已经很快乐了,因为所有的眼睛都在笑,而毛皮商人的女儿也在笑。不过她的话讲得很少,而她的两个脸蛋红得像两朵玫瑰花。

父亲一手拿着酒瓶,一手紧握着拔瓶塞的开塞钻。是的,被人拔一下的确是一种奇怪的感觉,尤其是第一次。瓶颈永远也忘不了这给它印象最深的一刹那。的确,当那瓶塞飞出去的时候,它心里说了一声“扑!”当酒倒进杯子里的时候,它咯咯地唱了一两下。

“祝这订婚的一对健康!”爸爸说。每次总是干杯。那个年轻的水手吻着他美丽的未婚妻。

“祝你们幸福和快乐!”老年夫妇说。

年轻人又倒满了一杯。

“明年这时就回家结婚!”他说。当他把酒喝干了的时候,他把瓶子高高地举起,说:“在我这一生最愉快的一天中,你恰巧在场;我不愿意你再为别人服务!”

于是他就把瓶子扔向空中。毛皮商人的女儿肯定地相信她决不会再有机会看到这瓶子了,然而她却看到了。它落到树林里一个小池旁浓密的芦苇中去了。瓶子还弄不清楚它怎么会躺在这样一个地方。它想:

“我给他们酒,而他们却给我池水,但是他们本来的用意是很好的!”

它再也没有看到这对订了婚的年轻人和那对快乐的老夫妇了。不过它有好一会儿还能听到他们的欢笑声和歌声。最后有两个农家孩子走来了；他们朝芦苇里望,发现了这个瓶子,于是就把它捡起来。现在它算是有一个归宿了。

他们住在一个木房子里。他们的大哥是一个水手。他昨天回家来告别,因为他要去作一次长途旅行。母亲在忙着替他收拾旅途中要用的一些零碎东西。这天晚上他父亲就要把行李送到城里去,想要在别离前再看儿子一次,同时代表母亲说几句告别的话。行李里还放有一瓶药酒,这时孩子们恰巧拿着他们找到的那个更结实的大瓶子走进来。比起那个小瓶子来,这瓶子能够装更多的酒,而且还是能治消化不良的好烧酒,里面浸有药草。瓶子里装的不是以前那样的红酒,而是苦味的药酒,但这也是很好的——对于胃痛很好。现在要装进行李中去的就是这个新的大瓶子,而不是原来的那个小瓶子。因此这瓶子又开始旅行起来。它和彼得·演生一起上了船。这就是那个年轻的大副所乘的一条船。但是他没有看到这瓶子。的确,他不会知道,或者想到,这就是曾经倒出酒来、祝福他订婚和安全回家的那个瓶子。

当然它里面没有好酒,但是它仍然装着同样好的东西。当彼得·演生把它取出来时,他的朋友们仍然把它叫做"药店"。它里面装着好药——治腹痛的药。只要它还有一滴留下,它总是有用的。这要算是它幸福的时候了。当塞子擦着它的时候,它就唱出歌来。因此它被人叫做"大百灵鸟——彼得·演生的百灵鸟"。

漫长的岁月过去了。瓶子待在一个角落里,已经空了。这时出了一件事情——究竟是在出航时出的呢,还是在回家的途中出的,它说不大清楚,因为它从来没有上过岸。暴风雨起来了,巨浪在沉重地、阴森地颠簸着,船在起落不定。主桅在断裂;巨浪把船板撞开了;抽水机现在也无能为力了。这是漆黑的夜。船在下沉。但是在最后一瞬间,那个年轻的大副在一页纸上写下这样的字:"愿耶稣保佑!我们现在要沉了!"他写下他的未婚妻的名字,也写下自己的名字和船的名字,便把纸条塞在手边这只空瓶子里,然后把塞子塞好,把它扔进这波涛汹涌的大海里去。他不知道,它曾经为他和她倒出过幸福和希望的酒。现在它带着他的祝福和死神的祝福在浪花中漂流。

船沉了,船员也一起沉了。瓶子像鸟儿似的飞着,因为它身体里带着一颗心和一封亲爱的信。太阳升起了,又落下了。对瓶子说来,这好像它在出生时所看见的那个红彤彤的熔炉——它那时多么希望能再跳进去啊!

它看见过晴和的天气和新的暴风雨。但是它没有撞到石礁,也没有被什么鲨鱼吞掉。它这样漂流了不知多少年,有时漂向北,有时漂向南,完全由浪涛的流动来左右。除此以外,它可以算是独立自主了;但是一个人有时也不免对于这种自由感到厌倦起来。

那张字条——那张代表恋人同未婚妻最后告别的字条,如果能到达她手中的话,只会带给她悲哀;但是那双白嫩的、曾在订婚那天在树林中新生的草地上铺过桌布的手现在在什么地方呢?瓶子一点也不知道;它往前漂流着,漂流着;最后漂流得厌倦了,因为漂流究竟不是生活的目的。但是它不得不漂流,一直到最后它到达了陆地——到达一块陌生的陆地。这儿人们所讲的话,它一句也听不懂,因为这不是它从前听到过的语言。一个人不懂当地的语言,真是一件很大的损失。

瓶子被捞起来了,而且也被检查过了。它里面的字条也被发现了,被取了出来,被人翻来覆去地看,但是上面所写的字却没有人看得懂。他们知道瓶子一定是从船上抛下来的——字条上一定写着这类事情。但是纸上的字却是一个谜。于是字条又被塞进瓶子里面去,而瓶子被放进一个大柜子里。它们现在都在一个大房子里的一个大房间里。

每次有生人来访的时候,字条就被取出来,翻来覆去地看,弄得上面铅笔写的字迹变得更模糊了,最后连上面的字母也没有人看得出来了。

瓶子在柜子里待了一年,后来被放到顶楼的储藏室里去了。全身都布满了灰尘和蜘蛛网。于是它就想起了自己的幸福的时光,想起它在树林里倒出红酒,想起它带着一个秘密、一个音信、一个别离的叹息在海上漂流。

它在顶楼里待了整整二十年。要不是这座房子要重建的话,它可能待得更长。屋顶被拆掉了,瓶子也被人发现了。大家都谈论着它,但是它却听不懂他们的话,因为一个人被锁在顶楼里决不能学会一种语言的,哪怕他待上二十年也不成。

“如果我住在下面的房间里，”瓶子想，“我可能已经学会这种语言了！”

它现在被洗刷了一番。这的确是很必要的。它感到透亮和清爽，真是返老还童了。但是它带来的那张字条，已经在洗刷中被毁掉了。

瓶子装满了种子；它不知道这是些什么种子。它被塞上了塞子，包起来。它既看不到灯笼，也看不到蜡烛，更谈不上月亮和太阳。但是它想：当一个人旅行的时候，应该看一些东西才是。但是它什么也没有看到，不过那人总算做了一件最重要的事情——它旅行到了目的地，并且从包中取出来了。

“那些外国人该是费了多少麻烦才把这瓶子包装好啊！”它听到人们讲。“它早就该损坏了。”但是它并没有损坏。

瓶子现在懂得人们所讲的每一个字：这就是它在熔炉里、在酒商的店里、在树林里、在船上听到的、它能懂得的那种唯一的、亲爱的语言。它现在回到家乡来了，并且受到了欢迎。出于一时的高兴，它很想从人们手中跳出来。在它还没有觉得以前，塞子就被取出来了，里面的东西倒出来了，它自己被送到地下室去，扔在那儿，被人忘掉。什么地方也没有家乡好，哪怕是待在地下室里！瓶子从来没有想过自己在这儿待了多久：因为它在这儿感到很舒服，所以就在这儿躺了许多年。最后人们到地下室里，把瓶子都清除出去——包括这个瓶子在内。

花园里正在开一个盛大的庆祝会。闪耀的灯儿悬着，像花环一样；纸灯笼射出光辉，像大朵透明的郁金香。这是一个美丽的晚上，天气是晴和的，星星在眨着眼睛。这正是上弦月的时候；但是事实上整个月亮都现出来了，像一个深灰色的圆球，上面镶着半圈金色的框子——这对于眼睛好的人看起来，是一个美丽的景象。

灯火甚至把花园里最隐蔽的小径都照到了；最低限度，照得可以使人找到路。篱笆上的树叶中间立着许多瓶子，每个瓶里有一个亮光。我们熟识的那个瓶子，也在这些瓶子中间。它命中注定有一天要变成一个瓶颈，一个供鸟儿吃水的小盅。

不过在一时间，它觉得一切都美丽无比：它又回到绿树林中，又在欣赏欢乐和庆祝的景象。它听到歌声和音乐声，听到许多人的话声和低语声——特别是花园里点着玻璃灯和种种不同颜色的纸灯笼的那块地方。它立在一条小径上，一点也不错，但这正是使人感到了不起的地方。瓶子里点着一个火，既有用，又愉快。这当然是对的。这样的一个钟头可以使它忘记自己在顶楼上度过的二十年光阴——把它忘掉也很好。

有两个人在它旁边走过去了。他们手挽着手，像多少年以前在那个树林里的一对订了婚的恋人——水手和毛皮商人的女儿。瓶子似乎重新回到那个情景中去了。花园里不仅有客人在散步，而且还有许多别的人到这儿来参观这良辰美景。在这些人中间有一位没有亲戚的老小姐，不过她并非没有朋友。像这瓶子一样，她也正在回忆那个绿树林，那对订了婚的年轻人。这对年轻人牵涉到她，跟她的关系很密切，因为她就是两人中的一个。那是她一生中最幸福的时刻——这种时刻，一个人是永远忘记不了的，即使变成了这么一个老小姐也忘记不了。

但是她不认识这瓶子，而瓶子也不认识她；人与人的关系往往就是这样，虽然他们有时又碰到一起。他们俩就是如此，他们现在又在同一个城市里面。

瓶子又从这花园到一个酒商的店里去了。它又装满了酒，被卖给一个飞行家。这人要在下星期天坐着气球飞到空中去。有一大群人赶来观看这个场面；还有一个军乐队和许多其他的布置。待在一个篮子里的瓶子和一只活兔子，看到了这全部景象。兔子感到非常沮丧，因为它知道自己要升到空中去，然后又要跟着一个降落伞落下来。不过瓶子对于“上升”和“下落”的事儿一点也不知道；它只看到这气球越鼓越大，当它鼓得不能再鼓的时候，就开始升上去了，越升越高，而且动荡起来。系着它的那根绳子这时被剪断了。这样它就带着那个飞行家、篮子、瓶子和兔子航行起来。音乐奏起来了，大家都高呼：“好啊！”

“像这样在空中航行真是美妙得很！”瓶子想，“这是一种新式的航行；在这上面无论如何是触不到什么暗礁的。”

成千成万的人在看这气球。那个老小姐也抬头向它凝望。她立在一个顶楼的窗口。这儿挂着一个鸟笼，里面有一只苍头燕雀。它还没有一个水盅，目前只好满足于使用一个旧杯子。窗子上有一盆桃金娘。老小姐把它移向旁边一点，免得它落下去，因为她正要把头伸到窗子外面去望。她清楚地看到气球里的那个飞行家，看到他让兔子和降落伞一起落下来，看到他对观众干杯,最后把酒瓶向空中扔去。她没有想到,在她年轻的时候,在那个绿树林里的欢乐的一天,她早已看到过这瓶子为了庆祝她和她的男朋友,也曾经一度被扔向空中。

瓶子来不及想什么了,因为忽然一下子升到这样一个生命的最高峰,它简直做梦也没有想到。教堂塔楼和屋顶躺在遥远的下面,人群看起来简直渺小得很。

这时它开始下降,而下降的速度比兔子快得多。瓶子在空中翻了好几个跟头,觉得非常年轻,非常自由自在。它还装着半瓶酒,虽然它再也装不了多久。这真是了不起的旅行!太阳照在瓶子上;许多人在看着它。气球已经飞得很远了,瓶子也落得很远了。它落到一个屋顶上,因此跌碎了。但是碎片产生出一种动力,弄得它们简直静止不下来。它们跳,滚,一直落到院子里,跌成更小的碎片。只有瓶颈算是保持完整,像是用金刚钻锯下来的一样。

"把它用做鸟儿的水盅倒是非常合适!"住在地下室的一个人说。但是他既没有鸟儿,也没有鸟笼。只是因为有一个可以当作水盅用的瓶颈就去买一只鸟和一个鸟笼来,那未免太不实际了。但是住在顶楼上的那位老小姐可能用得着它。于是瓶颈就到楼上来了,并且还有了一个塞子。原来朝上的那一部分,现在朝下了——当客观情势一变的时候,这类事儿是常有的。它里面盛满了新鲜的水,并且被系在笼子上,面对着小鸟。鸟儿现在正在唱歌,唱得很美。

"是的,你倒可以唱歌!"瓶颈说。

它的确是了不起,因为它在气球里待过——关于它的历史。大家知道的只有这一点。现在它却是鸟儿的水盅,吊在那儿,听着下边街道上的喧闹声和低语声以及房间里那个老小姐的讲话声:一个同年纪的朋友刚才来拜访过她,她们聊了一阵天——不是关于瓶颈,而是关于窗子上的那棵郁金香。

"不,花两块大洋为你的女儿买一个结婚的花环,的确没有这个必要!"老小姐说,"我送给你一个开满了花的、美丽的花束吧。你看,这朵花长得多么可爱!是的,它就是一根郁金香枝子栽大的。这枝子是你在我订婚后的第一天送给我的。那年过去以后,我应当用它为我自己编成一个结婚的花环。但是那个日子永远也没有到来！那双应该是我一生快乐和幸福的眼睛①闭上了。他，我亲爱的人，现在睡在海的深处。这棵郁金香已经成了一棵老树，而我却成了一个更老的人。当它凋零了以后，我摘下它最后的一根绿枝，把它插在土里，现在它长成了一株树。现在你可以用它为你的女儿编成一个结婚的花环，它总算碰上一次婚礼②，有些用处！”

这位老小姐的眼里含有泪珠。她谈起她年轻时代的恋人，和他们在树林里的订婚。她不禁想起了那多次的干杯，想起了那个初吻——她现在不愿意讲这事情了，因为她已经是一个老小姐，她想起了的事情真多，但是她却从没有想到在她的近旁，在这窗子前面，就有那个时代的一个纪念物：一个瓶颈——这瓶子当它的塞子为了大家的干杯而被拔出来的时候，曾经发出过一声快乐的欢呼。不过瓶颈也不认识她，因为它没有听她讲话——主要是因为它老在想着自己。

---

① 指她的未婚夫。

② 按照丹麦的风俗，一个女子结婚时，要戴一个用郁金香编成的花环。

各得其所

这是一百多年以前的事情！

在树林后面的一个大湖旁边，有一座古老的邸宅。它的周围有一道很深的壕沟；里面长着许多芦苇和草。在通向入口的那座桥边，长着一棵古老的柳树；它的枝子垂向这些芦苇。

从空巷里传来一阵号角声和马蹄声；一个牧鹅姑娘趁着一群猎人没有奔驰过来以前，就赶快把她的一群鹅从桥边赶走。猎人飞快地跑近来了。她只好急忙爬到桥头的一块石头上，免得被他们踩到。她仍然是个孩子，身材很瘦削；但是她面上有一种和蔼的表情和一双明亮的眼睛。那位老爷没有注意到这点。当他飞驰过去的时候，他把鞭子掉过来，恶作剧地用鞭子的把手朝这女孩子的胸脯一推，弄得她仰着滚下去了。

"各得其所！"他大声说，"请你滚到泥巴里去吧！"

他大笑起来。因为他觉得这很好笑，所以和他一道的人也都笑起来。全体人马都大肆叫嗥，连猎犬也咬起来。这真是所谓：

"富鸟飞来声音大！"①

只有上帝知道，他现在还是不是富有。

这个可怜的牧鹅女在落下去的时候，伸手乱抓，结果抓住了柳树的一根垂枝，这样她就悬在泥沼上面。老爷和他的猎犬马上就走进大门不见了。

---

① 这是丹麦的一句古老的谚语，原文是：Rige Fugl Kommer Susennde！意译是："富人出行，声势浩大！"

这时她就想法再爬上来,但是枝子忽然在顶上断了;要不是上面有一只强壮的手抓住了她,她就要落到芦苇里去了。这人是一个流浪的小贩。他从不远的地方看到了这件事情,所以他现在就急忙赶过来帮助她。

“各得其所!”他模仿那位老爷的口吻开玩笑地说。于是他就把小姑娘拉到干地上来。他倒很想把那根断了的枝子接上,但是“各得其所”不是在任何场合下都可以做得到的!因此他就把这枝子插到柔软的土里。“假如你能够的话,生长吧,一直长到你可以成为那个公馆里的人们的一管笛子!”

他倒希望这位老爷和他的一家人挨一次痛打呢。他走进这个公馆里去,但并不是走进客厅,因为他太微贱了!他走进仆人住的地方去。他们翻了翻他的货品,争论了一番价钱。但是从上房的酒席桌上,飘来一阵喧噪和尖叫声——这就是他们所谓的唱歌;比这更好的东西他们就不会了。笑声和犬吠声、大吃大喝声,混做一团。普通酒和强烈的啤酒在酒罐和玻璃杯里冒着泡,狗跟主人坐在一起吃喝。有的狗用耳朵把鼻子擦干净以后,还得到少爷们的亲吻。

他们请这小贩带着他的货品走上来,不过他们的目的是要开他的玩笑。酒已经入了他们的肚肠,理智已经飞走了。他们把啤酒倒进袜子里,请这小贩跟他们一起喝,但是必须喝得快!这办法既巧妙,而又能逗人发笑。于是他们把牲口、农奴和农庄都拿出来作为赌注,有的赢,有的输了。

“各得其所!”小贩在走出了这个他所谓的“罪恶的渊薮”的时候说,“我的处‘所’是宽广的大路,我在那家一点也不感到自在。”

牧鹅的小姑娘从田野的篱笆那儿对他点头。

许多天过去了。许多星期过去了。小贩插在壕沟旁边的那根折断了的杨柳枝,显然还是新鲜和翠绿的;它甚至还冒出了嫩芽。牧鹅的小姑娘知道这根枝子现在生了根,所以她感到非常愉快,因为她觉得这棵树是她的树。

这棵树在生长。但是公馆里的一切,在喝酒和赌博中很快地就搞光了——因为这两件东西像轮子一样,任何人在上面是站不稳的。

六个年头还没有过完,老爷拿着袋子和手杖,作为一个穷人走出了这个公馆。公馆被一个富有的小贩买去了。他就是曾经在这儿被戏弄和讥笑过的那个人——那个得从袜子里喝啤酒的人。但是诚实和勤俭带来兴盛;现在这个小贩成为了公馆的主人。不过从这时起,打纸牌的这种赌博就不许在这儿再玩了。

“这是很坏的消遣，”他说，“当魔鬼第一次看到《圣经》的时候，他就想放一本坏书来抵消它，于是他就发明了纸牌戏！”

这位新主人娶了一个太太。她不是别人，就是那个牧鹅的女郎。她一直是很忠诚、虔敬和善良的。她穿上新衣服非常漂亮，好像她天生就是一个贵妇人似的。事情怎么会是这样呢？是的，在我们这个忙碌的时代里，这是一个很长的故事；不过事情是如此，而且最重要的一部分还在后面。

住在这座古老的邸宅里是很幸福的。母亲管家里的事，父亲管外面的事，幸福好像是从泉水里涌出来的。凡是幸运的地方，就经常有幸运来临。这座老房子被打扫和油漆得一新；壕沟也清除了，果木树也种起来了。一切都显得温暖而愉快；地板擦得很亮，像一个棋盘。在漫长的冬夜里，女主人同她的女用人坐在堂屋里织羊毛或纺线。礼拜天的晚上，司法官——那个小贩成了司法官，虽然他现在已经老了——就读一段《圣经》。孩子们——因为他们生了孩子——都长大了，而且受到了很好的教育，虽然像在别的家庭里一样，他们的能力各有不同。

公馆门外的那根柳树枝，已经长成为一棵美丽的树。它自由自在地立在那儿，还没有被剪过枝。“这是我们的家族树！”这对老夫妇说。这树应该得到光荣和尊敬——他们这样告诉他们的孩子，包括那些头脑不太聪明的孩子。

一百年过去了。

这就是我们的时代。湖已经变成了一块沼地。那座老宅邸也不见了，现在只剩下一个长方形的水潭，两边立着一些断垣残壁。这就是那条壕沟的遗址。这儿还立着一株壮丽的老垂柳。它就是那株老家族树。这似乎是说明，一棵树如果你不去管它，它会变得多么美丽。当然，它的主干从根到顶都裂开了；风暴也把它打得略微弯了一点。虽然如此，它仍然立得很坚定，而且在每一个裂口里——风和雨送了些泥土进去——还长出了草和花；尤其是在顶上大枝丫分叉的地方，许多覆盆子和繁缕草形成一个悬空的花园。这儿甚至还长出了几棵山梨树；它们苗条地立在这株老柳树的身上。当风儿把青浮草吹到水潭的一个角落里去的时候，老柳树的影子就在阴深的水上出现。一条小径从这树的近旁一直伸到田野。

在树林附近的一个风景优美的小山上,有一座新房子,既宽大,又华丽;窗玻璃是那么透明,人们可能以为它完全没有镶玻璃。大门前面的宽大台阶很像玫瑰花和宽叶植物所形成的一个花亭。草坪是那么碧绿,好像每一片叶子早晚都被冲洗过了一番似的。厅堂里悬着华贵的图画。套着锦缎和天鹅绒的椅子和沙发,简直像自己能够走动似的。此外还有光亮的大理石桌子,烫金的皮装的书籍。是的,这儿住着的是富有的人;这儿住着的是贵族——男爵。

这儿一切东西都配得很协调。这儿的格言是:"各得其所!"因此从前在那座老房子里光荣地、排场地挂着的一些图画,现在统统都在通到仆人住处的走廊上挂着。它们现在成了废物——特别是那两幅老画像:一幅是一位穿粉红上衣和戴着扑了粉的假发的绅士,另一幅是一位太太——她的向上梳的头发也扑了粉,她的手里拿着一朵红玫瑰花。他们两人四周围着一圈柳树枝所编成的花环。这两张画上布满了圆洞,因为小男爵们常常把这两位老人当作他们射箭的靶子。这两位老人就是司法官和他的夫人——这个家族的始祖。

"但是他们并不真正属于这个家族!"一位小男爵说,"他是一个小贩,而她是一个牧鹅的丫头。他们一点也不像爸爸和妈妈。"

这两张画成为没有价值的废物。因此,正如人们所说的,它们"各得其所"!曾祖父和曾祖母就来到通向仆人宿舍的走廊里了。

牧师的儿子是这个公馆里的家庭教师。有一天他和小男爵们以及他们受了坚信礼不久的姐姐到外面去散步。他们在小径上向那棵老柳树后面走来;当他们正在走的时候,这位小姐就用田里的小花扎了一个花束。"各得其所",所以这些花儿也形成了一个美丽的整体。在这同时,她倾听着大家的高谈阔论。她喜欢听牧师的儿子谈起大自然的威力,谈起历史上伟大的男子和女人。她有健康愉快的个性,高尚的思想和灵魂,还有一颗喜爱上帝所创造一切事物的心。

他们在老柳树旁边停下来。最小的那位男爵很希望有一管笛子,因为他从前也有过一管用柳树枝雕的笛子。牧师的儿子便折下一根枝子。

"啊,请不要这样做吧!"那位年轻的女男爵说。然而这已经做了。"这是我们的一棵有名的老树,我非常心疼它!他们在家里常常因此笑我,但是我不管！这棵树有一个来历！”

于是她就把她所知道的关于这树的事情全讲出来：关于那个老宅邸的事情，以及那个小贩和那个牧鹅姑娘怎样在这地方第一次遇见、后来他们又怎样成为这个有名的家族和这个女男爵的始祖的事情。

“这两个善良的老人，他们不愿意成为贵族！”她说，“他们遵守着‘各得其所’的格言；因此他们就觉得，假如他们用钱买来一个爵位，那就与他们的地位不相称了。只有他们的儿子——我们的祖父——才正式成为一位男爵。据说他是一位非常有学问的人，他常常跟王子和公主们来往，还常常参加他们的宴会。家里所有的人都非常喜欢他。但是，我不知道为什么，最初的那对老人对我的心有某种吸引力。那个老房子里的生活一定是这样地安静和庄严；主妇和女仆们一起坐着纺纱，老主人高声朗诵着《圣经》。”

“他们是一对可爱的通情理的人！”牧师的儿子说。

到这儿，他们的谈话就自然接触到贵族和市民了。牧师的儿子几乎不太像市民阶层的人，因为当他谈起关于贵族的事情时，他是那么内行。他说：

“一个人作为一个有名望的家庭的一员是一桩幸运事！同样，一个人血液里有一种鼓舞他向上的动力，也是一桩幸运事。一个人有一个族名作为走进上流社会的桥梁，是一桩美事。贵族是高贵的意思。它是一块金币，上面刻着它的价值。我们这个时代的调子——许多诗人也自然随声附和——是：一切高贵的东西总是愚蠢和没有价值的；至于穷人，他们越不行，他们就越聪明。不过这不是我的见解，因为我认为这种看法完全是错误的，虚伪的。在上流阶级里面，人们可以发现许多美丽和感动人的特点。我的母亲告诉过我一个例子，而且我还可以举出许多别的来。她到城里去拜访一个贵族家庭。我想，我的祖母曾经当过那家主妇的乳母。我的母亲有一天跟那位高贵的老爷坐在一个房间里。他看见一个老太婆拄着拐杖蹒跚地走进屋子里来。她是每个礼拜天都来的，而且一来就带走几个银毫。‘这是一个可怜的老太婆，’老爷说，‘她走路真不容易！’在我的母亲还没有懂得他的意思以前，他就走出了房门，跑下楼梯，亲自走到那个穷苦的老太婆身边去，免得她为了取几个银毫而要走艰难的路。这不过是一件小小的事情;但是,像《圣经》上所写的寡妇的一文钱①一样,它在人心的深处,在人类的天性中引起一个回音。诗人就应该把这类事情指出来,歌颂它,特别是在我们这个时代,因为这会发生好的作用,会说服人心。不过有的人,因为有高贵的血统,同时出身于望族,常常像阿拉伯的马一样,喜欢翘起前腿在大街上嘶鸣。只要有一个普通人来过,他就在房间里说:'平民曾经到过此地!'这说明贵族在腐化,变成了一个贵族的假面具,一个德斯比斯②所创造的那种面具。人们讥笑这种人,把他当成讽刺的对象。"

这就是牧师的儿子的一番议论。它的确未免太长了一点,但在这期间,那管笛子却雕成了。

公馆里有一大批客人。他们都是从附近地区和京城里来的。有些女士们穿得很入时,有的不入时。大客厅里挤满了人。附近地区的一些牧师都是恭而敬之挤在一个角落里——这使人觉得好像要举行一个葬礼似的。但是这却是一个欢乐的场合,只不过欢乐还没有开始罢了。

这儿应该有一个盛大的音乐会才好。因此一位少男爵就把他的柳树笛子取出来,不过他吹不出声音来,他的爸爸也吹不出,所以它成了一个废物。

这儿现在有了音乐,也有了歌唱,它们都使演唱者本人感到最愉快,当然这也不坏!

"你也是一个音乐家吗?"一位漂亮绅士——他只不过是他父母的儿子——说。"你吹奏这管笛子,而且你还亲手把它雕出来。这简直是天才,而天才坐在光荣的席位上,统治着一切。啊,天啦!我是在跟着时代走——每个人非这样不可。啊,请你用这小小的乐器来迷住我们一下吧,好不好?"

于是他就把用水池旁的那株柳树枝雕成的笛子交给牧师的儿子。他同时大声说,这位家庭教师将要用这乐器对大家作一个独奏。

现在他们要开他的玩笑,这是很清楚的了。因此这位家庭教师就不吹了,虽然他可以吹得很好。但是他们却坚持要他吹,弄得他最后只好拿起笛

---

① 即钱少而可贵的意思,原出《圣经·新约·马可福音》:"耶稣对银库坐着,看众人怎样投钱入库。有好些财主,往里投了若干的钱。有一个穷寡妇来,往里投了两个小钱,这就是一个大钱。耶稣叫门徒来,说,我实在告诉你们,这穷寡妇投入库里的,比众人所投的还多。因为他们都是自己有余,拿出来投在里头。但这寡妇是自己不足,把她一切养生的都投上了。"

② 德斯比斯(Thespis)是纪元前6世纪希腊的一个戏剧家,悲剧的创始者。

子,凑到嘴上。

这真是一管奇妙的笛子！它发出一个怪声音,比蒸汽机所发出的汽笛声还要粗。它在院子上空,在花园和森林里盘旋,远远地飘到田野上去。跟这音调同时,吹来了一阵呼啸的狂风,它呼啸着说:“各得其所!”于是爸爸就好像被风在吹动似的,飞出了大厅,落在牧人的房间里去了;而牧人也飞起来,但是却没有飞进那个大厅里去,因为他不能去——嗨,他却飞到仆人的宿舍里去,飞到那些穿着丝袜子、大摇大摆地走着路的、漂亮的侍从中间去。这些骄傲的仆人们被弄得目瞪口呆,想着:这么一个下贱的人物居然敢跟他们一道坐上桌子。

但是在大厅里,年轻的女男爵飞到了桌子的首席上去。她是有资格坐在这儿的。牧师的儿子坐在她的旁边。他们两人这样坐着,好像他们是一对新婚夫妇似的。只有一位老伯爵——他属于这国家的一个最老的家族——仍然坐在他尊贵的位子上没有动;因为这管笛子是很公正的,人也应该是这样。那位幽默的漂亮绅士——他只不过是他父亲的儿子——这次吹笛子煽动人,倒栽葱地飞进一个鸡屋里去了,但他并不是孤独地一个人在那儿。

在附近一带十多里地以内,大家都听到了笛声和这些奇怪的事情。一个富有商人的全家,坐在一辆四匹马拉的车子里,被吹出了车厢,连在车后都找不到一块地方站着。两个有钱的农夫,他们在我们这个时代长得比他们田里的麦子还高,却被吹到泥巴沟里去了。这是一管危险的笛子！很幸运的是,它在发出第一个调子后就裂开了。这是一件好事,因为这样它就又被放进衣袋里去了:“各得其所!”

随后的一天,谁也不提起这件事情,因此我们就有了“笛子入袋”这个成语。每件东西都回到它原来的位子上。只有那个小贩和牧鹅女的画像挂到大客厅里来了。它们是被吹到那儿的墙上去的。正如一位真正的鉴赏家说过的一样,它们是由一位名家画出来的;所以它们现在挂在它们应该挂的地方。人们从前不知道它们有什么价值,而人们又怎么会知道呢？现在它们悬在光荣的位置上:“各得其所!”事情就是这样！永恒的真理是很长的——比这个故事要长得多。

光荣的荆棘路

从前有一个古老的故事:“光荣的荆棘路:一个叫做布鲁德的猎人得到了无上的光荣和尊严,但是他却长时期遇到极大的困难和冒着生命的危险。”我们大多数的人在小时候已经听到过这个故事,可能后来还读到过它,并且也想起自己没有被人歌颂过的“荆棘路”和“极大的困难”。故事和真事没有什么很大的分界线。不过故事在我们这个世界里经常有一个愉快的结尾,而真事常常在今生没有结果,只好等到永恒的未来。

世界的历史像一个幻灯。它在现代的黑暗背景上,放映出明朗的片子,说明那些造福人类的善人和天才的殉道者在怎样走着荆棘路。

这些光耀的图片把各个时代,各个国家都反映给我们看。每张片子只映几秒钟,但是它却代表整个的一生——充满了斗争和胜利的一生。我们现在来看看这些殉道者行列中的人吧——除非这个世界本身遭到灭亡,这个行列是永远没有穷尽的。

我们现在来看看一个挤满了观众的圆形剧场吧。讽刺和幽默的语言像潮水一般从阿里斯托芬①的《云》喷射出来。雅典最了不起的一个人物,在人身和精神方面,都受到了舞台上的嘲笑。他是保护人民反抗“三

① 阿里斯托芬(约公元前446—前385),古代希腊喜剧作家。他在剧本《云》里猛烈攻击苏格拉底。

十僭主"[①]的战士。他名叫苏格拉底[②],在混战中救了阿尔基比阿德斯和色诺芬,他的天才超过了古代的神仙。他本人就在场。他从观众的凳子上站起来,走到前面,让那些正在哄堂大笑的人可以看看,他本人和戏台上嘲笑的那个对象究竟有什么相同之处。他站在他们面前,高高地站在他们面前。

你,多汁的、绿色的毒萝卜树,雅典的阴影不是橄榄树而是你[③]!

七个城市国家[④]在彼此争辩,都说荷马是在自己城里出生的——这也就是说,在荷马死了以后!请看看他活着的时候吧!他在这些城市里流浪,靠朗诵自己的诗篇过日子。他一想起明天的生活,头发就变得灰白起来。他,这个伟大的先知者,是一个孤独的瞎子。锐利的荆棘把这位诗中圣哲的衣服撕得稀烂。

但他的歌仍是活着的;通过这些歌,古代的英雄和神仙也获得了生命。

图画一幅接着一幅地从日出之国,从日落之国现出来。这些国家在空间和时间方面彼此的距离很远,然而它们却有着同样的光荣的荆棘路。生满了刺的蓟只有在它装饰着坟墓的时候,才开出第一朵花。

骆驼在棕榈树下面走过。它们满载着靛青和贵重的财宝。这些东西是这国家的君主送给一个人的礼物——这个人是人民的欢乐,是国家的光荣。嫉妒和毁谤逼得他不得不从这国家逃走,只有现在人们才发现他。这支骆驼队现在快要走到他避乱的那个小镇。人们抬出一具可怜的尸体走出城门,骆驼队停下来了。这个死人就正是他们所要寻找的那个人:菲尔多西[⑤]——光荣的荆棘路在这儿告一段落!

---

① 僭主政治,指用武力夺取政权而建立的个人统治。公元前7至前6世纪,希腊各城邦形成时期,较广泛地出现过这种政权形式。公元前404年,斯巴达打败雅典,在雅典扶植一个三十人的委员会,后来被称为"三十僭主政府"。

② 苏格拉底(公元前470—前399),古代希腊哲学家。他曾在一次战争中救过雅典政治家和军事家阿尔基比阿德斯(约公元前450—前404)的生命。在另一次战争中救过他的学生希腊历史学家、军事家和政论家色诺芬(约公元前444—前354)的生命。

③ 雅典政府逼迫苏格拉底喝毒葡萄酒自杀。

④ 古代希腊的每个城市是一个国家。

⑤ 这是波斯的伟大诗人 Abul Kasim Mansur(940—1020?)的笔名,叙事诗《王书》(*Shahnama*)的作者。这部诗有六万行,是波斯国王请他写的,并且答应给他每行一块金币。但是诗完成后,国王的大臣却给他每行一块银币。他在盛怒之下写了一首诗讽刺国王的恶劣。这首诗现在就成了《王书》的序言。待国王追捕他时,他已经逃出了国境。

在葡萄牙的京城里，在王宫的大理石台阶上，坐着一个圆面孔、厚嘴唇、黑头发的非洲黑人，他在向人求乞。他是卡蒙斯[①]的忠实的奴隶。如果没有他和他求乞得到的许多铜板，他的主人——叙事诗《卢济塔尼亚人之歌》的作者——恐怕早就饿死了。

现在卡蒙斯的墓上立着一座贵重的纪念碑。

还有一幅图画！

铁栏杆后站着一个人。他像死一样的惨白，长着一脸又长又乱的胡子。

"我发明了一样东西——这是一个许多世纪以来最伟大的发明，"他说，"但是人们却把我放在这里关了二十多年！"

"他是谁呢？"

"一个疯子！"疯人院的看守说，"这些疯子的怪想头才多呢！他相信人们可以用蒸汽推动东西！"

这人名叫萨洛蒙·得·高斯[②]，黎塞留[③]读不懂他的预言性的著作，因此他死在疯人院里。

现在哥伦布出现了。街上的野孩子常常跟在他后面讥笑他，因为他想发现一个新世界——而且他居然发现了。欢乐的钟声迎接他胜利的归来，但嫉妒的钟声敲得比这还要响亮。他，这个发现新大陆的人，这个把美洲黄金的土地从海里捞起来的人，这个把一切贡献给他的国王的人，所得到的酬报是一条铁链。他希望把这条链子放在他的棺材上，让世人可以看到他的时代所给予他的评价[④]。

图画一幅接着一幅地出现。光荣的荆棘路真是没有尽头。

在黑暗中坐着一个人，他要量出月亮里山岳的高度。他探索星球与行星之间的太空。他这个巨人懂得大自然的规律。他能感觉到地球在他的脚

---

① 全名是 Luiz Vaz de Camões(1524？—1580)，葡萄牙最伟大的诗人。他的叙事诗《卢济塔尼亚人之歌》(*Os Lusiadas*)是葡萄牙最伟大的史诗。他生前曾多次被关进监狱。

② 高斯(Salomon de Caus, 1576—1626)，法国科学家，他的著作《动力与各种机器的关系》(*Raisons des forces mouvantes avec diverses machines*)，说明蒸汽的原理。

③ 黎塞留(Richelieu，1585—1642)，法国首相，曾有一段时间拥有国家最高的权力。

④ 1500 年 8 月 24 日，西班牙政府派人到美洲去把哥伦布逮捕起来，用铁链子把他套着，送回西班牙。

下转动。这人就是伽利略。老迈的他,又聋又瞎,坐在那儿,在尖锐的苦痛和人间的轻视中挣扎。他几乎没有气力提起他的一双脚:当人们不相信真理的时候,他在灵魂的极度痛苦中曾经在地上跺着这双脚,高呼道:"但是地在转动呀!"

这儿有一个女子,她有一颗孩子的心,但是这颗心充满了热情和信念。她在一个战斗的部队前面高举着旗帜;她为她的祖国带来胜利和解放。空中起了一片狂欢的声音,于是柴堆烧起来了:大家在烧死一个巫婆——贞德。是的,在接下来的一个世纪中人们唾弃这朵纯洁的百合花,但智慧的鬼才伏尔泰却歌颂《拉·比塞尔》①。

在微堡的宫殿里,丹麦的贵族烧毁了国王的法律。火焰升起来,把这个立法者和他的时代都照亮了,同时也向那个黑暗的囚楼送进一点彩霞。他的头发斑白,腰也弯了;他坐在那儿,用手指在石桌上刻出许多线条。他曾经统治过三个王国。他是一个民众爱戴的国王;他是市民和农民的朋友:克利斯仙二世②。他是一个莽撞时代的一个有性格的莽撞人。敌人写下他的历史。我们一方面不忘记他的血腥的罪过,一方面也要记住:他被囚禁了二十七年。

有一艘船从丹麦开出去了。船上有一个人倚着桅杆站着,向汶岛作最后的一瞥。他是杜却·布拉赫③。他把丹麦的名字提升到星球上去,但他所得到的报酬是讥笑和伤害。他跑到国外去。他说:"处处都有天,我还要求什么别的东西呢?"他走了;我们这位最有声望的人在国外得到了尊荣和自由。

"啊,解脱!只愿我身体中不可忍受的痛苦能得到解脱!"好几个世纪以来我们就听到这声音。这是张什么画片呢?是格里芬菲尔德④——丹麦

---

① 伏尔泰(Voltaire,1694—1779),是法国著名的作家。《拉·比塞尔》是他写的一部关于贞德的史诗。

② 丹麦的国王克利斯仙二世(Christian den Anden,1481—1559),联合农民和市民反对贵族的专权,但他终于被贵族推翻,而被囚禁起来。他曾经连年对外进行过战争。

③ 杜却·布拉赫(1546—1601),是丹麦著名的天文学家。丹麦在汶岛(Hveen)的天文台就是他建立的。"杜却星球"也是他发现的。

④ 格里芬菲尔德(Peder Griffenfeld,1635—1699),是丹麦的一个大政治家。他的政策是发展工商业以增加国家财富;但首要的条件是保持国际间的和平,特别是与丹麦的邻邦瑞典保持和平。1675 年丹麦对瑞典宣战,1676 年 3 月格里芬菲尔德被捕,被判处死刑,后改为终身囚禁。

的普罗米修斯——被铁链锁在木克荷尔姆石岛上的一幅画。

我们现在来到美洲,来到一条大河的旁边。有一大群人集拢来,据说有一艘船可以在坏天气中逆风行驶,因为它本身具有抗拒风雨的力量。那个相信能够做到这件事的人名叫罗伯特·富尔敦[①]。他的船开始航行,但是它忽然停下来了。观众大笑起来,并且还"嘘"起来——连他自己的父亲也跟大家一起"嘘"起来:

"自高自大!糊涂透顶!他现在得到了报应!应该把这个疯子关起来才对!"

一根小钉子摇断了——刚才机器不能动就是因为这个缘故。轮子转动起来了,轮翼在水中向前推进,船在开行!蒸汽机的杠杆把世界各国间的距离从钟头缩短成为分秒。

人类啊,当灵魂懂得它的使命后,你能体会到在这清醒的片刻中所感到的幸福吗?在这片刻中,你在光荣的荆棘路上所得到的一切创伤——即使是你自己所造成的——也会痊愈,恢复健康、力量和愉快;噪音变成谐声,人们可以在一个人身上看到上帝的仁慈,而这仁慈通过一个人普及到大众。

光荣的荆棘路看起来像环绕着地球的一条灿烂的光带。只有幸运的人才被送到这条带上行走,才被指定为建筑那座连接上帝与人间的桥梁的、没有薪水的总工程师。

历史拍着它强大的翅膀,飞过许多世纪,同时在光荣的荆棘路的这个黑暗背景上,映出许多明朗的图画,来鼓起我们的勇气,给予我们安慰,促进我们内心的平安。这条光荣的荆棘路,跟童话不同,并不在这个人世间走到一个辉煌和快乐的终点,但是它却超越时代,走向永恒。

---

① 富尔敦(Robert Fulton,1765—1815),美国发明家。他设计和建造了美国第一艘用蒸汽机推动的轮船。

经典译林

Yilin Classics

书名	单价	书名	单价
癌症楼	78.00 元	艾青诗集	35.00 元
爱的教育	39.00 元	爱丽丝漫游奇境	29.00 元
安娜·卡列尼娜	65.00 元	安徒生童话选集	42.00 元
傲慢与偏见	36.00 元	奥德赛	92.00 元
八十天环游地球	32.00 元	巴黎圣母院	42.00 元
白洋淀纪事	39.00 元	百万英镑	35.00 元
包法利夫人	38.00 元	悲惨世界（上、下）	98.00 元
背影	28.00 元	被侮辱与被损害的人	39.00 元
边城	36.00 元	变色龙：契诃夫中短篇小说集	39.00 元
变形记 城堡	38.00 元	草叶集：惠特曼诗选	39.00 元
茶馆	32.00 元	茶花女	35.00 元
查拉图斯特拉如是说	38.00 元	沉思录	29.00 元
城南旧事	29.00 元	大卫·科波菲尔（上、下）	79.00 元
当代英雄	45.00 元	稻草人	29.00 元
地心游记	32.00 元	飞鸟集·新月集：泰戈尔诗选	39.00 元
飞向太空港	39.00 元	福尔摩斯探案集	58.00 元
复活	42.00 元	傅雷家书	49.00 元
富兰克林自传	36.00 元	钢铁是怎样炼成的	39.00 元
高老头	39.00 元	格列佛游记	35.00 元
格林童话全集	49.00 元	给青年的十二封信	38.00 元

书名	单价	书名	单价
古希腊悲剧喜剧集（上、下）	118.00 元	海底两万里	38.00 元
红楼梦	69.00 元	红与黑	49.00 元
呼兰河传	35.00 元	呼啸山庄	39.00 元
基督山伯爵（上、下）	108.00 元	纪伯伦散文诗经典	42.00 元
寂静的春天	35.00 元	假如给我三天光明	32.00 元
简 · 爱	39.00 元	金银岛	35.00 元
经典常谈	29.00 元	荆棘鸟	45.00 元
静静的顿河	128.00 元	镜花缘	49.00 元
局外人 · 鼠疫	38.00 元	菊与刀	35.00 元
克雷洛夫寓言	32.00 元	宽容	32.00 元
昆虫记	39.00 元	老人与海	32.00 元
理想国	45.00 元	聊斋志异	55.00 元
列那狐的故事	39.00 元	猎人笔记	38.00 元
林肯传	39.00 元	鲁滨逊漂流记	39.00 元
鲁迅杂文选集	36.00 元	绿山墙的安妮	36.00 元
罗马神话	16.80 元	罗生门	39.00 元
骆驼祥子	32.00 元	美丽新世界	35.00 元
名人传	39.00 元	拿破仑传	49.00 元
呐喊	29.00 元	牛虻	38.00 元
欧 · 亨利短篇小说选	36.00 元	欧也妮 · 葛朗台	32.00 元
彷徨	32.00 元	培根随笔全集	38.00 元
飘（上、下）	88.00 元	普希金诗选	42.00 元
骑鹅旅行记	36.00 元	乞力马扎罗的雪	39.80 元
热爱生命 · 海狼	38.00 元	人间草木：汪曾祺散文精选	49.00 元

书名	单价	书名	单价
人类群星闪耀时	36.00 元	人性的弱点	39.00 元
日瓦戈医生	68.00 元	儒林外史	42.00 元
三个火枪手	59.00 元	三国演义	59.00 元
沙乡年鉴	42.00 元	莎士比亚喜剧悲剧集	49.00 元
少年维特的烦恼	28.00 元	神秘岛	48.00 元
神曲（共三册）	128.00 元	十日谈	68.00 元
世说新语（上、下）	89.00 元	双城记	45.00 元
水浒传	69.00 元	四世同堂（上、下）	78.00 元
苔丝	39.00 元	谈美	35.00 元
谈美书简	36.00 元	汤姆·索亚历险记	32.00 元
汤姆叔叔的小屋	45.00 元	唐诗三百首	39.00 元
堂吉诃德	78.00 元	天方夜谭	42.00 元
童年	38.00 元	童年·在人间·我的大学	49.00 元
瓦尔登湖	36.00 元	我是猫	39.00 元
乌合之众	35.00 元	物种起源	42.00 元
雾都孤儿	44.00 元	西顿野生动物故事集	38.00 元
西游记	62.00 元	希腊古典神话	49.00 元
乡土中国	36.00 元	小妇人	45.00 元
小王子	29.00 元	星星离我们有多远	35.00 元
喧哗与骚动	58.00 元	羊脂球	38.00 元
一九八四	36.00 元	一间自己的房间	36.00 元
伊利亚特	82.00 元	伊索寓言：555 则	36.00 元
尤利西斯	58.00 元	约翰·克利斯朵夫（上、下）	98.00 元
月亮和六便士	45.00 元	战争与和平（上、下）	108.00 元

书名	单价	书名	单价
朝花夕拾	22.00 元	中国民间故事	39.00 元
子夜	49.00 元	最后一课	36.00 元
罪与罚	66.00 元